Sadlier

CREEMOS™

Somos el pueblo de Dios

HACIENDO DISCÍPULOS
Orar
Conocer
Celebrar
Compartir
Expresar
Vivir

Sexto curso

Sadlier

This advanced publication copy is pending Spanish language verification.

Esta publicación es un avance de la próxima edición en español que está en revisión.

Acknowledgments

Excerpts from the English translation of *The Roman Missal*, © 2010, International Committee on English in the Liturgy, Inc. All rights reserved.

Scripture excerpts are taken from the *New American Bible with Revised New Testament and Psalms* Copyright ©1991, 1986, 1970, Confraternity of Christian Doctrine, Inc., Washington, D.C. Used with permission. All rights reserved. No part of the *New American Bible* may be reproduced by any means without permission in writing from the copyright owner.

Excerpts from *La Biblia con Deuterocanónicos, versión popular*, copyright ©1966, 1970, 1979, 1983, William H. Sadlier, Inc. Distribuido con permiso de la Sociedad Bíblica Americana. Reservados todos los derechos.

Excerpts from *La Biblia católica para jóvenes* ©2005, Instituto Fe y Vida. All rights reserved.

Excerpts from the English translation of *Lectionary for Mass* ©1969, 1981, International Committee on English in the Liturgy, Inc. (ICEL) excerpts from the English translation of Rite of Confirmation (2nd Edition) © 1975, ICEL; excerpts from the English translation of *Rite of Penance* ©1974, ICEL; excerpts from the English translation of *The Liturgy of the Hours* ©1974, ICEL; excerpts from the English translation of *A Book of Prayers* ©1982, ICEL; excerpts from the English translation of the *Book of Blessings* ©1988, ICEL. All rights reserved.

Excerpts from the *Misal Romano* ©1993, Conferencia Episcopal Mexicana, Obra Nacional de la Buena Prensa, A.C., Apartado M-2181, 06000 México, D.F. All rights reserved.

Excerpts from *Catholic Household Blessings and Prayers* ©1988, United States Conference of Catholic Bishops, Inc., Washington, D.C. Used with permission. All rights reserved.

Excerpts from *Illustrated Prayers, Blessings, and Hymns* ©1954, KTAV Publishing House, Hoboken, N.J. Used with permission. All rights reserved.

The English translations of the *Gloria Patri,* the *Gloria in excelsis,* the Lord's Prayer, the Apostles' Creed, and the Nicene Creed by the International Consultation on English Texts (ICET).

Excerpt from Pope Francis's *Evangelii Gaudium, Apostolic Exhortation on the Proclamation of the Gospel in Today's World,* November 24, 2013, copyright © Vatican Publishing House, Libreria Editrice Vaticana.

"God, Creator, God Most High" ©1998, Janet Vogt. Published by OCP Publications, 5536 NE Hassalo, Portland, OR 97213. All rights reserved. Used with permission. "Nueva creación" ©1979, Cesáreo Gabaráin. Obra publicada por OCP Publications, 5536 NE Hassalo, Portland, OR 97213. Derechos reservados. Usada con permiso. "Cántico del Exodo" Respuesta II ©1982, SOBICAIN. Derechos reservados. Con las debidas licencias. Respuesta I y estrofas, ©1994, Eleazar Cortés. Obra publicada por OCP Publications. Derechos reservados. Música: ©1994, 2000, Eleazar Cortés. Obra publicada por OCP Publications. Derechos reservados. Usada con permiso. "En ti confío" ©1997, Eleazar Cortés. Obra publicada por OCP Publications. Derechos reservados. Usada con permiso. "Be Not Afraid" ©1975, 1978, Robert J. Dufford, S.J., and New Dawn Music. Published by OCP Publications. All rights reserved. Used with permission. "Un pueblo que camina" ©1973, Emilio Vicente Matéu y Ediciones Musical PAX–PPC.

Derechos reservados. Administradora exclusiva en EE.UU.: OCP Publications. Usada con permiso. "City of God" ©1981, 1992, Daniel L. Schutte and New Dawn Music. Published by OCP Publications. All rights reserved. Used with permission. "El Señor es mi pastor" Letra: ©1982, SOBICAIN. Derechos reservados. Con las debidas licencias. Música: ©1972, Manuel de Terry y Ediciones PAX–PPC. Derechos reservados. Administradora exclusiva en USA y Canada: OCP Publications. Usada con permiso. "Salmo 121: Qué alegría" Letra: 1982, SOBICAIN. Derechos reservados. Con las debidas licencias. Música: ©1992, Armida Grajeda. Obra publicada por OCP Publications. Derechos reservados. Usada con permiso. English refrain text from *Lectionary for Mass* ©1969, 1981, 1997, International Committee on English in the Liturgy, Inc. All rights reserved. Used with permission. English verses text ©Jaime Cortez. Published by OCP Publications. All rights reserved. Used with permission. "Prepare the Way" ©1997, Paul Inwood. Published by OCP Publications. All rights reserved. Used with permission. "Salmo 97: Los confines de la tierra" Letra: ©1982, SOBICAIN. Derechos reservados. Con las debidas licencias. Música: Manuel F. García, ©1984, OCP Publications. Derechos reservados. Usada con permiso. "Psalm 98: All the Ends of the Earth" Refrain text from Lectionary for Mass ©1969, 1981, 1997, International Committee on English in the Liturgy (ICEL). All rights reserved. Used with permission. Verse text ©1970, 1997, 1998, CCD. All rights reserved. Used with permission. Music: ©1999, 2000, Barbara Bridge. Published by OCP Publications. All rights reserved. Used with permission. "Profetiza" Rosa Martha Zárate Macías, ©1992, G.I.A. Publications, Inc. Derechos reservados. Con las debidas licencias. Usada con permiso. "Though the Mountains May Fall" ©1975, Daniel L. Schutte and New Dawn Music. Published by OCP Publications. All rights reserved. Used with permission. "Salmo 26: El Señor es mi luz" Letra: ©1982, SOBICAIN. Derechos reservados. Con las debidas licencias. Música: ©Alberto Taulé. Obra publicada por OCP Publications. Derechos reservados. Usada con permiso. "Christ, Be Our Light" ©1993, Bernadette Farrell. Published by OCP Publications. All rights reserved. Used with permission. "Misericordia, Señor" ©1982, Joaquín Madurga y San Pablo Comunicación, SSP. Derechos reservados. Administradora exclusiva en EE.UU.: OCP Publications. Usada con permiso. "My God, My God" ©1988, Christopher Walker. Published by OCP Publications. All rights reserved. Used with permission. "Resucitó/He Is Risen" ©1972, 1988, Francisco (Kiko) Gómez Argüello y Ediciones Musical PAX–PPC. Derechos reservados. Administradora exclusiva en EE.UU.: OCP Publications. Usada con permiso. "Pescador de hombres/Lord, You Have Come" ©1979, 1987, Cesáreo Gabaráin. English translation by Robert C. Trupia. Obra publicada por OCP Publications. Derechos reservados. Usada con permiso. "Jesus Is Risen" Refrain and music ©1992, Barbara Bridge. Verse 3 ©1992, Owen Alstott. Published by OCP Publications. All rights reserved. Used with permission. "La buena nueva" Letra y música: Gloria Aguilar, ©1989, OCP Publications. Derechos reservados. Usada con permiso. "God Has Chosen Me" ©1990, Bernadette Farrell. Published by OCP Publications. All rights reserved. Used with permission. "Quién dicen que soy yo" Letra y música ©1992, Jaime Cortez. Obra publicada por OCP Publications. Derechos reservados. Usada con permiso. "Who Am I?" ©1999, 2000, Paule Freeburg, D.C. and Christopher Walker. Published by OCP Publications. All rights reserved. Used with permission. "Envía tu Espíritu" ©1988, Bob Hurd. Published by OCP Publications. All rights reserved. Used with permission.

William H. Sadlier, Inc.
9 Pine Street
New York, NY 10005-4700

ISBN: 978-0-8215-6106-5

1 2 3 4 5 6 7 8 9 WEBC 20 19 18 17 16

El subcomité para el Catecismo de la Conferencia de Obispos Católicos de los Estado Unidos consideró que esta serie catequética, copyright 2015, está en conformidad con el *Catecismo de la Iglesia Católica*.

The subcommittee on Catechism, United States Conference of Catholic Bishops, has found this catechetical series, copyright 2015, to be in conformity with the *Catechism of the Catholic Church*.

Photo Credits

Cover: Alamy/imageBROKER/Gunter Lenz: *camel caravan, Broome, Western Australia*; Corbis Corporation/Scott Speakes: *Torah scroll*; SuperStock/Stock Connection: *Church of All Nations, Jerusalem.* Interior: age fotostock/billperry: R54 *top*, R55 *top*; Blend Images/Karin Dreyer: R42; Eitan Simanor: R54 *bottom*, R55 *bottom*, R52, Lucas Vallecillos: R52. AKG-Images: 336, 337; Stefan Diller: 163. Alamy/ArkReligion.com: 236, 237; Art Directors & TRIP: 287 *bottom*; Danita Delimont/Cindy Miller Hopkins: 235; Design Pics Inc/Con Tanusiak: R51; Peter Griffen: 368, 378 *bottom*; Andre Jenny: 193; JJM Stock Photography: xvi *bottom*; Inge Johnnson: 369, 379; Ryan McGinnis: 165 *top*; Mode/Richard Gleed: 78 *bottom*, 79 *bottom*, 220 *right*, 221 *top right*; David Noton Photography: 87, 251; Phil Crean A: xvii *bottom*; Purestock: 279; Andrea Rescigno: 35; The London Art Archive: 292, 293; Tetra Images: 43 *inset*; World History Archive: 248. AP Photo: xv *bottom*; Suzanne Plunkett: 205; Francisco Seco: R53. Ars Jesuitica/Institute of Jesuit Sources: 150, 151. Art Resource, NY: 140; Bridgeman-Giraudon: 242, 243; Erich Lessing: 226–227; Réunion des Musées Nationaux-Grand Palais: 22, 23; Scala: 108 *bottom*, 126, 127, 322, 323; The Art Achive/Alfredo Dagli Orti: 136, 137; The Art Archive/Alfredo Dagli Orti: 136, 137, 154, 222, 342; Gianni Dagli Orti: 72–73. Jane Bernard: 90, 164 *bottom*, 165 *bottom*. BiblePlaces.com: 268A, 268B. Bridgeman Images: 305; Cathy Baxter: 249; Christie's Images/Herbert Gustave Schmalz: 246–247 *bottom*; Hermitage, St. Petersburg, Russia: 229; Laura James: 288; Kunsthistorisches Museum, Vienna, Austria: 60; Museum of the City of New York, USA: 63; New-York Historical Society, New York: 108 *top*, 109 *top*. Bruce Coleman Inc/Photoshot/Ernie Janes: 13 *center*. Karen Callaway: 81 *top*, 94 *top left*, R39, 190, 315, 340. Catholic News Service: 65. Catholic Relief Services: 194, 195. Clipart.com: 48, 62, 134, 221 *bottom*. Corbis/ Auslöser: 259 *top*; Adrian Burke: 51; Danilo Calilung: 124–125 *background*; Demotix/Fulvio Dalfelli: 372, 382; Darrell Gulin: 46–47; Rune Hellestad: 79 *top*; Image Plan: 326–327 *background*; JAI/Doug Pearson: 96A, 96B; David Lees: 206; Fabrice Lerouge: R44, R45; Gabe Palmer: 110–111; Reuters: 64; Tony Gentile: 37 *top*; Tom Stewart: 12 *center*; Greg Schuster: R41; Farinaz Taghavi: 96–97 *background*; Penny Tweedie: 128. Digital Stock: 86, 164 *top*, 250, 300–301. Digital Vision: 36 *bottom*. Octavio Duran, OFM: 330. Everett Collection: 246–247 *inset*. Neal Farris: 38–39, 138–139, 152 *bottom*, 153 *top*, 183, 196–197, 210–211, 210–211 *background*, 224, 258 *top*, 283, 296–297, 310–311 *background*, 310–311 *bottom*, 324–325, 328, 331, 366 *bottom*, 376 *bottom*. Getty Images/AFP/Gabriel Bouys: 209 *top*; British Library/Robana: 367, 377; Steve Casimiro: 132 *top*; Andy Caulfield: 341; Yasuyoshi Chiba: R43; Janis Christie: 231; Martial Colomb: 253; Davies & Starr: 44 *background*; Digital Vision: 132 *bottom*; Don Grall: 15; Philip Lee Harvey: 241; Howard Kingsnorth: 238–239 *background*; Photo Alto Agency: 174; Photodisc: 42–43; StockTrek: 149; Eitan Simanor: 112–113; Frank Siteman: 252; Stockbyte: 42 *center*; Maria Taglienti: 133; VCL: 44; Alex Williamson: 61; Zephyr Picture: 278. Good Salt/Lars Justinen: R20. Grant Heilman Photography/Larry Lefever: 50. Ken Karp: 10, 11, 13 *left*, 24–25, 32–33, 40 *inset*, 52 *bottom*, 56–57, 66 *left*, 66 *right*, 67, 80, 81 *bottom*, R34 *top*, R35 *top*, 96–97, 124–125, 141, 182, 238, 268–269, 332 *top*, 338, 339, 366 *bottom*, 376 *bottom*. Library of Congress/New York World-Telegram & Sun Collection/Dick DeMarsico: 192. Greg Lord: 374 *top*, 384 *top*. Maria Pia Marrella: 240. Mary Evans Picture Library/La Bible en Estampes: 181. Masterfile: R25, R25; J. David Andrews: 52–53 *background*; Nora Good: 12 *top*. Matton Images, LLC/Phovoir: 220 *left*, 221 *top left*. Photodisc: 34, 42, 43 *bottom*, 225 *top left*, 228–229. PhotoEdit/Spencer Grant: 255; Michael Newman: 43 *top*; David Young-Wolff: 343. Photolibrary/Index Stock Imagery/Con Tanasluk: 309 *bottom*. PictureQuest/Corbis: 172. Punchstock/PhotoAlto: 173. Redemptorist Fathers of New York/Mary Conway: 295. St. Bonaventure University: 223. Used under license from Shutterstock.com/Denis Barbulat: 369, 379; Hibrida: xiv *bottom*, xv *top*, xvii *top*; hoperan: 370, 380; LiliGraphie: 365, 366 *inset*, 375, 376 *inset*; Monkey Business Images: R38; Anton Novik: 20; Shooter Bob Square Lenses: R48–R49; Joseph Sohm: R18–R19; Justyna Zawadzka: 42 *center*. Sisters of the Good Shepherd: 281 *bottom*; Sr. Marguerite Bartling, RGS: 280 *bottom*. SuperStock: R21, 373, 383; Blend Images: R34 *bottom*, R35 *bottom*; Francisco Cruz: 230; Richard Cummins: 49; NiceMonkey: R40; Kevin Radford: 204; Robert Harding Picture Library: 374 *bottom*, 384 *bottom*; Steve Vidler: 286. The Crosiers/Gene Plaisted, OSC: 14, R28, R29, 135. The Image Works/ John Berry: 287 *top*; Topham: 219 *inset*; Jim West: 42 *top*. Ursuline Sisters of Cleveland/© 1984 Kris Smith: 280 *top*, 281 *top*. Courtesy, The Vatican Observatory: 36 *top*. Nicholas J.T. Wheeler: 214–215. W.P. Wittman Ltd: 40–41, 41 *inset*, 95, 148, 175, 191, 262, 263, 267, 282–283, 294 *inset*, 308 *bottom*, 314, 327, 368 *top*, 370, 378 *top*, 380. Wikimedia Commons: 208, 308 *top*, 309 *top*; Alienlanus: xvi *top*; Charlie29: xiv *top*.

Illustrator Credits

Series Patterned Background Design: Evan Polenghi. Bassino & Guy: 62, 63. Rayne Beaudoin: 148, 149, 323, 344, 345. Brian Biggs: 22, 23, 76, 77, 334, 335. Gerald Bustamante: 216–217. Lynne Cannoy: 100–101. Sue Climpson: 302–303. Stephanie Dalton Cowan: 140–141. Dennis Doheny: 126–127. James Elston: 109. Ryan Etter: 10–11. Luigi Galante: 202–203, 218–219. Kevin Ghiglione 123, 132–133. Patrick Faricy: 306. Nick Harris: 70, 71, 198–199, 304–305. Darren Hopes: 118–119. D.B. Johnson: 290–291. W.B. Johnston: 60–61, 146–147 *frames*. Michael Kilfoy: 56–57. Dave Lafleur: 58–59, 142–143, 307. Ray Lago: 130–131, 144–145, 217. Bill Latta: 12–13, 98–99, 116–117, 184–185, 186–187, 270–271, 272–273. Polly Law: 204–205, 226–227, 288–289. Joe LeMonnier: xiv, xv, xvii. Lori Lohstoeter: 30–31. Raphael Lopez: 44–45. Jim Madsen: 54–55, 74, 75, 78, 122, 276–277, 285 *inset*. John F. Martin: 212–213. John Mattos: 188–189, 232–233. Frank Ordaz: 104–105, 114–115, 146–147, 244–245, R50. Donna Perrone: 18–19, 24–25. Lou Pollock: 28–29 *scripture type*. Charlene Potts: 214–215. Rodica Prato: 154–155, 312–313. Jesse Reisch: 28–29. Maria Rendon: 80–85, 88–93, 94, 95, 166–171, 172, 173, 174–179, 180, 181, 252–257, 258, 259, 260–265, 266, 267, 316–317, 338–343, 344, 345. Roy Scott: 332–333. Peter Siu: 329. Neil Slave: 200–201, 298–299. Steve Stankiewicz: 158–159. Susan Tolonen: 64, 65. Elisabeth Trostli: 16–17, 160–161, 162. Sally Jo Vitsky: 314–315. Tracy Walker: 68–69.

El programa *Creemos/We Believe* de Sadlier fue desarrollado por un reconocido equipo de expertos en catequesis, desarrollo del niño y currículo a nivel nacional. Estos maestros y practicantes de la fe nos ayudaron a conformar cada lección a la edad de los niños. Además, un equipo de respetados liturgistas, catequistas, teólogos y ministros pastorales compartieron sus ideas e inspiraron el desarrollo del programa.

Contribuyentes en la inspiración y el desarrollo de este programa:

Dr. Gerard F. Baumbach
Profesor emérito, Instituto para la vida de
   la Iglesia
Director emérito programa Echo
Universidad de Notre Dame

Carole M. Eipers, D.Min.
Vicepresidenta y Directora Ejecutiva
   de Catequesis
William H. Sadlier, Inc.

Consultores en teología

Reverendísimo Donald Cardinal Wuerl, M.A., S.T.D.
Arzobispo de Washington

Reverendísimo Edward K. Braxton, Ph.D., S.T.D.
Consultor teólogo oficial
Obispo de Belleville

Reverendo Joseph A. Komonchak, Ph.D.
Profesor, Escuela de Estudios Religiosos
Catholic University of America

Reverendísimo Richard J. Malone, Th.D.
Obispo de Búfalo

Reverendo Monseñor John E. Pollard, S.T.L.
Pastor, Basílica Reina de Todos los Santos
Chicago, IL

Consultores en la escritura

Reverendo Donald Senior, CP, Ph.D., S.T.D. Miembro,
Comisión Bíblica Pontificia
Presidente, Catholic Theological Union
Chicago, IL

Consultores en liturgia y catequesis

Patricia Andrews
Directora de Educación Religiosa
Parroquia Nuestra Señora de Lourdes
Slidell, LA

Reverendo Monseñor John F. Barry P.A.
Párroco, Parroquia American Martyrs
Manhattan Beach, CA

Reverendo Monseñor John M. Unger
Superintendente Catequesis y Evangelización
Arquidiócesis de San Luis

Thomas S. Quinlan
Director oficina educación religiosa
Diócesis de Joliet

Consultores en currículo y desarrollo del niño

Hermano Robert R. Bimonte, FSC
Presidente, NCEA

Hna. Carol Cimino, SSJ, Ed.D.
Superintendente de escuelas católicas de la
   diócesis de Búfalo

Gini Shimabukuro, Ed.D.
Profesora asociada
Institute for Catholic Educational Leadership
Escuela de Educación
Universidad de San Francisco

Doctrina social de la Iglesia

John Carr
Director ejecutivo
Initiative on Catholic Social Thought and Public Life
Georgetown University

Joan Rosenhauer
Vicepresidenta ejecutiva, operaciones en EE.UU
Catholic Relief Services
Baltimore, MD

Consultores en multicultura

Reverendo Allan Figueroa Deck, S.J., Ph.D., S.T.D.
Rector de la comunidad jesuita
Profesor de la cátedra Charles Casassa,
    Valores Sociales
Universidad Loyola Marymount

Kirk P. Gaddy, Ed.D.
Middle School Team Leader/Religion Teacher
St. Francis International
School Silver Spring, MD

Reverendo Nguyen Viêt Hung
Comité vietnamita de catequesis

Dulce M. Jiménez-Abreu
Directora de programas en español
William H. Sadlier, Inc.

Consultores en mariología

Hermana M. Jean Frisk, ISSM, S.T.L.
Instituto International de investigaciones marionar
Dayton, OH

Consultores en medios y tecnología

Hermana Judith Dieterle, SSL
Ex Presidenta, Asociación Nacional de Profesionales
    en Catequesis y Medios

Consultores en catequesis bilingüe

Rosa Monique Peña, OP
Arquidiócesis de Miami

Reverendísimo James Tamayo D.D.
Obispo de Laredo
Laredo, TX

Maruja Sedano
Directora, Educación Religiosa
Arquidiócesis de Chicago

Timoteo Matovina
Departamento de teología
Universidad de Notre Dame

Reverendo José J. Bautista
Director, Oficina del Ministerio Hispano
Diócesis de Orlando

Equipo de desarrollo

Alexandra Rivas-Smith
Vice Presidenta ejecutiva de
    Producción y administración

Joanne McDonald
Directora editorial

Regina Kelly
Supervisora editorial

William M. Ippolito
Director de planificación
    corporativa

Dignory Reina
Editora

Escritores
Christian García
Kathy Hendricks
Shannon Jones
Theresa Macdonald
Gloria Shahin

Suzan Laroquette
Directora de catequesis y servicios
    de consultoría

Judith A. Devine
Consultora nacional de ventas

Víctor Valenzuela
Consultor nacional bilingüe

Equipo de edición y operaciones

Blake Bergen
Vicepresidente de Publicaciones

Carole Uettwiller
Vicepresidenta de planificación y
    tecnología

Robert Methven
Vicepresidente, publicación digital

Vince Gallo
Senior Director creativo

Francesca O'Malley
Directora asociada de arte

Cheryl Golding
Directora de producción

Laura Reischour
Coordinadora de producción

Jovito Pagkalinawan
Director electrónico de prensa

Martin Smith
Director de planificación y análisis
    de proyectos

Yolanda Miley
Directora cuentas y permisos

Lucy Rotondi
Directora administrativa

Diseño y equipo fotográfico
Kevin Butler, Nancy Figueiredo,
Stephen Flanagan, Lorraine Forte,
Debrah Kaiser, Cesar Llacuna,
Bob Schatz, Karen Tully

Equipo de producción
Evie Alvarez, Robin D'Amato,
Carol Lin, Vincent McDonough,
Allison Pagkalinawan, Monica
Reece

We are grateful to our loyal *Creemos* users whose insights and suggestions have inspired *Creemos: Catholic Identity Edition*—the premier faith formation tool built on the six tasks of catechesis.

Indice

Contents

UNIT 1 Forming the Covenant

SEASONAL CHAPTERS

UNIT 2 Building the Covenant Nation

Tú familia está en una jornada de continuo crecimiento como discípulos de Jesucristo. Su identidad católica es fortalecida con estos nuevos componentes en su libro:

Retiros de identidad católica

ofrecen a la familia tiempo para reflexionar en lo que significa ser católico. Hay cuatro retiros en cada libro, basados en los cuatro pilares del *Catecismo de la Iglesia Católica*.

Llevando el retiro a casa le ayudará a compartir cada retiro en familia. **Qué creemos como familia católica** ayuda a toda la familia a conocer y explicar la fe católica a otros.

P y R sobre identidad católica ofrece un repaso de las enseñanzas de la Iglesia. Mientras más sabe sobre estas verdades más se fortalecerá su fe católica.

Identidad católica: Amigo del hogar ofrece a toda la familia recursos, oraciones, prácticas y otras informaciones que enriquecerán la identidad católica de toda la familia.

Información adicional para estudiantes y familias se encuentra disponible en: **religion.sadlierconnect.com** y en la aplicación: Creemos.

WeBelieve
Catholic Identity
Bilingual Edition

Your family is on a journey to continue to grow as disciples of Jesus Christ. Your Catholic Identity is strengthened through these new features:

Catholic Identity: Retreats provide time for the entire family to reflect on what it means to be Catholic. There are four retreats in each book, based on the Four Pillars of the *Catechism of the Catholic Church.*

Bringing the Retreat Home helps your family to share the theme and highlights of each retreat. **Why We Believe as a Catholic Family** helps the entire family to uphold and explain your Catholic faith to others.

Catholic Identity: Q & A offers you a way to review what the Church teaches. The more you know these truths the more you strengthen your Catholic Identity.

Catholic Identity: Home Companion provides all family members with a resource of prayers, practices, and other information to enrich your identity as a Catholic family.

CREEMOS
We Believe

Student and Family resources are available at: **religion.sadlierconnect.com** and by downloading the Creemos app.

Manteniendo vivas nuestras tradiciones

En cado grado de *Creemos* encontrará dos páginas sobre tradiciones y devociones de América Latina. Estas páginas están diseñadas para ofrecer diferentes formas en las que la Virgen María y Jesús son honrados, destacando las de los santos. Además, hay una sección que explica las celebraciones anuales en América Latina.

Catequesis en el hogar

Ahora toda su familia puede compartir con sus hijos cada capítulo de *Creemos*. Al tiempo que el contenido del capítulo es explicado su familia puede seguirlo diaria o semanalmente en la casa. En "Catequesis en el hogar" su familia encontrará sugerencias que son ofrecidas para repasar cada capítulo de *Creemos*. Toda la familia aprende y responde con una catequesis sólida y amena.

Información adicional para estudiantes y familias se encuentra disponible en: **religion.sadlierconnect.com** y en la aplicación: Creemos.

Catholic Identity
Bilingual Edition

Keeping Our Traditions Alive

Keeping Our **Traditions** Alive

**Keeping Our
Traditions** Alive

Christ in L...

CHRIST REM...

O n the ...
statue ...
and de...
in a gesture of...
War II. On the ...
las alturas y p...
to God in the h...
Like other gra...
representation ...
the statue to de...
country and th...

Marian Devotions

OUR LADY OF THE IMMACULATE
CONCEPTION OF EL VIEJO

O ur Lady of the Immaculate Conception of El Viejo is the
patroness of Nicaragua. She is venerated in the sanctuary where
thousands of pilgrims celebrate her feast on December 8. The
celebration begins on December 6, a day of penitence in which the
pilgrims gather in public to clean the silver decorations that will adorn
the statue. The feast is celebrated with a tradition called *Gritería* or
"Shouting" in honor of the Virgin Mary's conception. The festivities
also include parades, fireworks, candlelight processions, and songs. It is
a custom in Nicaragua for people to display a statue of Our Lady of the
Immaculate Conception in their homes. On her feast day, people gather
to honor Mary by singing Marian hymns in front of these homes.

NICARAGUA
Managua

Saints of America

BLESSED OSCAR ROMERO (1917–1980)

O scar Romero was appointed Archbishop of San
Salvador in 1977. As archbishop, he spoke out
against policies that oppressed the people of his
country and kept them in poverty. He asked the army to
disobey the government's order to fire on the people.
Archbishop Romero broadcast his message of peace and
denounced the violence, abuse and injustice in his country.
He became known as the "the voice of the voiceless." Many
people admired his campaign for human rights and he was
nominated for the Nobel Peace Prize. But his work for
justice also cost him his life. Archbishop Romero was
assassinated by his enemies on March 24, 1980 while
officiating at Mass in a small hospital chapel. He was
beatified on May 23, 2015.

xv

Keeping Our Traditions Alive

Each grade of *Creemos* includes two pages of
unique traditions and devotions from Latin
America. These pages are designed to offer
different ways the Virgin Mary and Jesus
are honored as well as highlighting the lives
of holy people. In addition, there is a section
that explains how yearly celebrations are
done throughout Latin America.

Catechesis at Home

Chapter 1 (pages 10–23)
God's Revelation

In this chapter your child
will learn about God's
self-Revelation through his
creation, through the Bible,
and in his Son, Jesus Christ.

For the Parents

Sacred Scripture is God's
Revelation of his plan for us.
Using the human words of
many writers inspired by the
Holy Spirit, God tells us that he
wants us to embrace him and
to share in his divine life. You might look upon
Scripture as a love story. So great is God's love for
us that he wants to adopt us as his own daughters
and sons and have us live with him for all eternity.

Every Day

* Pray the Sign of the Cross together, and the
following prayer, *Loving Father, we praise you
and thank you for all you have done for us.*

Day One **We can know God through his creation.**

* Read aloud the *We Believe* statement. Then look
at the time line on page 13 with your child.

* Read the text aloud with your child. Explain
that we can use our ability to reason to
conclude that God made us. God is our maker
and the creator of the universe.

Day Two **God makes himself known through
Divine Revelation.**

* Read aloud the *We Believe* statement. Then
alternate with your child as you read the text
aloud. Explain that Divine Revelation is God's
making himself known to us through his deeds

and by his interaction with his
people throughout history.

* Emphasize that God fully
revealed himself through his
only Son, Jesus Christ, and that
together with the Father Jesus
sent the Holy Spirit to help us
respond to God's love.

* Explain that humanity has
come to know the Blessed
Trinity—God the Father, God
the Son, and God the Holy
Spirit—through Divine
Revelation.

Day Three **God's Revelation is handed down
through the Bible and Tradition.**

* Ask your child to read aloud the statement. Then
read the text together. Emphasize that the Holy
Spirit guided the human authors of the Bible.

* Point out that Tradition is the Revelation of the
good news of Jesus as lived out in the Church.
Both the written message of Scripture and the
spoken message of Tradition are interpreted for
us by the Magisterium of the Church.

Day Four **The Bible is a collection of books.**

* Take turns reading aloud the statement and the
text that follows. Discuss literary forms, the
different ways writers get their messages across,
and Biblical citation.

We Respond in Faith

Day Five

* Ask your child to think about the ways in
which God has revealed himself to us.

Day Six

* Encourage your family to share ways that they
give thanks to God for the gift of creation.

238

Catechesis at Home

Now your whole family can share with your child each
chapter of *Creemos*. As each chapter's content is
explained, the entire family can follow along at home
with a simple family plan for each day of the week. Easy
to follow suggestions are offered for sharing each
chapter of your *Creemos* with all the members of the
family. As your child learns, you will learn. As you
respond, your child will respond. All this adds up to
shared Family Catechesis that will be both enjoyable
and inspiring!

CREEMOS
We Believe

Student and Family resources are available at:
religion.sadlierconnect.com and by downloading
the Creemos app.

Devociones Marianas

NUESTRA SEÑORA DE LA INMACULADA CONCEPCIÓN DE EL VIEJO

Nuestra Señora de la Inmaculada Concepción de El Viejo es la patrona de Nicaragua. Es venerada en el santuario donde miles de peregrinos celebran su fiesta el 8 de diciembre. La fiesta empieza con un día especial de penitencia el 6 de diciembre, cuando los fieles limpian los tesoros de plata donados a la estatua. También se celebra la tradicional fiesta llamada Gritería, en honor a la concepción de la virgen María, compuesta por grandes desfiles, fuegos artificiales, procesiones, cantos y otras actividades religiosas. Una costumbre popular durante este tiempo es la reunión de grupos que cantan himnos a María en frente de las casas en donde hay una estatua de la Inmaculada Concepción.

Santos de América

BEATO OSCAR ROMERO (1917–1980)

EL SALVADOR

⭐San Salvador

Oscar Romero fue designado arzobispo de San Salvador en 1977. Como arzobispo habló en contra de las políticas que oprimían al pueblo de su país y que lo mantenía en la pobreza. Él llamó a los militares a desobedecer la orden de disparar contra el pueblo. Romero denunciaba la violencia, el abuso y la injusticia, por medio de su mensaje radial, por eso se le llamó "La voz de los que no tenían voz". Su campaña en defensa de los derechos humanos le dio muchos admiradores y fue nominado para el Premio Nobel de la Paz, pero también le costó su vida. Fue asesinado por sus enemigos el 24 de marzo de 1980 mientras oficiaba Misa en una pequeña capilla de un hospital. Fue beatificado el 23 de mayo de 2015.

Marian Devotions

OUR LADY OF THE IMMACULATE CONCEPTION OF EL VIEJO

Our Lady of the Immaculate Conception of El Viejo is the patroness of Nicaragua. She is venerated in the sanctuary where thousands of pilgrims celebrate her feast on December 8. The celebration begins on December 6, a day of penitence in which the pilgrims gather in public to clean the silver decorations that will adorn the statue. The feast is celebrated with a tradition called *Gritería* or "Shouting" in honor of the Virgin Mary's conception. The festivities also include parades, fireworks, candlelight processions, and songs. It is a custom in Nicaragua for people to display a statue of Our Lady of the Immaculate Conception in their homes. On her feast day, people gather to honor Mary by singing Marian hymns in front of these homes.

NICARAGUA
Managua

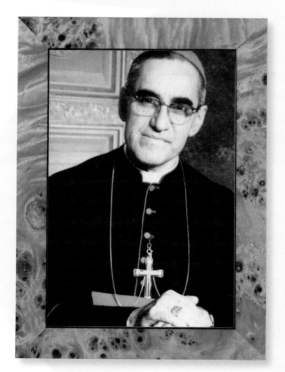

Saints of America

BLESSED OSCAR ROMERO (1917–1980)

Oscar Romero was appointed Archbishop of San Salvador in 1977. As archbishop, he spoke out against policies that oppressed the people of his country and kept them in poverty. He asked the army to disobey the government's order to fire on the people. Archbishop Romero broadcast his message of peace and denounced the violence, abuse and injustice in his country. He became known as the "the voice of the voiceless." Many people admired his campaign for human rights and he was nominated for the Nobel Peace Prize. But his work for justice also cost him his life. Archbishop Romero was assassinated by his enemies on March 24, 1980 while officiating at Mass in a small hospital chapel. He was beatified on May 23, 2015.

Cristo en Latino América

CRISTO BENDICENTE

La estatua de El Cristo Bendicente en la cima del monte San Javier en Yerba Buena, Argentina, tiene una altura de 28 metros. Muestra a Cristo mirando al pueblo con una mano levantada en señal de bendición. La estatua fue inaugurada en 1942 durante la Segunda Guerra Mundial. En la base de la escultura está la inscripción *Gloria a Dios en las alturas y paz en la tierra a los hombres de buena voluntad.* Igual que otras grandes esculturas de Cristo, esta estatua ofrece una representación visual de su amor y la misericordia. El pueblo de Argentina visita la estatua para dedicarse a Cristo y pedir por la paz en el mundo.

Tradiciones

PATRONALES

Fiestas patronales son celebraciones religiosas anuales en honor al patrón de una ciudad. Estas celebraciones pueden durar un día o nueve días, o novenario. Además de procesiones religiosas, también ofrecen celebraciones en las calles que pueden incluir bailes tradicionales, ventas de comidas y verbenas. Podemos mencionar como ejemplos Santa Librada, patrona de Las Tablas, en Panamá, celebrada el 20 de Julio. En Yucuaquin, el Salvador, la fiesta de San Francisco el 4 de octubre. En Puerto Rico, hay más de cuatrocientas fiestas patronales. La más importante es la de san Juan Bautista, patrón de San Juan, celebrada el 24 de junio. Esta fiesta, centrada en la capital, se extiende a todas partes de la isla.

Christic Identity

Christ in Latin America

CHRIST BENDICENTE

On the Hill of San Javier in Yerba Buena, Argentina, stands the statue of El Cristo Bendicente. It is about 28 meters (92 feet) tall and depicts Christ gazing out at the people with his hand raised in a gesture of blessing. The statue was dedicated in 1942 during World War II. On the base of the sculpture is the inscription, *Gloria a Dios en las alturas y paz en la tierra a los hombres de buena voluntad* "Glory to God in the highest and peace on earth to people of good will." Like other grand sculptures of Christ, this statue provides a visual representation of Christ's love and mercy. The people of Argentina visit the statue to dedicate themselves to Christ and to ask for peace for their country and the world.

ARGENTINA
Buenos Aires ⭐

Traditions

PATRONALES

Fiestas patronales are annual religious celebrations that honor a city's patron saint. These celebrations may last one to nine days or novenario. Most celebrations feature religious processions as well as street celebrations that may include amusement park rides, traditional dances, street vendors, and live singing entertainment called verbenas. Examples of fiestas patronales include Santa Librada, the patron saint of Las Tablas, Panama, celebrated on July 20. In Yucuaquín, El Salvador, October 4 marks the Fiesta Patronal de San Francisco. In Puerto Rico, more than four hundred fiestas patronales are celebrated. Puerto Rico's most important religious celebration is the festival of San Juan Bautista, patron saint of San Juan, which takes place on June 24. This fiesta, though centered in Puerto Rico's capital city of San Juan, extends to all parts of the island.

Revelación divina

Oración

Todos rezan la señal de la cruz.

Líder: Dios se nos ha revelado en la Escritura. También se ha dado a conocer en su creación y por medio de su presencia y gracia en nuestra vida diaria. Él se da a conocer mayormente en su Hijo Jesucristo. Vamos a pedir a Dios que escuche nuestras voces en oración y que abra nuestros corazones para que podamos conocerlo mejor.

Lector 1: Vamos a tomar conciencia de la presencia de Dios en cada momento de nuestra vida. Vamos a descansar en la presencia de Dios mientras rezamos.

Todos: Padre celestial, abre nuestros corazones para que podamos conocerte y verte mejor en nuestras vidas diarias.

Lector 2: Regocijémonos en los dones que Dios nos ha dado y demos gracias a Dios por todos sus dones.

Todos: Padre celestial, abre nuestros corazones para que podamos conocerte y verte mejor en nuestras vidas diarias.

Lector 1: Pidamos al Espíritu Santo que nos ayude a responder a la presencia y al amor de Dios.

Todos: Padre celestial, abre nuestros corazones para que podamos conocerte y verte mejor en nuestras vidas diarias.

Lector 2: Pidamos al Espíritu Santo que nos ilumine para que podamos ver a Dios en todas las cosas.

Todos: Padre celestial, abre nuestros corazones para que podamos conocerte y verte mejor en nuestras vidas diarias.

Líder: Padre celestial, ayúdanos a acercarnos más a ti cada día. Te lo pedimos en el nombre de Cristo tu Hijo y Señor nuestro.

Todos: Amén.

†Celebrating Catholic Identity: CREED

Divine Revelation

Prayer

All pray the Sign of the Cross.

Leader: God has revealed himself to us in Sacred Scripture. He also makes himself known to us through his creation, and through his presence and grace in our lives each day. He makes himself known to us most fully in his Son, Jesus Christ.

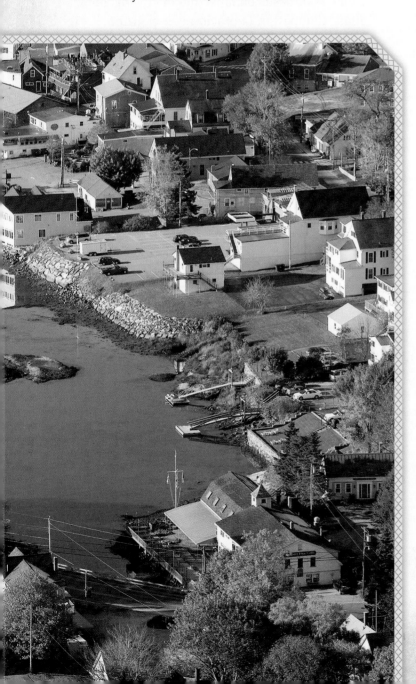

Let us ask God to hear our voice in prayer, and to open our hearts so we can know him better.

Reader 1: Let us be aware of God's presence at every moment of our day. Let us rest in God's presence as we pray.

> **All:** Lord God, open our hearts so that we may know you and see you in our lives each day.

> **Reader 2:** Let us rejoice in the gifts God has given us and give God thanks for all his gifts.

All: Lord God, open our hearts so that we may know you and see you in our lives each day.

Reader 1: Let us ask for the help of the Holy Spirit to respond to God's presence and love.

All: Lord God, open our hearts so that we may know you and see you in our lives each day.

Reader 2: We ask the Holy Spirit to enlighten us so we may see God in all things.

All: Lord God, open our hearts so that we may know you and see you in our lives each day.

Leader: Lord God, help us to grow closer to you every day. We ask this in the name of Christ, your Son and our Lord.

All: Amen.

Revelación divina

Compartiendo la Palabra de Dios

Reflexión sobre la lectura de la Escritura.

> "Yo soy el camino, la verdad y la vida. Nadie puede llegar hasta el Padre, sino por mí. Si me conocieran, conocerían también a mi Padre. Desde ahora lo conocen, pues ya lo han visto". (Juan 14:6–7)

LEA despacio y con atención el pasaje del Evangelio de Juan.

REFLEXIONE sobre la lectura.

Piense en las siguientes preguntas:

- ¿Qué tan bien conoce a Jesús? ¿Cuán estrecha es su relación con él?
- ¿Qué tan bien conoce a Dios, el Padre? ¿Cómo puede estar más consciente de la presencia de Dios en su vida?
- ¿Cómo las palabras de Jesús en la Sagrada Escritura lo ayudan a entender quién es Dios?
- ¿Qué puede hacer para fortalecer su conocimiento y fe en Dios?

COMPARTA sus pensamientos en grupo.

Converse con un compañero(a) sobre cómo ve a Dios en su vida. Compartan sus ideas con el grupo.

MEDITE y comparta sus pensamientos y sentimientos con Dios en oración.

Conversen en grupo sobre cómo crecer en fe.

Escriban un acto de fe como respuesta a las palabras de Jesús en la lectura del Evangelio de Juan. Compartan la oración con el grupo.

_____

_____

_____

_____

_____

_____

_____

Catholic Identity Retreat

Jesus Teaching by the Seashore,
by James J. Tissot (1836–1902)

Divine Revelation

Sharing God's Word

Reflect on the Bible reading.

> "No one comes to the Father except through me. If you know me, then you will also know my Father. From now on you do know him and have seen him." (John 14:6–7)

READ the passage from the Gospel of John. Read slowly and carefully.

REFLECT on what you read.

Think about the following questions:

• How well do you know Jesus? How strong is your relationship with him?

• How well do you know God the Father? How can you be more aware of his presence in your life?

• How can Jesus' words in Sacred Scripture help you understand who God is?

• What can you do to strengthen your knowledge of and faith in God?

SHARE your thoughts with your group.

With a partner think about ways you have come to know God in your life. Share your ideas with the group.

CONTEMPLATE and share your thoughts and feelings with God in prayer.

With your group discuss ways of growing in faith.

Write an Act of Faith in your own words in response to Jesus' words from the Gospel of John above. Share it with the group.

_____

_____

_____

_____

_____

_____

_____

Revelación divina

Valoramos nuestra fe católica

El tema de nuestro retiro es *Revelación divina*.

Piense en cómo Dios se le ha dado a conocer:

* por medio de la creación.
* en la Sagrada Escritura y en la Iglesia.
* en otras personas y eventos en su vida.

¿Qué puede hacer para aumentar su conocimiento sobre el amor de Dios?

Celebramos y honramos nuestra identidad católica

Dios se nos revela continuamente y nos invita a tener una relación con él. En su grupo desarrollen un plan para responder a la presencia e invitación de Dios a tener una relación con él. Su plan debe cubrir los pasos específicos a tomar.

En grupo conversen sobre el plan de acción.

Juntos escriban una oración pidiendo a Dios que les ayude a aumentar su fe. Recen la oración en la casa, en las comidas o en otras ocasiones cuando se reúnan con sus familias.

Plan semanal

❶

❷

❸

❹

❺

❻

❼

Divine Revelation

We Value Our Catholic Faith

The theme of our retreat is *Divine Revelation*.

Think about how God has made himself known to you:

- through his creation.
- through Sacred Scripture and the Church.
- through other people and events in your life.

What can you do to grow in your knowledge of and love for God?

We Celebrate and Honor Our Catholic Identity

God continually reveals himself to us and invites us into a relationship with him. In your group, develop a plan for ways you will respond to God's presence and his invitation to a closer relationship with him. Your plan should cover specific steps you will take.

Discuss ways to put the group's plan into action.

Together, write a prayer asking God to help you grow in faith. Pray the prayer at home with your family, at mealtime, or another time when the family is together.

_____

_____

_____

_____

_____

_____

_____

_____

_____

_____

Weekly Planner

❶

❷

❸

❹

❺

❻

❼

Identidad católica Retiro

Llevando el retiro a casa

Revelación Divina

Repaso del retiro

Repase con su familia las páginas del retiro *Celebrando la identidad católica: El Credo*. Conversen sobre lo que escucharon acerca de la revelación divina. Enfatice:

- Dios se nos da a conocer.
- Dios nos invita a responder con la fe.
- Dios se ha revelado completamente en su Hijo, Jesucristo.

Comparta una historia de una ocasión en que su familia experimentó la presencia de Dios de una forma especial.

La Palabra de Dios

Este año, su hijo(a) aprenderá que la Biblia, también llamada Sagrada Escritura, o simplemente Escritura, es el registro escrito de la revelación de Dios y de la relación con su pueblo. Lean juntos la sección "Cómo leer la Biblia en cinco pasos sencillos" en *Identidad Católica Amigo del Hogar* al final del libro de su hijo(a). Busque el pasaje de la Escritura que se nombra en los cinco pasos y léanlo juntos. Escriba y converse sobre lo que aprendió del pasaje.

Un momento de reflexión

Dios nos revela quién es y nos invita a tener una relación más estrecha con él. La vida ocupada de la familia no siempre nos da oportunidades para recordar esos momentos importantes que han fortalecido nuestra relación con Dios y el uno al otro. Haga un diario para la familia en donde pueda registrar y apreciar esos momentos.

Oración en familia

Recen esta noche en familia la siguiente oración a la hora de comer.

*S*eñor, mira a nuestra familia aquí reunida.
Te damos gracias por este lugar en el cual vivimos,
por el amor que nos une,
y por la paz que hemos recibido hoy.

(Traducción libre de "A Family Evening Prayer" *Catholic Household Blessings and Prayers*)

Para más recursos vea *Identidad católica Amigo del hogar* al final del libro.

Bringing the Retreat Home

Catholic Identity Retreat

Divine Revelation

Retreat Recap

Review with your family the *Celebrating Catholic Identity: Creed* retreat. Talk about what you heard about Divine Revelation. Emphasize:

- God makes himself known to us.
- God invites us to respond in faith.
- God is fully revealed in his Son, Jesus Christ.

Share a story of a time when someone in your family experienced God's presence in a special way.

The Word of God

This year, your child will learn that the Bible, also called *Sacred Scripture* or simply *Scripture*, is the written record of God's Revelation and his relationship with his people. Together read the section "Reading the Bible . . . in Five Easy Steps" in the *Catholic Identity Home Companion* at the end of your child's book. Look up the Scripture passage named in the five steps, and read it together. Write and discuss what you learn from the passage.

Take a Moment

God reveals who he is and invites us into a closer relationship with him. A busy family life may not always give us opportunities to recall those important family moments that have strengthened our relationship with God and one another. Keep a family journal in which to record and appreciate these moments.

Family Prayer

Pray this prayer as a family this evening at mealtime.

Lord, behold our family here assembled.
We thank you for this place in which we dwell,
for the love that unites us,
for the peace accorded to us this day.

(From "A Family Evening Prayer," *Catholic Household Blessings and Prayers*)

For more resources, see the *Catholic Identity Home Companion* at the end of this book.

Qué creemos
como familia católica

Si alguien nos pregunta:

- ¿Por qué los católicos creen que la revelación divina es transmitida en la Escritura y la Tradición?

Los siguientes recursos nos pueden ayudar a contestar:

Por amor a nosotros Dios se reveló a sí mimo. La revelación divina es Dios dándose a conocer a nosotros. La revelación ha sido transmitida por medio de la Biblia, o Escritura, y por medio de la Tradición. Algunas personas ven la Biblia como la única fuente de revelación y otras cuestionan enseñanzas católicas por "no estar basadas en la Biblia".

La Escritura y la Tradición van de la mano. La Tradición es la revelación de la buena nueva de Jesucristo como la vivió la Iglesia en el pasado y la vive en el presente. La Tradición incluye enseñanzas y prácticas transmitidas oralmente desde los tiempos de Jesús y sus apóstoles. Incluye los credos o afirmaciones de la fe cristiana. También incluye las enseñanzas y documentos de la Iglesia, el culto de la Iglesia y otras prácticas. Un ejemplo de Tradición es el Credo de Nicea que rezamos en la Misa. La Escritura y la Tradición forman nuestra fe en Jesucristo y nuestra vida como sus discípulos.

¿Qué dice la Escritura?

"Cuando Jesús resucitó de entre los muertos, los discípulos recordaron lo que había dicho, y creyeron en la Escritura y en las palabras que él había pronunciado". (Juan 2:22)

"Se dedicaban con perseverancia a escuchar la enseñanza de los apóstoles, vivían unidos y participaban en la fracción del pan y en las oraciones". (Hechos de los apóstoles 2:42)

"Toda Escritura ha sido inspirada por Dios y es útil para enseñar, para persuadir, para corregir, para educar en la rectitud, a fin de que el hombre de Dios sea perfecto y esté preparado para hacer el bien". *(2 Timoteo 3:16–17)*

El mensaje escrito de la Escritura y el mensaje hablado de la Tradición han sido transmitidos por los apóstoles a toda la Iglesia. La Escritura es la Palabra de Dios escrita por autores humanos bajo la inspiración del Espíritu Santo. La Tradición consiste en todo lo que la Iglesia ha aprendido teniendo como guía al Espíritu Santo, incluyendo todas las enseñanzas, documentos, culto, oraciones y otras prácticas. El Espíritu Santo inspira ambas, la Escritura y la Tradición. Necesitamos ambas para entender cómo vivir como pueblo de Dios.

¿Qué dice la Iglesia?

La Escritura y la Tradición son "el sagrado depósito de la palabra de Dios" *(Constitución dogmática de la Revelación Divina , 10).*

"La Iglesia, a la cual está confiada la trasmisión y la interpretación de la Revelación, 'no saca exclusivamente de la Escritura la certeza de todo lo revelado. Y así se han de recibir y respetar con el mismo espíritu de devoción'". (CIC, 82)

"Esta transmisión viva, llevada a cabo en el Espíritu Santo, es llamada la Tradición en cuanto distinta de la Sagrada Escritura, aunque estrechamente ligada a ella. Por ella, 'la Iglesia con su enseñanza, su vida, su culto, conserva y transmite a todas las edades lo que es y lo que cree'". (CIC, 78)

Notas:

Why We Believe
As a Catholic Family

What if someone asks us:

- Why do Catholics believe that Divine Revelation is handed on through both Scripture and Tradition?

The following resources can help us to respond:

Out of love for us, God reveals who he is. Divine Revelation is God's making himself known to us. Revelation has been handed on through the Bible, or Scripture, and through Tradition. Maybe you have encountered others who view the Bible as the only source of Revelation. Or maybe you have heard Catholic teachings questioned for "not being in the Bible."

Scripture and Tradition go hand in hand. Tradition is the Revelation of the Good News of Jesus Christ as lived out in the Church, past and present. Tradition includes teachings and practices handed on orally from the time of Jesus and his Apostles. It includes the creeds, or statements, of Christian beliefs. It also includes the teachings and documents of the Church, the Church's worship, and other practices. An example of Tradition is the Nicene Creed we pray at Mass. Scripture and Tradition shape our faith in Jesus Christ and our life as his disciples.

🌿 What does Scripture say?

"When [Jesus] was raised from the dead, his disciples remembered that he had said this, and they came to believe the scripture and the word Jesus had spoken." (John 2:22)

"They devoted themselves to the teaching of the apostles and to the communal life, to the breaking of the bread and to the prayers." (Acts of the Apostles 2:42)

"All scripture is inspired by God and is useful for teaching, for refutation, for correction, and for training in righteousness, so that one who belongs to God may be competent, equipped for every good work." (2 Timothy 3:16–17)

The written message of Scripture and the spoken message of Tradition have been handed on by the Apostles to the whole Church. Scripture is God's Word, written by human authors under the inspiration of the Holy Spirit. Tradition consists of all that the Church has learned with the guidance of the Holy Spirit, including her teachings, documents, worship, prayer, and other practices. The Holy Spirit inspires both Scripture and Tradition. We need both to understand how to live as God's people.

🌿 What does the Church say?

Scripture and Tradition are "one sacred deposit of the word of God" (Dogmatic Constitution on Divine Revelation, 10).

"The Church, to whom the transmission and interpretation of Revelation is entrusted, 'does not derive her certainty about all revealed truths from the holy Scriptures alone. Both Scripture and Tradition must be accepted and honored with equal sentiments of devotion and reverence.'" (CCC, 82)

"This living transmission, accomplished in the Holy Spirit, is called Tradition, since it is distinct from Sacred Scripture, though closely connected to it. Through Tradition, 'the Church, in her doctrine, life, and worship perpetuates and transmits to every generation all that she herself is, all that she believes.'" (CCC, 78)

Notes:

Apreciada familia

En la unidad 1 los niños aprenderán a crecer como discípulos de Jesús:

- valorando la Escritura y la Tradición como la revelación de Dios
- alabando a Dios como fuente de toda vida y viviendo como imagen de Dios
- reconociendo las verdades enseñadas en las historias del Génesis sobre la creación y el pecado original
- comprendiendo la promesa de Dios de enviar a un Salvador y de su alianza con Noé
- aprendiendo acerca de los patriarcas, nuestros antepasados en la fe, y Abrahán, el padre del Pueblo de Dios.

Realidad

"Las relaciones en el seno de la familia entrañan una afinidad de sentimientos, afectos e intereses que provienen sobre todo del mutuo respeto de las personas".

(*Catecismo de la Iglesia Católica*, 2206)

Mostrando amor

Dios nos creó a su imagen y semejanza, cada persona refleja la bondad de Dios. En familia, identifiquen cómo cada uno refleja a Dios. Den gracias a Dios por cada uno y por los dones recibidos de Dios.

Escritura

Toda la Sagrada Escritura es la Palabra de Dios. Aprendemos acerca de Dios en la Escritura de forma similar a como aprendemos sobre los personajes de los libros: lo que dice y hace, cómo actúa, lo que piensa, lo que otros dicen de la persona y cómo reaccionan otros en relación a la persona. Para cada una de estas formas den un ejemplo de lo que aprendemos de Dios en la Biblia.

Consulta

El capítulo 5 presenta a hombres y mujeres en el Antiguo Testamento que fueron importantes para el pueblo de Dios: Abrahán, Isaac, Jacob y José, Sara, Rebeca, Raquel y Lea. ¿Cuáles son los hombres y mujeres que por generaciones han sido importantes en su familia? Cuenten algunas de sus historias a su hijo(a). Recen juntos por todos sus antepasados.

Tarea

Las tareas para esta unidad son:

Capítulo 1: Conversando sobre las lecturas de la Misa del próximo domingo

Capítulo 2: Planificando una noche de cine en familia

Capítulo 3: Compartiendo cómo ser mayordomos de la creación

Capítulo 4: Reconociendo la buena nueva

Capítulo 5: Yendo donde Dios nos guíe

Exprésalo

En cada una de las unidades hay línea cronológica de nuestra fe. Observen las páginas 12–13. Revisen la cronología en familia y compartan lo que recuerda cada uno de los acontecimientos citados en la Escritura. Si hay un acontecimiento que nadie recuerda, léanlo en su Biblia (o búsquenlo en el libro de su hijo(a)) y compártanlo con su familia. Al final de la unidad 1, miren la cronología de nuevo y pida a su hijo(a) compartir un acontecimiento que aprendió.

Dear Family

In Unit 1 your child will grow as a disciple of Jesus by:

- appreciating Scripture and Tradition as God's Revelation of himself
- praising God as the source of all life and living as the image of God
- recognizing the truths taught in the Genesis stories of creation and of Original Sin
- understanding God's promise to send a Savior and his covenant with Noah
- learning about the patriarchs, our ancestors in faith, and Abraham, the father of God's people.

Reality Check

"The relationships within the family bring an affinity of feelings, affections, and interests, arising above all from the members' respect for one another."
(*Catechism of the Catholic Church*, 2206)

Show That You Care

God created us in his image and likeness and so every person reflects God's goodness. As a family, name the ways each member of your family reflects God. Say a prayer of thanks for each member and the God-given gifts they have.

What's the Word?

All of Sacred Scripture is the Word of God. We learn about God through Scripture in ways similar to the ways we learn about characters in books: what the person says, what the person does, how the person acts, what the person thinks, what others say about the person, how others react to the person. For each one of these ways, give an example of what we learn about God from the Bible.

Question Corner

Chapter 5 introduces men and women who were important to God's people in the Old Testament: Abraham, Isaac, Jacob and Joseph, Sarah, Rebekah, Rachel, and Leah. Who are the men and women who have been important to your family through generations? Tell some of their stories to your children. Pray for all of your ancestors together.

Picture This

In each of the Units there is a timeline of our faith. Look at the timeline on pages 12–13. Go over it as a family and invite members to share what they remember of each of the Scripture events cited. If there is an event that no one recalls, read it in your Bible (or look for it in your child's book) and share it with your family. At the end of Unit 1, return to this timeline and have your child share one event they learned about.

Take Home

Be ready for this unit's Take Home:

Chapter 1: Discussing the readings for next Sunday's Mass

Chapter 2: Planning a family "movie night"

Chapter 3: Sharing ways to be a steward

Chapter 4: Recognizing the Good News

Chapter 5: Going where God leads

NOS CONGREGAMOS

Líder: Dios vivo, nuestro peregrinaje de fe nos dirige a ti. Tus grandes obras son palabras de fortaleza y esperanza para nosotros. Abre nuestros corazones para que escuchemos tu palabra viva.

Lector: "Tú formaste mis entrañas, me tejiste en el vientre de mi madre. Te doy gracias porque eres sublime, tus obras son prodigiosas". (Salmo 139:13–14)

Todos: Tu palabra es luz para mi camino, Señor.

🎵 **Esta es la raza**

Del Señor es la tierra
y cuanto la llena:
él la fundó sobre los mares,
sobre los ríos.

¿Cuáles son algunas formas en que descubres nuevas ideas y obtienes nueva información?

CREEMOS

Podemos conocer a Dios por medio de su creación.

Cuando pensamos usamos nuestra habilidad natural de razonar y tomar conclusiones. La habilidad de razonar es un don que tiene todo humano. Por medio de la razón los humanos han llegado a muchas conclusiones acerca de Dios. Desde hace siglos, grandes pensadores han desarrollado teorías sobre la existencia de Dios. La más simple de estas teorías está basada en la idea de que una máquina, como un reloj o un computador, no se crea a sí misma. Tiene que ser creada. La conclusión es que el universo debió haber sido creado. Creemos que el hacedor, o creador, del universo es Dios.

God's Revelation

WE GATHER

✝ **Leader:** O living God,
Our journey of faith leads us on
the path to you.
Your magnificent deeds are
words of strength and hope for us.
Open our hearts to listen to your
living Word.

Reader: "You formed my inmost being;
you knit me in my
mother's womb.
I praise you, so wonderfully
you made me;
wonderful are your works!"

(Psalm 139:13–14)

All: Your Word is a light to my path, O Lord.

☀ What are some of the ways that you discover new ideas or gain new information?

🎵 **God, Creator, God Most High**

God, Creator, God Most High,
be our ever present light.
Be among us, here before us, God
within us.

WE BELIEVE

We can know God through his creation.

When we think, we are using our natural ability to reason and to come to sound conclusions. The ability to reason is a gift that all human beings have. And through reason humans have drawn many conclusions about God. For centuries, great thinkers have developed reasonable theories for God's existence. The simplest of these theories is based on the idea that a machine, such as a watch or a computer, does not make itself. It has a maker. The reasonable conclusion is that the universe has a maker. We believe that the maker, or Creator, of the universe is God.

11

Historia de la creación

Primeros humanos

El pecado cambia la humanidad

La historia de Caín y Abel

La Torre de Babel

Story of creation

First humans

Sin changes humanity

The story of Cain and Abel

The story of the Tower of Babel

En sus escritos, San Pablo nos recuerda que la mente humana puede encontrar a Dios "por medio de las cosas creadas" (Romanos 1:20). Al mirar el vasto espacio con un telescopio conocemos algo del poder de Dios. Al descubrir más sobre el universo conocemos más sobre el conocimiento y sabiduría de Dios.

Vemos la gran variedad de plantas y animales en el mundo. Observamos la vida humana y las grandes creaciones en el universo. Aprendemos quienes somos, como pensamos y nos comportamos, y lo que esperamos nos ayude a pensar en como es Dios.

Al usar todos nuestros dones naturales y los de los demás, llegamos a conocer nuestro mundo, a nosotros mismos y sobre Dios.

Los modos naturales de aprender sobre Dios son limitados. Necesitamos a Dios mismo para que nos diga quién y como es él.

🧍 ¿Cuáles fotos en estas páginas te ayudan a conocer a Dios? ¿Por qué?

Dios se dio a conocer por medio de su divina revelación.

Dios nos ama tanto que nos habla de sí mismo. Él se revela a nosotros. *Revelación* quiere decir "darse a conocer". **Revelación divina** es Dios dándose a conocer a nosotros. Dios se da a conocer por medio de sus grandes obras y sus acciones con el pueblo a través de los tiempos.

Aun cuando Dios habló individualmente a las personas sobre sí mismo y su plan para su pueblo, su mensaje fue para toda la comunidad. Dios fue claro en que él quería tener una relación de amor con todos los pueblos. Dios hizo posible que los humanos lo conocieran y le respondieran en una forma adecuada.

Alianza de Dios con Abraham

Dios prueba la fe de Abraham

Abraham's faith is tested by God

God establishes covenant with Abraham

Isaac el patriarca

Isaac becomes patriarch

Jacob engaña a Esaú

Jacob tricks Esau

Dios renueva su alianza con Jacob

Jacob es nombrado Israel

God renews covenant with Jacob

God changes Jacob's name to Israel

José es vendido

Joseph is sold into slavery

José trabaja para el faraón

Joseph works for pharaoh

Los hermanos de José van a Egipto

José se reconcilia con sus hermanos

Joseph's brothers go to Egypt

Joseph and his brothers reconcile

Yet, natural means of learning about God are all limited. We need God himself to tell us who he is and what he is like.

Which pictures on these pages help you to know what God is like? Why?

In his writings Saint Paul reminds us that the human mind can find God "in what he has made" (Romans 1:20). By looking at the vast expanses of space through a telescope we get to know something of God's power. By discovering more about the universe we get to know about God's knowledge and wisdom. We notice the great variety of plant and animal life in the world. We observe human life, the greatest and most astounding creation in the universe. Learning about who we are, how we think and behave, and what we hope for helps us to think about what God must be like.

So by making use of all of our natural gifts, and those of other people, we get to know about our world, about ourselves, and about God.

God makes himself known through Divine Revelation.

God loves us so much that he told us about himself. He revealed himself to us. *Reveal* means "to make known." **Divine Revelation** is God's making himself known to us. God has made himself known to us through his mighty deeds and by his interactions with his people throughout time.

Although God spoke to individual men and women about himself and his plan for his people, his message was for the whole community. God made it clear that he wanted to have a loving relationship with all people. God made it possible for humans to know him more deeply and to respond to him in a way that was otherwise not possible.

13

Dios se hizo conocer gradualmente. La revelación de Dios empezó con la creación de los primeros humanos y sus descendientes. Esta continuó durante la historia de Israel y el pueblo judío.

La revelación de Dios es total y completa en su Hijo, Jesucristo. Al enviar a su Hijo, Dios nos dice que necesitamos conocerlo. En el Evangelio de Juan leemos: "A Dios nadie lo ha visto jamás; el Hijo único, que es Dios y que está en el seno del Padre, nos lo ha dado a conocer" (Juan 1:18).

Jesucristo es el único Hijo de Dios quien se hizo hombre. Jesús nos muestra a Dios el Padre. Junto con el Padre, Jesús envía a Dios el Espíritu Santo, quien nos ayuda a responder al gran amor de Dios por nosotros. Dios, el Padre, Dios el Hijo y Dios el Espíritu Santo son la Santísima Trinidad. La **Santísima Trinidad** es tres Personas en un solo Dios.

El Espíritu Santo guía a la Iglesia para entender la revelación de Dios y aplicarla a nuestras vidas. También vivimos con la esperanza de la vida eterna con el Padre, donde tendremos un entendimiento claro del amoroso plan de Dios. Es sólo en la vida eterna que conoceremos a Dios plenamente.

Lee de nuevo las páginas 12 y 14. Subraya las formas en que Dios se ha revelado.

La revelación de Dios es transmitida por medio de la Biblia y la Tradición.

Los eventos y los recuerdos que el pueblo tuvo de Dios fueron pasados de generación a generación. Las experiencias vivas del pueblo ayudaron a preparar lo que eventualmente sería escrito.

La **Biblia**, también llamada *Sagrada Escritura* o simplemente *Escritura*, es el registro escrito de la revelación de Dios y su relación con su pueblo. La Biblia tiene un autor divino, Dios, y muchos autores humanos, o escritores bíblicos. Estos escritores usaron sus propias palabras y expresiones. Mientras escribían, los autores humanos eran guiados por Dios el Espíritu Santo. Esta guía especial que el Espíritu Santo dio a los escritores de la Biblia es llamada **inspiración divina**. Esta garantiza que los escritores escribieron sin error la verdad salvadora de Dios. Por esa razón el verdadero autor de toda la Biblia es Dios. Entonces, la Biblia es la *Palabra de Dios*.

Tradición es la revelación de la buena nueva de Jesucristo como la vivió la Iglesia, en el pasado y la vive en el presente. La Tradición incluye las enseñanzas y prácticas pasadas oralmente desde los tiempos de Jesús y sus apóstoles. Incluye los credos, o afirmaciones de la fe cristiana. También incluye las enseñanzas y documentos de la Iglesia, el culto de la Iglesia y otras prácticas.

Como católicos...

La Iglesia tiene la tarea de interpretar y enseñar la Escritura. Los obispos comparten esta responsabilidad de enseñar con los sacerdotes y los laicos. Muchas personas ayudan a los obispos a interpretar el significado de la Escritura. Algunas de esas personas son estudiosos de la Biblia que traducen y estudian los rollos antiguos. Otras son arqueólogos. Su trabajo nos ayuda a entender como vivía el pueblo en los tiempos bíblicos.

¿Quiénes son algunas personas que nos enseñan sobre la Biblia?

God made himself known gradually over time. God's Revelation began with the creation of the first human beings and their descendants. It continued through the ancient Israelites and the Jewish People.

God's Revelation is full and complete in his only Son, Jesus Christ. By sending his Son, God tells us what we need to know about himself. In the Gospel of John we read, "No one has ever seen God. The only Son, God, who is at the Father's side, has revealed him" (John 1:18).

Jesus Christ is the only Son of God who became man. Jesus shows us God his Father. Together with the Father, Jesus sends God the Holy Spirit who helps us respond to God's great love for us. God the Father, God the Son, and God the Holy Spirit are the Blessed Trinity. The **Blessed Trinity** is the Three Persons in One God.

The Holy Spirit guides the Church to understand God's Revelation and to apply it in our lives. We live in hope of eternal life with God—where we will have a clearer understanding of God's loving plan. It is only in eternal life that we will completely know God.

Read pages 13 and 15. Highlight or underline ways God revealed himself.

God's Revelation is handed down through the Bible and Tradition.

The events and the recollections that people had of God were passed on from generation to generation. People's living experience of God helped to shape what would eventually be written down.

The **Bible**, also called *Sacred Scripture* or simply *Scripture*, is the written record of God's Revelation and his relationship with his people. The Bible has a divine author, God, and many human authors, or biblical writers. These writers used their own words and expressions. As the human authors wrote, they were guided by God the Holy Spirit. The special guidance that the Holy Spirit gave to the human writers of the Bible is called **Divine Inspiration**. It guaranteed that the human writers wrote without any error God's saving truth. For that reason God is the true author of the whole Bible. Thus, the Bible is the *Word of God*.

Tradition is the Revelation of the Good News of Jesus Christ as lived out in the Church, past and present. Tradition includes teachings and practices handed on orally from the time of Jesus and his Apostles. It includes the creeds, or statements, of Christian beliefs. It also includes the teachings and documents of the Church, the Church's worship, and other practices.

As Catholics...

The Church has the task of interpreting and teaching Scripture. The bishops share this teaching responsibility with priests and laypeople. Many people help the bishops to interpret the meaning of Scripture. Some of these people are biblical scholars who translate and study ancient scrolls. Others are archaeologists. Their work helps us to understand how people lived in biblical times.

Who are some people who teach you about the Bible?

15

En la Tradición la Iglesia encuentra la fuente del entendimiento continuo del significado de la Revelación y las formas de aplicarlas en nuestras vidas.

El mensaje escrito de la Escritura y el mensaje hablado de la Tradición han sido legados por los apóstoles a toda la Iglesia. Los obispos son los sucesores de los apóstoles. Con el papa como cabeza, ellos forman el *Magisterio*, la enseñanza viva del oficio de la Iglesia. En nombre de Jesús y con la ayuda del Espíritu Santo el Magisterio interpreta la Escritura y la Tradición. Por siglos la Iglesia ha compartido y construido la fe de los apóstoles. La comunidad de la Iglesia en todas las generaciones cree y vive esta fe y la pasa a futuras generaciones.

En grupos hablen de las similitudes y diferencias entre la Biblia y la Tradición.

La Biblia es una colección de libros.

Los escritores bíblicos usaron formas literarias únicas para ayudarnos a aprender sobre Dios. Una *forma literaria* es un tipo de escrito usado para llevar un mensaje.

En la Biblia encontramos todo tipo de formas literarias: folclor, historias, novelas, historias cortas, consejos, leyes, cartas, profecías, visiones, poesía, himnos y muchas otras.

La palabra *biblia* significa "libros". La Biblia no es un solo libro sino una pequeña biblioteca de libros sagrados y santos. En la Biblia hay setenta y tres libros. Está dividida en dos partes. El *Antiguo Testamento* que tiene cuarenta y seis libros y el *Nuevo Testamento* que tiene veinte y siete.

En el Antiguo Testamento aprendemos sobre la relación entre Dios y el pueblo de Israel. En el Nuevo Testamento encontramos la historia de Jesús, su misión, sus primeros seguidores y el inicio de la Iglesia.

Cuando nos referimos a una lectura de la Biblia nos referimos al libro, al capítulo del libro y al versículo del capítulo. La cita, Génesis 1:1–2 se refiere al Libro de Génesis, capítulo 1, versículos 1 y 2.

RESPONDEMOS

¿Cuáles son algunas formas por las que has llegado a conocer a Dios? ¿Cómo puedes compartir lo que sabes sobre Dios con los demás?

Vocabulario

revelación divina (pp 350)

Santísima Trinidad (pp 350)

Biblia (pp 349)

inspiración divina (pp 349)

Tradición (pp 350)

Tradition is the source of the Church's ongoing understanding of the meaning of Revelation and the ways to apply it to our lives.

The written message of Scripture and the spoken message of Tradition have been handed on by the Apostles to the whole Church. The bishops are the successors of the Apostles. With the pope as their head, they form the *Magisterium*, the living, teaching office of the Church. In Jesus' name and with the help of the Holy Spirit, the Magisterium interprets both Scripture and Tradition. Through the centuries the Church has continued to share and build on the faith of the Apostles. The Church community in every generation believes and lives this faith and passes it on to future generations.

 In groups discuss the ways the Bible and Tradition are the same or different.

The Bible is a collection of books.

The biblical writer used literary forms to help us to learn about God in a unique way. A *literary form* is a type of writing used to get a message across.

The Bible contains all kind of literary forms: ancient folktales, histories, novels, short stories, advice on living, codes of law, letters, prophecy, visions, poetry, hymns, and many other types of writing.

The word *bible* means "books." The Bible is not just one book but a small library of sacred, or holy, books. The Bible has seventy-three separate books. It is divided into two parts. The *Old Testament* contains forty-six books and the *New Testament*, contains twenty-seven books.

In the Old Testament we learn about God's relationship with the people of Israel. The New Testament contains the story of Jesus, his mission, his first followers, and the beginning of the Church.

When we refer to a reading from the Bible we refer to the book, the chapter of the book, and verse of the chapter. The citation Genesis 1:1–2 refers to the Book of Genesis, chapter 1, verses 1 and 2.

WE RESPOND

What are some ways that you have come to know God? How can you share what you know about God with others?

Key Words

Divine Revelation (p. 351)

Blessed Trinity (p. 351)

Bible (p. 351)

Divine Inspiration (p. 351)

Tradition (p. 352)

Libros de la Biblia

Antiguo Testamento
Pentateuco (cinco rollos)

Estos libros tratan de la formación de la alianza y describen las leyes y creencias básicas de los israelitas.

| Génesis | Éxodo | Levítico | Números | Deuteronomio |

Libros históricos

Estos libros son sobre la historia de Israel.

Josué	1 Samuel	1 Crónicas	Nehemías	Ester
Jueces	2 Samuel	2 Crónicas	Tobit	1 Macabeos
Rut	1 Reyes	Esdras	Judit	2 Macabeos
	2 Reyes			

Libros de sabiduría

Estos libros explican La presencia de Dios en la vida diaria.

| Job | Proverbios | Cantares | Sabiduría | Sirácides |
| Salmos | Eclesiastés | | | |

Libros proféticos

Estos libros contienen escritos de grandes profetas quienes hablaron la palabra de Dios al pueblo de Israel.

Isaías	Ezequiel	Amós	Nahúm	Hageo
Jeremías	Daniel	Abdias	Habacuc	Zacarías
Lamentaciones	Oseas	Jonás	Sofonías	Malaquías
Baruc	Joel	Miqueas		

Nuevo Testamento
Evangelios

Estos libros contienen el mensaje y los eventos importantes de la vida de Jesucristo. Por eso los evangelios tienen un lugar importante en el Nuevo Testamento.

| Mateo | Marcos | Lucas | Juan |

Cartas

Estos libros contienen cartas escritas por San Pablo y otros líderes de las primeras comunidades cristianas.

Romanos	Colosenses	Tito	2 Pedro
1 Corintios	1 Tesalonicenses	Filemón	1 Juan
2 Corintios	2 Tesalonicenses	Hebreos	2 Juan
Gálatas	1 Timoteo	Santiago	3 Juan
Efesios	2 Timoteo	1 Pedro	Judas
Filipenses			

Otros escritos

| Hechos de los apóstoles | Apocalipsis |

Books of the Bible

The Old Testament
Pentateuch ("Five Scrolls")

These books tell about the formation of the covenant and describe basic laws and beliefs of the Israelites.

Genesis	Exodus	Leviticus	Numbers	Deuteronomy

Historical Books

These books deal with the history of Israel.

Joshua	1 Samuel	1 Chronicles	Nehemiah	Esther
Judges	2 Samuel	2 Chronicles	Tobit	1 Maccabees
Ruth	1 Kings	Ezra	Judith	2 Maccabees
	2 Kings			

Wisdom Books

These books explain God's role in everyday life.

Job	Proverbs	Song of Songs	Wisdom	Sirach
Psalms	Ecclesiastes			

Prophetic Books

These books contain writings of the great prophets who spoke God's Word to the people of Israel.

Isaiah	Ezekiel	Amos	Nahum	Haggai
Jeremiah	Daniel	Obadiah	Habakkuk	Zechariah
Lamentations	Hosea	Jonah	Zephaniah	Malachi
Baruch	Joel	Micah		

The New Testament
Gospels

These books contain the message and key events in the life of Jesus Christ. Because of this, the Gospels hold a central place in the New Testament.

Matthew	Mark	Luke	John

Letters

These books contain letters written by Saint Paul and other leaders to individual Christians or to early Christian communities.

Romans	Colossians	Titus	2 Peter
1 Corinthians	1 Thessalonians	Philemon	1 John
2 Corinthians	2 Thessalonians	Hebrews	2 John
Galatians	1 Timothy	James	3 John
Ephesians	2 Timothy	1 Peter	Jude
Philippians			

Other Writings

Acts of the Apostles	Revelation

Muestra *lo* que sabes

Completa el crucigrama usando las palabras del .

Vertical

2. Guía especial que el Espíritu Santo dio a los autores humanos de la Biblia se conoce como _____ divina

3. Revelación de la buena nueva de Jesucristo como la vivió la Iglesia en el pasado y la vive en el presente

Horizontal

1. Registro escrito de la revelación de Dios y su relación con su pueblo

4. _____ divina es Dios dándose a conocer a nosotros

5. Tres Personas en un Dios, Dios el Padre, Dios el Hijo, y Dios el Espíritu Santo

Exprésalo

Un *logo* es un diseño simbólico único que representa un nombre, una compañía, etc. Diseña un logo para representar a la Santísima Trinidad.

PROJECT DISCIPLE

Show What *you* Know

Complete the crossword puzzle using the Key Words.

Across

3. The Three Persons in One God: God the Father, God the Son, and God the Holy Spirit

Down

1. The Revelation of the Good News of Jesus Christ as lived out in the Church, past and present

2. The special guidance that the Holy Spirit gave to the human writers of the Bible is known as Divine _____

3. The written record of God's Revelation and his relationship with his people

4. Divine _____ is God's making himself known to us

Picture This

A *logo* is a uniquely designed symbol to represent a name, a company, etc. Design a logo to represent the Blessed Trinity.

Vidas de santos

San Jerónimo nació en el siglo IV. Estudió en Roma y aprendió griego y latín. Se hizo monje y fue a vivir en el desierto para ayunar, rezar y centrarse en Dios. Jerónimo estudió el Antiguo Testamento y el hebreo. Con sus destrezas en hebreo y griego, Jerónimo tradujo la Biblia al latín. Muchas personas pudieron leer y estudiar la Escritura debido a esta traducción. San Jerónimo es uno de los grandes biblistas de la Iglesia. Su fiesta se celebra el 30 de septiembre.

↳ RETO PARA EL DISCIPULO

- Subraya la frase que describe porque Jerónimo se fue a vivir al desierto.
- ¿Qué ayudó a Jerónimo a traducir la Biblia al latín?

_____

_____

Datos

El libro más corto de la Biblia es la segunda carta de Juan. Tiene sólo 13 versículos. El libro de los salmos contiene 150 salmos, es el más largo de la Biblia.

Tarea

Visita *Liturgia para la semana* en **religion.sadlierconnect.com** para las lecturas dominicales de la misa y días de precepto, así como actividades. Busca las lecturas de esta semana. Léelas y conversa sobre ellas. Selecciona una actividad para hacer con tu familia.

Haz lo

Mira el cuadro en la página 18. Toma tiempo para familiarizarte con los libros de la Biblia.

Compártelo.

Saint Stories

Saint Jerome was born in the fourth century. He studied in Rome and learned Greek and Latin. He became a monk, and went to live in the desert to fast, pray, and focus on God. Jerome studied the writings of the Old Testament and the Hebrew language. With his skill in Hebrew and Greek, Jerome translated the Bible into Latin. Many people were able to read and study Scripture because of Jerome's translation. Saint Jerome is one of the Church's great biblical scholars. We celebrate his feast day on September 30.

↳ **DISCIPLE CHALLENGE**

- Underline the phrase that describes why Jerome went to live in the desert
- What helped Jerome translate the Bible into Latin?

_____

_____

Fast Facts

The shortest book in the Bible is the Second Letter of John. It has only 13 verses. The Book of Psalms, with 150 psalms, is the longest book in the Bible.

Take Home

Visit *This Week's Liturgy* on **religion.sadlierconnect.com** for the Sunday Mass readings and holy day liturgies, as well as activities. Find this week's readings. Read and talk about them. Select an activity to do with your family together.

Make it Happen

Look at the chart on page 19. Take the time to become more familiar with the books of the Bible.

Now, pass it on!

Capítulo 1 (páginas 10–23)

La revelación de Dios

En este capítulo su niño(a) aprenderá sobre la autorevelación de Dios por medio de su creación, la Biblia y su Hijo, Jesucristo.

Para los padres

La Escritura es la revelación de Dios del plan que tiene para nosotros. Usando las palabras humanas de muchos escritores inspirados por el Espíritu Santo, Dios nos dice que quiere que lo aceptemos y compartamos su divina vida. La Escritura se puede considerar como una historia de amor. El amor de Dios es tan maravilloso que él quiere adoptarnos como sus propios hijos y que vivamos con él eternamente.

Todos los días

- Juntos recen la Señal de la Cruz y la siguiente oración: *Padre amoroso, te alabamos y te damos gracias por todo lo que has hecho por nosotros.*

Primer día **Podemos conocer a Dios por medio de su creación.**

- Lea en voz alta el título. Luego mire con su niño(a) la línea de tiempo en la página 12.

- Lea en voz alta el texto con su niño(a). Explique que podemos usar nuestro razonamiento para concluir que Dios nos creó. Dios es nuestro creador y el creador del universo.

Segundo día **Dios se dio a conocer por medio de su revelación divina.**

- Lea en voz alta el título. Luego túrnense para leer en voz alta el texto. Explique que la

revelación divina es Dios que se da a conocer por medio de sus obras e interacción con su pueblo a través de la historia.

- Enfatice que Dios se reveló plenamente por medio de su único Hijo, Jesucristo, y junto con su Padre, Jesús envió al Espíritu Santo para ayudarnos a responder al amor de Dios.

Tercer día **La revelación de Dios es transmitida por medio de la Biblia y la Tradición.**

- Pida a su niño(a) que lea en voz alta el enunciado. Luego lean juntos el texto. Enfatice que el Espíritu Santo guio a los autores humanos de la Biblia.

- Señale que la Tradición es la Revelación de la buena nueva de Jesús como se vive en la Iglesia. El mensaje escrito de la Escritura y el mensaje hablado de la Tradición se interpretan para nosotros por el Magisterio de la Iglesia.

Cuarto día **La Biblia es una colección de libros.**

- Túrnense para leer el texto. Conversen sobre las formas literarias, las diferentes maneras en que los autores escribieron sus mensajes, y las citas bíblicas.

Respondemos en fe

Quinto día

- Pídale a su niño(a) que piense sobre las formas en que Dios se ha revelado a nosotros.

Sexto día

- Pida a su familia que comparta cómo agradece el don de Dios de la creación.

Chapter 1 (pages 10–23)

God's Revelation

In this chapter your child will learn about God's self-Revelation through his creation, through the Bible, and in his Son, Jesus Christ.

For the Parents

Sacred Scripture is God's Revelation of his plan for us. Using the human words of many writers inspired by the Holy Spirit, God tells us that he wants us to embrace him and to share in his divine life. You might look upon Scripture as a love story. So great is God's love for us that he wants to adopt us as his own daughters and sons and have us live with him for all eternity.

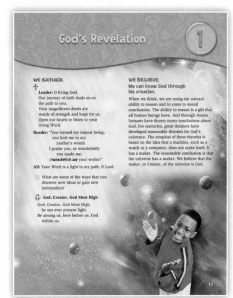

Every Day

• Pray the Sign of the Cross together, and the following prayer, *Loving Father, we praise you and thank you for all you have done for us.*

Day One We can know God through his creation.

• Read aloud the *We Believe* statement. Then look at the time line on page 13 with your child.

• Read the text aloud with your child. Explain that we can use our ability to reason to conclude that God made us. God is our maker and the creator of the universe.

Day Two God makes himself known through Divine Revelation.

• Read aloud the *We Believe* statement. Then alternate with your child as you read the text aloud. Explain that Divine Revelation is God's making himself known to us through his deeds and by his interaction with his people throughout history.

• Emphasize that God fully revealed himself through his only Son, Jesus Christ, and that together with the father Jesus sent the Holy Spirit to help us respond to God's love.

• Explain that humanity has come to know the Blessed Trinity—God the Father, God the Son, and God the Holy Spirit—through Divine Revelation.

Day Three God's Revelation is handed down through the Bible and Tradition.

• Ask your child to read aloud the statement. Then read the text together. Emphasize that the Holy Spirit guided the human authors of the Bible.

• Point out that Tradition is the Revelation of the good news of Jesus as lived out in the Church. Both the written message of Scripture and the spoken message of Tradition are interpreted for us by the Magisterium of the Church.

Day Four The Bible is a collection of books.

• Take turns reading aloud the statement and the text that follows. Discuss literary forms, the different ways writers get their messages across, and Biblical citation.

We Respond in Faith

Day Five

• Ask your child to think about the ways in which God has revealed himself to us.

Day Six

• Encourage your family to share ways that they give thanks to God for the gift of creation.

La creación

NOS CONGREGAMOS

Líder: Dios de la creación, nos has dado regalos maravillosos. Te alabamos y te damos gracias por toda tu creación.

Lector: "Todo regalo valioso y todo don perfecto viene de arriba, del Padre de las luces". (Santiago 1:17)

Líder: Demos gracias por el don de la vida.

Todos: Te alabamos, Señor.

Describe tus primeros recuerdos de algo que tu familia te ha contado sobre tu infancia.

CREEMOS

El libro del Génesis es sobre los orígenes.

La historia de Dios y su pueblo contada en la Biblia cubre un período de miles de años. Cada parte, o período de esta historia conecta de una manera especial con la **alianza**, acuerdo entre Dios y su pueblo. Cada período en esta historia contiene eventos claves relacionados con la alianza. Estos eventos son descritos en varios libros de la Biblia.

Génesis quiere decir inicio. El **libro del Génesis** es el primer libro de la Biblia y es acerca del inicio. En los primeros once capítulos leemos sobre la prehistoria, los eventos desde la creación hasta Abraham. Esos capítulos contienen historias que describen el inicio de la relación de Dios con la humanidad. Esas historias son muy antiguas y no son necesariamente sobre hechos reales. Las historias contienen vivas descripciones e imaginación, los detalles se repiten y tienen

una simple trama con pocos protagonistas. Era muy fácil para que la gente pudiera entender el significado de las historias, recordarlas y pasarlas a los demás.

Creation

WE GATHER

✝ **Leader:** O God of creation,
You have given us wonderful gifts!
We praise and thank you for all that you
have created.

Reader: "All good giving and every perfect
gift is from above, coming down from the
Father of lights." (James 1:17)

Leader: We thank you for our gift of life.

All: We praise you God.

 Describe your
earliest memories
or something
your family has
told you about
your early life.

WE BELIEVE
The Book of Genesis is about beginnings.

The history of God and his people which is
recorded in the Bible covers thousands of
years. Each part, or period, of this story
connects in a special way with the **covenant**,
an agreement between God and his people.
And each period in this history contains key
events that are related to the covenant
relationship. These events are described in the
various books of the Bible.

Genesis means beginning. The **Book of
Genesis** is the first book in the Bible, and it is
about beginnings. In the first eleven chapters
of Genesis, we read about prehistory, the
events from creation to the time of Abraham.
These chapters contain stories that describe
the beginning of God's relationship with
humanity. These stories are very old and are
not necessarily about factual events. The
stories contain vivid descriptions and imagery,
repeat details often, and have simple plots
with few characters. Thus, it was easy for
people to understand the meaning of the
stories, remember them, and pass them
on down through the ages.

Los escritores de la Biblia usaron símbolos para contar la historia real y al mismo tiempo dar un significado profundo a la historia. Los símbolos usados en las historias bíblicas expresan ideas y creencias sobre Dios y sus acciones a través de la historia.

 ¿Cuáles son algunas historias que encontramos en los primeros once capítulos del Génesis? Escribe una.

_____

_____

_____

_____

_____

_____

_____

Dios creó el universo.

El libro del Génesis contiene dos historias de la creación muy simbólicas. En la primera, Génesis 1:1; 2:4, el autor nos cuenta en forma simple, pero en lenguaje poético, que Dios libremente creó el universo en seis días. Un *día* en esta historia no quiere decir veinticuatro horas. De hecho, día no representa ningún período de tiempo definido. Los eruditos piensan que el escritor mostró a Dios creando el universo en seis días porque era el tiempo semanal normal de trabajo de los israelitas en los tiempos en que se escribió la historia.

En esta historia de la creación Dios habla y todo es creado: la luz, el sol, la luna, las estrellas, el cielo, el agua, la tierra, el mar, las plantas, los peces, los animales y los humanos. Por la palabra de Dios el universo se crea. Y en cada etapa Dios ve que lo que ha creado es bueno. Entonces el séptimo día Dios descansa, igual que los israelitas descansaban después del trabajo semanal.

La intención de la historia de la creación no es científica. No es exactamente un recuento del trabajo de Dios en un tiempo determinado. Es la historia que revela al pueblo de Dios la verdad sobre la creación: que todo lo que existe es creado por Dios y que todo lo creado por Dios es bueno y depende de él.

 Después que leas la historia de la creación, presenta los eventos en forma dramática. Escribe tu plan aquí.

The biblical writer used symbols to tell a realistic story and at the same time to give the deeper meaning of the story. The symbols used in the stories of the Bible express ideas and beliefs about God and his actions throughout history.

 What are some of the stories found in the first eleven chapters of Genesis? Choose one of them. Write about it here.

_____

_____

_____

_____

_____

_____

God created the universe.

The Book of Genesis contains two very symbolic stories of creation. In the first, Genesis 1:1—2:4, the biblical writer tells us in simple but poetic language that God freely created the universe over a six-day period. A *day* in this story does not mean twenty-four hours. In fact, day does not represent any definite period of time. Scholars think the biblical writer showed God creating the universe in six days because that was the normal workweek of the Israelites who lived at the time the story was written.

In this creation story God spoke and everything was created: light, sun, moon, stars, sky, water, earth, sea, fish, plants, animals, and humans. By God's word the universe came into being. And at each stage God saw that what he created was good. Then on the seventh day God rested, just as the Israelites rested after their long workweek.

This creation story is not meant to be a scientific study of creation. It is not an exact recording of God's work within a certain time frame. Instead, it is the story that revealed to God's people the truths about creation: everything in existence is created by God, and everything that God created is good and depends on him.

 After you read the story of creation portray the events in a dramatic representation. Write the plan for your presentation here.

Primera historia de la creación

"Al principio creó Dios el cielo y la tierra. La tierra era una soledad caótica y las tinieblas cubrían el abismo, mientras el espíritu de Dios aleteaba sobre las aguas".

(Génesis 1:1–2)

 Génesis 1:1–31; 2:1–4

Primer día

"Entonces Dios dijo: "Que exista la luz" Y la luz existió". (Génesis 1:3)

Segundo día

"Y dijo Dios: 'Que haya un firmamento entre las aguas para separar unas aguas de otras' Y así fue". (Génesis 1:6)

Tercer día

"Y dijo Dios: 'Que las aguas que estén bajo los cielos se reúnan en un solo lugar, y aparezca lo seco…. Y dijo Dios: 'Produzca la tierra vegetación: plantas con semilla y árboles frutales que den en la tierra frutos con semilla de su especie'". (Génesis 1:9–11)

Cuarto día

"Y dijo Dios: 'Que haya lumbreras en el firmamento celeste'… Hizo Dios dos lumbreras grandes, la mayor para regir el día y la menor para regir la noche, y también las estrellas…". (Génesis 1:14:16)

Quinto día

"Y dijo Dios: 'Llénense las aguas de seres vivos, y que las aves vuelen sobre la tierra a lo ancho del firmamento'". (Génesis 1:20)

Sexto día

"Y dijo Dios: 'Produzca la tierra seres vivientes por especies: ganados, reptiles y bestias salvajes por especies'…. Entonces dijo Dios: 'Hagamos a los seres humanos a nuestra imagen, según nuestra semejanza'… varón y mujer los creó. Y los bendijo Dios diciéndoles: Crezcan y multiplíquense; llenen la tierra y sométanla; dominen sobre los peces del mar, las aves del cielo y todos los animales que se mueven por la tierra. …Vio entonces Dios todo lo que había hecho, y todo era muy bueno". (Génesis 1:24, 26, 27, 28, 31)

Séptimo día

"Así quedaron concluídos el cielo y la tierra con todo lo que contienen. Cuando llegó el día séptimo, Dios había terminado su obra, y descansó el día séptimo de todo lo que había hecho. Bendijo Dios el día séptimo y lo consagró, porque en él había descansado de toda su obra creadora. Ésta es la historia de la creación del cielo y de la tierra". (Génesis 2:1–4)

First Story of Creation

"In the beginning when God created the heavens and the earth, the earth was a formless wasteland, and darkness covered the abyss, while a mighty wind swept over the waters."

(Genesis 1:1–2)

Genesis 1:1–31; 2:1–4

Day 1

"God said, 'Let there be light,' and there was light." (Genesis 1:3)

Day 2

"God said, 'Let there be a dome in the middle of the waters, to separate one body of water from the other.' And so it happened." (Genesis 1:6)

Day 3

"God said, 'Let the water under the sky be gathered into a single basin, so that the dry land may appear. . . .' Then God said, 'Let the earth bring forth vegetation: every kind of plant that bears seed and every kind of fruit tree on earth that bears fruit with its seed in it.'" (Genesis 1:9, 11)

Day 4

"God said: 'Let there be lights in the dome of the sky' . . . God made the two great lights, the greater one to govern the day, and the lesser one to govern the night; and he made the stars. . . ." (Genesis 1:14, 16)

Day 5

"God said, 'Let the water teem with an abundance of living creatures, and on the earth let birds fly beneath the dome of the sky.'" (Genesis 1:20)

Day 6

"God said, 'Let the earth bring forth all kinds of living creatures: cattle, creeping things, and wild animals of all kinds'. . . Then God said: 'Let us make man in our image, after our likeness.' . . . Male and female he created them.

God blessed them, saying: 'Be fertile and multiply; fill the earth and subdue it. Have dominion over the fish of the sea, the birds of the air, and all the living things that move on the earth.' . . . God looked at everything he had made, and he found it very good." (Genesis 1:24, 26, 27, 28, 31)

Day 7

"Thus the heavens and the earth and all their array were completed. Since on the seventh day God was finished with the work he had been doing, he rested on the seventh day from all the work he had undertaken. So God blessed the seventh day and made it holy, because on it he rested from all the work he had done in creation.

Such is the story of the heavens and the earth at their creation." (Genesis 2:1–4)

Dios es la fuente de toda vida.

La primera historia de la Creación en Génesis 1:1–31; 2:1–4 no sólo nos habla de la creación sino también de Dios. Para empezar, nos muestra que Dios es único y verdadero Dios. No hay otro Dios. Este entendimiento de Dios es muy diferente al que tenían otros pueblos, que creían que había muchos dioses y pensaban que los objetos eran dioses. Ellos adoraban el sol y la luna, el tiempo e ideas tales como la justicia y la suerte.

La primera historia de la creación también pone en claro que el Dios que adoramos es un Dios personal, no un objeto o una idea. Dios es un ser vivo y es la fuente de toda vida. De hecho, Dios es el ser supremo que crea toda vida y mantiene todo lo que existe.

La primera historia de la creación nos ayuda a ver algunos de los atributos, o características, de Dios.

- Dios es eterno. Quiere decir que Dios siempre ha existido y siempre existirá. Dios no cambia ni tiene edad. Cambio y edad son partes de la creación, y Dios no es parte de la creación.

La idea de Dios de los israelitas era muy diferente a la de los otros pueblos. Ellos adoraban falsos dioses que creían eran parte de la creación, creían que esos dioses nacieron de alguna forma fantástica y que podían morir.

- Dios es todo poderoso. Esto quiere decir que Dios puede hacerlo todo. Dios es perfecto.

Esta es otra diferencia entre Dios y los falsos dioses en que creía la gente. Esos falsos dioses cometían errores, algunas veces caían y eran culpados de cosas malas.

- Dios lo sabe todo. Quiere decir que Dios conoce todo, el presente, el pasado y el futuro. Esto no detiene a la gente de escoger y actuar libremente.

Contrario a los israelitas, otros pueblos creían en falsos dioses que no sabían nada, no podían hacerlo todo y con frecuencia trataban de evitar que el pueblo tomara sus propias decisiones.

- Dios es omnipresente. Esto quiere decir que Dios está en todas partes todo el tiempo.

De nuevo los falsos dioses de otros pueblos no tenían esta cualidad. Ellos no podían estar presentes en todas partes todo el tiempo. Ellos con frecuencia eran representados viajando de un lugar a otro como los demás humanos.

Palabras e ideas sólo explican algo de Dios. En esta vida no podemos conocer completamente a Dios. Es por eso que Dios siempre será un misterio para nosotros.

¿Cuáles de los atributos de Dios describe mejor tu propia experiencia de Dios? ¿Por qué?

Como católicos...

Creemos que la vida es un don de Dios y que toda vida humana es sagrada, santa. Todos, sin importar su edad, raza, sexo, nacionalidad, habilidades físicas o mentales, tienen el derecho a la vida y el derecho a ser tratados con respeto. Somos llamados a valorar y proteger nuestras vidas y las de los demás.

Porque la vida es sagrada, cuidamos de las necesidades de los otros y trabajamos para crear leyes que protejan la vida de todos en el mundo, especialmente los necesitados.

¿Cómo puedes animar a otros a valorar el don de la vida humana?

God is the source of all life.

The first story of creation in Genesis 1:1—2:4 not only tells us about creation, it also tells us about God. To begin with, it shows us that God is the one, true God. There is no other God. This understanding of God is very different from the one held by other ancient peoples. They believed that there were many gods and even thought of objects as gods. They often worshiped the sun or moon, the weather, or ideas like fate or justice.

The first creation story also makes it clear that the God we worship is a personal God, not an object or an idea. God is a living being, and is the source of all life. In fact, God is the supreme being who creates all life and keeps it in existence.

The first story of creation also helps us to know some of God's attributes, or characteristics.

• God is eternal. This means that God always was and always will be. God is changeless and timeless. Change and time are part of creation, and God is *not* part of creation.

The Israelites' view of God was very different from the one held by other ancient peoples.

They worshiped false gods that they thought were a part of creation. They believed these gods were born, usually in some fantastic way, and could die.

• God is all-powerful. This means that God can do anything. God is perfect.

Here again God differs from the false gods that people believed in. These false gods made mistakes and sometimes failed and were often pictured as guilty of terrible evils.

• God is all-knowing. This means that God knows everything—past, present, and future. Yet God's knowledge never keeps people from choosing and acting freely.

Unlike the Israelites, other people believed in false gods that did not know everything, could not do everything, and often tried to keep the people from making their own decisions.

• God is ever-present. This means that God is everywhere at all times.

Again the false gods that other people believed in did not have this quality. They could not be present everywhere and always. They were often described as traveling from place to place, just like human beings.

Words and ideas only explain so much about God. In this life we will never have full and complete knowledge of God. That is why God will remain a mystery to us.

Which of these attributes best describe your own experience of God. Why?

Los humanos son creados a imagen y semejanza de Dios.

En la historia de la creación vemos una gran diferencia en la creación de los humanos.

"Y creó Dios a los seres humanos a su imagen; a imagen de Dios los creó; varón y mujer los creó" (Génesis 1:27)

El escritor nos dice que sólo los humanos son creados a imagen y semejanza de Dios. Somos creados a semejanza de Dios porque como humanos, cada uno de nosotros, es una creación única, somos alguien, no algo.

Cada uno de nosotros es una persona única que posee dignidad humana. **Dignidad humana** es el valor que viene de ser creado a imagen y semejanza de Dios. Hombres y mujeres son creados a imagen y semejanza de Dios. Dios creó a los humanos diferentes, pero iguales, todos compartimos la dignidad humana. Y Dios vio que era bueno.

Cada uno de nosotros es creado para ser como Dios y compartir su amistad. De todas las criaturas sólo los humanos tienen **libre albedrío**, la libertad y habilidad de escoger; y **conciencia**, la habilidad de diferenciar entre el bien y el mal, lo malo y lo bueno. Sólo nosotros podemos pensar, amar y tener amigos. Solo nosotros podemos conocer y amar a nuestro creador.

Ser creado a imagen y semejanza de Dios conlleva serias responsabilidades. Somos llamados a respetar y cuidar de todo lo que Dios nos ha dado. Como nuestro libre albedrío nos responsabiliza de nuestros pensamientos y acciones, debemos tomar nuestras decisiones muy cuidadosamente. Somos llamados a escoger lo que es bueno y correcto y a actuar a imagen y semejanza de nuestro creador.

RESPONDEMOS

Dios, trataré de vivir más a tu imagen.

_____

_____

_____

_____

_____

Vocabulario

alianza (pp 349)

libro del Génesis (pp 349)

dignidad humana (pp 349)

libre albedrío (pp 349)

conciencia (pp 349)

32

Human beings are created in God's image and likeness.

In the story of creation we see something strikingly different in the creation of humans.

> "God created man in his image;
> in the divine image he created him;
> male and female he created them."
>
> (Genesis 1:27)

The biblical writer is telling us that only human beings are made in the image and likeness of God. We are like God because as human beings each of us has been created as someone, not something.

Each one of us is a unique person who possesses a human dignity. **Human dignity** is the value and worth that comes from being made in God's image and likeness. Both males and females are created in God's image and likeness. God created humans different but equal, all sharing the same human dignity. And God found that good.

Each one of us is created to be like God and to share in his friendship. Of all the creatures we alone are created by God with **free will**—the freedom and ability to choose—and with **conscience**—the ability to know the

difference between good and evil, right and wrong. We alone are able to think and love and form relationships. We alone can know and love our Creator.

Being made in the image and likeness of God carries with it serious responsibilities. We are called to respect and care for all that God has given us. And since our free will makes us responsible for our own thoughts and actions, we must make our choices carefully. We are called to choose what is good and right and to act in the image and likeness of our Creator.

WE RESPOND

God, I will try to live more in your image by

_____

_____

_____

_____

_____

_____

Key Words

covenant (p. 351)

Book of Genesis (p. 351)

human dignity (p. 351)

free will (p. 351)

conscience (p. 351)

Muestra *lo* que sabes

Organiza las palabras del **Vocabulario** para completar los oraciones.

| BRILE OBADILRE | DGIDNIAD AMHAUN | SGESINE |
| CANICOCNEI | ZANLAIA | |

1. El primer libro de la Biblia es el _____, donde hay dos recuentos de la creación.

2. Entre todas las criaturas creadas por Dios sólo nosotros fuimos creados con

   _____, la libertad y la habilidad de escoger y con una _____, la habilidad de conocer la diferencia entre el bien y el mal, lo bueno y lo malo.

3. Una _____ es un acuerdo entre Dios y su pueblo.

4. Cada uno de nosotros es una persona única que posee _____, el valor que tenemos por ser creados a imagen y semejanza de Dios.

Celebra

Durante las celebraciones de la fiesta de San Francisco de Asís, muchas parroquias tienen una ceremonia especial. Los feligreses llevan sus animales, domésticos y de trabajo, a la iglesia. Algunas iglesias tienen una procesión. Otras una bendición de los animales. San Francisco de Asís creía que la humanidad estaba unida en hermandad con toda la creación de Dios. San Francisco es el patrón de los animales y la ecología, que estudia la relación entre las cosas vivas y su medio ambiente.

RETO PARA EL DISCIPULO

• ¿Cuándo se celebra la fiesta de San Francisco?

   _____

• ¿Tiene tu parroquia una ceremonia especial o procesión para bendecir a los animales? Descríbela.

   _____

PROJECT DISCIPLE

Show What *you* Know

Unscramble the Key Words to complete the sentences below.

EREF LILW	NUHAM GNYIIDT	KOBO ISESGNE FO
ECCNICSENO		VATNNEOC

1. The first book of the Bible, the _____, contains two accounts of creation.

2. Of all creatures created by God, we alone were created with _____, the freedom and ability to choose, and with _____, the ability to know the difference between good and evil, right and wrong.

3. The _____ is an agreement between God and his people.

4. Each one of us is a unique person who possesses _____, the value that comes from being made in God's image and likeness.

Celebrate!

On or around the feast day of Saint Francis of Assisi, many parishes hold a special ceremony. Parishioners take their animals, including pets and even work animals, to church. Some churches have a procession. Others simply have the animals gather for a blessing. Saint Francis of Assisi believed that humanity was connected to all of God's creation in a brotherhood. Saint Francis is the patron saint of animals and of ecology, which is the study of the relationship between living things and their environment.

↳ DISCIPLE CHALLENGE

• When is Saint Francis of Assisi's feast day?

_____

• Does your parish have a special ceremony or procession for the blessing of animals? If so, describe it.

_____

HACIENDO DISCIPULOS

Investiga

El Observatorio Romano es una de las instituciones astronómicas más antiguas. Fue fundado en 1582. Tiene dos centros de investigación, uno en Castel Gandolfo, Italia y otro en Tucson, Arizona. El telescopio del centro de Tucson es el primer telescopio óptico infrarrojo usado para estudiar la luz y los puntos rápidos del universo. El centro de Italia tiene una colección especial de meteoritos que se han usado para estudiar la historia del sistema solar. Estudiar ciencia es una forma de acercarse Dios apreciando las maravillas de la creación de Dios.

¿Cuáles son otras formas de apreciar las maravillas de la creación de Dios?

_____

_____

 ## Reza

Escribe una oración de acción de gracias a Dios por las maravillas del universo.

_____

_____

_____

Escritura

¿Qué atributo de Dios se identifica en este pasaje de la Escritura?

*"Señor, tú has sido nuestro refugio
de generación en generación.
Antes que nacieran las montañas,
o fuera engendrado el universo , desde
siempre y para siempre tú eres Dios".*
(Salmo 90:1–2)

_____

Tarea

¿Hay una película donde el personaje principal escoge hacer lo correcto y actuar a imagen y semejanza de Dios?

_____

_____

Planifica una "noche de cine" para ver y conversar sobre la película con tu familia.

PROJECT DISCIPLE

More to Explore

The Vatican Observatory is one of the world's oldest astronomical institutes. It was founded in 1582. The observatory has two research centers, one in Castel Gandolfo, Italy, and one in Tucson, Arizona. The Tucson center telescope is the first optical-infrared telescope to be used to study light at the farthest points of the universe. The center in Italy has a unique collection of meteorites that are used to study the history of the solar system. Studying science is a way to grow closer to God by appreciating the wonders of God's creation.

What are other ways to appreciate the wonders of God's creation?

_____

_____

Pray Today

Write a prayer thanking God for the wonders of the universe.

_____

_____

_____

What's the Word?

What attribute of God is identified in the Scripture passage?

"Lord, you have been our refuge
   through all generations.
Before the mountains were born,
   the earth and the world brought forth."
(Psalm 90:1–2)

_____

Take Home

Is there a current movie that shows the main character(s) choosing to do what is right and good, and acting in the image and likeness of God?

_____

_____

Plan a family "movie night" to view and discuss this movie.

Capítulo 2 (páginas 24–37)

La creación

En este capítulo su niño(a) aprenderá que Dios creó todas las cosas y que somos creados a imagen y semejanza de Dios.

Para los padres

Hay muchos hechos que conocemos porque Dios los ha revelado. Los tres primeros capítulos del Génesis nos ofrecen una comprensión clara. En una de las historias de la creación, Dios expresa su encanto por el trabajo de sus manos. La Escritura muestra que Dios no nos ha abandonado. Todo lo contrario, Dios nos cuida, comparte su vida con nosotros y está presente en nosotros como un Padre en sus hijos adoptivos.

Todos los días

• Recen la Señal de la Cruz y la siguiente oración: *Dios creador, te damos gracias por la belleza de la creación.*

Primer día **El libro de Génesis es sobre los orígenes.**

• Lea en voz alta el enunciado; luego túrnense para leer el texto. Dé tiempo a su niño(a) para leer la tabla. Enfatice que cada libro de la Biblia y cada periodo histórico se relacionan de una manera especial con la *alianza*.

• Señale que Génesis significa origen o principio y que el Libro de Génesis es el primer libro de la Biblia. Se trata de la creación del universo de Dios.

Segundo día **Dios creó el universo.**

• Tomen turnos leyendo en voz alta la afirmación y el texto. Enfatice que la obra de Dios no ocurrió durante un período de tiempo definido.

Ayude a su niño(a) a entender que en esta primera historia de la creación de Dios se demuestra que ha creado todo en el universo, que todo lo que él creó es bueno y que toda la creación depende de él.

• Destaque que la ciencia y la religión no se contradicen entre sí; más bien, la ciencia nos ayuda a comprender el universo y la religión nos ayuda a creer en Dios, el creador.

Tercer día **Dios es la fuente de toda vida.**

• Túrnense para leer la afirmación y el texto. Comenten los pasajes del Antiguo y el Nuevo Testamento.

• Comente con su niño(a) sobre los atributos de Dios y compartan las formas en que el único Dios verdadero es diferente de los falsos dioses adorados por algunos pueblos antiguos.

Cuarto día **Los seres humanos son creados a imagen y semejanza de Dios.**

• Túrnense para leer el texto. Ponga énfasis en que porque Dios nos hizo a su imagen y semejanza poseemos *la dignidad humana, el libre albedrío y la conciencia.*

Respondemos en fe

Quinto día

• Hable con su hijo(a) sobre la historia de su familia.

Sexto día

• Hable con su niño(a) sobre la responsabilidad que tenemos de elegir nuestras acciones cuidadosamente.

Chapter 2 (pages 24–37)

Creation

In this chapter your child will learn that God created all things and that we are made in God's image and likeness.

For the Parents

There are many beliefs we know about the creation of the world and everything in it because God has revealed them. The first three chapters of the Book of Genesis offer us much insight. In one of the creation stories, God expresses his delight at the work of his hands. He still does. Scripture shows that God has not abandoned us. Rather, God cares for us, shares his life with us, and is present to us as a Father to his adopted children.

Every Day

• Pray the Sign of the Cross, and the following prayer, *Creator God, we give you thanks for the beauty of creation.*

Day One **The Book of Genesis is about beginnings.**

• Read aloud the statement, then take turns reading the text aloud. Allow your child time to read through the chart. Emphasize that each book of the Bible and each historical period connects in a special way with the *covenant.*

• Point out that *genesis* means beginning and that the Book of Genesis is the first book of the Bible. It is about God's creation of the universe.

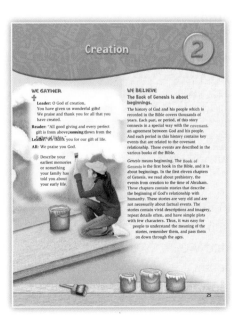

Day Two **God created the universe.**

• Take turns reading the statement and the text aloud. Emphasize that God's work did not happen over a definite time period. Help your child understand that in this first creation story God is shown to have created everything in the universe, that all that he created is good, and that all creation depends on him.

• Emphasize that science and religion do not contradict each other; rather, science helps us to understand the universe, and religion helps us to believe in God, the creator.

Day Three **God is the source of all life.**

• Read aloud the statement and the text, alternating with your child. Discuss the passages from the Old and New Testament.

• As you and your child discuss each of the attributes of God, talk about the ways that the one true God is unlike the false gods worshiped by some ancient peoples.

Day Four **Human beings are created in God's image and likeness.**

• Take turns reading the statement and the text aloud. Emphasize that because God made us in his image and likeness, we possess *human dignity, free will, and conscience.*

We Respond in Faith

Day Five

• Talk to your child about your own family history.

Day Six

• Talk with your child about the responsibility we have to choose our actions carefully.

NOS CONGREGAMOS

 Líder: Bendito sea el Dios de la creación quien nos formó como barro en las manos del alfarero.

Todos: Bendito seas por siempre, Señor.

Lector: "Entonces el Señor me dijo: '¿Acaso no puedo hacer yo con ustedes, pueblo de Israel, igual que hace el alfarero? Oráculo del Señor. Como está la arcilla en manos del alfarero, así estám ustedes en mis manos, pueblo de Israel'" (Jeremías 18:5–6).

Palabra de Dios.

Todos: Te alabamos, Señor.

¿Qué puedes hacer que otras criaturas no pueden?

CREEMOS

Dios creó a los humanos, cuerpo y alma.

El libro del Génesis ofrece una segunda historia de la creación. La podemos leer en Génesis 2:5–25. En esta historia el escritor nos dice que Dios creó a los humanos *antes* de crear a las plantas y a las otras criaturas. En eso difieren las dos historias de la creación. Sin embargo ambas señalan lo mismo: Los humanos son la creación de Dios más importante.

Las siguientes palabras sobre la humanidad son de otro libro de la Biblia. Ellas señalan claramente que Dios dio gran dignidad y poder a los humanos. "Lo hiciste apenas inferior a un dios, coronándolo de gloria y esplendor" (Salmo 8:6).

WE GATHER

✝ **Leader:** Blessed be the God of creation who forms us like clay in the hands of a potter.

All: Blessed be God now and for ever.

Reader: "Then the word of the Lord came to me: Can I not do to you, house of Israel, as this potter has done? says the LORD. Indeed, like clay in the hand of the potter, so you are in my hand, house of Israel."
(Jeremiah 18:5–6)

The word of the Lord.

All: Thanks be to God.

☀ What can you do that other creatures cannot do?

WE BELIEVE

God created human beings, body and soul.

The Book of Genesis provides a second story of creation. We can read it in Genesis 2:5–25. In this story the biblical writer tells us that God created humans *before* he created plants and other creatures. Thus, the two creation stories differ. Yet both make the same point: God created humanity as the high point of creation.

The following words about humanity are from another book of Scripture. They make it clear that God gave great dignity and power to all humans.

"Yet you have made them little less than a god, crowned them with glory and honor."
(Psalm 8:6)

En la segunda historia de la creación, el escritor describe a Dios creando a los humanos usando barro para formar el cuerpo del primer hombre. Esta historia es muy antigua, pero concuerda con la idea de estudios científicos modernos: Nuestros cuerpos están hechos de los mismos elementos que el resto del universo.

En esta historia leemos: "Entonces el Señor Dios formó al hombre del polvo de la tierra, sopló en su nariz un aliento de vida, y el hombre fue un ser viviente" (Génesis 2:7). Este soplo de vida de Dios se refiere a nuestra **alma**, la realidad espiritual invisible que nos hace humanos. El alma es inmortal, nunca muere.

Los humanos son una unión de un cuerpo físico visible y un alma espiritual invisible. Cada ser humano es único, todos tienen cuerpo y alma. Un día moriremos y nuestros cuerpos se convertirán en polvo. Pero nuestras almas, el soplo de Dios, vivirá para siempre. Al final de los tiempos, nuestro cuerpo y nuestra alma se reunirán cuando Cristo venga para el juicio final.

También en la segunda historia de la creación Dios dijo: "No es bueno que el hombre esté solo. Voy a proporcionarle una ayuda adecuada" (Génesis 2:18). Dios creó entonces muchos animales salvajes y aves y finalmente, cuando el hombre cayó dormido, Dios tomó una de sus costillas y creó a la primera mujer. Cuando el hombre despertó y vio a la mujer dijo:

"Ahora sí: ésta es hueso de mis huesos y carne de mi carne" (Génesis 2:23).

Que Dios creara a la mujer de una costilla del hombre simboliza que ambos, hombre y mujer, comparten la misma dignidad humana y que son iguales. Esto también nos recuerda que todos los humanos están unidos unos a otros. Todos tenemos un solo y verdadero Padre, Dios. Somos creados para compartir la propia vida de Dios y ayudarnos unos a otros a conocer y a amar a Dios.

Dios nos creó a cada uno con dones y habilidades. ¿Cuáles son los dones que tienes que pueden ayudar a otros a conocer y a amar a Dios? Dibújalos o escríbelos aquí.

40

and soul. One day we will die, and our bodies will turn to dust. But our souls, the breath of God in us, will live forever. At the end of time, our body and soul will be reunited when Christ comes again at the Last Judgment.

We also find in this second story of creation that God said, "It is not good for the man to be alone. I will make a suitable partner for him" (Genesis 2:18). So God created many wild animals and birds and then finally, while the man slept, God took one of his ribs and created the first woman. When the man woke up and saw this woman, he said,

"This one, at last, is bone of
    my bones
and flesh of my flesh"
    (Genesis 2:23).

God's creation of woman from the rib of man symbolizes that females and males share the same human dignity and are equal. It also reminds us that all humans are united to one another. We all have one true Father—God. We are all created to share in God's own life, and to help one another to know and love God.

In the second creation story, the biblical writer describes God creating humans by taking a lump of clay from the earth and using it to form the body of the first man. This creation story is very old, yet it agrees with the idea from today's modern scientific study: Our human bodies are made out of the same elements as the rest of the universe.

In this story we read: "The LORD God formed man out of the clay of the ground and blew into his nostrils the breath of life, and so man became a living being" (Genesis 2:7). This breath of life from God refers to our soul, the invisible spiritual reality that makes each of us human. The soul is immortal; it will never die.

Humans are a union of a visible, physical body and an invisible, spiritual soul. Every human being is unique, yet each of us is made body

God makes each of us with gifts and abilities. What gift do you have that can help others know and love God? Draw or write about it here.

Dios nos llamó a ser mayordomos de la creación.

Dios dijo a los primeros humanos, "Crezcan y multiplíquense; llenen la tierra y sométanla; dominen sobre los peces del mar, las aves del cielo y todos los animales que se mueven por la tierra". (Génesis 1:28).

Dios pidió a los primeros humanos dar nueva vida al mundo, creando así la familia humana. El les pidió ser responsables de la tierra y de todas las cosas vivas en ella. Entonces Dios permitió a los humanos ser compañeros de él y de los demás en continuar el trabajo de la creación.

Dios puso a los primeros humanos en el hermoso jardín del Edén y compartió su amistad y vida con ellos. Ellos debían usar todos los dones de la creación. El jardín era un símbolo usado por el escritor bíblico para mostrar la felicidad que los humanos tenían en la presencia de Dios.

El escritor nos cuenta otro evento simbólico: Dios dio autoridad a los humanos sobre los animales permitiéndoles ponerles nombres. Para los antiguos israelitas, las personas tenían autoridad sobre aquello que nombraban. Así los humanos fueron llamados por Dios para ser mayordomos de la creación.

De todo lo creado por Dios, sólo los humanos tienen la habilidad de cuidar de la creación y hacerla prosperar. De hecho eso es lo que exactamente la mayordomía involucra, autoridad y responsabilidad. Un **mayordomo** es una persona a quien se le da autoridad y la responsabilidad sobre lo que está bajo su cuidado y de velar por su crecimiento y vida.

Cada uno de nosotros es mayordomo de la creación de Dios. Al cuidar de la creación, mostramos respeto por el Creador.

Somos llamados a cuidar de la creación todos los días. ¿Qué cosas podemos hacer para:

hacer buen uso del agua?_____

reciclar?_____

cuidar de los animales?_____

proteger el medio ambiente?_____

Otras _____

God called us to be stewards of creation.

God told the first human beings, "Be fertile and multiply; fill the earth and subdue it. Have dominion over the fish of the sea, the birds of the air, and all the living things that move on the earth" (Genesis 1:28).

God told the first man and woman to bring new life into the world and thus create the human family. He asked them to be responsible for the earth and all the living things in it. Then God allowed humans to be partners with him and with one another in continuing his work of creation.

God put the first man and woman in the beautiful garden in Eden and shared his own friendship and life with them. They also had use of all the gifts of creation. The garden was a symbol that the biblical writer used to show the happiness that human beings had in the presence of God.

The biblical writer tells us about another symbolic event: God gave humans authority over all the animals by allowing them to name the animals. To the ancient Israelites, people had authority over those whom they named. So humans were called by God to be the caretakers of creation.

Of all of God's creatures, humans alone have the ability to care for creation and make it prosper. In fact, that is exactly what stewardship involves—authority and responsibility. A **steward** is a person who is given both the authority over what he or she cares for and the responsibility for seeing that it lives and grows.

Each of us is a steward of God's creation. By caring for creation, people show respect for the Creator.

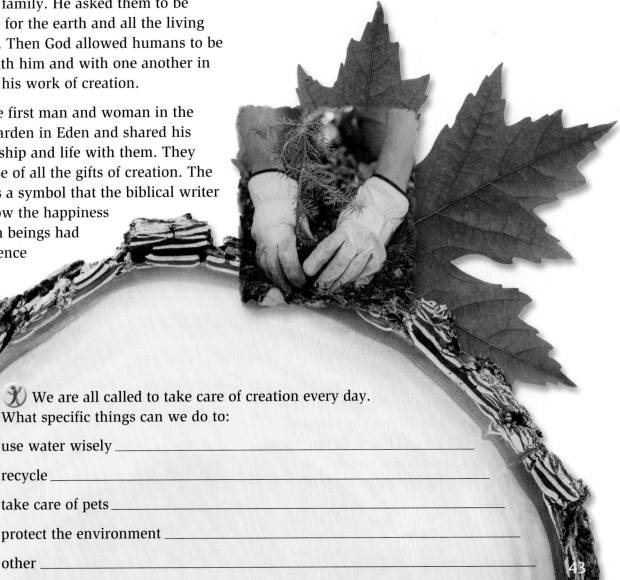

We are all called to take care of creation every day. What specific things can we do to:

use water wisely _____

recycle _____

take care of pets _____

protect the environment _____

other _____

43

El mal entró al mundo por un acto humano.

En el capítulo 3 del Génesis, el escritor usa una historia para enseñar verdades importantes sobre el pecado y el sufrimiento. Esta historia nos dice una verdad muy real, la decisión del ser humano lo alejó de Dios y perdió su amistad con él.

Al inicio de la historia, los primeros humanos vivían en un hermoso jardín en Edén. Ellos eran amigos de Dios y por eso vivían en armonía con Dios, con ellos mismos y el resto de la creación. Vivían en el estado original de inocencia, santidad y justicia para lo que Dios los había creado.

Los primeros humanos eran libres de hacer todo menos una cosa: ellos no debían comer la fruta del árbol del conocimiento del bien y del mal. Dios le dijo al hombre que si comía de ese árbol moriría.

Este aviso sobre la prohibición de la fruta simboliza que la amistad con Dios depende completamente de la confianza en Dios y en seguir su voluntad. Esto nos recuerda que, como criaturas, somos limitados y debemos respetar esas limitaciones.

Aprendemos de esta historia que los primeros humanos desobedecieron a Dios. Una serpiente habló a la mujer diciéndole: "Dios sabe que en el momento en que coman se les abrirán los ojos y serán como Dios, conocedores del bien y del mal". (Génesis 3:5). Ella creyó a la serpiente. Tomó una fruta y la comió. Después se la ofreció al hombre, y él comió.

Esta historia está llena de símbolos. La serpiente representa al diablo, que tienta a la mujer a hacer el mal. El hecho de que la mujer crea a la serpiente nos recuerda lo atractivo que puede ser el mal. Comer la fruta simboliza escoger. Muestra que por nuestro libre albedrío, los humanos tenemos el poder de tomar decisiones que pueden llevarnos al bien o al mal.

La historia continúa, y los primeros humanos se dieron cuenta lo seria que había sido su acción. Tuvieron miedo de Dios y se escondieron. Pero Dios sabía lo que ellos habían hecho; al fin de la historia, Dios los saca del jardín. Ahora no tienen derecho a estar ahí. Por su libre voluntad escogieron alejarse de Dios.

Haz una lista de las razones por las que la gente toma decisiones que pueden alejarla de Dios y los demás.

_____

_____

_____

_____

Evil entered the world through a human act.

In Chapter 3 of Genesis, the biblical writer uses a story to teach important truths about sin and suffering. This story tells of a very real truth—the choice of the human race to turn away from God and lose its close friendship with him.

As the story opens, the first man and woman were living in a beautiful garden in Eden. They were God's friends, and because of this they had harmony with God, each other, and the rest of creation. They were living in the original state of innocence, holiness, and justice for which God had created them.

The first humans were free to do all but one thing: they could *not* eat the fruit of the tree of the knowledge of good and bad. God told the man that if he ate from it, he would die.

This warning about the forbidden fruit symbolizes that friendship with God depends on complete trust in God and on following his will for us. It reminds us that, as created beings, we are limited and we must respect those limitations.

But we learn from the story that the first man and woman disobeyed God. A serpent spoke to the woman and said, "God knows well that the moment you eat of it [the fruit] your eyes will be opened and you will be like gods who know what is good and what is bad" (Genesis 3:5). She believed the serpent. So she picked some of the fruit and ate it. Then she offered some to the man, who also ate it.

This story is filled with symbols. The serpent represents the Devil, who tempted the woman to do evil. The fact that the woman believed the serpent reminds us of just how attractive evil can be. Eating the fruit symbolizes a choice. It shows that because of our free will, humans have the power to make choices that can lead to good or to evil.

As the story continues, the first man and woman realized the seriousness of their actions. They became frightened of God and hid from him. But God knew what they had done, and, as the story closes, God sent them out of the garden. They no longer had any right to be there. Of their own free will, humans had chosen to turn from God.

List some of the reasons that people make choices that lead them away from God and others.

_____

_____

_____

_____

45

Todo el mundo sufre los efectos del pecado original.

La historia de los primeros humanos, a quienes llamamos Adán y Eva, muestra lo estrecha que era la relación entre Dios y los humanos. También muestra que en vez de respetar el aviso de Dios y confiar en sus palabras, los humanos se alejaron de Dios. Ellos egoístamente hicieron lo que quisieron *ellos* en vez de lo que Dios les había mandado. En otras palabras, ellos pecaron. Un **pecado** es un pensamiento, palabra, obra u omisión contra la ley de Dios. Este pecado de los primeros humanos les quitó su inocencia, santidad y justicia original. Ellos perdieron la armonía que tenían con Dios, con cada uno y con el resto de la creación.

Porque los primeros humanos personalmente escogieron separarse de Dios, cometieron pecado personal. Su pecado personal fue el primer pecado y es llamado **pecado original**. El pecado original debilitó la naturaleza humana y trajo ignorancia, sufrimiento y muerte al mundo. Esta naturaleza humana herida fue pasada al resto de la humanidad. Así nosotros sufrimos los efectos del pecado original, aunque no es un pecado por el que somos personalmente responsables.

Aun cuando los primeros humanos se alejaron de Dios, Dios no se alejó de ellos. Dios no abandonó a la humanidad. Al contrario, Dios les mostró su misericordia. En un lenguaje simbólico, el escritor bíblico nos dice que Dios dijo que un descendiente de los primeros humanos salvaría a la humanidad. Dios prometió que el pecado y el mal un día serían vencidos.

"Ella te herirá en la cabeza, pero tú sólo herirás su talón". (Génesis 3:15)

Así que la humanidad *no* estaba totalmente perdida. La naturaleza humana fue herida, pero no destruida. Los humanos todavía formaban parte de la buena creación de Dios y Dios seguía amándolos.

RESPONDEMOS

Conversa con tu grupo sobre noticias recientes que muestran que el sufrimiento es parte de la vida humana. ¿Cómo pueden ser consoladas las personas en estas historias?

Vocabulario

alma (pp 349)

mayordomo (pp 349)

pecado (pp 350)

pecado original (pp 350)

Como católicos...

Nuestro Señor y Salvador, Jesucristo, como verdadero Dios y verdadero hombre, es libre de todo pecado, incluyendo el pecado original. Él murió y resucitó para liberarnos del pecado. Porque María fue la madre del Hijo de Dios, ella fue bendecida por Dios de manera especial. María fue libre del pecado original desde el momento de su concepción, y ella no cometió pecado durante toda su vida. Llamamos a esta verdad la Inmaculada Concepción.

María, bajo el título de Inmaculada Concepción, es la patrona de los Estados Unidos. Toda la Iglesia celebra la fiesta de la Inmaculada el 8 de diciembre. En los Estados Unidos es día de precepto.

¿Cómo celebra tu parroquia esta fiesta?

All people suffer from the effects of Original Sin.

The story of the first human beings, whom we call Adam and Eve, shows how close the relationship between God and human beings originally was. It also shows that instead of respecting God's warning and trusting his words, human beings turned away from God. They selfishly did what *they* wanted, rather than what God commanded. In other words, they committed a sin. **Sin** is a thought, word, deed, or omission against God's law. This sin of the first humans took away their original innocence, holiness, and justice. They lost the harmony they felt with God, with each other, and with the rest of creation.

Because the first humans personally chose to turn from God, they committed personal sin. Their personal sin was the first sin and is called **Original Sin**. Original Sin weakened human nature and brought ignorance, suffering, and death into the world. This wounded human nature was passed on to the rest of humanity. Thus, we all suffer from the effects of Original Sin, though it is not a sin for which we are personally responsible.

Even after the first human beings turned away from God, God did not turn away from them. God did not abandon humanity. Instead God showed them his mercy.

Key Words

soul (p. 352)

steward (p. 352)

sin (p. 352)

Original Sin (p. 352)

As Catholics...

Our Lord and Savior Jesus Christ, as true God and true man, is free from all sin, including Original Sin. He died and rose to free us from sin. Because Mary was to be the Mother of the Son of God, she was blessed by God in a special way. Mary was free from Original Sin from the moment she was conceived, and she did not commit sin during her entire life. We call this truth the Immaculate Conception.

Mary, under the title of the Immaculate Conception, is the patroness of the United States. The whole Church celebrates the Feast of the Immaculate Conception on December 8. In the United States this feast is a holy day of obligation.

How does your parish celebrate this feast?

In very symbolic language, the biblical writer tells us that God said a descendant of the first man and woman would save humanity. God promised that sin and evil would one day be overcome.

"He will strike at your head,
while you strike at his heel." (Genesis 3:15)

So humanity was *not* completely lost. Human nature was wounded, but not destroyed. Humans were still a part of God's good creation, and God still loved them.

WE RESPOND

With a group discuss recent news stories that show that suffering is a part of human life. How can the people in these stories be comforted?

HACIENDO DISCÍPULOS

Muestra *lo* que sabes

Escribe un resumen de la segunda historia de la creación. Usa las palabras del Vocabulario.

Celebra

María fue concebida sin pecado original. Esta verdad es la Inmaculada Concepción.

Nos reunimos como parroquia para celebrar la Inmaculada Concepción.

↳ **RETO PARA EL DISCÍPULO** ¿Cuándo y cómo celebramos la Inmaculada Concepción?

Pray
Learn
Celebrate
Share
Choose
Live

PROJECT DISCIPLE

Show What you Know

Write a summary of the second creation story.
Use the Key Words in your summary.

_____

_____

_____

_____

_____

_____

_____

_____

_____

Celebrate!

Mary was free from Original Sin from the moment she was conceived. This truth is the Immaculate Conception.

As a parish, we gather together to celebrate the Immaculate Conception.

↳ **DISCIPLE CHALLENGE** When and how do we celebrate the Immaculate Conception?

_____

_____

Investiga

Peligros, tales como la contaminación y los cambios climáticos amenazan el medio ambiente. El National Catholic Rural Life Conference (NCRLC) ayuda a familias en las áreas rurales con esos problemas. La Conferencia nos recuerda nuestra responsabilidad con la creación. La NCRLC se preocupa por los avances científicos sobre cultivo de alimentos. Sus miembros hablan para asegurarse de que la doctrina social de la Iglesia nos guíe al tomar decisiones sobre nuestro medio ambiente. La NCRLC nos llama a respetar la vida, apreciar la dignidad humana y mostrar respeto a la creación.

RETO PARA EL DISCIPULO

- Busca en el sitio Web de NCRLC (www.ncrlc.com).
- Escoge un programa o asunto. Prepara un reporte para la clase.
- Visita *Vidas de santos* en religion.sadlierconnect.com para aprender más sobre los santos.

Consulta

En el libro de Génesis, aprendemos que Dios dio a la humanidad: "Dominio sobre . . . toda cosa viva sobre la tierra" (Génesis 1:28). *Dominio sobre* implica ser administradores y tener la responsabilidad por todas las cosas vivas. ¿Cuál es tu responsabilidad?

_____

Haz lo

La cocina popular local necesita voluntarios y donaciones. Escribe una forma en que puedes ayudar junto con tus amigos.

_____

_____

_____

Compártelo.

Tarea

Habla sobre la palabra *responsabilidad* con tu familia. Señala que todos los miembros de tu familia son responsables—a cada uno se le ha dado la autoridad sobre lo que debe cuidar y velar para que viva y crezca. Compartan algunas maneras en que cada uno es responsable.

PROJECT DISCIPLE

More to Explore

Dangers such as pollution and climate change threaten the environment. The National Catholic Rural Life Conference (NCRLC) helps families in rural farm areas with these and other problems. The conference reminds us of our call to the stewardship of all creation. The NCRLC is concerned about scientific advances in growing food. Members speak out to make sure that Catholic social teachings guide us in making decisions about our environment. The NCRLC calls on all people to respect life, uphold human dignity, and show respect for creation.

⤵ DISCIPLE CHALLENGE

- Search the NCRLC Web site (www.ncrlc.com).
- Choose one of the programs or issues. Prepare to report on it to the class.
- Visit *Lives of the Saints* on **religion.sadlierconnect.com** to learn more about the NCRLC patron saints.

Question Corner

In the Book of Genesis, we learn that God gave humanity "dominion over . . . all the living things that move on the earth" (Genesis 1: 28). *Dominion over* implies being a steward and having responsibility for living things. What are you responsible for?

_____

Make it Happen

Your local food bank needs volunteers and donations. Write one way you and your friends can help.

_____

_____

_____

Now, pass it on!

Take Home

Talk about the word *steward* with your family. Point out that all members of your family are stewards—each is given the authority over what he or she cares for and the responsibility for seeing that it lives and grows. Share some ways that each member of your family is a steward.

Catequesis en el hogar

Capítulo 3 (páginas 38–51)

El pueblo se alejó de Dios

En este capítulo su niño(a) aprenderá que el pecado entró al mundo a través de la humanidad.

Para los padres

Fue voluntad de Dios que el hombre y la mujer tuvieran la capacidad de conocer, amar libremente y servir voluntariamente a Dios. Fue voluntad de Dios que toda la humanidad compartiera en la vida de Dios consciente e intencionalmente.

Todos los días

• Juntos recen el Padrenuestro.

Primer día Dios creó al ser humano, cuerpo y alma.

• Lea en voz alta el enunciado y el texto que sigue. Enfatice que Dios es el creador de todas las cosas y que los seres humanos son la creación más alta de todo el universo. Explique que el cuerpo humano está hecho de los mismos elementos que el resto de la creación, pero también tenemos un alma.

• Recalque que cada persona es una unión de cuerpo y alma, y que todos somos iguales en dignidad, estamos unidos entre sí y hemos sido creados para ayudarnos y compartir en la vida de Dios.

Segundo día Dios nos llamó a ser mayordomos de la creación.

• Lea el enunciado y el texto. Enfatice que Dios nos permite continuar su trabajo de la creación y nos pide ser responsables de todas las cosas vivas.

• Señale que ser mayordomos de la creación quiere decir que tenemos la autoridad y la responsabilidad de cuidar toda la creación.

Tercer día El mal entró al mundo a través de un acto humano.

• Túrnense para leer el enunciado y el texto que sigue. Ponga énfasis en que la humanidad estaba destinada a vivir en armonía con Dios, con ellos mismos y con toda la creación, y a pesar del hecho de que los primeros seres humanos fueron advertidos acerca de la muerte, la humanidad prefirió alejarse de Dios.

• Recuérdele a su niño(a) que todos tenemos libre albedrío. Señale que la decisión de los primeros humanos de apartarse de Dios resultó en la pérdida de la amistad con Dios, el dolor, la tristeza y la muerte.

Cuarto día Todo el mundo sufre los efectos del pecado original.

• Lea en voz alta el texto. Ponga énfasis en que la desobediencia del primer hombre y la mujer—el primer pecado—causó la pérdida de la inocencia y la santidad.

• Recalque el hecho de que este pecado original debilitó nuestra naturaleza humana y trajo la ignorancia, el sufrimiento y la muerte al mundo.

Respondemos en fe

Quinto día

• Invite a su niño(a) a pensar en un regalo o habilidad que Dios le ha dado a él o ella.

Sexto día

• Comente sobre las cosas específicas que pueden hacer para cuidar de la creación.

Catechesis at Home

Catholic Identity — Family Catechesis

Chapter 3 (pages 38–51)

People Turn from God

In this chapter your child will learn that through humanity sin entered the world.

For the Parents

It was God's will that men and women have the ability to know him, freely love him, and willingly serve him. It was God's will that all humanity share in God's life and do so knowingly and intentionally.

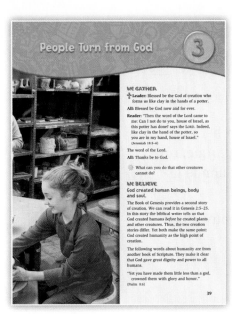

Every Day

- Pray together The Our Father.

Day One **God created human beings, body and soul.**

- Read aloud the statement. Then take turns reading the text. Emphasize that God is the creator of all things and that humans are the high point of all creation. Explain that human bodies are made of the same elements as the rest of creation but that we also have a soul.

- Emphasize that each person is a union of body and soul and that all humans are equal in dignity, are united to one another, and are created to help one another and share in God's life.

Day Two **God called us to be stewards of creation.**

- Read aloud the statement and the text. Emphasize that God allows us to continue his work of creation and asks us to be responsible for all living things.

- Point out that our authority over and responsibility for God's creation are what we mean when we speak of our stewardship of creation.

Day Three **Evil entered the world through a human act.**

- Take turns with your child reading the statement and the text that follows. Emphasize that although humans were meant to live in harmony with God, with one another, and with all of creation, and despite the fact that the first humans were warned about death, humanity chose to turn away from God.

- Remind your child that humans have free will—the freedom and ability to choose between good and evil. Point out that the first humans' decision to turn from God resulted in the loss of friendship with God, pain, sorrow, and death.

Day Four **All people suffer from the effects of original sin.**

- Read aloud the statement. Then read the text alternately with your child. Emphasize that the disobedience of the first man and woman—the first sin—caused the loss of innocence.

- Emphasize the fact that this original sin weakened our human nature and brought ignorance, suffering, and death into the world.

We Respond in Faith

Day Five

- Invite your child to think of a gift or ability that God has given to him or her.

Day Six

- Talk about the specific things you and your child can do to care for creation every day.

Dios promete ayudar al pueblo

NOS CONGREGAMOS

✝ Líder: En silencio piensen en un hermoso lugar. Puede ser una montaña, un parque, un valle o un océano. Escoge un lugar donde te sientas en paz.

Ahora imagina a Jesús parado junto a ti en ese lugar especial.

- ¿Qué le dices a Jesús?

- ¿Qué te dice él?

- ¿Qué le quieres preguntar?

- ¿Qué le quieres agradecer?

Líder: Jesús, hijo del Dios vivo.

Todos: Ten piedad de nosotros.

☀ ¿En qué momentos necesitas ayuda?

CREEMOS

Dios prometió enviar a un Salvador.

En el Antiguo Testamento aprendemos que Dios nunca dejó de amar y perdonar a su pueblo. La humanidad no pudo deshacer los efectos del pecado original. La humanidad necesitó la ayuda de Dios. Entonces Dios prometió enviar a un Salvador. El pueblo de Dios creyó que cuando el Salvador viniera restauraría la amistad con Dios totalmente.

El profeta Isaías habló al pueblo en nombre de Dios y le recordó la forma en que Dios quería que vivieran. Isaías le dijo que alguien vendría a librar a la humanidad del pecado y a restaurar la amistad con Dios. Isaías describe a esa persona como un *siervo fiel*:

"Mi siervo, el justo, traerá a muchos la salvación cargando con las culpas de ellos".

(Isaías 53:11)

God Promises to Help People

WE GATHER

✝ **Leader:** Sit quietly and think of a beautiful place. It might be a mountaintop, a park, a deep canyon, or the ocean's edge. Choose a place that makes you feel happy and peaceful.

Now imagine Jesus standing with you in your special place.

- What do you say to Jesus?
- What does he say to you?
- What do you want to ask Jesus?
- What do you want to thank him for?

Leader: Jesus, Son of the living God,

All: have mercy on us.

☀ What are times when you need help?

WE BELIEVE
God promised to send a Savior.

We learn from the Old Testament that God would never stop loving people and forgiving them. Yet humanity could not undo the effects of Original Sin. Humanity needed God's help. So God promised to send a Savior. God's people believed that when the Savior came, he would fully restore their friendship with God.

The prophet Isaiah spoke to the people on God's behalf and reminded them of the way God wanted them to live. Isaiah told of someone who would come to free humanity from sin and restore their friendship with God. Isaiah described this person as the *Suffering Servant*:

"Through his suffering, my servant shall justify many,
    and their guilt he shall bear" (Isaiah 53:11).

Los cristianos creemos que ese siervo es el Hijo de Dios, Jesucristo. Jesús es verdaderamente divino y humano, y en él se cumplen todas las promesas de Dios. Por nuestra salvación Jesús murió en la cruz y resucitó de la muerte, para salvar al pueblo del pecado y darle esperanza de nueva vida. Como escribió San Pablo: "Y como por su unión con Adán todos los hombres mueren, así también por su unión con Cristo, todos retornarán a la vida" (1 Corintios 15:22).

En el Nuevo Testamento hay cuatro libros sobre la vida y enseñanza de Jesús: los Evangelios de Mateo, Marcos, Lucas y Juan. La palabra *Evangelio* significa "buena nueva". El **Evangelio** es la buena nueva de Dios y la obra de Jesucristo.

En los Evangelios leemos que la obra de Jesús trajo esperanza a los pobres y los sufridos, libertad a los perseguidos, salud a los enfermos. Aprendemos en los Evangelios que con su vida, muerte y Resurrección, Jesucristo hizo posible que de nuevo toda la humanidad compartirá en la vida de Dios.

Habla con un compañero sobre formas en que puedes compartir y participar en la vida y la amistad de Dios.

Christians believe that this Suffering Servant is God's own Son, Jesus Christ. Jesus is truly divine and truly human, and he fulfilled all that God promised. For our sake Jesus died on the cross and rose from the dead to save all people from sin and to bring us the hope of new life. As Saint Paul wrote, "For just as in Adam all die, so too in Christ shall all be brought to life" (1 Corinthians 15:22).

The New Testament contains four books about Jesus' life and teachings: the Gospels of Matthew, Mark, Luke, and John. The word *gospel* means "good news." The **Gospel** is the Good News about God at work in Jesus Christ.

In the Gospels we read of Jesus' work to bring hope to the poor and suffering, freedom to those who are persecuted, and healing to those who are sick. From the Gospels we learn that through his life, Death, and Resurrection, Jesus Christ makes it possible for all humanity to again share in God's life.

As Catholics...

We call our share in God's life and friendship *grace*, and we receive grace through the sacraments. A sacrament is an effective sign given to us by Jesus through which we share in God's life.

There are Seven Sacraments: Baptism, Confirmation, Eucharist, Penance and Reconciliation, Anointing of the Sick, Holy Orders, and Matrimony. Jesus instituted, or began, the sacraments so that his saving work would continue for all time.

The sacraments join Catholics all over the world with Christ and with one another.

How are the sacraments an important part of your life and the life of your family?

With a partner discuss ways you show that you share in God's life and friendship.

La primera familia humana luchaba debido al pecado original.

En el capítulo cuarto del Génesis leemos sobre los dos hijos de Adán y Eva. El mayor, Caín, era agricultor. El menor Abel, era pastor.

En apariencia la familia era feliz. Cada uno de los hijos hizo una ofrenda a Dios, pero "El Señor se fijó en Abel y su ofrenda, más que en Caín y la suya" (Génesis 4:4–5).

La historia no explica por qué una ofrenda fue aceptada y la otra no. Así el autor bíblico indica que no siempre entendemos las formas de Dios y que no debemos tratar de juzgar su voluntad. Caín juzgó sólo desde su punto de vista. El sintió que no había sido tratado justamente y por eso se enojó.

Dios le dijo a Caín que él debía tratar de vencer el mal, pero Caín llevó su rencor a su inocente hermano. Caín mató a Abel. Matar a alguien es uno de los peores efectos del pecado original.

Dios le preguntó a Caín dónde estaba Abel. Caín le contestó: "No lo sé; ¿soy yo acaso el guardián de mi hermano?" (Génesis 4:9). Dios estaba profundamente ofendido y le dijo a Caín: "¿Qué es lo que has hecho? La sangre de tu hermano me grita desde la tierra. Por eso te maldice esa tierra, que ha abierto su boca para beber la sangre de tu hermano que acabas de derramar". (Génesis 4:10–11).

Caín se dio cuenta de que había sido expulsado y que había perdido la protección de Dios. Tuvo miedo de ser asesinado. Sin embargo, Dios marcó a Caín para mostrar que, aun cuando él mató a Abel, sería protegido por Dios. Aun en estas terribles circunstancias Dios mostró su gran amor por Caín.

La historia de Caín y Abel por un lado declara lo sagrado de la vida humana y prohibe el asesinato. Por otro lado simboliza la separación entre los seres humanos. Por un tercer lado tiene que ver con aceptar nuestra vida y respetarnos los unos a los otros. Por último trata sobre el poder sanador del amor de Dios.

Conversen sobre situaciones que causan enojo o resentimiento y formas de vencer el enojo o resentimiento.

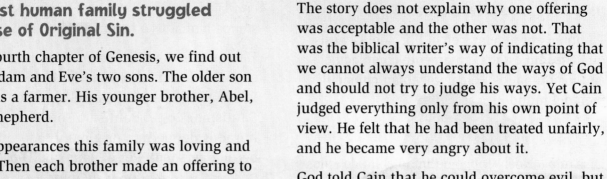

The first human family struggled because of Original Sin.

In the fourth chapter of Genesis, we find out about Adam and Eve's two sons. The older son Cain was a farmer. His younger brother, Abel, was a shepherd.

By all appearances this family was loving and happy. Then each brother made an offering to the Lord, but "the LORD looked with favor on Abel and his offering, but on Cain and his offering he did not" (Genesis 4:4–5).

The story does not explain why one offering was acceptable and the other was not. That was the biblical writer's way of indicating that we cannot always understand the ways of God and should not try to judge his ways. Yet Cain judged everything only from his own point of view. He felt that he had been treated unfairly, and he became very angry about it.

God told Cain that he could overcome evil, but Cain took his resentment out on his innocent brother. Cain killed Abel. Murder, one of the worst effects of Original Sin, had been committed.

God asked Cain where Abel was. Cain replied, "I do not know. Am I my brother's keeper?" (Genesis 4:9). God was deeply offended and said to Cain, "What have you done! Listen: Your brother's blood cries out to me from the soil! Therefore you shall be banned from the soil that opened its mouth to receive your brother's blood from your hand" (Genesis 4:10–11).

Cain realized that he was being sent away and would lose God's protection. He feared that he himself would now be killed. However, God put a mark on Cain to show that though he murdered Abel, Cain was protected by God. So even in this terrible circumstance God showed his great love for Cain.

The story of Cain and Abel can be understood on several levels. On one level it declares the sacredness of human life and prohibits murder. On another level it symbolizes the separation of human beings from one another. On a third level it is about accepting one's life and respecting one another. On a fourth level it is about the healing power of God's love.

Discuss some situations that cause anger or resentment and ways we can overcome anger and resentment.

Dios hizo una alianza con Noé.

También aprendemos en el libro del Génesis que Dios no estaba gratamente complacido con los humanos. Ellos no habían cuidado bien del mundo.

 Génesis 6:7; 9:17

Dios dijo a Noé: "Tengo decidido el fin de todos los seres vivos, porque toda la tierra está llena de violencia a causa de los hombres; voy a exterminarlos a todos de la tierra". (Génesis 6:13). Entonces Dios le pidió a Noé construir una gran arca y llenarla con una pareja de cada especie viva, junto con su esposa y su familia.

Después Dios envió lluvia durante cuarenta días y cuarenta noches. Dios permitió que las aguas subieran por encima de las montañas. Toda vida fuera del arca desapareció.

Eventualmente las aguas bajaron a su nivel. Noé y su familia y todos los animales salieron del arca. En agradecimiento, Noé construyó un altar y ofreció un sacrificio a Dios. Dios estuvo contento con ese sacrificio e hizo una alianza, o acuerdo con Noé. Dios prometió que aun si la humanidad pecaba nuevamente él nunca enviaría otro diluvio para destruir la tierra. El símbolo de esta promesa fue un arco iris. Dios dijo a Noe: "Esta es la señal de la alianza que establezco con todos los seres vivos que hay en la tierra" (Génesis 9:17).

Esta historia revela una verdad religiosa importante: El perdón y el amor de Dios, y la bondad humana pueden vencer el mal. Por Noé Dios hizo una alianza eterna

con la humanidad. Por esta razón todos somos llamados a la amistad con Dios.

Hay un gran significado en los símbolos encontrados en esta historia. Para la Iglesia el agua es símbolo del agua del Bautismo. Por el Bautismo somos librados del pecado original y todo pecado personal. Por el Bautismo Dios nos ofrece su perdón y su amor.

Noé y su familia fueron llevados a una nueva vida por medio del diluvio. Por el agua del Bautismo somos llevados a una nueva vida en Cristo. Por medio del agua del Bautismo, Dios empieza una alianza con cada cristiano. Así como el mundo fue limpiado con el agua, así somos nosotros limpiados con el agua del bautismo.

 Diseña una ventana que te recuerde la relación de Dios con su pueblo.

God made a covenant with Noah.

As the Book of Genesis continues, we learn that God is greatly displeased with human beings. They were not being faithful stewards of the world.

 Genesis 6:7—9:17

So to Noah God said, "I have decided to put an end to all mortals on earth; the earth is full of lawlessness because of them. So I will destroy them and all life on earth" (Genesis 6:13). Then God commanded Noah to build a great ark and fill it with two of every living thing, male and female, along with his wife and family.

Then God sent forty days and nights of rain. God allowed the floodwaters to rise above the highest mountains. All life outside the ark was lost.

Eventually the floodwaters went down, and Noah, his family, and all the animals left the ark. In gratitude, Noah built an altar and offered God a sacrifice on it. God was pleased with this sacrifice and made a covenant, or agreement, with Noah. God promised that even if humanity failed him again, he would never send another flood to destroy life on earth. The symbol of this promise was a rainbow. God told Noah, "This is the sign of the covenant I have established between me and all mortal creatures that are on earth" (Genesis 9:17).

This story revealed an important religious truth: God's forgiveness and love, and humanity's goodness, can overcome all evil. Through Noah God made an everlasting covenant with all humanity. For that reason all people are called to friendship with God.

There is great meaning in the symbols found in the story of Noah. For the Church the flood water is a symbol of the waters of the Sacrament of Baptism. Through Baptism we are freed from Original Sin and all personal sins. Through Baptism God offers us his forgiveness and his love.

Noah and his family were brought through the flood to new life. Through the waters of Baptism we are brought to a new life in Christ. Through the waters of Baptism, God begins a covenant relationship with each Christian. Just as the world was washed and made clean by the flood, we are washed and made clean in the baptismal water.

 Design a stained-glass window that reminds you of God's friendship with all people.

La unidad de la raza humana se perdió.

Miremos el último evento en el libro del Génesis, registrado en el período llamado prehistoria. En Génesis 11:1–9 leemos la historia de Babel. Esta historia simboliza la pérdida de la unidad humana y el desarrollo de diferentes lenguajes.

Leemos que primero: "Toda la tierra hablaba una misma lengua y usaba las mismas palabras" (Génesis 11:1). Esto simboliza que todos los humanos estaban relacionados. Porque ellos podían comunicarse, actuaban como verdaderos mayordomos de Dios en la tierra. La parte del plan de Dios para completar su trabajo de la creación involucra la expansión de la humanidad en toda la tierra. Sin embargo, los humanos tenían miedo. Decidieron poner resistencia al plan de Dios: ellos se establecerían en un lugar y construirían una gran torre donde vivir.

La torre que trataron de construir se parecía mucho a una estructura antigua llamada zigurat. Un *zigurat* era una serie de pequeñas plataformas una encima de otra. El escritor bíblico llamó a la ciudad y la torre que construyeron los humanos, *Babel*, el nombre hebreo para Babilonia. Babilonia era un antigua ciudad donde estaba el zigurat más famoso.

En la historia la torre había un símbolo de la resistencia humana a la voluntad de Dios. El pueblo que construía esa ciudad no confiaba en Dios. Ellos preferían hacer las cosas a su manera.

Dios vio lo que los humanos estaban haciendo y decidió detenerlos. Lo hizo confundiendo su lenguaje. Como resultado, los humanos no podían trabajar juntos. Todo lo que podían hacer era balbucear. La unidad de la raza humana se había perdido.

Torre de Babel de Pieter Elder Brueghel (1515–1569)

Muchas veces la gente no está de acuerdo porque no se entienden. Estos malentendidos llevan a la sospecha, la desconfianza y algunas veces a la hostilidad. Esto empezó a suceder a los humanos después de Babel. La humanidad empezó a perder su unidad y aparecieron grupos rivales.

Al terminar la historia, el proceso de población de la tierra continuó según la voluntad de Dios. Ahora, sin embargo, los humanos hablan diferentes idiomas y desarrollan diferentes formas de vivir y comunicarse. Hoy es necesario respetar las diferencias y apreciar la dignidad que posee cada persona.

Vocabulario

Evangelio (pp 349)

RESPONDEMOS

En grupo produzcan un programa de televisión. El tema de hoy es: ¿Nos afectan aún hoy las divisiones simbolizadas en la historia de la torre de Babel? ¿Por qué sí o no?

The unity of the human race was lost.

We now come to the very last event that the Book of Genesis records for the period called prehistory. In Genesis 11:1–9 we read the story of the Tower of Babel. This story symbolizes humanity's loss of unity and the development of different languages.

We read that at first "the whole world spoke the same language, using the same words" (Genesis 11:1). This symbolizes that all human beings were related. Because they were able to communicate, they could truly act as God's stewards of the earth. Part of God's plan for completing the work of creation involved humanity's spread across the face of the earth. However, human beings feared this. So they decided to resist God's plan: They would all settle in one place and build a great tower to live in.

The tower that they tried to build looked very much like an ancient structure called a *ziggurat*. A ziggurat is made of a series of smaller and smaller brick platforms, one on top of the other. The biblical writer called the city and the tower that the humans built *Babel*, the Hebrew name for Babylon. Babylon was an ancient city with the most famous ziggurat of all.

In the story the tower was a symbol of human resistance to God's will. The people who were building it did not trust God. They preferred to do things their way.

God saw what human beings were doing and decided to stop them. He did this by confusing their language. As a result, humans could not work together. All the people could do was babble helplessly at one another. The unity of the human race had been lost.

People often disagree because they do not understand one another. This misunderstanding can lead to suspicion, mistrust, and even open hostility. This began to happen to the human race after Babel. Humanity began to lose its unity and break up into rival groups.

As the story closes, the process of populating the earth continued as God had planned. Now, however, humans spoke many different languages and developed different ways of living and communicating. Today it is still necessary to respect these differences and to appreciate the dignity that all people possess.

Gospel (p. 351)

WE RESPOND

As a class produce a talk show. The topic of today's talk show is: Do the divisions symbolized by the story of the Tower of Babel still affect our lives today? Why or why not?

HACIENDO DISCÍPULOS

Muestra *lo* que sabes

Usa la clave para encontrar la palabra del .

La palabra tiene nueve letras:

- La primera letra está en *Eva* pero no en *María*.
- La segunda letra está en *uva* pero no en *pera*.
- La tercera letra está en *salmo* pero no en *libro*.
- La cuarta letra está en *santo* pero no en *patio*.
- La quinta letra está en *gato* pero no en *perro*.
- La sexta letra está en *perro* pero no en *gorrión*.
- La séptima letra está en *limón* pero no en *naranja*.
- La octava letra está en *bicicleta* pero no en *carro*.
- La novena letra está en *oso* pero no en *elefante*.

La palabra es ____ ____ ____ ____ ____ ____ ____ ____ ____.

Haz una lista de cosas que sabes de esta palabra.

_____

_____

Datos

Se cree que la construcción del arca de Noé parecía más una caja que un barco, una buena forma para un carguero. Estaba construida de una madera no conocida, no mencionada en la Biblia y sellada con brea para hacerla impermeable. Tenía una sola puerta, la que Dios cerró cuando Noé y su familia, junto con un par de cada especie viviente estuvieron seguros a bordo. (Ver Génesis 7:16)

PROJECT DISCIPLE

Show What *you* Know

Use the clues to find the Key Word.

The word has six letters:

- The first letter can be found in *gnat*, but not in *antique*.
- The second letter can be found in *foal*, but not in *fable*.
- The third letter can be found in *psalm*, but not in *palm*.
- The fourth letter can be found in *poems*, but not in *some*.
- The fifth letter can be found in *pear*, but not in *party*.
- The sixth letter can be found in *lawn* but not in *wand*

The word is ____ ____ ____ ____ ____ ____.

List two things that you know about this word.

_____

_____

Fast Facts

Custom has it that Noah's ark was built more like a four-sided box than a ship, a good shape for a cargo vessel. It was made of gopherwood (an unidentified wood, not mentioned elsewhere in the Bible) and sealed with pitch (wood tar) to make it watertight. It had one door, which God closed when Noah, his family, and two of every living thing were safely aboard the ark. (See Genesis 7:16.)

HACIENDO DISCIPULOS

Orar
Conocer
Celebrar
Compartir
Expresar
Vivir

Investiga

Desde 1920, el Servicio de Prensa Católica ha estado dejando saber a la gente lo que está sucediendo en el mundo y en la Iglesia. Los periodistas y fotógrafos que trabajan para el Servicio de Prensa Católica escriben historias y toman fotos que mantienen a las personas informadas sobre la vida católica hoy. Las últimas noticias son puestas regularmente en el sitio Web en www.catholicnews.com y con frecuencia son impresas en los periódicos diocesanos.

↳ **RETO PARA EL DISCIPULO** ¿Por qué crees que el Servicio de Prensa Católica es importante?

_____

_____

 Reza

Dios de amor,
Ayúdame cuando tengo malos entendidos con
mis amigos y familiares.
Dame la paciencia para resolver los desacuerdos.
Ayúdame a ver las cosas desde el punto de vista de otros.
Amén.

Haz lo

Es necesario respetar las diferencias y apreciar la dignidad que posee cada persona. ¿Cuáles son algunas formas en que puedes enseñar este concepto a alguien más joven que tú?

_____

_____

_____ **Compártelo.**

Tarea

Comparte con tu familia que el significado de la palabra _evangelio_ es "buena nueva". Esta semana anima a tu familia a reconocer personas y eventos que comparten la buena nueva de Jesucristo. Haz tu lista aquí.

_____

_____

_____

_____

64

PROJECT DISCIPLE

Pray Learn Celebrate Share Choose Live

More *to* Explore

Since 1920, the Catholic News Service has been letting people know what is going on in the world and in the Church. The professional journalists and photographers who work for the Catholic News Service write stories and take pictures that keep people informed about Catholic life today. The latest news is posted regularly at the service's Web site, www.catholicnews.com and is often printed in diocesan newspapers.

↳ **DISCIPLE CHALLENGE** Why do you think the Catholic News Service is important?

_____

_____

Home | About Us | Contacts | Products

Catholic News Service

News Items	About Catholic News Service	Contact CNS
Top Stories		Contact Information:
News Briefs	**Our Mission**	
Vatican		For a list of phone numbers and email addresses, see the CNS Departments. For general information contact CNS through the following means.
Origins	The mission of Catholic News Service is the mission of the Church itself -- to spread the Gospel through contemporary means of communication.	
Africa		
Headlines		
Also Featuring		
Movie Reviews	Our mission is to perform this task by reporting the news which affects Catholics in their everyday lives.	Telephone: (202) 541-3250
Sunday Scripture		Fax: (202) 541-3255
CNS Blog		
Links to Clients	Some of that news is good and some is bad, but it is what readers need to know in order to	Address: 3211 Fourth Street NE, Washington DC 20017
Major Events		

Pray Today

Dear Lord,
Help me as I experience misunderstandings with my friends and family.
Give me patience as we work through disagreements.
Help me see things from the point of view of others.
Amen.

Make *it* Happen

It is necessary to respect the differences and appreciate the dignity that all people possess. What are some ways that you can teach this concept to someone younger than yourself?

_____

_____

_____ **Now, pass it on!**

Take Home

Share with your family that the word *gospel* means "good news." This week, urge your family to recognize people and events that share the Good News of Jesus Christ. List some here.

_____

_____

_____

_____

Capítulo 4 (páginas 52–65)

Dios promete ayudar al pueblo

En este capítulo su niño(a) aprenderá sobre los efectos del pecado original y la promesa de Dios de un Salvador.

Para los padres

Si nuestros primeros padres no hubieran pecado, ¿habría conocido el mundo a Jesús? Si no hubieran despreciado la amistad de Dios, ¿habríamos experimentado la amistad de Jesucristo? Si no hubieran actuado de forma tan egoísta, ¿habría visto alguna vez la raza humana el ejemplo de perfecta abnegación que fue Cristo? ¿Por qué Dios no evitó que nuestros primeros padres pecaran?

Todos los días

• Recen juntos la Señal de la Cruz y recen: *Oh Señor Jesucristo, ten piedad de nosotros. Amén.*

Primer día **Dios prometió enviar a un Salvador.**

• Lea en voz alta el enunciado. Túrnense para leer el texto. Explique que Dios nunca abandonará a su pueblo, ni dejará de amarlo y perdonarlo. Prometió enviar a un Salvador para liberar a la humanidad del pecado.

• Identifique a Jesús, el Hijo de Dios, como aquel a quien Isaías describe como el siervo que vendrá a restaurar la amistad del ser humano con Dios.

• Converse sobre los evangelios y la vida y enseñanzas de Jesús. Señale que la palabra evangelio significa "buena nueva".

Segundo día **La primera familia humana luchaba debido al pecado original.**

• Pida a su niño(a) que lea en voz alta el enunciado. Luego tomen turnos leyendo en voz alta el texto que sigue. Conversen sobre Caín y Abel. Señale que no siempre entendemos los caminos de Dios, ni debemos juzgarlos.

• Explique que debido a la ira y rencor, Caín cometió un asesinato. Dios expulsó a Caín a larga distancia, pero no retuvo su protección de Caín. Repasen los cuatro niveles de significado en la historia de Caín y Abel.

Tercer día **Dios hizo una alianza con Noé.**

• Tomen turnos leyendo en voz alta el enunciado y la historia de Noé. Haga énfasis en que el perdón y el amor de Dios y el bien de la humanidad pueden vencer el mal.

• Explique que el arco iris es un símbolo de la alianza que Dios hizo con Noé.

Cuarto día **La unidad de la raza humana se perdió.**

• Túrnense para leer el enunciado y el texto. Enfatice que los humanos tenían miedo de dispersarse a otros lugares, desconfiaron de Dios y resistieron el plan de Dios; por lo tanto, perdieron la capacidad de comunicarse.

Respondemos en fe

Quinto día

• Ayude a su niño(a) a enumerar algunas situaciones que provocan la ira o el rencor y algunas formas de superar la ira o el rencor.

Sexto día

• Converse sobre la conexión simbólica entre las aguas de la inundación y las aguas del bautismo.

Chapter 4 (pages 52–65)

God Promises to Help People

In this chapter your child will learn about the effects of original sin and God's promise of a savior.

For the Parents

If our first parents had not sinned, would the world have known about Jesus? If they had not scorned God's friendship, would we have experienced Jesus' friendship? If they had not acted so selfishly, would the human race have ever seen the example of perfect selflessness that was Christ? Why didn't God simply prevent our first parents from sinning?

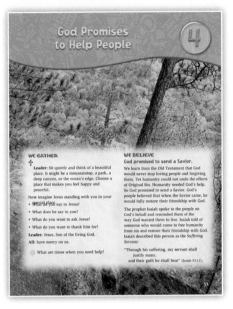

Every Day

• Pray the Sign of the Cross and the following prayer: *O Lord, Jesus Christ, have mercy on us. Amen.*

Day One **God promised to send a Savior.**

• Read aloud the statement. Then take turns reading the text aloud. Explain that God would never abandon his people, nor would he stop loving and forgiving them. He promised to send someone to free humanity from sin.

• Identify Jesus, God's own Son, as the one whom Isaiah describes as the suffering servant who will come to restore humanity's friendship with God.

• Discuss the gospels and about Jesus' life and teachings. Point out that the word *gospel* means "good news"

• Ask your child to tell you how he or she shares in God's life and friendship.

Day Two **The first human family struggled because of original sin.**

• Ask your child to read aloud the statement. Then take turns reading the text aloud. Talk about Cain and Abel. Point out that we cannot always understand God's ways, nor should we judge them.

• Explain that because of Cain's anger and resentment he committed murder. God sent Cain away but did not withhold his protection of Cain. Review and discuss the four levels of meaning in the story of Cain and Abel.

Day Three **God made a covenant with Noah.**

• Take turns reading aloud the statement and the story about Noah. Emphasize that God's forgiveness and love and humanity's goodness can overcome evil.

• Explain the rainbow as a symbol of the covenant that God made with Noah.

Day Four **The unity of the human race was lost.**

• Take turns reading aloud the statement and the text. Emphasize that humans feared moving to other places that they lacked trust in God and resisted God's plan.

We Respond in Faith

Day Five

• Help your child to list some situations that cause anger or resentment and some ways to overcome anger or resentment.

Day Six

• Discuss with your child the important symbolic connection between the waters of the flood and the waters of Baptism.

Los patriarcas: Dios escoge a su pueblo

NOS CONGREGAMOS

✝ **Líder:** Dios de amor, el salmista dijo: "¡Ojalá escuchen hoy su voz! 'No endurezcan su corazón'". (Salmo 95:7–8)

Todos: Ayúdanos a escuchar y seguir tu palabra con corazón abierto. Amén.

Lector: Por las veces que deliberadamente escogimos hacer mal, excluimos a otros por ser diferentes, usamos palabras para ofender y hacer daño en vez de curar, o las veces en que no ayudamos al necesitado.

Todos: Señor, ten piedad.

☀ ¿Qué sabes de tus antepasados? ¿Puedes investigar algo más sobre ellos?

CREEMOS

Los patriarcas fueron nuestros antepasados en la fe.

En una nueva etapa de la relación de Dios con la humanidad, Dios formó al pueblo para sí mismo. Llamamos a este período formativo la *edad de los patriarcas*.

Un **patriarca** es un padre, o un fundador de un clan o grupo de parientes. Los cuatro patriarcas del Antiguo Testamento fueron Abraham, Isaac, Jacob y José. Por medio de ellos Dios escogió a una familia especial. Esta familia es el pueblo de Dios: Sara, Rebeca, Raquel y Lea fueron mujeres importantes en la familia de Dios. Ellas fueron llamadas matriarcas. Esos hombres y mujeres vivieron aproximadamente entre 1900 A.C. y 1650 A.C. Su historia es contada en los capítulos del 12 al 50 en el libro del Génesis.

Las familias de los patriarcas del Antiguo Testamento vivían en tiendas y su medio de vida era principalmente criar ovejas y cabras. Su vida estaba centrada en sus familias y el clan. Caminaban por el territorio no ocupado entre los pueblos y villas de Canaán y el desierto. **Canaán** era un área del oeste de Palestina que incluía lo que mayormente es hoy Israel.

The Patriarchs: God Chooses a People

WE GATHER

✝ **Leader:** Loving God, your psalmist said, "Oh, that today you would hear his voice: Do not harden your hearts" (Psalm 95:7–8).

All: Help us to hear and follow your Word with open hearts. Amen.

Reader: For the times when we have deliberately chosen to do what we know is wrong, excluded others because they are not like us, used words to hurt and harm rather than to heal, and for the times we have walked by someone in need.

All: Lord, have mercy.

St. Theresa's Fall Harvest Drive

 What do you know about your ancestors? How can you find out more about them?

WE BELIEVE

The patriarchs are our ancestors in faith.

In a new stage in God's relationship with humanity, God formed a people for himself. We call this formative period *The Age of the Patriarchs.*

A **patriarch** is a father, or founder, of a clan, a group of related families. The four Old Testament patriarchs are Abraham, Isaac, Jacob, and Joseph. Through them God chose a special family for himself. This family is the people of God. Sarah, Rebekah, Rachel, and Leah were important women in God's family. They are called matriarchs. These men and women lived from approximately 1900 B.C. to about 1650 B.C. Their story is told in Chapters 12–50 of the Book of Genesis.

The families of these Old Testament patriarchs and matriarchs lived in tents and made their living primarily by raising flocks of sheep and goats. Their life centered on their families and the clan. They roamed the unoccupied territory between the towns and villages of Canaan and the desert. **Canaan** was an area in western Palestine that included most of present-day Israel.

67

Durante el período de los patriarcas, Canaán estaba formada de pequeños estados-ciudades independientes. Un rey gobernaba cada estado. Cada estado estaba compuesto de una ciudad cercada por un muro y áreas vecinas.

Los habitantes de Canaán, o cananitas, tenían el mismo origen que los patriarcas y sus familias. Hablaban un lenguaje similar. Por eso se trataban como primos lejanos, no como extraños.

Las familias de los patriarcas y las matriarcas son nuestros antepasados en la fe. **Fe** es un don de Dios que nos permite creer en él y aceptar todo lo que él ha revelado.

"La fe es el fundamento de lo que se espera y la prueba de lo que no se ve". (Hebreos 11:1). Por la relación de confianza y fe los patriarcas y sus familias aprendieron lo que significa ser parte de la familia de Dios. Ellos vivieron sus vidas tratando de cumplir los mandamientos de Dios y hacer lo que Dios les pedía. Estos antepasados en la fe son un buen ejemplo para confiar en Dios durante nuestro propio peregrinaje de fe. Por el don de la fe podemos empezar a ver nuestras vidas y el mundo a nuestro alrededor como Dios lo ve. Podemos vivir también de la forma que Dios quiere que vivamos.

Un día serás un antepasado en la fe. ¿Cómo te gustaría ser recordado por futuras generaciones?

Dios escogió a Abraham para ser el padre de todas las naciones.

El libro de Génesis describe como Dios decidió formar a su pueblo.

Génesis 12:1–7

Dios vio y llamó a Abram. Dios dijo: "Deja tu tierra, tus parientes y la casa de tu padre, y vete a la tierra que yo te indicaré" (Génesis 12:1). Esta tierra era la tierra de Canaán, que Dios prometió dar a Abram y a su descendencia.

Tan pronto Abram escuchó a Dios, él y su mujer Sarai, reunieron a su familia y sus propiedades y empezaron un largo viaje a Canaán.

En Abram Dios escogió a alguien no muy apropiado para empezar su pueblo. Abram tenía setenta y cinco años, no era famoso ni poderoso y su esposa Sarai no podía tener hijos.

During the period of the patriarchs, Canaan was made up of small independent city-states. A king ruled each city-state. Each city-state was made up of a walled city and the surrounding countryside.

The inhabitants of Canaan, or Canaanites, had the same background as the patriarchs and their families. They all spoke a similar language. That is why they treated one another as distant cousins rather than as complete strangers.

The families of the patriarchs and matriarchs are our ancestors in faith. **Faith** is a gift from God that enables us to believe in him and accept all that he has revealed. "Faith is the realization of what is hoped for and evidence of things not seen." (Hebrews 11:1) Through the trusting relationship of faith, the patriarchs and their families learned what it meant to be a part of God's family. They lived their lives trying to follow God's commands and going where God led them. These ancestors in faith are a good example of reliance on God during our own journey through life. Through the gift of faith we can begin to see our lives and the

world around us as God sees them. We can live the way God wants us to live, too.

One day you will be an ancestor in faith. How would you like to be remembered by future generations?

God chose Abraham to be the father of his people.

The Book of Genesis describes how God decided to form a people for himself.

Genesis 12:1–7

God looked about him and called Abram. God said, "Go forth from the land of your kinsfolk and from your father's house to a land that I will show you" (Genesis 12:1). This land was the land of Canaan, which God promised to give to Abram and his descendants forever.

As soon as Abram heard God's call, he and his wife, Sarai, gathered their family and property and started out on the long journey to Canaan.

In Abram God chose a very unlikely person to begin his people. Abram was seventy-five years old. He was neither famous nor powerful, and his wife, Sarai, could not have children.

Cuando Dios le habló, Abram no discutió con Dios. El tenía una gran fe y confió completamente en la voluntad de Dios. De hecho, Abram es nuestro modelo más importante en la fe en el Antiguo Testamento.

Cuando Abram y Saray llegaron a Canaán, Dios hizo una alianza con Abram. Dios le dijo: "Yo soy el Dios Poderoso. Camina en mi presencia con rectitud. Yo haré una alianza contigo y te multiplicaré inmensamente". (Génesis 17:1–2). Con este acuerdo Abram y sus descendientes servirían a Dios y harían su voluntad y Dios le daría un hijo a Abram para hacer de él "un gran pueblo" (Génesis 12:2). Para indicar que era el inicio de una nueva vida como nuevo pueblo, Dios cambió el nombre de Abram por Abraham y el de Sarai por Sara.

Como fue anunciado, Isaac, el hijo esperado por Abraham y Sara, finalmente nació. Cuando Isaac era un adolescente, Dios probó la fe de Abraham.

Génesis 22:2–18

Dios le dijo a Abraham:

"Toma a tu hijo único, a tu querido Isaac, ve a la región de Moria, y ofrécemelo allí en sacrificio, en la montaña que yo te indicaré" (Génesis 22:2).

Abraham hizo lo que le pidió Dios, pero justo cuando estaba dispuesto a sacrificar a Isaac un mensajero del cielo le dijo: "No pongas tu mano sobre el muchacho ni le hagas ningún daño. Ya veo que obedeces a Dios y que no me niegas a tu hijo único" (Génesis 22:12).

La Iglesia ve un paralelo con el Nuevo Testamento: Dios el padre, ofrece a su único Hijo, Jesucristo, para salvarnos.

¿Crees que puedes confiar en Dios como lo hizo Abraham para hacer algo muy difícil? ¿Por qué sí o no?

El pueblo de Dios se conoció como israelitas.

Cuando Abraham murió, su hijo, Isaac, heredó la posición de padre como patriarca de la familia. Isaac se casó con una mujer llamada Rebeca, con quien tuvo mellizos: Esaú y Jacob. El nacimiento de los mellizos causó un problema: ¿Cuál de los dos heredaría la posición de Isaac en la familia? La posición no podía dividirse. Sólo uno de los mellizos podía heredarla.

Como católicos...

La palabra *ángel* viene de una palabra griega que significa "mensajero". Los ángeles fueron creados por Dios como espíritus puros sin cuerpos físicos. En toda la Biblia encontramos ángeles que llevan el mensaje de Dios a su pueblo. Honramos a los ángeles hoy y nos beneficiamos de su poderosa ayuda. San Basilio escribió: "Al lado de cada creyente hay un ángel protector y pastor dirigiendo su vida".

Esta semana recuerda pedir a tu ángel que te dé la ayuda que necesitas en tu vida.

When God spoke to him, Abram did not argue with God. Rather, Abram had great faith, and trusted completely in God's will. In fact, Abram is our most important Old Testament model of faith.

When Abram and Sarai arrived in Canaan, God made a covenant with Abram. God said, "I am God the Almighty. Walk in my presence and be blameless. Between you and me I will establish my covenant, and I will multiply you exceedingly" (Genesis 17:1–2). By this agreement Abram and his descendants would serve God and follow his ways, and God would give Abram a son and make "a great nation" of him (Genesis 12:2). To indicate that they were beginning a new life as a new people, God changed Abram's name to Abraham and Sarai's name to Sarah.

As predicted, Isaac, Abraham and Sarah's long-awaited son, was finally born. When Isaac was a young boy, Abraham's faith was tested by God.

 Genesis 22:2–18

God said to Abraham, "Take your son Isaac, your only one, whom you love, and go to the land of Moriah. There you shall offer him up as a holocaust on a height that I will point out to you" (Genesis 22:2).

Abraham did what God asked. But as he was about to sacrifice Isaac to God, a messenger from God called to him, "Do not do the least thing to him. I know now how devoted you are to God, since you

did not withhold from me your own beloved son" (Genesis 22:12).

The Church sees a New Testament parallel in this story: God the Father offered his only Son, Jesus Christ, to save us.

Do you think that like Abraham you could trust in God if he told you to do something very difficult? Why or why not?

God's people became known as the Israelites.

When Abraham died, his son, Isaac, inherited his father's position as patriarch of the family. Isaac married a woman named Rebekah, with whom he had twin sons: Esau and Jacob. The birth of twin sons caused a problem: Which son would someday have Isaac's position in the family? The position could not be divided. Only one of the twins could inherit it.

71

Esaú nació primero. Parecía correcto que heredara el papel de Isaac. Pero antes de que nacieran los mellizos, Dios había dicho a la madre, Rebeca: "Dos naciones hay en tu seno; dos pueblos se dividen desde tus entrañas; uno será más fuerte que el otro, y el mayor servirá al menor" (Génesis 25:23).

Sin embargo, para heredar la posición de Isaac debían ser destituidas las reglas de herencia. Así, la historia de Jacob es una historia de conflicto.

La elección de Jacob como sucesor de Abraham fue una sorpresa. Jacob creció con astucia. Por primera vez vemos ese lado de Jacob en Génesis 25:27–34, cuando engaña a su hermano Esaú cambiándole su derecho de nacimiento por una taza de sopa de lentejas. El derecho de nacimiento es el derecho natural de heredar la propiedad del padre.

Como leemos en Génesis 27:1–46 ese no es el fin de la astucia de Jacob. Con la ayuda de su madre, Jacob se hace pasar por Esaú. Engaña a su anciano y ciego padre para que le dé la bendición que le corresponde a Esaú. Cuando Isaac descubre lo sucedido se enoja. Esaú quiere matar a su hermano. Entonces Rebeca le dijo a Jacob que huyera a la tierra de Harán.

Es claro que Jacob poseía una cualidad que es importante para vivir la alianza. Esta cualidad es la determinación, o perseverancia. Jacob nunca desistió.

En su camino a Harán, Jacob tuvo un sueño en el que vio una escalera grande extendida hacia el cielo. En el sueño Dios le dijo lo que le había dicho a Abraham: "Yo soy el Señor, el Dios de tu abuelo Abrahán y el Dios de Isaac: yo daré a ti y a tu descendencia la tierra sobre la que estás acostado. Tu descendencia será como el polvo de la tierra … Yo estoy contigo. Te protegeré adondequiera que vayas y haré que regreses a esta tierra, porque no te abandonaré hasta que haya cumplido lo que te he prometido" (Génesis 28:13–15).

Con esas palabras, Dios le aseguró a Jacob que él heredaría Canaán y que Dios siempre lo protegería.

En Harán, Jacob prosperó, se casó, tuvo muchos hijos y enriqueció. Con eso el escritor bíblico quiere decirnos que el pueblo de Dios era bendito. Después de veinte años Jacob decidió regresar a Canaán, donde finalmente se reconcilió con su hermano y su padre.

En Génesis 35:9–15 leemos que Dios renovó su alianza con Jacob. Él también le cambió el nombre por Israel. Esto fue una forma simbólica de mostrar que el pueblo de Dios había crecido al punto de que realmente podía tener un nombre que lo distinguiera. El pueblo de Dios entonces era llamado pueblo de Israel, o israelitas.

Escribe dos formas en las que la perseverancia puede ayudar a vivir la fe.

_____

_____

_____

The Story of Jacob and Esau, by
Lorenzo Ghiberti (1378–1455)
Baptistery, Florence, Italy

Esau was the first born. It seemed his right to inherit Isaac's role. But before the twins were born, God had said to their mother, Rebekah,

"Two nations are in your womb,
    two peoples are quarreling while still
        within you;
But one shall surpass the other,
    and the older shall serve the younger"
(Genesis 25:23).

However, to inherit Isaac's position Jacob must overturn the man-made rules of inheritance. Thus, the story of Jacob is a story of conflict.

The choice of Jacob as Abraham's successor was surprising. Jacob grew up to be something of a trickster. We get our first hint of this side of Jacob's character in Genesis 25:27–34 when he tricked Esau into selling him his birthright for a bowl of lentil stew. A birthright is the child's natural right to inherit the father's property.

As we read in Genesis 27:1–46 this was not the end of Jacob's tricks. With his mother's help Jacob pretended to be Esau. He tricked his elderly and blind father into giving him the blessing that Esau had the right to. When his father Isaac discovered what had happened, he was outraged. And Esau wanted to kill his brother, Jacob. So Rebekah told Jacob to flee to the land of Haran.

It is clear that Jacob possessed the one quality that was crucial to living out the covenant. This quality was determination, or perseverance. Jacob never gave up.

On his way to Haran, Jacob had a dream in which he saw a great staircase reaching to heaven. In the dream God told Jacob what he told Abraham, "I, the LORD, am the God of your forefather Abraham and the God of Isaac; the land on which you are lying I will give to you and your descendants. These shall be as plentiful as the dust of the earth. . . . Know that I am with you; I will protect you wherever you go, and bring you back to this land. I will never leave you until I have done what I promised you" (Genesis 28:13, 15).

With these words, God assured Jacob that he would inherit Canaan and that God would always protect him.

In Haran, Jacob prospered, married, had many children, and grew very rich. This was the biblical writer's way of telling us that God's people were blessed. After twenty years Jacob decided to return to Canaan, where he was finally reconciled to his brother and father.

In Genesis 35:9–15 we can read that God renewed the covenant with Jacob. He also changed Jacob's name to Israel. This was the symbolic way to show that God's people had grown to the point that they could actually be distinguished by name. God's people were now called the people of Israel, or the Israelites.

Write two ways perseverance can help us to live out our faith.

_____

_____

_____

_____

Dios cuidó de todos los israelitas.

El último de los patriarcas del Antiguo Testamento es José. Su historia es contada en Génesis 37:1–50:26. La historia de José es sobre como se cumple la voluntad de Dios. En el caso de José, el plan de Dios era ofrecer un hogar temporal para su pueblo.

Providencia es el plan de Dios y la protección de toda la creación. Por medio de la providencia Dios guía su creación hacia la perfección para la que fue creada. En la historia de José, la providencia fue simbolizada por el cumplimento de sueños. José sólo se comunica con Dios por medio de sueños que indican el plan de Dios.

Génesis 37:3–28; 39:1–23; 40:1–46:30

José y sus hermanos no tenían una buena relación. José era el hijo de Raquel y Jacob, y entre los doce, era el favorito de Jacob. Jacob le había dado a José una capa especial, larga, como la que usan los reyes. Los demás hermanos odiaban a José porque su padre lo amaba tanto.

José tenía sueños que predecían que él tendría autoridad sobre la familia. Esos sueños enojaban a los hermanos de José. Así que un día vendieron a José como esclavo a una caravana de mercaderes que pasaba. Los mercaderes vendieron a José al jefe de los mayordomos del **faraón**, el rey de Egipto.

Al principio a José le iba muy bien, pero luego fue encarcelado bajo cargos falsos. En la prisión José descubrió su habilidad de interpretar sueños. Esta habilidad llamó la atención del faraón, quien estaba siendo perturbado por sueños extraños.

José le dijo al faraón que sus sueños significaban que a un período de gran abundancia lo seguiría otro de terrible escasez. Al faraón le gustó la explicación de su sueño y puso a José encargado de la administración de su reino. José preparó a Egipto para la gran escasez.

Cuando llegó la escasez, Jacob y su familia en Canaán sufrían por el hambre. Al escuchar que había comida en Egipto, los hermanos de José viajaron allá para comprar granos. Esto los puso cara a cara con José. Ellos no lo reconocieron al principio y le hicieron reverencia cuando entraron a la sala. El sueño de José se había materializado. José estaba ahora en autoridad sobre su familia. José se reconcilió con sus hermanos. Los invitó a mudarse a Egipto. Su padre, Jacob aceptó la invitación e hicieron el largo viaje a Egipto. El propósito de Dios se había cumplido. El pueblo de Dios encontró un hogar temporal en Egipto.

RESPONDEMOS

Piensa en una vez en que Dios actuó en tu vida de forma inesperada. Comparte tu historia con un compañero. Da gracias a Dios por su cuidado y providencia.

Vocabulario

patriarca (pp 350)

Canaán (pp 349)

fe (pp 349)

providencia (pp 350)

faraón (pp 349)

Los doce hijos de Jacob

1. Rubén
2. Simeón
3. Leví
4. Judá
5. Dan
6. Neftalí
7. Gad
8. Aser
9. Isacar
10. Zebulón
11. José
12. Benjamín

Key Words

patriarch (p. 352)
Canaan (p. 351)
faith (p. 351)
providence (p. 352)
pharaoh (p. 352)

Twelve Sons of Jacob

1. Reuben
2. Simeon
3. Levi
4. Judah
5. Dan
6. Naphtali
7. Gad
8. Asher
9. Issachar
10. Zebulun
11. Joseph
12. Benjamin

God cared for the Israelites.

The last of the Old Testament patriarchs is Joseph. His story is told in Genesis 37:1—50:26. Joseph's story is about the way that God's will is achieved. In Joseph's case, God's plan was to provide a temporary home for his people.

Providence is God's plan for and protection of all creation. Through providence God leads his creation toward the perfection for which it was made. In the story of Joseph, providence was symbolized by the fulfillment of dreams. Joseph's only contact with God is through dreams which indicated God's plan.

Genesis 37:3–28; 39:1–23; 40:1—46:30

Joseph and his brothers were not on friendly terms. Joseph was the son of Rachel and Jacob, and was the favorite of Jacob's twelve sons. Jacob had given Joseph a special long robe such as a king might wear. The other brothers hated Joseph because their father, Jacob, loved him so much.

Joseph had dreams that predicted that he would have authority over his family. These dreams upset Joseph's brothers. So one day they sold Joseph as a slave to a passing caravan of merchants. The merchants sold Joseph to the chief steward of the **pharaoh**, the king of Egypt.

At first Joseph did well, but eventually he was thrown into prison on false charges. In prison

Joseph discovered his ability to interpret dreams. This skill brought him to the attention of the pharaoh, who had been disturbed by strange dreams. Joseph told the pharaoh that his dreams meant that a period of great abundance would be followed by a time of terrible famine. The pharaoh was delighted by the explanation of his dreams, and put Joseph in charge of the management of his kingdom. Joseph prepared Egypt for the famine.

When the famine arrived, Jacob and his family in Canaan suffered greatly from hunger. Hearing that there was food in Egypt, Joseph's brothers traveled there to buy grain. This brought them face-to-face with Joseph. They did not recognize Joseph at first and bowed down to him when he entered the room. So Joseph's dreams had come true. Joseph now had authority over his family.

Joseph was eventually reconciled to his brothers. He invited his whole family to move to Egypt. His father, Jacob, accepted the invitation, and made the long journey to Egypt. God's purpose had been fulfilled. God's people found a temporary home in Egypt.

WE RESPOND

Think about a time when God acted in your life in an unexpected way. Share your story with a partner. Thank God for his care and providence.

HACIENDO DISCÍPULOS

Muestra lo que sabes

Organiza las letras de las palabras del **Vocabulario**. Después numera las letras en los cuadros para encontrar quien es Abrahán. Una letra es dada.

ARPRACTAI

□ □ □ □ □ □ □ □ □
 1   4

NACAN

□ □ □ □ □
   2

EF

□ □
 5

IRDPNEACIVO

□ □ □ □ □ □ □ □ □ □ □
           3   6

ORAFNA

□ □ □ □ □ □
 8

| A | B | R | A | H | A | N | | E | S | | N | U | E | S | T | R | O |

□ □ □ □ □   □ □   L □   □ □
1 2 3 4 5   5 6   2   8 5

Reza

Las bendiciones son parte importante de nuestra vida diaria. Esta es una costumbre que recibimos y compartimos con el pueblo judío. Hay muchas bendiciones, por la comida, la familia, los niños, los hogares, los animales, el lugar de trabajo, el tiempo de gozo y tiempo de tristeza, etc. Comparte esta bendición y rézala con tu familia.

Que el Señor te bendiga y te guarde.
Que la faz del Señor brille en ti,
y que sea bueno contigo.
Que el Señor esté contigo y te dé paz.

(Juntos en familia añadan más versos)

_____

Amén.

PROJECT DISCIPLE

Show What *you* Know

Unscramble the letters of the . Then put the numbered letters in the boxes to find out who Abraham is.

RIHTAPCRA

☐ ☐ ☐ ☐ ☐ ☐ ☐ ☐ ☐
              7   6

CANNAA

☐ ☐ ☐ ☐ ☐ ☐
    2

FATHI

☐ ☐ ☐ ☐ ☐
1   3

PENCIVDORE

☐ ☐ ☐ ☐ ☐ ☐ ☐ ☐ ☐ ☐
                  8   5

PARHOHA

☐ ☐ ☐ ☐ ☐ ☐ ☐
                  4

| A | B | R | A | H | A | M | | I | S | | O | U | R |

☐ ☐ ☐ ☐ ☐ ☐   ☐ ☐   ☐ ☐ ☐ ☐ ☐
1 2 3 4 5 6   7 8   1 2 7 3 4

Pray Today

Blessings are a large part of our daily prayer. This is a custom we received from and share with the Jewish People. There are blessings for meals, families, children, homes, animals, workplaces, times of joy, and times of sorrow, and so on. Share this blessing and pray it with your family:

May the Lord bless and keep you.
May the Lord's face shine upon you,
And be gracious to you.
May the Lord look upon you,
And give you peace.

(add your own family verse)

_____

Amen.

Orar
Conocer
Celebrar
Compartir
Expresar
Vivir

HACIENDO DISCIPULOS

Datos

Joseph and the Amazing Technicolor Dreamcoat (José el soñador) es una obra musical escrita por Andrew Lloyd Webber y Tim Rice. Basada en la historia de José en la Biblia, este musical fue presentado en Broadway en 1982. La historia, apropiada a la familia, con temas universales con música pegajosa, sigue teniendo éxito. Además, más de 20,000 escuelas y grupos de teatros aficionados han producido este musical con éxito.

Realidad

¿Cuáles son algunas situaciones en que la gente puede mostrar confianza en Dios?

Compártelo.

¿Qué consejo darás a un amigo que tiene una relación difícil con un hermano?

_____

_____

_____

Tarea

Esta semana anima a tus familiares a ir donde Dios los dirige. Pide a Dios que los guíe hacia las personas y los lugares donde su amor y cuidado se necesiten.

Fast Facts

Joseph and the Amazing Technicolor Dreamcoat is a musical written by the team of Andrew Lloyd Webber and Tim Rice. Loosely based on the story of Joseph in the Bible, this musical was first presented on Broadway in 1982. Its family-friendly storyline, universal themes, and catchy music have made it a continued success. In addition, more than 20,000 schools and amateur theatre groups have successfully put on productions of this musical.

Reality Check

What are some situations in which people can show their trust in God?

Now, pass it on!

What Would you do?

What advice would you give to a friend that has a "difficult" relationship with a sibling?

_____

_____

_____

Take Home

This week, encourage your family members to go where God leads them. Ask God to lead you and your family to the people and places where your love and care are needed.

79

Capítulo 5 (páginas 66–79)

Los patriarcas: Dios escoge a su pueblo

En este capítulo su hijo(a) aprenderá sobre nuestros antepasados en la fe.

Para los padres

Gran parte del libro de Génesis gira en torno a Abraham y sus descendientes Isaac, Jacob y José. Estos cuatro hombres son llamados patriarcas. Al lado de Abraham, Isaac y Jacob están sus esposas: Sara, Rebeca y Raquel. Estos patriarcas representan cuatro generaciones de la misma familia. Dios les reveló su plan. Si obedecían y adoraban a Dios, él les prometió bendecirlos.

Todos los días

• Recen la siguiente oración: *Espíritu Santo, ayúdanos a aprender a rezar.*

Primer día Los patriarcas fueron nuestros antepasados en la fe.

• Lea en voz alta el enunciado. Túrnense para leer el texto. Conversen sobre los patriarcas y sus familias. Pídale a su niño(a) que describa en sus propias palabras la vida cotidiana de estas personas y la ubicación de la tierra de Canaán.

• Enfatice que, debido a que los patriarcas creyeron en Dios, aceptaron todo lo que él les había revelado, se apoyaron en él y siguieron sus órdenes, los conocemos como nuestros antepasados en la fe. Recuérdele a su niño(a) que un día él o ella será un antepasado en la fe.

Segundo día Dios escogió a Abraham para ser el padre de todas las naciones.

• Lea en voz alta el enunciado y tomen turnos leyendo el texto. Tenga en cuenta que a pesar

de la avanzada edad de Abram y la incapacidad de Saraí para tener hijos, Dios los eligió para comenzar su pueblo.

• Converse sobre la alianza que Dios hizo con Abraham y que Dios cambió el nombre de Abram a Abraham. Señale que durante el tiempo que Abraham y sus descendientes sirvieron a Dios y siguieron sus caminos, Dios prometió hacer de ellos una "gran nación".

Tercer día El pueblo de Dios se conoció como israelitas.

• Túrnense para leer el enunciado y el texto. Comente cómo Jacob se convirtió en el patriarca en lugar de su hermano mayor Esaú.

• Enfatice que a pesar de los trucos de Jacob, Dios quería que él se convirtiera en el próximo patriarca de su pueblo. Dios sabía que Jacob poseía la determinación, lo que le permitió vivir la alianza.

Cuarto día Dios cuidó de todos los israelitas.

• Pídale a su niño(a) que lea el enunciado. Túrnense para leer la historia de José. Converse sobre el significado de la providencia.

Respondemos en fe

Quinto día

• Pida a su niño(a) que piense si confiaría en Dios si él le pidiera hacer algo difícil.

Sexto día

• Comenten en familia; pregunte: *¿Cómo te gustaría ser recordado?*

Catechesis at Home

Catholic Identity — Family Catechesis

Chapter 5 (pages 66–79)

The Patriarchs: God Chooses a People

In this chapter your child will learn about our ancestors in faith.

For the Parents

Most of the Book of Genesis revolves around Abraham and his descendants Isaac, Jacob, and Joseph. These four men are called the patriarchs. Alongside Abraham, Isaac, and Jacob are three remarkable spouses: Sarah, Rebekah, and Rachel. These patriarchs represent four generations of the same family. To them God revealed a plan. If they obeyed and revered him, God promised He would bless them.

Every Day

• Pray the following prayer, *Holy Spirit help us to learn to pray.*

Day One The patriarchs are our ancestors in faith.

• Read aloud the statement and the text. Discuss the patriarchs, the matriarchs, and their families. Ask your child to describe in his or her own words the daily life of these people, and discuss the location of the land of Canaan.

• Emphasize that because the patriarchs believed in God, accepted all that he had revealed to them, relied on him, and followed his commands, we know them as our ancestors in faith. Remind your child that one day he or she will be an ancestor in faith.

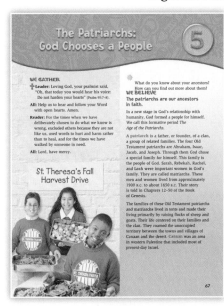

Day Two God chose Abraham to be the father of his people.

• Read aloud the statement and the text. Note that despite Abram's advanced age and Sarai's inability to have children, God chose them to begin his people.

• With your child discuss the covenant that God made with Abram, and that God changed Abram's name to Abraham. Point out that as long as Abraham and his descendants served God and followed his ways, God promised to make them a "great nation."

Day Three God's people became known as the Israelites.

• Take turns reading aloud the statement and the text. Talk about the way Jacob became the patriarch instead of his older brother Esau.

• Emphasize that despite Jacob's tricks, God wanted him to become the next patriarch. God knew that Jacob possessed the quality of determination, which enabled him to live out the covenant.

Day Four God cared for the Israelites.

• Ask your child to read aloud the statement. Then together read the story of Joseph.

• Discuss the meaning of *providence.* Emphasize that in Joseph's story providence is symbolized by the fulfillment of dreams.

We Respond in Faith

Day Five

• Ask your child to think about whether or not he or she could trust in God if God told your child to do something difficult.

Day Six

• Discuss with your family: *How would you like to be remembered?*

79B

El año litúrgico

Durante el año litúrgico celebramos todo el misterio de Cristo.

NOS CONGREGAMOS

✝ *Señor, creaste todas las cosas para tu gloria.*

¿Qué días del año son muy importantes para ti? ¿Por qué? ¿Cómo muestras a otros que esos días son especiales para ti?

CREEMOS

Igual que la Iglesia, nosotros tenemos días y tiempos en el año que son importantes para nosotros. Una forma especial de recordar esos tiempos es la celebración de la liturgia. La liturgia es la oración pública y oficial de la Iglesia. Incluye la celebración de la Eucaristía, la misa, y otros sacramentos. La liturgia también incluye la Liturgia de las Horas, una oración que la Iglesia reza por partes durante el día y la noche.

Durante el año en la liturgia recordamos y nos regocijamos en las acciones salvadores de Jesucristo. Llamamos *año litúrgico* al año de la Iglesia. Durante el año litúrgico recordamos y celebramos todo el misterio de Cristo. Celebramos el nacimiento del Hijo de Dios, sus años de juventud, su ministerio público, su sufrimiento, su muerte, su Resurrección y Ascensión al cielo. Durante este año también veneramos o mostramos devoción a María, la madre de Dios, y a todos los santos.

"Estén siempre alegres en el Señor; les repito, estén alegres".

Filipenses 4:4

The Liturgical Year

Advent	Christmas	Ordinary Time		Lent	Triduum	Easter	Ordinary Time

Throughout the liturgical year we celebrate the entire mystery of Christ.

WE GATHER

✝ *Lord, you create all things to give you glory.*

What are some days of the year that are very important to you? Why? How do you show others that these days and times are special to you?

WE BELIEVE

As the Church we have special days and times of the year that are very important to us. One special way we remember these times is in the celebration of the liturgy. The liturgy is the official public prayer of the Church. It includes the celebration of the Eucharist, or Mass, and the other sacraments. The liturgy also includes the Liturgy of the Hours, a prayer parts of which the Church prays at various times during the day and night.

In the liturgy throughout the year, we remember and rejoice in the saving actions of Jesus Christ. So we call the Church year the *liturgical year*. During the liturgical year we recall and celebrate the whole mystery of Christ. We celebrate the birth of the Son of God, his younger years, his public ministry, his suffering, Death, Resurrection, and Ascension into heaven. During this year we also venerate, or show devotion to, Mary, the Mother of God, and all the saints.

"Rejoice in the Lord always. I shall say it again: rejoice!"
(Philippians 4:4)

Adviento, Navidad, Tiempo Ordinario, Cuaresma, Triduo, Tiempo de Pascua

Adviento   Ese tiempo inicia el año de la Iglesia. Empieza a finales de noviembre o a principios de diciembre. Adviento es tiempo de gozo y preparación para la venida de Cristo. Esperamos por la segunda venida de Cristo al final de los tiempos. Celebramos que Cristo viene todos los días a nuestras vidas. Esperamos la celebración, en Navidad, de la primera venida del Hijo de Dios.

Navidad   Empieza el día de Navidad con la celebración del nacimiento del Hijo de Dios. Durante este tiempo celebramos que Dios siempre está con nosotros.

Cuaresma   Este tiempo empieza el Miércoles de ceniza. Es un tiempo especial cuando recordamos que Jesús sufrió, murió y resucitó a una nueva vida para reparar nuestra amistad con Dios. Durante la Cuaresma trabajamos para acercarnos a Jesús y a los demás por medio de la oración, el ayuno y la penitencia. Rezamos para apoyar a los que se están preparando para los sacramentos de iniciación cristiana. De esta forma nos preparamos para el Tiempo de Pascua.

Triduo   El Triduo Pascual es la celebración más importante de la Iglesia. La palabra *triduo* significa "tres". Durante estos tres días, desde el jueves santo en la tarde hasta el domingo de Resurrección en la tarde, recordamos y celebramos de manera especial el sufrimiento, muerte y Resurrección de Jesús.

Tiempo de Pascua   Este tiempo empieza el Domingo de Resurrección en la tarde y continúa hasta el Domingo de Pentecostés. Durante este tiempo nos regocijamos en la Resurrección de Jesús y la nueva vida que tenemos en Cristo.

Tiempo Ordinario   Este tiempo se celebra en dos partes: la primera entre Navidad y Cuaresma, y la segunda entre Pascua y Adviento. Durante este tiempo celebramos toda la vida y las enseñanzas de Jesucristo y aprendemos lo que significa vivir como sus discípulos. El último domingo del Tiempo Ordinario, que es también el último domingo del año litúrgico, celebramos la fiesta de Cristo Rey.

Advent The season of Advent begins the liturgical year in late November or early December. Advent is a time of joyful preparation for the coming of Christ. We look forward to Christ's second coming at the end of time. We celebrate that Christ comes into our lives every day. We await Christmas, the celebration of the first coming of the Son of God.

Christmas The Christmas season begins on Christmas Day with the celebration of the birth of the Son of God. During this entire season we celebrate that God is with us always.

Lent The season of Lent begins on Ash Wednesday. Lent is the special time when we remember that Jesus suffered, died, and rose to new life to restore our relationship with God. During Lent we work to grow closer to Jesus and one another through prayer, fasting, and penance. We pray for and support all who are preparing for the Sacraments of Christian Initiation. We prepare for the Easter Triduum.

Triduum The Easter Triduum is the Church's greatest and most important celebration. The word *triduum* means "three days." During these three days, from Holy Thursday evening until Easter Sunday evening, we remember and celebrate Jesus' suffering, Death, and Resurrection in a very special way.

Easter The season of Easter begins on Easter Sunday evening and continues until Pentecost Sunday. During this season we rejoice in Jesus' Resurrection and in the new life we have in Jesus Christ.

Ordinary Time The season of Ordinary Time is celebrated in two parts: the first part is between Christmas and Lent, and the second part is between Easter and Advent. During this time we celebrate the life and teachings of Jesus Christ and learn what it means to live as his disciples. On the last Sunday of Ordinary Time, also the last Sunday of the liturgical year, we celebrate the Feast of Christ the King.

THE LITURGICAL YEAR

El calendario   Nuestros años, meses y días calendarios dependen de los elementos de la naturaleza, como por ejemplo: el sol y la luna. Muchas de las fiestas litúrgicas también reflejan el ciclo de la naturaleza.

Nuestro año litúrgico está construido alrededor de las fechas del Triduo Pascual, el cual depende del equinoccio de primavera y la luna llena. El equinoccio de primavera es el día en que el sol está alineado con el Ecuador, haciendo que los días y las noches tengan igual longitud. El Domingo de Pascua sigue a la luna llena después del equinoccio de primavera. El hecho por sí solo es una hermosa proclamación de la Resurrección de Cristo, quien resucitó para traer la luz a nuestra oscuridad.

Los astrónomos pueden calcular la fecha en que el equinoccio ocurrirá. Ellos usan fórmulas para calcular años futuros.

Mirando esos cálculos vemos que la fecha del Domingo de Pascua siempre está entre marzo 22 y abril 25.

Usando la fecha del Domingo de Pascua podemos construir el calendario litúrgico para cada año. Podemos trabajar seis semanas hacia atrás para determinar la Cuaresma y siete hacia delante para determinar Pentecostés.

RESPONDEMOS

Las lecturas que escuchamos, los himnos que cantamos, los colores que vemos y las formas en que adoramos, nos ayudan a celebrar los tiempos litúrgicos.

 En grupos describan como tu parroquia celebra los tiempos litúrgicos.

✝ Respondemos en oración

Líder: Alabemos a Dios, quien es rico en misericordia y nos favorece en forma maravillosa. Bendito sea Dios por siempre.

Todos: Bendito sea Dios por siempre.

Líder: San Pablo nos anima a dar gracias siempre a Dios por Jesucristo, porque en él Dios nos ha dado vida eterna.

Lector: Lectura de la carta de San Pablo a los Filipenses

"Esté siempre alegres en el Señor; les repito, estén alegres. Que todo el mundo los conozca por su bondad. El Señor está cerca. Que nada los angustie; al contrario, en cualquier situación presenten sus deseos a Dios orando, suplicando y dando gracias". (Filipenses 4:4–6)

Palabra de Dios.

Todos: Te alabamos, Señor.

Líder: Demos gracias a Dios por todas sus bendiciones y ofrezcámosle nuestras necesidades.

Todos: Escúchanos, Señor.

🎵 **Alegraos, alegraos en el Señor**
Sus riquezas recibimos de su amor.

The calendar Our calendar of years, months, and days depends upon elements of nature, like the sun and the moon. Many of our liturgical feasts also reflect the cycle of nature.

Our liturgical year is constructed around the dates of the Easter Triduum, which depend each year on the spring equinox and the rising of the full moon. The spring equinox is the day the sun crosses the equator, making day and night of equal length everywhere. Easter Sunday follows the full moon after the spring equinox. This fact alone is a beautiful proclamation of the Resurrection of Christ, whose rising brings light to our darkness.

Astronomers can calculate the date of the spring equinox. They use formulas to do this for years into the future. Looking at their calculations we find that the date of Easter Sunday is always between March 22 and April 25.

Using the date for Easter Sunday, we can construct the liturgical calendar for each year. We can work backward six weeks to determine the beginning of Lent, and forward seven weeks to find the date of Pentecost.

WE RESPOND

The readings we hear, the songs we sing, the colors we see, and the ways we worship, help us to celebrate each liturgical season.

In groups describe some of the ways your parish celebrates each of the liturgical seasons.

✝ We Respond in Prayer

Leader: Give praise to God, who is rich in mercy and who has favored us in wonderful ways. Blessed be God for ever.

All: Blessed be God for ever.

Leader: Saint Paul urges us to give thanks to God always through Christ, for in him, God has given us everything.

Reader: A reading from the Letter of Saint Paul to the Philippians

"Rejoice in the Lord always. I shall say it again: rejoice! Your kindness should be known to all. The Lord is near. Have no anxiety at all, but in everything, by prayer and petition, with thanksgiving, make your requests known to God." (Philippians 4:4–6)

The word of the Lord.

All: Thanks be to God.

Leader: Let us thank God for our blessings and offer our needs to him.

All: Hear us, O Lord.

🎵 **Rejoice in the Lord Always**

Round 1
Rejoice in the Lord always,
again I say, rejoice!
Rejoice in the Lord always,
again I say, rejoice!

Round 2
Rejoice! Rejoice! Again I say, rejoice!
Rejoice! Rejoice! Again I say, rejoice!

HACIENDO DISCÍPULOS

 Celebra Diseña una página Web explicando el año litúrgico.

 Reza

Dios de amor, ayúdame a aprovechar lo más que pueda los tiempos litúrgicos. En este año litúrgico recordaré y celebraré el misterio de Cristo. Amén.

 Escritura

"Todo tiene su momento, . . .
Tiempo de nacer y tiempo de morir,
*   tiempo de arrancar y tiempo de plantar".*
(Eclesiastés 3:1–2)

¿Cómo usa los tiempos la Iglesia para recordar y celebrar todo el misterio de Cristo?

_____

_____

Tarea

Planifica un proyecto en familia: hagan un calendario litúrgico del próximo año. Incluyan marbetes para los días de precepto, colores y tiempos litúrgicos, fiestas y días para la familia en el calendario. Sean imaginativos. Pongan el calendario en un lugar destacado en la casa.

PROJECT DISCIPLE

Celebrate! Design a Web page that explains the liturgical year.

Pray Today

Dear God, Help me to make the most of the seasons of the Church year. In this liturgical year I will recall and celebrate the mystery of Christ. Amen.

What's the Word?

There is an appointed time for everything, …
A time to be born, and a time to die;
    a time to plant, and a time to uproot the plant."
(Ecclesiastes 3:1–2)

How does the Church use "appointed times" to recall and celebrate the whole mystery of Christ?

_____

_____

Take Home

Plan a family project: make a liturgical calendar for the upcoming liturgical year. Include labels for holy days, liturgical colors and seasons, feasts, and family dates on the calendar. Be creative! Display the completed calendar in a prominent place.

Capítulo 6 (páginas 80–87)

El año litúrgico

En este capítulo su niño(a) aprenderá que celebramos todo el misterio de Cristo durante el curso del año litúrgico.

Para los padres

Durante el ciclo anual del año litúrgico, la Iglesia celebra las múltiples dimensiones del misterio de salvación de Jesucristo. Durante ciertos días y tiempos, ella se regocija en la memoria de la resurrección del Señor: "Además, en el círculo del año se desarrolla todo el Misterio de Cristo [...] Al conmemorar así los misterios de la redención, abre la riqueza de las virtudes y de los méritos de su Señor, de modo que se los hace presentes en cierto modo, durante todo tiempo". (*CIC* 1163) Cada uno de los aspectos del misterio de Cristo, desde la encarnación hasta la resurrección y ascensión, se recuerdan y se celebran durante el ciclo de los tiempos.

Todos los días

- Recen juntos la Señal de la Cruz y un gloria al Padre.

Primer día Durante el año litúrgico celebramos todo el misterio de Cristo.

- Lea en voz alta el enunciado y tomen turnos leyendo los dos primeros párrafos de *Creemos*.
- Enfatice que durante el año litúrgico celebramos todo el misterio de Cristo y también veneramos a María y los santos.

Segundo día Durante el año litúrgico celebramos todo el misterio de Cristo. (Continuación)

- Pídale a su niño(a) que lea en silencio los párrafos de la página 82 que describen el año litúrgico de la Iglesia y que subraye el enunciado más importante en cada párrafo. Luego, utilizando tiras de cartulina de color, ayude a su niño(a) a hacer una etiqueta apropiada para cada Tiempo y una correspondiente tarjeta amarilla con una frase corta que describa cada Tiempo.

Tercer día Durante el año litúrgico celebramos todo el misterio de Cristo. (Continuación)

- Pídale a su niño(a) que nombre los seis Tiempos del año litúrgico en orden, de Adviento hasta el Tiempo Ordinario. Luego, que lea el texto en la página 84 sobre el calendario.

Cuarto día Durante el año litúrgico celebramos todo el misterio de Cristo. (Continuación)

- Converse sobre la relación entre el equinoccio de primavera y la Pascua. Enfatice la relación simbólica entre la luna llena y la ascensión de Cristo, nuestra luz.

Respondemos en fe

Quinto día

- Pregunte a su hijo(a) por qué algunos días son importantes para él/ella.

Sexto día

- En familia comenten cómo el cambio de colores en la naturaleza y en el año litúrgico les afectan.

Catechesis at Home

Catholic Identity

Family Catechesis

Chapter 6 (pages 80–87)

The Liturgical Year

In this chapter your child will learn that we celebrate the entire mystery of Christ during the course of the liturgical year.

For the Parents

Through the annual cycle of the liturgical year, the Church celebrates the multiple dimensions of the saving mystery of Jesus Christ. On certain days and seasons she rejoices in the memory of the Lord's resurrection. "In the course of the year, moreover, she unfolds the whole mystery of Christ…. Thus recalling the mysteries of the redemption, she opens up to the faithful the riches of her Lord's powers and merits, so that these are in some way made present in every age" (*CCC*, 1163). Every aspect of the mystery of Christ, from the Incarnation to the Resurrection and Ascension, is recalled and celebrated during the cycle of the seasons.

Every Day

• Pray the Sign of the Cross and a *Glory*.

Day One Throughout the liturgical year we celebrate the entire mystery of Christ.

• Read aloud the statement. Then read the first two paragraphs aloud with your child.

• Emphasize that we celebrate the entire mystery of Christ throughout the liturgical year and also venerate Mary and the saints.

Day Two Throughout the liturgical year we celebrate the entire mystery of Christ. (Continued)

• Ask your child to read silently through the chart and highlight the most important statement in each paragraph describing a season of the Church year. Then, using strips of colored poster board, help your child make an appropriately colored name card for each season and a corresponding yellow card with a short sentence describing each season.

Day Three Throughout the liturgical year we celebrate the entire mystery of Christ. (Continued)

• Have your child name the six seasons of the liturgical year in order, from Advent through Ordinary Time. Then ask your child to read aloud the remaining *We Believe* text.

Day Four Throughout the liturgical year we celebrate the entire mystery of Christ. (Continued)

• Discuss the relationship between the spring equinox and Easter. Emphasize the symbolic relationship between the full moon and the rising of Christ, our light.

We Respond in Faith

Day Five

• Ask your child to think about why certain days of the year are important to him or her.

Day Six

• Discuss with your family how the changing colors in both the natural seasons and the litiurgical seasons affect your family.

87B

Tiempo Ordinario

Durante el Tiempo Ordinario celebramos la vida y las enseñanzas de Jesucristo.

NOS CONGREGAMOS

✝ *Jesús, ayúdanos a mantener santo el domingo*

¿Cuál es tu disposición hacia el domingo? ¿Lo esperas con ansiedad? ¿Por qué sí o no? ¿Qué diferencias hay entre el domingo y los demás días de la semana?

CREEMOS

El Tiempo Ordinario es uno de vida y esperanza. Aprendemos lo que significa vivir como discípulo de Cristo y crecemos como miembros de la Iglesia. El color verde se usa durante este tiempo para recordarnos que la vida y la esperanza vienen de Cristo.

Otros tiempos litúrgicos durante el año se centran en un período o evento particular en la vida de Jesús. Durante el Tiempo Ordinario celebramos todo lo que Cristo hizo por nosotros con su nacimiento, vida, muerte, Resurrección y Ascensión. Recordamos la vida de Jesucristo y nos centramos en sus enseñanzas de manera especial.

El Tiempo Ordinario dura treinta y tres, o treinta y cuatro semanas. Es llamado Tiempo Ordinario porque las semanas están en "orden", o sea numeradas en orden. Por ejemplo: la primera semana del Tiempo Ordinario es seguida por la segunda y así sucesivamente.

Celebramos este Tiempo dos veces durante el año litúrgico. Celebramos primero por un corto tiempo entre Navidad y Adviento. La primera parte empieza temprano en enero y dura sólo hasta el martes antes de la Cuaresma. La segunda parte es entre Pascua y Adviento. Empieza a finales de mayo o en junio, después del Domingo de Pentecostés, cuando termina el Tiempo de Pascua. Dura varios meses hasta la tarde antes del primer domingo de Adviento, a finales de noviembre o principios de diciembre.

"Éste es el día en que actuó el Señor, festejemos y alegrémonos en él".

Salmo 118: 24

Ordinary Time

During the season of Ordinary Time, we celebrate the life and teachings of Jesus Christ.

WE GATHER

✝ *Jesus, help us to keep Sunday holy.*

What is your attitude toward Sunday? Do you look forward to it? Why or why not? How is it the same as other days of the week? How is it different?

WE BELIEVE

Ordinary Time is a season of life and hope. We learn what it means to live as Christ's disciples, and we grow as members of the Church. The color green, which we use during this season, reminds us of the life and hope that come from Christ.

Other seasons during the liturgical year focus on a particular event or period in Jesus' life. During the season of Ordinary Time, we celebrate all that Christ does for us through his birth, life, Death, Resurrection, and Ascension. We recall the life of Jesus Christ and focus on his teachings in a special way.

The season of Ordinary Time lasts thirty-three to thirty-four weeks. It is called Ordinary Time because the weeks are "ordered," or named in number order. For example, the first week in Ordinary Time is followed by the second week in Ordinary Time, and so on.

We celebrate Ordinary Time twice during the liturgical year. We celebrate first for a short time between the seasons of Christmas and Lent. The first part of Ordinary Time begins in early January and lasts until the Tuesday before Ash Wednesday. The second part of Ordinary Time is between the seasons of Easter and Advent. So it begins in late May or June after Pentecost Sunday, which ends the Easter season, and lasts several months until the evening before the first Sunday of Advent in late November or early December.

"This is the day the LORD has made; let us rejoice in it and be glad."

(Psalm 118:24)

El día del Señor   En el calendario judío, el sábado sigue siendo el sabat, el día dedicado a honrar a Dios de forma especial. El sabat es un día especial para alabar a Dios por toda su creación y por obrar en la vida de su pueblo. El sábado es el último día de la semana y el pueblo judío descansa como descansó Dios el séptimo día al completar la creación. Es una tradición judía observar el sabat desde el atardecer del viernes hasta el atardecer del sábado.

Los primeros cristianos seguían muchas de las costumbres judías. Ellos rezaban los salmos y mantenían el sabat. Gradualmente, porque Jesús resucitó un domingo, el domingo se convirtió en el sabat cristiano. Porque Cristo resucitó en un domingo, los cristianos llaman al domingo "el día del Señor". En ese día se reúnen y recuerdan la muerte y la resurrección de Cristo celebrando la Eucaristía.

Hoy la Iglesia mantiene el domingo como nuestro día de precepto más importante. Mantenemos santo el día del Señor asistiendo a la celebración de la Eucaristía, descansando y divirtiéndonos en familia, recordamos nuestra amistad con Dios y servimos a las necesidades de la comunidad.

El domingo es el día más importante para reunirnos en nuestra parroquia y celebrar la Eucaristía, también llamada la misa. En la misa:

- alabamos y damos gracias a Dios por todos sus dones

- escuchamos la Palabra de Dios

- recordamos la vida, muerte y Resurrección de Jesús y celebramos el don de Jesús mismo en la Eucaristía

- recibimos el Cuerpo y la Sangre de Cristo en la Comunión

- nos acercamos más a Cristo y a los demás en la Iglesia

- somos enviados a compartir el amor de Jesús, a servir a otros y a trabajar por la justicia y la paz.

Al observar el día del Señor seguimos la costumbre judía de celebrar desde un atardecer a otro. Así que empezamos nuestra celebración el sábado en la tarde y la completamos el domingo en la tarde. Es por eso que algunas personas asisten a la misa del domingo, el sábado en la tarde.

The Lord's Day In the Jewish calendar, Saturday was and still is the Sabbath, the day of rest set apart to honor God in a special way. The Sabbath is a special day to praise God for giving us his creation and for acting in the lives of his people. Saturday is the last day of the week, and the Jewish People rest as God rested on the seventh day after completing his creation. It is Jewish tradition to observe that Sabbath from sundown on Friday to sundown on Saturday.

The early Christians followed many of the Jewish customs of prayer and worship. They prayed the psalms and they kept the Sabbath. Gradually, because Jesus Christ rose on a Sunday, Sunday became the Christian Sabbath. Because Christ rose on a Sunday, the Christians called it "the Lord's Day." On this day they gathered to recall Christ's Death and Resurrection by celebrating the Eucharist.

Today the Church keeps Sunday as our first holy day. We keep the Lord's Day holy by participating in the celebration of the Eucharist, by resting from work and enjoying our families, by remembering our relationship with God and by serving the needs of the community.

Sunday is the most important day to gather with our parishes for the celebration of the Eucharist, the Mass. In the Mass, we

- praise and thank God for his many gifts

- listen to God's Word

- remember Jesus' life, Death, and Resurrection and celebrate Jesus' gift of himself in the Eucharist

- receive the Body and Blood of Christ in Holy Communion

- are joined more closely to Christ and one another in the Church

- are sent out to share Jesus' love, serve others, and work for justice and peace.

In observing the Lord's Day we follow the Jewish custom of celebrating from sundown to sundown. So we begin our celebration on Saturday evening and complete it on Sunday evening. This is why some people participate in the Sunday Mass on Saturday evening.

Domingos del Tiempo Ordinario Los domingos son la base de nuestro año litúrgico y los usamos para marcar el paso de las semanas del Tiempo Ordinario y los otros tiempos. La importancia del domingo viene del hecho de que Jesús resucitó un domingo.

Durante el Tiempo Ordinario hay tres domingos muy importantes:

- Santísima Trinidad, se celebra el segundo domingo en la segunda parte del Tiempo Ordinario, el domingo después de Pentecostés. Celebramos de manera especial nuestra fe en la Santísima Trinidad: Dios Padre, Dios Hijo y Dios Espíritu Santo.

- Corpus Cristi, palabras latinas que significan *Cuerpo de Cristo*. Esta fiesta se celebra el domingo siguiente al domingo de la Santísima Trinidad.

- Cristo Rey se celebra el último domingo del Tiempo Ordinario. Este día nos regocijamos de que Cristo es el rey del universo. El nos salvó del demonio y nos trae nueva vida. Por El, el reino de Dios ha empezado en la tierra.

RESPONDEMOS

En grupos hagan una lista de las formas en que celebran el día del Señor.

_____

_____

_____

_____

_____

_____

✛ Respondemos en oración

Líder: Señor y Dios nuestro, te bendecimos. Al reunirnos te pedimos que en tu bondad nos llenes con tu conocimiento de cual es tu voluntad para así poder complacerte en todo, y acercarnos más a ti.

Te lo pedimos por Cristo, nuestro Señor.

Todos: Amén.

Lector: Lectura del Evangelio según san Mateo.

Todos: Gloria a ti, Señor.

Lector: "Ustedes son la luz del mundo. No puede ocultarse una ciudad situada en la cima de una montaña. Tampoco se enciende una lámpara de aceite para cubrirla con una vasija de barro; sino que se pone sobre el candelero, para que alumbre a todos los que están en la casa. Brille su luz delante de los hombres de modo que, al ver sus buenas obras, den gloria a su Padre que está en los cielos".
(Mateo 5: 14–16)

Palabra del Señor.

Todos: Gloria a ti, Señor Jesús.

♪ Nueva Creación

Camina, pueblo de Dios;
camina, pueblo de Dios.
Nueva ley, nueva alianza,
en la nueva Creación:
camina pueblo de Dios;
camina pueblo de Dios.

Sundays during Ordinary Time Sundays are the foundation of our liturgical year, and we use them to mark the passing of the weeks of Ordinary Time and the other seasons. Sunday's importance comes from the fact that Jesus' Resurrection was on a Sunday.

During Ordinary Time there are three very important Sundays.

- Trinity Sunday, the first Sunday after Pentecost, is the first Sunday in the second part of Ordinary Time. On this Sunday we celebrate in a special way our belief in the Blessed Trinity: God the Father, God the Son, and God the Holy Spirit.

- The Body and Blood of Christ is the Sunday after Trinity Sunday. This is sometimes called "Corpus Christi Sunday" because the term *Body of Christ* comes from these two Latin words.

- Christ the King is the last Sunday in Ordinary Time. On this day we rejoice that Christ is the King of the universe. He saves us from evil and brings us new life. Through him the Kingdom of God has begun on earth.

WE RESPOND

In groups list some ways that you celebrate the Lord's Day.

_____

_____

_____

✝ We Respond in Prayer

Leader: Lord our God, we bless you. As we come together we ask you in your kindness to fill us with the knowledge of your will so that, pleasing you in all things, we may grow in every good work. We ask this through Christ our Lord.

All: Amen.

Reader: A reading from the holy Gospel according to Matthew

All: Glory to you, O Lord.

"You are the light of the world. A city set on a mountain cannot be hidden. Nor do they light a lamp and then put it under a bushel basket; it is set on a lampstand, where it gives light to all in the house. Just so, your light must shine before others, that they may see your good deeds and glorify your heavenly Father." (Matthew 5:14–16)

The Gospel of the Lord.

All: Praise to you, Lord Jesus Christ.

🎵 **This Little Light of Mine**

This little light of mine,
I'm gonna let it shine. (Repeat 3 times)
Let it shine, let it shine, let it shine.

Ev'rywhere I go,
I'm gonna let it shine. (Repeat 3 times)
Let it shine, let it shine, let it shine.

Jesus gave it to me;
I'm gonna let it shine. (Repeat 3 times)
Let it shine, let it shine, let it shine.

HACIENDO DISCIPULOS

Exprésalo

El símbolo Chi-Rho generalmente se asocia con el Tiempo Ordinario. Está formado por las letras griegas χ(Chi) y ρ(Rho). Estas son las dos primeras letras de la palabra *Cristo* en griego. Dibuja el símbolo Chi-Rho en el espacio. (Para referencia ver página 88).

Datos

Durante el Tiempo Ordinario la Iglesia proclama los Evangelios en un ciclo de tres años. Cada año se lee uno de estos Evangelios (año A) Mateo, (año B) Marcos y (año C) Lucas.

Celebra

Escribe las 10 cosas más importantes sobre el Tiempo Ordinario.

Siendo 1. lo más importante.

10. _____   5. _____

9. _____   4. _____

8. _____   3. _____

7. _____   2. _____

6. _____   1. _____

Tarea

La Iglesia celebra el domingo, el día del Señor, como un día de fiesta. En familia podemos mantener santo el día del Señor.

_____

_____

_____.

Pray
Learn
Celebrate
Share
Choose
Live

PROJECT DISCIPLE

Picture This

The Chi-Rho symbol is usually associated with the liturgical season of Ordinary Time. It is formed by Greek letters χ (Chi) and ρ (Rho). These are the first two letters in the Greek word *Christ*. Draw the Chi-Rho symbol in the space below. (For reference see the bottom of page 89.)

Celebrate!

Write a "top ten" list about Ordinary Time. 1. will be the most *extraordinary*!

10. _____   5. _____

9. _____   4. _____

8. _____   3. _____

7. _____   2. _____

6. _____   1. _____

Fast Facts

During Ordinary Time the Church proclaims the Gospels in a three-year Sunday cycle. Each cycle highlights one of these Gospels—(Year A) Matthew, (Year B) Mark, and (Year C) Luke.

Take Home

The Church celebrates Sunday, the Lord's Day, as a holy day. As a family, we can keep the Lord's Day holy by

_____

_____

_____.

Capítulo 7 (páginas 88–95)

Tiempo Ordinario

En este capítulo su niño(a) aprenderá que durante el Tiempo Ordinario celebramos la vida y las enseñanzas de Jesucristo.

Para los padres

Durante el Tiempo Ordinario, el más largo de los seis tiempos litúrgicos, la Iglesia celebra la vida y las enseñanzas de Jesús. Está dividido en dos partes, una entre los tiempos de Navidad y Cuaresma y otra entre Pentecostés y Adviento. Los domingos del Tiempo Ordinario están ordenados en secuencia numérica excepto los días de precepto, por ejemplo, la Santísima Trinidad.

Todos los días

- Juntos recen la Señal de la Cruz y la siguiente oración: *Padre celestial, guía nuestro camino durante este año.*

Primer día Durante el Tiempo Ordinario, celebramos la vida y las enseñanzas de Jesucristo.

- Lea en voz alta el enunciado de *Creemos*. Muestre una planta de hojas verdes y explique que el color verde representa la vida y la esperanza que recibimos de Jesús. Relacione el color verde del Tiempo Ordinario con la vida y las enseñanzas de Jesús.

- Ponga énfasis en que celebramos la vida y enseñanzas de Jesucristo en esta temporada.

Segundo día Durante el Tiempo Ordinario, celebramos la vida y las enseñanzas de Jesucristo. (Continuación)

- Túrnense para leer el texto de la página 88. Luego pida a su niño(a) que explique en sus

propias palabras cuándo celebramos el Tiempo Ordinario (entre Navidad y Cuaresma y entre la temporada de Pascua y Adviento).

Tercer día Durante el Tiempo Ordinario, celebramos la vida y las enseñanzas de Jesucristo. (Continuación)

- Tomen turnos leyendo en voz alta los párrafos sobre el día del Señor, página 90. Ponga énfasis en que los judíos celebran el sábado como un día de adoración y descanso en el último día de la semana porque Dios descansó el séptimo día después de completar su creación, y que los cristianos celebran el primer día de la semana porque Cristo resucitó en domingo.

Cuarto día Durante el Tiempo Ordinario, celebramos la vida y las enseñanzas de Jesucristo. (Continuación)

- Lea en voz alta los párrafos sobre los domingos durante el Tiempo Ordinario. Revise los tres domingos importantes del Tiempo Ordinario: domingo de la Trinidad, el Cuerpo y la Sangre de Cristo, y Cristo Rey.

Respondemos en fe

Quinto día

- Pídale a su niño(a) que averigüe el ciclo actual de este año revisando un misal.

Sexto día

- Anime a su niño(a) a compartir con su familia lo que ha aprendido sobre el Tiempo Ordinario.

Catechesis at Home

Chapter 7 (pages 88–95)

Ordinary Time

In this chapter your child will learn that during the season of Ordinary Time we celebrate the life and teaching of Jesus Christ.

For the Parents

In Ordinary Time, the longest of the six liturgical seasons, the Church celebrates the entire life and teaching of Jesus Christ. Ordinary Time is a two-part season that comes first between the Christmas season and Lent and then between Pentecost, which is the last Sunday of the Easter season, and Advent. The Sundays of Ordinary Time are ordered in numerical sequence. Each is designated by this numerical name, with the exception of feast days such as Trinity Sunday.

Every Day

- Pray the Sign of the Cross together and the following prayer, *Heavenly God, guide my steps throughout the year.*

Day One During the season of Ordinary Time, we celebrate the life and teachings of Jesus Christ.

- Read aloud the *We Believe* statement. Display a green leafy plant and explain that the color green signifies the life and hope we receive from Jesus. Connect the color green of Ordinary Time with the life and teachings of Jesus.

Day Two During the season of Ordinary Time, we celebrate the life and teachings of Jesus Christ. (Continued)

- Take turns with your child reading aloud the text on

page 89. Then ask your child to explain in his or her own words when we celebrate Ordinary Time (between Christmas and Lent and between the Easter season and Advent). Emphasize that we celebrate the life and teachings of Jesus Christ in this two part liturgical season.

Day Three During the season of Ordinary Time, we celebrate the life and teachings of Jesus Christ. (Continued)

- With your child read aloud the paragraphs about the Lord's Day on page 91. Emphasize that Jews celebrate the Sabbath as a day of worship and rest on the last day of the week because God rested on the seventh day after completing his creation, and that Christians celebrate on the first day of the week because Christ rose on a Sunday.

Day Four During the season of Ordinary Time, we celebrate the life and teachings of Jesus Christ. (Continued)

- Read aloud the paragraphs about Sundays during Ordinary Time. With your child review the three important Sundays in Ordinary Time: Trinity Sunday, the Body and Blood of Christ, and Christ the King.

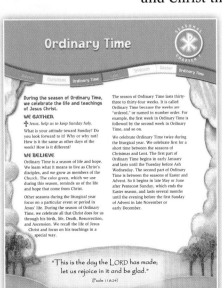

We Respond in Faith

Day Five

- Ask your child to look for information about the present liturgical season.

Day Six

- Enourage your child to share what he or she has learned in this lesson with family.

El sacramento de la Confirmación

Oración

Todos rezan la señal de la cruz.

Líder: En Pentecostés, los apóstoles fueron fortalecidos en su fe por el Espíritu Santo. Recibimos el Espíritu Santo en el Bautismo y celebramos ser sellados con el Espíritu Santo en la Confirmación.

Señor, en Pentecostés enviaste tu Espíritu a los apóstoles. Ahora nos reunimos para orar en compañía de los apóstoles, María, los ángeles y los santos para que nos fortalezcas como tus hijos.

Lector 1: Jesús dijo a sus discípulos, "Y yo rogaré al Padre y les dará otro Consolador, para que esté siempre con ustedes". (Juan 14:16)

Lector 2: Señor, envía tu Espíritu. Danos el valor de ser testigos de tu amor por todo el mundo.

Todos: Señor, envía tu Espíritu y renovarás la faz de la tierra.

Lector 3: Señor, celebramos ser fortalecidos con los dones del Espíritu Santo en la Confirmación.

Todos: Señor, envía tu Espíritu y renovarás la faz de la tierra.

Lector 4: Señor, ayúdanos a usar los dones del Espíritu Santo para hacer el bien en esta semana.

Todos: Señor, envía tu Espíritu y renovarás la faz de la tierra.

Lector 5: Señor, abre nuestras mentes y corazones a los dones que nos has dado, para que por medio de ellos podamos siempre servirte y servir a tu Iglesia.

Todos: Señor, envía tu Espíritu y renovarás la faz de la tierra.

Líder: Señor, fortalécenos para vivir como tus hijos. Únenos a tu Hijo, Jesucristo, y permite que los dones del Espíritu Santo nos ayuden para que podamos dar testimonio de nuestra fe por medio de nuestras palabras y obras.

Todos: Señor, santifica a toda la Iglesia y a todas las naciones. Te pedimos que derrames los dones del Espíritu Santo sobre nosotros. Te lo pedimos en el nombre de Jesucristo, tu Hijo. Amén. *(Colecta, Domingo de Pentecostés)*

The Sacrament of Confirmation

Prayer

All pray the Sign of the Cross.

Leader: At Pentecost, the Apostles were strengthened in their faith by the Holy Spirit. We receive the Holy Spirit in Baptism, and we celebrate being sealed with the Holy Spirit in Confirmation.

Lord God, on Pentecost you sent your Spirit to the Apostles. Now, as we gather in prayer with the Apostles, with Mary, and with the angels and saints, strengthen us to live as your sons and daughters. Let us pray.

Reader 1: Jesus said to his disciples, "I will ask the Father, and he will give you another Advocate to be with you always" (John 14:16).

Reader 2: Lord, send out your Spirit upon us. Give us courage to be witnesses to all the world of your love.

All: Lord, send us your Spirit and renew the face of the earth.

Reader 3: Lord, celebrate being strengthened with the gifts of the Holy Spirit during our Confirmation.

All: Lord, send us your Spirit and renew the face of the earth.

Reader 4: Lord, help us to use the gifts of the Holy Spirit to do good this week.

All: Lord, send us your Spirit and renew the face of the earth.

Reader 5: Lord, open our minds and hearts to the gifts you have given us, that through them we may always serve you and your Church.

All: Lord, send us your Spirit and renew the face of the earth.

Leader: Lord God, strengthen us to live as your sons and daughters. Unite us with your Son, Jesus Christ, and let the gifts of the Holy Spirit help us so that we may bear witness to our faith, through our words and actions.

All: O God, sanctify your whole Church in every people and nation, pour out, we pray, the gifts of the Holy Spirit upon us. In Jesus' Name. Amen. *(Collect, Pentecost Sunday)*

El sacramento de la Confirmación

Compartiendo la Palabra de Dios

Reflexión sobre la lectura de la Escritura.

"A cada cual se le concede la manifestación del Espíritu para el bien de todos. Porque a uno Dios, a través del Espíritu, le concede hablar con sabiduría, mientras que a otro, gracias al mismo Espíritu, le da un profundo conocimiento. Por el mismo Espíritu Dios concede a uno el don de la fe, a otro el carisma de curar enfermedades, a otro el poder de realizar milagros, a otro el hablar de parte de Dios, a otro el distinguir entre espíritus falsos y verdaderos, a otro el hablar un lenguaje misterioso y a otro, en fin, el don de interpretar ese lenguaje. Todo esto lo hace el mismo y único Espíritu, que reparte a cada uno sus dones como él quiere".
(1 Corintios 12:7–11)

LEA despacio y con atención el pasaje a los Corintios.

REFLEXIONE sobre la lectura.

Piense en las siguientes preguntas:

- ¿Cuál de los dones del Espíritu Santo reconoce en usted?
- ¿Cómo usa los dones del Espíritu Santo para predicar la buena nueva de Jesús a otros?
- ¿Cómo trabajan los dones del Espíritu Santo en la forma como vive?
- ¿Cómo puede estar más atento al trabajo que el Espíritu Santo hace en usted y por medio de usted?

COMPARTA sus pensamientos en grupo.

Conversen sobre cómo han experimentado el trabajo de los dones del Espíritu Santo en su vida.

MEDITE y comparta sus pensamientos y sentimientos con Dios en oración.

Escriba algo que aprendió o una inspiración que tuvo y que compartirá con su familia.

_____
_____
_____
_____
_____

Escoja uno de los frutos del Espíritu Santo y reflexione en él. En el espacio en blanco escriba el nombre. Después escriba palabras o frases que le vengan a la mente relacionadas con ese fruto.

Comparta con el grupo un pensamiento que se lleva de este retiro.

Los siete dones del Espíritu Santo

sabiduría

inteligencia
(entendimiento)

consejo
(juicio recto)

fortaleza
(firmeza)

temor de Dios
(maravilla y veneración)

piedad
(reverencia)

ciencia

_____
_____
_____

The Sacrament of Confirmation

Sharing God's Word

Reflect on the Bible reading.

> "To each individual the manifestation of the Spirit is given for some benefit. To one is given through the Spirit the expression of wisdom; to another the expression of knowledge according to the same Spirit; to another faith by the same Spirit; to another gifts of healing by the one Spirit, to another mighty deeds; to another prophecy; to another discernment of spirits; to another varieties of tongues; to another interpretation of tongues. But one and the same Spirit produces all of these, distributing them individually to each person as he wishes."
> (1 Corinthians 12:7–11)

READ the passage from the First Letter to the Corinthians. Read slowly and carefully.

REFLECT on what you read.

Think about the following questions:

- Which of these gifts of the Holy Spirit do you recognize in yourself?
- How do you use these gifts to spread the Good News of Jesus to others?
- How do the gifts of the Holy Spirit working in your life influence the way you live?
- How can you become more open to the work of the Holy Spirit in you and through you?

SHARE your thoughts with your group.

Talk about ways you have experienced the gifts of the Holy Spirit at work in your life.

CONTEMPLATE and share your thoughts and feelings with God in prayer.

Write something you learned or an insight you had and share it with your family.

_____

_____

_____

_____

_____

Choose one of the fruits of the Holy Spirit for further reflection. Write the fruit in the space below. Then write words or phrases that come to mind in connection with this fruit at work in your family.

Share with the group one thought you will take with you from this retreat.

The Seven Gifts of The Holy Spirit

wisdom   understanding

counsel   fortitude
(right judgment)   (courage)

fear of the Lord   piety
(wonder and awe)   (reverence)

knowledge

_____

_____

_____

El sacramento de la Confirmación

Valoramos nuestra fe católica

El tema de nuestro retiro es el *Sacramento de la Confirmación*.

- Piense en cómo el Espíritu Santo trabaja en su vida.

- Recuerde algunas veces en las que el Espíritu Santo le dio el valor para proclamar la buena nueva.

- Reflexione en cómo la Confirmación le fortaleció para participar activamente en el trabajo de la Iglesia.

- Piense en un momento en el que ha sido testigo del trabajo del Espíritu Santo en un discípulo de Jesús.

- En el sacramento de la Confirmación, el obispo extiende las manos sobre los candidatos y dice: "Concédeles el espíritu de sabiduría y de entendimiento, espíritu de consejo y de fortaleza, espíritu de ciencia y de piedad y cólmalos del espíritu de tu temor". (Rito de la Confirmación) Escoja uno de esos dones para meditar en él durante la semana próxima.

Daré testimonio de Cristo

En mi familia:

Entre mis amigos:

En mi parroquia, en mi comunidad o en mi vecindario:

Celebramos y honramos nuestra identidad católica

Trabajen en grupo para identificar formas en las que los dones del Espíritu Santo pueden ayudarles a dar testimonio de Cristo en su hogar, en su trabajo, en la parroquia o en su vecindario. Cuando el grupo complete su trabajo, escriban acciones específicas que van a tomar en esas áreas.

Daré testimonio de Cristo

_____

En mi familia:

_____
_____
_____

Entre mis amigos:

_____
_____
_____

En mi parroquia, en mi comunidad o en mi vecindario:

_____
_____
_____

Comparta con un compañero(a) algo que hará. Prometa rezar para que su compañero(a) pueda cumplir con su plan de acción.

_____
_____
_____

The Sacrament of Confirmation

We Value Our Catholic Faith

The theme of our retreat is the *Sacrament of Confirmation*.

- Think about ways the Holy Spirit works in your life.
- Recall times when the Holy Spirit has given you the strength to proclaim the Good News.
- Reflect on ways Confirmation strengthens you to actively participate in the work of the Church.
- Think of a time when you have witnessed the Holy Spirit at work in a disciple of Jesus.
- In the Sacrament of Confirmation, the bishop extends his hands over the candidates. He prays: "Give them the spirit of wisdom and understanding, the spirit of right judgment and courage, the spirit of knowledge and reverence. Fill them with the spirit of wonder and awe in your presence" (Rite of Confirmation, 25). Choose one of these gifts to contemplate during the following week.

We Celebrate and Honor Our Catholic Identity

Work with your group to identify ways the gifts of the Holy Spirit can help you give witness to Christ at home, in your workplace, and in your parish or neighborhood. After your group work is complete, write specific actions you will take in each of these areas.

I Will Witness to Christ

_____

In my family:

_____

_____

_____

_____

Among my friends:

_____

_____

_____

_____

In my parish, community, or neighborhood:

_____

_____

_____

_____

With a partner, share one of the things you will do. Make a promise to pray that your partner will be able to carry out his or her action plan.

_____

_____

_____

_____

I Will Witness to Christ

In my family:

Among my friends:

In my parish, community, or neighborhood:

Identidad católica Retiro

Llevando el retiro a casa

El sacramento de la Confirmación

Repaso del retiro

Repase con su familia las páginas del retiro *Celebrando la identidad católica: Liturgia y Sacramentos*. Conversen sobre lo que escucharon acerca del sacramento de la Confirmación. Enfatice:

- El Espíritu Santo nos da la fuerza para ser testigos de nuestra fe.
- Los dones del Espíritu Santo fortalecen nuestra relación con Dios.
- En la Confirmación se nos sella con el don del Espíritu Santo.

Los dones de su familia

Conversen en familia sobre cómo cada miembro tiene diferentes habilidades o dones. Identifiquen los dones que hacen de cada miembro de la familia un ser único. Conversen también sobre formas en las que pueden usar esos dones al servicio de Dios y de los demás.

Un momento de reflexión

Su hijo(a) aprendió que la Confirmación nos sella con el don del Espíritu Santo y completa nuestro bautismo. Hable con su hijo(a) de cosas que recuerda del día de su bautismo y acerca de su propio bautismo. Quizá quiera celebrar el aniversario del bautismo de su hijo(a) dándole un regalo religioso especial.

Oración en familia

Recen la siguiente oración:

*V*en, Espíritu Santo,
y llena los corazones de nuestra familia.
Ayúdanos a usar nuestros dones para amar y servir
y para seguir a Cristo en todos los días de
nuestras vidas.
Amén.

Para más recursos vea *Identidad católica Amigo del hogar* al final del libro.

Catholic **I**dentity **R**etreat

Bringing the Retreat Home

The Sacrament of Confirmation

Retreat Recap

Review with your family the *Celebrating Catholic Identity: Liturgy & Sacraments* retreat. Talk about what you heard about Confirmation. Emphasize:

- The Holy Spirit gives us courage to witness to our faith.
- The gifts of the Holy Spirit strengthen our relationship with God.
- In Confirmation we are sealed with the Gift of the Holy Spirit.

Your Family's Gifts

Together discuss how each member of your family has different abilities, gifts, or strengths. Identify the gift(s) that make each family member unique. Talk about ways to use these gifts in the service of God and others.

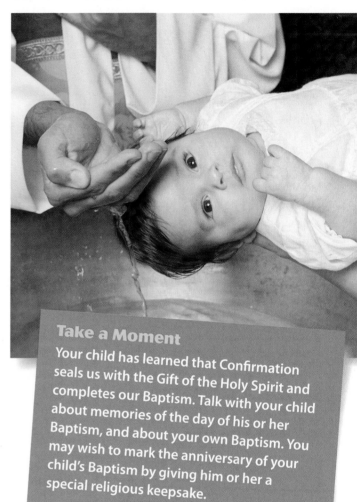

Take a Moment

Your child has learned that Confirmation seals us with the Gift of the Holy Spirit and completes our Baptism. Talk with your child about memories of the day of his or her Baptism, and about your own Baptism. You may wish to mark the anniversary of your child's Baptism by giving him or her a special religious keepsake.

Family Prayer

Pray together the following prayer:

*C*ome, Holy Spirit,
and fill the hearts of our family.
Help us to use our gifts to love and serve
and to follow Christ throughout all our days.
Amen.

For more resources, see the *Catholic Identity Home Companion* at the end of this book.

Qué creemos
como familia católica

Si alguien nos pregunta:

- ¿Cómo es iniciada una persona totalmente en la Iglesia católica?

Los siguientes recursos les pueden ayudar a contestar:

Hay tres sacramentos de iniciación cristiana: Bautismo, Confirmación y Eucaristía. El Bautismo es el sacramento por medio del cual se nos libera del pecado, nos hacemos hijos de Dios y somos bienvenidos a la Iglesia. La Confirmación es el sacramento en el cual somos sellados con el don del Espíritu Santo y fortalecidos para dar testimonio de nuestra fe. La unción que tiene lugar en la Confirmación confirma y completa la unción recibida en el Bautismo. La Eucaristía es el sacramento del Cuerpo y la Sangre de Cristo en el que Jesús está verdaderamente presente bajo las apariencias de pan y vino. Al celebrar estos tres sacramentos nos iniciamos en la Iglesia.

Desde los inicios de la Iglesia, el Bautismo, la Confirmación y la Eucaristía han sido los sacramentos que forman la base de nuestras vidas como discípulos de Cristo. En la Escritura, la "fracción del pan" en Hechos de los apóstoles 2:41–42 se refiere a la Eucaristía y la "imposición de las manos" en Hechos de los apóstoles 8:16–17 es una parte esencial de la Confirmación.

¿Qué dice la Escritura?

En Hechos de los apóstoles, donde se nos enseña sobre los inicios de la Iglesia, leemos:

"Solo habían recibido el bautismo en el nombre de Jesús, el Señor. Entonces les impusieron las manos, y recibieron el Espíritu Santo". (Hechos de los apóstoles 8:16–17)

"Cuando oyeron esto se bautizaron en el nombre de Jesús, el Señor. Entonces Pablo les impuso las manos, el Espíritu Santo vino sobre ellos". (Hechos de los apóstoles 19:5–6)

"Los que aceptaron su palabra fueron bautizados, y se les unieron aquel día unas tres mil personas. Los que habían sido bautizados se dedicaban con perseverancia a escuchar la enseñanza de los apóstoles, vivían unidos y participaban en la fracción del pan y en las oraciones". (Hechos de los apóstoles 2:41–42)

Puede que sepa que hay adultos y niños mayores que se hacen miembros de la Iglesia recibiendo el Bautismo, la Confirmación y la Eucaristía en una misma celebración, generalmente en la Vigilia Pascual. Verdaderamente estos tres sacramentos están enlazados para convertirnos en miembros de la Iglesia católica.

¿Qué dice la Iglesia?

"Mediante los sacramentos de la iniciación cristiana, el Bautismo, la Confirmación y la Eucaristía, se ponen los fundamentos de toda vida cristiana". (CIC, 1212)

"Sin la Confirmación y la Eucaristía, el sacramento del Bautismo es ciertamente válido y eficaz, pero la iniciación cristiana queda incompleta". (CIC, 1306)

Los frutos del Espíritu

En Mateo 7:16, Jesús dice: "Por sus frutos los conocerán". Los frutos de los cristianos son los frutos del Espíritu Santo que incluyen la alegría, la paz, la paciencia, la amabilidad y la bondad. ¿Cuáles frutos del Espíritu Santo ve en su familia o en su parroquia? Comprométase a incorporar uno de los frutos del Espíritu Santo en su vida diaria.

Why We Believe
As a Catholic Family

What if someone asks us:

- How does a person become fully initiated into the Catholic Church?

The following resources can help us to respond:

There are three Sacraments of Christian Initiation. They are Baptism, Confirmation, and Eucharist. Baptism is the sacrament in which we are freed from sin, become children of God, and are welcomed into the Church. Confirmation is the sacrament in which we are sealed with the Gift of the Holy Spirit and strengthened to witness to our faith. The anointing that takes place in Confirmation confirms and completes the anointing received in Baptism. The Eucharist is the Sacrament of the Body and Blood of Christ in which Jesus is truly present under the appearances of bread and wine. Through the reception of these three sacraments, we become initiated into the Church.

From the beginning of the Church, Baptism, Confirmation, and Eucharist have been the sacraments that lay the foundation for our lives as disciples of Christ. In the Scripture that follows, the "breaking of the bread" in Acts of Apostles 2:41–42 refers to the Eucharist, and the "laying on of hands" in Acts of the Apostles 8:16–17 and 19:5–6 is an essential part of Confirmation.

🖊 What does Scripture say?

The Acts of the Apostles, which teaches us about the early Church, tells us:

"They had only been baptized in the name of the Lord Jesus. Then [the Apostles Peter and John] laid hands on them and they received the holy Spirit."
(Acts of the Apostles 8:16–17)

"When they heard this, they were baptized in the name of the Lord Jesus. And when Paul laid [his] hands on them, the holy Spirit came upon them."
(Acts of the Apostles 19:5–6)

"Those who accepted his message were baptized, and about three thousand persons were added that day. They devoted themselves to the teaching of the apostles and to the communal life, to the breaking of the bread and to the prayers." (Acts of the Apostles 2:41–42)

You may be aware that adults and older children becoming members of the Church receive Baptism, Confirmation, and Eucharist in one celebration, usually at the Easter Vigil. Truly, these three sacraments are linked together to bring us into full membership in the Catholic Church.

🖊 What does the Church say?

"The sacraments of Christian initiation—Baptism, Confirmation, and the Eucharist—lay the founda-tions of every Christian life." (CCC, 1212)

"Without Confirmation and Eucharist, Baptism is certainly valid and efficacious, but Christian initiation remains incomplete." (CCC, 1306)

Fruits of the Spirit

In Matthew 7:16, Jesus says, "By their fruits you will know them [Christians]." Christian fruits are the fruits of the Holy Spirit, which include joy, peace, patience, kindness, and goodness. Which fruits of the Holy Spirit do you see in your family? in your parish? As a family, make a commitment to incorporate more of the fruits of the Holy Spirit into your daily life.

Apreciada familia

En la unidad 2 los niños aprenderán a crecer como discípulos de Jesús:

- aprendiendo acerca de la esclavitud de los israelitas, y cómo Dios escogió a Moisés para conducir a su pueblo a la libertad

- comprendiendo a Dios guiando a su pueblo con su ley mientras los conducía a la tierra prometida

- valorando al pueblo de Dios que se estableció en Canaán, y las historias de Sansón y Rut

- reconociendo la fidelidad de Dios a su pueblo, y cómo Dios dirigió a los líderes Samuel y David

- orando por sabiduría como Salomón y rezando con los salmos.

Realidad

"La importancia de la familia para la vida y el bienestar de la sociedad entraña una responsabilidad particular de ésta en el apoyo y fortalecimiento del matrimonio y de la familia".

(Catecismo de la Iglesia Católica, 2210)

Exprésalo

Vayan a la cronología de la unidad de las páginas 98–99 en el libro de su hijo(a). ¿Qué nombres y eventos reconocen? Pida a cada miembro de su familia identificar a una persona o evento del que quiere tener más información. Dé a su hijo(a) la responsabilidad de descubrir y compartir lo que la familia quiere saber.

Investiga

Los audio visuales nos ayudan a aprender. Hay DVD y libros que captan algunos de los acontecimientos bíblicos que se encuentran en esta unidad. Hay también sitios de Internet donde se pueden encontrar imágenes de las pirámides o las obras de arte que representan a Moisés, David y Goliat. Pueden buscar uno de estos recursos para ampliar la experiencia de su familia de esta unidad.

Celebra

Esta unidad destaca a algunos líderes que Dios escogió para su pueblo: Moisés, Josué, Débora, Sansón, Samuel, Saúl, David, Salomón. ¿Qué personas los guían como católicos hoy?

Mostrando amor

Dios rescató a su pueblo de la esclavitud y lo llevó a la libertad. Como personas de fe debemos ayudar a las personas que son tratadas injustamente. Conversen con su hijo(a) acerca de las "opresiones" pequeñas pero dolorosas, que pueden suceder todos los días en la escuela o la comunidad. ¿Hay estudiantes nuevos que son ignorados? ¿Los estudiantes mayores se burlan de los más pequeños? ¿Han visto a niños, maestros o ayudantes de vigilancia que son rechazados? ¿Cómo puede su familia ayudar?

Tarea

Las tareas para esta unidad son:

Capítulo 8: Trabajando para proteger los derechos humanos

Capítulo 9: Rezando juntos un salmo

Capítulo 10: Sirviendo al Señor

Capítulo 11: Escribiendo una oración de bendición

Capítulo 12: Valorando el don de Dios de la sabiduría

Dear Family

In Unit 2 your child will grow as a disciple of Jesus by:

- learning about the enslavement of the Israelites, and God's choice of Moses to lead the people to freedom
- understanding God's guidance of his people as he gave them his law and led them toward the promised land
- appreciating God's people who settled in Canaan, and the stories of Samson and Ruth
- recognizing God's faithfulness to his people, and his guidance of their leaders, Samuel and David
- praying for wisdom as Solomon did, and praying with the psalms.

More to Explore

Visuals can assist with learning. There are DVDs and books that capture some of the biblical events that are in this unit. There are also Internet sites where you can find images of the pyramids or works of art depicting Moses, David, and Goliath. Look for one of these resources to enhance your family's experience of this unit.

Show That You Care

God led his people from slavery to freedom. As people of faith we are to help people who are oppressed or treated unjustly. Talk with your child about the minor, but still painful, "oppressions" that can happen every day, in school or the community. Are there new students who are ignored? Are younger children teased by older students? Do you see children or teachers or crossing guards who are rejected and made fun of? What might your family do to help?

Reality Check

"The importance of the family for the life and well-being of society entails a particular responsibility for society to support and strengthen marriage and the family."

(Catechism of the Catholic Church, 2210)

Picture This

Turn to the timeline on pages 98–99 in your child's text. What names and events do you recognize? Ask each family member to identify one person or event to learn more about. Give your 6th grader the responsibility of finding out and sharing what the family wants to know.

Celebrate!

This unit highlights some of the leaders God chose for his people: Moses, Joshua, Deborah, Samson, Samuel, Saul, David, Solomon. Who are the people that lead you as Catholics today? Pray for those leaders.

Take Home

Be ready for this unit's Take Home:

Chapter 8: Working to protect human rights

Chapter 9: Praying a psalm together

Chapter 10: Serving the Lord

Chapter 11: Writing a prayer of blessing

Chapter 12: Appreciating God's gift of wisdom

Un pueblo esclavo

NOS CONGREGAMOS

 Líder: Para los seguidores de Cristo, la libertad es un don de amor y bondad y viene de Cristo. Vamos a rezar por los que no tienen libertad, los esclavos en nuestro mundo hoy.

Lector: Por todos los esclavizados por el hábito del pecado, el egoísmo, por las malas condiciones de trabajo, las adicciones, enfermedades crónicas, la pobreza y el hambre, oremos al Señor.

Todos: Señor, Jesús, libéralos.

🎵 **Cántico del Éxodo**

¡Carroza y caballo arrojó al mar!
    ¡Cantemos al Señor, sublime es su victoria!

Cantaré al Señor
    Que se ha cubierto de gloria,
    Dios de mi fortaleza,
    mi canción y mi salvación.

 ¿De qué forma eres libre de hablar y actuar? ¿Tiene la gente la misma libertad en todas partes del mundo?

CREEMOS

Egipto se convirtió en el hogar de los israelitas.

Dios dirigió a la familia de Jacob, o como lo llamó Dios, Israel, a Egipto. Los doce hijos de Israel se reunieron, incluyendo a José. En Egipto la familia de Jacob se salvó de morir de hambre y fue protegida de hacer labores fuertes. Dios proveyó para su pueblo por medio de José.

José dijo al faraón: "Mi padre y mis hermanos han venido de Canaán con sus rebaños y ganados y con todo cuanto tienen y están ya en la región de Gosen" (Génesis 47:1). El faraón le dijo: "El país de Egipto está a tu disposición" (Génesis 47:6). Jacob y su familia fueron invitados especiales en Egipto. Se les dio la mejor tierra en Gosén, un área fértil al norte de Egipto. En esa época Egipto estaba divido en dos reinos. La parte sur del país era gobernada por reyes egipcios. Un reino separado en el norte era gobernado por personas venidas del este de Egipto.

An Enslaved People

WE GATHER

Leader: For followers of Christ, freedom is a gift of love and goodness, and comes from Christ. Let us pray for all those who are not free, who are enslaved, in our world today.

Reader: For all who are enslaved by the habit of sin and selfishness, by unsafe working conditions and low pay, enslaved by addiction, by disease and chronic illness, by poverty and hunger, and for all those illegally denied their freedom, let us pray.

All: Lord Jesus Christ, set them free.

 Go Down, Moses

Go down, Moses,
Way down in Egypt's land;
Tell old Pharaoh: Let my people go.

 In what ways are you free to do and say things? Do people in all parts of the world have these same freedoms?

WE BELIEVE
Egypt became the home of the Israelites.

God led the family of Jacob, or as God had named him, Israel, into Egypt. All twelve of Israel's sons, including Joseph, were reunited. In Egypt Jacob's family was saved from famine and protected from hardships. God had provided for his people through Joseph.

Joseph told the pharaoh, "My father and my brothers have come from the land of Canaan, with their flocks and herds and everything else they own; and they are now in the region of Goshen" (Genesis 47:1). The pharaoh told Joseph that they could settle there. He said, "The land of Egypt is at your disposal" (Genesis 47:6). So Jacob's family became honored guests in Egypt. They were given the best land in Goshen, a fertile area in northern Egypt. At the time Egypt was divided into two kingdoms. The southern part of the country was ruled by Egyptian kings. A separate kingdom in northern Egypt was ruled by people who came from regions to the east of Egypt.

Israelitas prosperan en Egipto

Nace Moisés

Opresión de los israelitas

Moisés deja Egipto

Dios escoge a Moisés

Moisés regresa a Egipto

Egipto sufre plagas

Primera Pascua

Miriam baila de gozo

Miriam leads rejoicing

Dios habla a Moisés

Muere Moisés

Moisés recibe los Diez Mandamientos

God gives Moses the Ten Commandments

Israelites prosper in Egypt

Moses is born

Oppression of Israelites begins

Moses flees Egypt

God reveals himself to Moses

Moses returns to Egypt to lead the Israelites

Egypt suffers many plagues

The first Passover

God speaks with Moses

Moses dies

Cambio en Egipto. En Gosén, al norte de Egipto, la familia de Jacob prosperó y el pueblo de Dios creció. Al principio vivieron seguros y cómodos. Pero los egipcios ganaron el control del reino del norte. Dos reyes egipcios unieron Egipto. Egipto entró en un período de gran riqueza y poder. Este período es llamado el Nuevo Reino, y duró cientos de años.

El tiempo pasó, José y su generación murieron. Un nuevo faraón tomó el poder. Él no conoció a José y no veía a los israelitas como invitados de honor. De hecho tenía miedo y decía: "Fíjense como el pueblo israelita se ha hecho más numeroso y

potente que nosotros…. pues si se declara una guerra, se aliarán con nuestros enemigos, lucharán contra nosotros y se irán del país". (Éxodo 1: 9–10).

En el Éxodo, el segundo libro de la Biblia, leemos como los egipcios esclavizaron a los israelitas. El faraón los obligó a construir monumentos y a trabajar largas horas en el campo. Los israelitas no eran libres de adorar al verdadero Dios y de cumplir sus leyes. La vida de los israelitas era tan insoportable que lloraban a Dios para que los sacara de Egipto.

En Éxodo también leemos sobre el terrible sufrimiento de los israelitas como esclavos del faraón. También aprendemos que Dios llevó a cabo su plan de llevar a su pueblo a Canaán. **Éxodo** es la palabra bíblica que se usa para describir la salida de los israelitas a la libertad.

Haz una lista de cosas de las cuales la gente necesita liberarse hoy.

Dios escogió a Moisés para dirigir a su pueblo.

Los israelitas también son llamados hebreos, porque su idioma se conoce como hebreo. El faraón se dio cuenta de que a pesar de todas las dificultades en sus vidas, el número de hebreos seguía creciendo. Él mandó a que todas las hebreas mataran a los recién nacidos. Como las mujeres no hicieron caso él mandó: "Arrojen al río a todos los niños que nazcan" (Éxodo 1:22).

Como católicos…

La esclavitud devalúa la dignidad humana y quita la libertad. La mayoría de los países protegen de la esclavitud y el trabajo forzado. Sin embargo, la necesidad de proteger los derechos de los trabajadores sigue siendo un reto.

La Iglesia enseña que la oportunidad de tener un empleo, tener condiciones de trabajo seguras y ganar una paga adecuada, son asuntos de justicia. La Iglesia habla en contra de cualquier sistema, público o privado, que trate de obtener ganancias a expensas de la dignidad y la libertad humana.

¿Qué puedes hacer para respetar la dignidad de los trabajadores?

Change in Egypt In Goshen, in northern Egypt, Jacob's family prospered and God's people grew in number. At first they lived there in safety and comfort. But in time the Egyptians gained control of the northern kingdom. Two Egyptian kings united Egypt. Egypt entered a period of great wealth and power. This period, called the New Kingdom, lasted for hundreds of years.

As time passed, Joseph and his generation died. A new pharaoh came into power. He did not know of Joseph and did not look upon the Israelites as honored guests. In fact, he feared them, saying, "Look how numerous and powerful the Israelite people are growing. . . . In time of war they too may join our enemies to fight against us, and so leave our country" (Exodus 1:9–10).

In the Book of Exodus, the second book of the Bible, we find out that eventually the Egyptians made the Israelites their slaves. The pharaoh forced them to build monuments and to work long hours in the fields. The Israelites were no longer free to worship the one true God and to follow his laws. And the lives of the Israelites became so unbearable that they cried out to God to be rescued from Egypt.

In the Book of Exodus we also read of the terrible suffering of the Israelites as slaves of the pharaoh. Yet we learn that God carried out his plan to bring his people back to Canaan. **Exodus** is the biblical word describing the Israelites' departure from slavery to freedom.

List some things from which people need to be rescued today.

God chose Moses to lead his people.

The Israelites were also called Hebrews, since their language was known as Hebrew. The pharaoh noticed that despite all the difficulties in their lives, the number of Hebrews was still growing. He told some of the Hebrew women that all the newly born sons of the Israelites must be killed. But these women did not listen to the pharaoh. So the pharaoh gave a new command: "Throw into the river every boy that is born to the Hebrews" (Exodus 1:22).

As Catholics...

Slavery devalues human dignity and takes away freedom. Most countries protect people from slavery and from forced labor. However, the need to protect the rights of workers remains.

The Church teaches us that the opportunity to be employed, to have safe working conditions, and to earn a fair wage are issues of justice. The Church speaks out against any system, private organization, or government that focuses on making a profit at the expense of human dignity and freedom.

What can you do to respect the dignity of workers?

Para salvar a su hijo, una mujer hizo una canasta de paja, la acolchó y colocó en ella a su hijo. Tiró la canasta en las aguas del río. La hija del faraón encontró al niño y lo llevó a su casa. Ella le puso por nombre Moisés y lo crió como a un egipcio.

Vida en Madián   Cuando Moisés creció, visitaba a los hebreos con frecuencia. Un día vio como un egipcio maltrataba a un hebreo esclavo y se enfureció tanto que mató al egipcio. Moisés tuvo que huir al desierto a la región de Madián porque ahora el faraón quería matar a Moisés. Moisés se estableció ahí y vivía como pastor. El se casó con Séfora y tuvieron hijos.

Un día mientras Moisés atendía a su rebaño, Dios se le apareció en una zarza ardiendo. El fuego salía del arbusto pero no lo consumía. Dios llamó a Moisés desde el arbusto y Moisés le contestó: "Aquí estoy" (Éxodo 3:4). Dios le dijo a Moisés que quería que regresara a Egipto y dirigiera a los hebreos hacia la libertad. Moisés preguntó a Dios como podía hacer eso y Dios le dijo que él le ayudaría.

Moisés le preguntó a Dios que debía decir cuando los israelitas le preguntaran quien lo había enviado. "Dios contestó a Moisés: 'Yo soy el que soy. Explícaselo así a los israelitas: 'Yo soy' me envía a ustedes". (Éxodo 3:14).

Este nombre que Dios pronunció dio origen a la palabra *Yavé*. "Yo soy" es el nombre que describe a Dios siempre presente en su pueblo. Este nombre era tan santo que por reverencia los israelitas no lo pronunciaban. Usaban el título *Adonai*, que significa "Señor", para referirse a Dios.

Dios habló de nuevo a Moisés: "Anda, reúne a los ancianos de Israel y diles: 'El Señor, el Dios de sus antepasados, el Dios de Abrahán, de Isaac y de Jacob, se me ha aparecido y me ha dicho: 'He visto conmovido cómo los tratan los egipcios y he decidido sacarlos de la opresión de Egipto para llevarlos a la tierra de los cananeos…tierra que mana leche y miel'" (Éxodo 3:16–17). Moisés hizo lo que Dios le mandó.

Escribe una oración que exprese tu agradecimiento por las muchas formas en que Dios ha mostrado su amor por el pueblo.

_____

_____

_____

_____

To save her son, one woman made a basket out of reeds from the river. She coated it with tar to prevent it from sinking and then put her son in it. She placed the basket in the shallow water near one of the riverbanks. The pharaoh's daughter found the child and took him home with her. She named the child Moses and raised him as an Egyptian.

Life in Midian   When Moses was an adult, he often visited his fellow Hebrews. One day he saw a Hebrew slave being beaten by an Egyptian, and got so angry that he killed the Egyptian. Moses had to run away to the desert region of Midian because now the pharaoh wanted Moses put to death. Moses settled there and lived the life of a shepherd. He married a woman named Zipporah and they had children.

One day while Moses was tending his flocks, God appeared to him in a burning bush. The fire was flaming from the bush but not destroying it. God called out to Moses from the bush and Moses answered, "Here I am" (Exodus 3:4). God told Moses that he wanted him to return to Egypt and lead the Hebrews out of slavery. Moses asked God how he would be able to do this, and God told Moses that he would be with him.

Moses asked God what he should say when the Israelites asked him who sent him to them. "God replied, 'I am who am.' Then he added, 'This is what you shall tell the Israelites: I AM sent me to you'" (Exodus 3:14).

This name that God gave was the source of the word *Yahweh.* "I AM" was a name that described God as ever-present to his people. This name was so holy that out of reverence the Israelites did not even speak it. Instead they used the title *Adonai,* which means "my Lord."

Again God spoke to Moses: "Go and assemble the elders of the Israelites, and tell them: The LORD, the God of your fathers, the God of Abraham, Isaac and Jacob, has appeared to me and said: I am concerned about you and about the way you are being treated in Egypt; so I have decided to lead you up out of the misery of Egypt into the land of the Canaanites, . . . a land flowing with milk and honey" (Exodus 3:16–17). Moses did as God commanded.

Write a prayer that expresses gratitude for the many ways God shows love and care for all people.

_____

_____

_____

_____

Dios ayudó a su pueblo.

Después que Moisés regresó a Egipto, Aarón, su hermano, lo ayudó a explicar el mensaje de Dios a los israelitas. Gradualmente, Moisés ganó el apoyo del pueblo.

Moisés y Aarón se reunieron con el faraón. Ellos le dijeron: "Así dice el Señor, Dios de Israel: Deja partir a mi pueblo para que celebre en el desierto una fiesta en mi honor" (Éxodo 5:1). El faraón se negó. Peor aun, el faraón ahora no le daba a los israelitas el material que necesitaban para trabajar.

Era imposible para los israelitas completar su trabajo. Culparon a Moisés de su desgracia. Moisés dijo a Dios que el pueblo estaba sufriendo y Dios le contestó: "Ahora verás lo que voy a hacer al faraón: obligado por una fuerza poderosa tendrá que dejarlos partir y tendrá que expulsarlos de su país" (Éxodo 6:1).

Dios sabía que sería difícil convencer al faraón para que dejara ir a los israelitas. Le dijo a Moisés: "Yo manifestaré mi poder contra Egipto y sacaré de Egipto a mis batallones, a mi pueblo, los hijos de Israel, en medio de terribles castigos. Los Egipcios reconocerán entonces que yo soy el Señor". (Éxodo 7:4–5). Estos "actos de justicia" de los que Dios hablaba eran las plagas. Durante los tiempos bíblicos, un desastre o una catástrofe eran considerados plagas.

Las plagas   Moisés y Aarón volvieron donde el faraón para exigir la libertad de los israelitas. Ellos mostraron al faraón una señal del poder de Dios. El faraón y los egipcios no hicieron caso a la señal. Entonces empezó una gran lucha entre Dios y el faraón. Las diez plagas, las catástrofe que los egipcios tuvieron que soportar, simbolizan esta lucha.

Cuando los israelitas vieron los efectos de las plagas en los egipcios, se dieron cuenta de que Dios los protegía. Su fe en Dios empezó a crecer.

Por medio de Moisés Dios siguió pidiendo al faraón que lo escuchara. Sin embargo, el faraón no escuchó los avisos de Dios y se negó a libertar a los israelitas. Debido a sus acciones el faraón fue responsable del sufrimiento del pueblo egipcio.

Al final de la novena plaga parecía que el faraón cedía a los requerimientos de Moisés. Pero de nuevo cambió de idea. Entonces el Señor le dijo a Moisés: "Todavía haré caer sobre el faraón y sobre los egipcios una plaga más. Después de ella, no sólo los dejará irse, sino que incluso los expulsará" (Éxodo 11:1).

👤 En grupo hablen sobre las razones por las que el faraón quería mantener a los israelitas en Egipto.

Dios guió a su pueblo a la libertad.

Cuando Moisés dejó al faraón después de la novena plaga, Dios le dijo que preparara a las familias israelitas para su salida de Egipto. Ellos debían matar a una oveja y marcar las puertas de sus casas con su sangre. Esto sería la señal de que en esa casa vivían israelitas, no egipcios.

Después los israelitas debían quedarse dentro de sus casas. Ellos debía cocinar las ovejas y comerlas con hierbas amargas y pan sin levadura. Este ácimo, toma menos tiempo en cocinarse. Esto simbolizaba la rapidez con que los israelitas debían salir.

Los israelitas obedecieron las instrucciones de Dios. A medianoche Dios pasó sobre todo Egipto, tomando la vida de los primogénitos egipcios, incluyendo el hijo del faraón. Sólo los israelitas y sus animales pudieron escapar. Este evento es llamado Pascua, porque Dios pasó por encima para librar a su pueblo.

God helped his people.

After Moses returned to Egypt, Aaron, his brother, helped him to explain God's message to the Israelites. Gradually, Moses gained the support of the people.

Moses and Aaron met with the pharaoh. They said, "Thus says the LORD, the God of Israel: Let my people go, that they may celebrate a feast to me in the desert" (Exodus 5:1). The pharaoh refused. Worse still, the pharaoh now would not give the Israelite slaves the materials they needed for their work.

It became impossible for the Israelites to complete their required work. They blamed Moses for this hardship. Moses told God how the people were suffering, and God replied, "Now you shall see what I will do to Pharaoh. . . . Compelled by my outstretched arm, he will drive them from his land" (Exodus 6:1). God knew that it would be difficult to convince the pharaoh to let the Israelites leave Egypt. So God said to Moses, "I will lay my hand on Egypt and by great acts of judgment I will bring the hosts of my people, the Israelites, out of the land of Egypt, so that the Egyptians may learn that I am the LORD" (Exodus 7:4–5). These "great acts of judgment" that God speaks of were the plagues. During biblical times, a major disaster or catastrophe was considered a plague.

The Plagues   Moses and Aaron went to the pharaoh to demand freedom for the Israelites. They showed the pharaoh a sign of God's power. The pharaoh and the Egyptians disregarded this sign. A great struggle then began between God and the pharaoh. The ten plagues, the catastrophes that the Egyptians had to endure, symbolize this struggle.

When the Israelites saw the effects of the plagues on the Egyptians, they knew that God was protecting them. Their faith in God was strengthened.

Through Moses God continually called the pharoah to listen to him. However, the pharaoh did not listen to God's warnings and refused to free the Israelites from slavery. Because of his actions the pharaoh was responsible for the suffering of the Egyptian people.

At the end of the ninth plague, the pharaoh seemed to give in to Moses' requests. But again the pharaoh changed his mind. Then the Lord told Moses, "One more plague will I bring upon Pharaoh and upon Egypt. After that he will let you depart. In fact, he will not merely let you go; he will drive you away" (Exodus 11:1).

With a group discuss reasons why the pharoah wanted to keep the Israelites in Egypt.

God guided his people to freedom.

When Moses left the pharaoh after the ninth plague, God told him to have every Israelite family prepare for their escape from Egypt. They were to kill a lamb and mark the doorframes of their houses with its blood. This would be a sign that the people inside the house were Israelites, not Egyptians.

Then, the Israelites were to remain inside their houses. They were to cook the lambs and eat them with bitter herbs and unleavened bread. Unleavened bread, made without yeast, does not need to rise and so takes less time to prepare. It symbolized the Israelites' rush to escape.

The Israelites obeyed God's instructions. At midnight God passed over all of Egypt, taking the lives of every firstborn Egyptian, including the son of the pharaoh. Only the Israelites and their animals were spared. This event was called the **Passover**, since God passed over, or spared, his people.

Todos los años durante la fiesta de Pascua los judíos cumplen el mandato de Dios y recuerdan esta noche especial. Ellos celebran comiendo la misma comida que sus antepasados comieron el día de la primera Pascua. Al celebrar esta fiesta, los judíos recuerdan como Dios perdonó las vidas de sus antepasados y los liberó de la esclavitud de los egipcios.

Salida de Egipto Horrorizados por lo que había pasado, el faraón llamó a Moisés y a Aarón. El les dijo que sacaran a los israelitas de Egipto inmediatamente. Moisés y los israelitas salieron rápidamente. El éxodo estaba en camino.

Moisés y los israelitas fueron rumbo al Mar Rojo, el agua que separa a Egipto de la península Arábica. Durante su escape: "El Señor iba delante de ellos durante el día en una columna de nube para marcarles el camino, y durante la noche en una columna de fuego para alumbrarlos" (Éxodo 13:21).

Tan pronto como los israelitas salieron, el faraón cambió de idea y envió a su ejército a capturarlos. Los israelitas ya estaban en el Mar Rojo y de nuevo Dios hizo una maravilla para salvar a su pueblo.

Éxodo 14:10–28

El ejército egipcio estaba cercando a los israelitas. Dios separó el Mar Rojo y los israelitas pudieron escapar sobre el camino seco que Dios había preparado. Cuando los egipcios trataron de seguirlos las aguas se cerraron sobre ellos y se ahogaron.

De esta forma Dios llevó a su pueblo de la esclavitud a la libertad. Fue un punto culminante en la historia de la relación de Dios con su pueblo. Como en la historia de Noé, Dios usó agua para salvar a su pueblo. Para los israelitas la salvación de la nación sucedió cuando cruzaban el Mar Rojo. Como cristianos, las aguas del Mar Rojo simbolizan las aguas salvíficas de nuestro propio bautismo.

RESPONDEMOS

En el mundo hay muchas personas cuya libertad ha sido negada. Escribe formas en que podemos ayudar y trabajar por libertad para todos.

_____

_____

_____

Vocabulario

éxodo (pp 349)

Pascua (pp 350)

Every year during the feast of Passover Jews follow God's command and remember this special night. They celebrate a seder by eating the same meal that their ancestors ate on the first Passover. By celebrating this feast, Jews recall how God spared the lives of their ancestors and brought them out of slavery in Egypt.

Leaving Egypt Horrified by what had happened, the pharaoh summoned Moses and Aaron. He told them to take the Israelites out of Egypt immediately. Moses and the Israelites left quickly. The Exodus was finally underway.

Moses led the Israelites toward the Red Sea, the water that separated Egypt from the Arabian Peninsula. During their escape, "The LORD preceded them, in the daytime by means of a column of cloud to show them the way, and at night by means of a column of fire to give them light" (Exodus 13:21).

As soon as the Israelites were gone, the pharaoh changed his mind and sent his army to recapture them. By this time, the Israelites were at the Red Sea, and God again caused a wonder that saved his people.

 Exodus 14:10–28

The Egyptian army closed in on the Israelites. God parted the Red Sea, and the Israelites escaped over the dry path God had made through it. But when the Egyptians tried to follow, the waters closed over them, and they drowned.

In this way God brought his people from slavery into freedom. It was the great turning point in the history of God's relationship with his people. As in the story of Noah, God used water to save the people. For the Israelites the salvation of the nation came about as they passed through the waters of the Red Sea. To Christians the waters of the Red Sea symbolize the saving waters of our own Baptism.

WE RESPOND

There are many people throughout the world whose freedoms are being denied. Write ways we can assist in the work of freedom for all.

_____

_____

_____

exodus (p. 351)
Passover (p. 352)

Muestra *lo* que sabes

La Pascua y el éxodo fueron dos eventos que ocurrieron cuando los descendientes de Jacob eran esclavos en Egipto. Completa el cuadro para describir la secuencia de los eventos.

pascua

- ....
- ....
- ....

El éxodo

- ....
- ....
- ....

Escritura

"Después de esto, se presentaron Moisés y Aarón al faraón y le dijeron: Así dice el Señor, Dios de Israel: Deja partir a mi pueblo para que celebre en el desierto una fiesta en mi honor. Pero el faraón dijo: '¿Quién es el Señor para que yo le obedezca y deje salir a Israel? Ni reconozco al Señor ni dejaré salir a Israel'". (Éxodo 5:1–2)

- Subraya la frase que describe porque Dios quería que "Israel" fuera liberado.

- ¿Por que el faraón se negó a dejar ir a "Israel"?

_____

PROJECT DISCIPLE

Show What *you* Know

The Passover and the Exodus were two events that occurred when Jacob's descendants were enslaved in Egypt. Complete the chart to describe the sequence of these events.

What's *the* Word?

"Moses and Aaron went to Pharaoh and said, 'Thus says the LORD, the God of Israel: Let my people go, that they may celebrate a feast to me in the desert.' Pharaoh answered, 'Who is the Lord, that I should heed his plea to let Israel go? I do not know the Lord; even if I did, I would not let Israel go.'" (Exodus 5:1–2)

• Underline the phrase that describes why God wants "Israel" to be set free.

• Why does Pharaoh refuse to let "Israel" go?

_____

HACIENDO DISCIPULOS

Orar
Conocer
Celebrar
Compartir
Expresar
Vivir

Vidas de santos

Pierre Toussaint fue un esclavo que nació en Haití en 1778. Llegó a Nueva York con la pareja que era su amo. Ellos le enseñaron a leer y escribir, lo que no era común en la época. También le permitieron ser un barbero. Pierre animaba a sus clientes a rezar, a confiar en Dios y a vivir de acuerdo al Evangelio. Eventualmente compró su libertad. Se casó con una haitiana. Juntos ayudaron a los pobres y trabajaron para liberar esclavos. Ellos fundaron uno de los primeros orfanatos y la primera escuela católica para niños negros. Pierre Toussaint murió en 1853. En 1996 el papa Juan Pablo II reconoció a Pierre Toussaint como alguien que había vivido una vida cristiana sobresaliente y lo declaró beato—paso previo a ser canonizado.

RETO PARA EL DISCIPULO

- Subraya la oración que describe como Pierre usó su profesión para difundir el Evangelio.

- ¿Qué papa reconoció que Pierre Tousasint había vivido una vida cristiana sobresaliente y lo declaró *beato*?

Visita *Vidas de santos* en **religion.sadlierconnect.com** para aprender más sobre los santos.

Datos

El término *jubileo* se refiere al período de un año observado por el pueblo judío en la antigüedad. Cada cincuenta años judíos esclavos eran liberados, deudas eran perdonadas y tierras devueltas a sus legítimos dueños. (Ver Levítico 25:8–55.)

Tarea

Invita a tu familia a pasar tiempo en la computadora. Juntos, visiten un sitio Web de noticias para aprender sobre personas en el mundo que viven oprimidas o esclavas. Consideren como la familia puede apoyar el trabajo de agencias y organizaciones que trabajan para reparar y proteger los derechos humanos.

Saint Stories

Pierre Toussaint, born in Haiti in 1778, was a slave. He came to New York with the Catholic couple who owned him. They taught him to read and write, which was unusual at the time. They allowed him to become a hairdresser. Pierre encouraged his clients to pray, to trust in God, and to live according to the Gospel. Pierre eventually purchased his freedom. He married a Haitian woman. Together they helped the poor and worked to free slaves. They founded one of the first orphanages and the first Catholic school for children of color. Pierre Toussaint died in 1853. In 1996 Saint John Paul II as pope, recognized Pierre Toussaint as having lived an outstanding Christian life. The pope declared him Blessed Pierre Toussaint—a step on Pierre's road to becoming a canonized saint.

↳ DISCIPLE CHALLENGE

• Underline the sentence that describes how Pierre used his profession to spread the Gospel.

• What pope recognized that Pierre Toussaint had lived an outstanding Christian life and declared him *blessed*?

Visit *Lives of the Saints* on **religion.sadlierconnect.com** to learn about more saints and holy people.

Fast Facts

The term *jubilee* refers to a year-long period observed by Jewish People of ancient times. Every fifty years Jewish slaves were freed, debts were forgiven, and lands were returned to original owners. (See Leviticus 25:8–55.)

Take Home

Initiate family computer time. Together, visit a news Web site to learn about people in the world being oppressed or enslaved. Consider how your family can support the work of agencies and organizations that work to restore and protect human rights.

Catequesis
en el hogar

Identidad
católica
Catequesis en familia

Capítulo 8 (páginas 96–109)

Un pueblo esclavo

En este capítulo su niño(a) aprenderá sobre los israelitas, su esclavitud en Egipto y el éxodo.

Para los padres

José hablaba de la divina providencia cuando dijo a sus hermanos que ellos no causaron que él fuera enviado a Egipto: "Pero Dios me envió antes de ustedes para hacer que les queden descendientes sobre la tierra, y para salvarles la vida de una manera extraordinaria. Así que fue Dios quien me mandó a este lugar" (Génesis 45:7–8). La divina providencia dirigió a los israelitas a Egipto. También eligió a Moisés para que los sacara de allí y los llevara a la libertad, la tierra prometida.

Todos los días

Encienda una vela y juntos recen la Señal de la Cruz. Hagan una corta oración pidiendo a Dios que bendiga el momento que van a pasar juntos.

Primer día **Egipto se convirtió en el hogar de los israelitas.**

- Mire la línea de tiempo y conversen sobre los eventos que van a aprender en esta unidad. Lea en voz alta el título y el texto. Invite a su niño(a) a contarle cómo Dios reunió y proveyó a la familia de Jacob.

- Revise el significado de la palabra *éxodo*. Señale que el Éxodo es el título del segundo libro de la Biblia.

Segundo día **Dios escogió a Moisés para dirigir a su pueblo.**

- Pida a su niño(a) que lea en voz alta el enunciado. Luego tomen turnos leyendo el texto. Converse sobre el hecho de que Moisés tuvo que huir de Egipto porque había matado a un egipcio.

- Repase la historia de la zarza ardiente, en la que Dios se reveló a Moisés y le dijo que regresara a Egipto para llevar a los hebreos a la libertad.

Tercer día **Dios ayudó a su pueblo.**

- Lea en voz alta el enunciado y el texto que sigue, hasta el título "Las plagas". Señale que las plagas representan el poder de Dios.

- Converse sobre las razones que el faraón tenía para mantener a los israelitas en Egipto. Ponga énfasis en que Dios guio a los israelitas a la libertad a través de la dirección de Moisés y las plagas.

Cuarto día **Dios guio a su pueblo a la libertad.**

- Tomen turnos leyendo en voz alta el enunciado y el texto. Enfatice la importancia de la primera Pascua.

- Pida a su niño(a) que cuente en sus propias palabras cómo Dios sacó a los israelitas de Egipto por la nube y por el fuego y por el Mar Rojo.

Respondemos en fe

Quinto día

- Ayude a su hijo(a) a escribir una oración por la protección de los derechos humanos.

Sexto día

- En familia hablen acerca de las personas de hoy en día que necesitan ser rescatadas de la esclavitud, el hambre y otros padecimientos.

Catechesis at Home

Chapter 8 (pages 96–109)

An Enslaved People

In this chapter your child will learn about the Israelites, their enslavement in Egypt, and the Exodus.

For the Parents

Joseph was speaking about divine providence when he told his brothers, "God, therefore, sent me on ahead of you to ensure for you a remnant on earth and to save your lives in an extraordinary deliverance. So it was not really you but God who had me come here." (Genesis 45:7–8) Divine providence led the Israelites into Egypt. And divine providence chose Moses to lead them out of Egypt and into the freedom of the Promised Land.

Every Day

• Light a candle, together pray the Sign of the Cross and offer a short prayer asking God to bless your time together.

Day One Egypt became the home of the Israelites.

• Look at the time line with your child and discuss the people and events you will learn about in this unit of *We Believe*. Read aloud the statement and the text. Invite your child to tell in his or her own words the way God reunited and provided for Jacob's family.

• Review the meaning of the word exodus. Point out that *Exodus* is the title of the second book of the Bible.

Day Two God chose Moses to lead his people.

• Ask your child to read aloud the statement. Then take turns reading the text. Discuss the

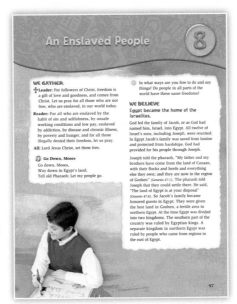

fact that Moses had to flee Egypt because he had killed an Egyptian.

• Go over the story of the burning bush, in which God revealed himself to Moses and told him to return to Egypt to lead the Hebrews to freedom.

Day Three God helped his people.

• Read aloud the statement and the text that follows, up to the heading "The Plagues." Point out that the plagues represent the power of God.

• Discuss the reasons the pharaoh wanted to keep the Israelites in Egypt. Emphasize that God helped the Israelites to freedom through the leadership of Moses and the plagues. Then invite your child to complete the activity.

Day Four God guided his people to freedom.

• Take turns reading aloud the statement and the text. Emphasize the importance of the first Passover.

• Ask your child to tell you in his or her own words how God led the Israelites out of Egypt by cloud and by fire and through the Red Sea.

We Respond in Faith

Day Five

• Ask your child to write a prayer for the protection of human rights.

Day Six

• With your family, talk about people today who need to be rescued from slavery, hunger, and other sufferings.

NOS CONGREGAMOS

✝ **Líder:** Igual que los israelitas, estamos en un peregrinaje con Dios. En el camino, hay dificultades, obstáculos y problemas que prueban nuestra fe y valor. Pero seguimos a Jesús quien nos dice: "¡Ánimo! Soy yo, no teman". (Mateo 14:27)

Lector: "Envíame tu luz y tu verdad, que ellas me guíen, y me lleven a tu santo monte, hasta tu morada. Y me acercaré al altar de Dios, al Dios de mi alegría". (Salmo 43:3–4)

Líder: Gloria al Padre, y al Hijo, y al Espíritu Santo.

Todos: Como era en el principio, ahora y siempre por los siglos de los siglos. Amen.

🎵 **En ti confío**

En ti mi Dios, mi amparo y mi
   refugio,
en ti pongo mi confianza.

☀ ¿Puedes recordar un largo viaje que hiciste con tu familia? Describe algunos de los eventos que pasaron durante el viaje?

CREEMOS

Moisés dirigió el pueblo de Dios por el desierto.

Los israelitas escaparon de Egipto y fueron enviados en un viaje a la tierra de Canaán. Moisés y los israelitas cantaron alabanzas a Dios. Miriam, la hermana de Moisés y Aarón, tocaron tamborín y dirigieron un baile de victoria, ella cantó:

"Canten al Señor, porque se cubrió de gloria; caballos y jinetes arrojó al mar". (Éxodo 15:21)

A Free People

WE GATHER

Leader: Like the Israelites, we are on a journey with God. Along the way, there are difficulties, obstacles, and hardships that test our faith and courage. But we follow Jesus, who tells us, "Do not be afraid" (Matthew 14:27).

Reader: "Send your light and fidelity,
　　that they may be my guide
　And bring me to your holy mountain,
　　to the place of your dwelling.
　That I may come to the altar of God,
　　to God, my joy, my delight."
　　　(Psalm 43:3–4)

Leader: Glory to the Father, and to the Son, and to the Holy Spirit.

All: As it was in the beginning, is now, and will be for ever. Amen.

🎵 **Be Not Afraid**

You shall cross the barren desert,
　but you shall not die of thirst.
You shall wander far in safety,
　though you do not know the way.
You shall speak your words in foreign
　lands and all will understand.
You shall see the face of God and live.

Refrain:
Be not afraid.
I go before you always.
Come, follow me,
and I will give you rest.

☀ Can you remember a very long trip you took with your family? Describe some of the events that might have happened along the way.

WE BELIEVE

Moses led God's people through the wilderness.

The Israelites had escaped from Egypt and were beginning their journey to the land of Canaan. Moses and the Israelites sang a song of praise to God. Miriam, the sister of Moses and Aaron, took a tambourine and led a dance of victory. She sang,

"Sing to the LORD, for he is gloriously
　triumphant;
　horse and chariot he has cast into the sea"
　(Exodus 15:21).

111

Como está escrito mayormente en los capítulos 16—18 del libro del Éxodo, los israelitas pasaron muchos años en el desierto. Fue durante ese tiempo que los israelitas hicieron la transición de esclavos del faraón a vivir como pueblo libre sirviendo a Dios.

Hacia el Monte Sinaí Dios estaba con su pueblo cuando estaba en el desierto. Con la ayuda de Dios, Moisés dirigió a los israelitas hacia el **Monte Sinaí**, una montaña al sureste de la Península del Sinaí. Durante ese peregrinaje Dios probó la fidelidad de su pueblo. Como vemos en la historia de Abraham, Dios pidió a su pueblo mostrar su fe al confiar en él. Aun cuando algunas cosas no parecían razonables, cuando el pueblo cumplía la voluntad de Dios se daba cuenta de la sabiduría en el plan que él tenía para el pueblo.

Los israelitas, sin embargo, no siempre cumplían la voluntad de Dios. Ellos murmuraban contra Moisés por las dificultades del viaje y algunas veces dudaban de Dios. Pero Dios demostró su fidelidad para con su pueblo e hizo muchos milagros. **Un milagro** es un evento extraordinario hecho por Dios y que está más allá del poder humano.

Por ejemplo, cuando el pueblo protestó por que no tenía comida, Dios envió pequeñas aves llamadas codornices. Durante todo el viaje Dios proveyó una substancia parecida al pan llamada **maná**. Este maná, era una comida dulce que sabía a miel y caía de los arbustos del desierto. Cuando los israelitas protestaron porque no tenían agua, Dios le pidió a Moisés golpear una roca y, milagrosamente, agua manó de ella. De esas formas Dios se aseguró de que su pueblo tuviera lo que necesitaba para vivir y se cumpliera su plan. A través de la historia Dios continuó satisfaciendo las necesidades de su pueblo.

También nosotros somos llamados por Dios para que se cumpla su plan en nosotros. Puede que no crucemos ríos o desiertos, pero necesitamos el amor y la guía de Dios en nuestro peregrinaje por la vida. Como los israelitas en el desierto, necesitamos confiar en Dios y creer en su amor por nosotros.

Escribe una canción o un poema alabando a Dios por todas las cosas que ha hecho por ti.

_____

_____

_____

Dios dio la ley al pueblo.

Cuando los israelitas llegaron al Monte Sinaí, Moisés subió a la montaña a rezar a Dios. Dios le recordó a Moisés que los israelitas eran el pueblo de Dios. Debido a esta alianza, el pueblo de Israel debía consagrarse a Dios en forma especial. Todos debían adorar y ofrecer sacrificios a Dios.

Cuando Moisés dijo a los israelitas lo que Dios le había dicho, ellos contestaron: "Nosotros haremos todo lo que el Señor ha ordenado" (Éxodo 19:8). Al tercer día de su estadía en el Monte Sinaí, Dios se hizo presente en truenos y relámpagos y el sonido de trompeta.

As is mainly told in Chapters 16—18 of the Book of Exodus, the Israelites spent many years in the wilderness. It was during this period that the Israelites made the transition from being slaves under the pharaoh to living as a free people in service of God.

Toward Mount Sinai   God was with his people during their time in the wilderness. With God's help Moses led the Israelites toward Mount Sinai, a mountain peak in the southern part of the Sinai Peninsula. During this journey God tested his people's faithfulness. As we saw in the story of Abraham, God asked his people to show their faith and trust in him. Though some things might not seem reasonable when the people followed God's will, they saw the wisdom of his plan for them.

The Israelites, however, did not always follow God's will for them. They grumbled against Moses for the hardships of this journey and sometimes even doubted God. Yet God demonstrated his faithfulness to his people and worked many miracles. A **miracle** is an extraordinary event that is beyond human power and brought about by God.

For instance, when the people complained that they had no food, God sent small birds called quail. All through their journey God also provided a bread-like substance called **manna**. This manna, a sweet food that tasted like honey, fell from the desert shrubs. And when the Israelites grumbled that they had no water, God told Moses to strike a certain rock and water miraculously gushed out. In all of these ways, God made sure his people had what they needed to live and to follow his plan for them. And throughout history God has continued to care for the needs of his people.

We, too, are called by God to follow his plan for us. We may not cross seas and deserts but we do need God's love and guidance on our journey through this life. Just like the Israelites in the desert, we, too, need to trust in God and to believe in his love for us.

Write the lyrics to your own song or poem praising God for something he has done for you.

_____

_____

_____

_____

_____

God gave his people the Law.

When the Israelites arrived at Mount Sinai, Moses went up to the mountain to pray to God. There God reminded Moses that the Israelites were God's people. Because of this covenant relationship, the Israelite people were consecrated to God in a special way. All of them were to take part in worshiping God and offering sacrifice to him.

When Moses told the Israelites what God had said, they answered together, "Everything the LORD has said, we will do" (Exodus 19:8). On the third day of their stay at Mount Sinai, God made his presence known through thunder, lightning, and the sound of trumpets.

Entonces Dios pidió a Moisés subir a la cima de la montaña. Ahí Dios le dio los Diez Mandamientos. Los **Diez Mandamientos** son las leyes de la alianza con Dios. Si el pueblo de Dios cumple los mandamientos mantiene su relación de alianza con Dios. Él será su Dios y ellos serán su pueblo. Encontramos los mandamientos en Éxodo, capítulo 20. Dios también dio a Moisés otras leyes para ayudar al pueblo, que se encuentran en el libro Levítico.

Al crecer en una familia judía, Jesús aprendió los mandamientos. El vivió de acuerdo a las leyes de Dios y como discípulos de Cristo nosotros también cumplimos los mandamientos.

LOS DIEZ MANDAMIENTOS

1. Yo soy el Señor tu Dios: no tendrás otros dioses fuera de mí.
2. No tomarás el nombre de Dios en vano.
3. Recuerda mantener santo el día del Señor.
4. Honra a tu padre y a tu madre.
5. No matarás.
6. No cometerás adulterio.
7. No robarás.
8. No darás falso testimonio en contra de tu prójimo.
9. No desearás la mujer de tu prójimo.
10. No codiciarás los bienes ajenos.

✶ Escribe algunas cosas que puedes hacer para mostrar tu amor por Dios y por los demás cumpliendo los Diez Mandamientos.

_____

_____

Sellando la alianza Moisés compartió con el pueblo toda las leyes que Dios le había dado. Los israelitas estuvieron de acuerdo en cumplirlas. Así que Moisés las escribió. Después preparó un altar de piedra con doce pilares. Cada pilar representaba a las doce tribus de Israel, los descendientes de los doce hijos de Jacob. Moisés selló la alianza sacrificando unos novillos como una ofrenda pacífica a Dios. Moisés roció la sangre de los novillos diciendo: "Ésta es la sangre de la alianza que el Señor ha hecho con ustedes, según las disposiciones dadas" (Éxodo 24:8).

Sealing the Covenant Moses shared with the people all the Laws that God had given him. The Israelites agreed to follow these laws. So Moses wrote the Laws down. He then set up a stone altar with twelve pillars. The pillars represented the twelve tribes of Israel, the descendants of the twelve sons of Jacob.

Moses then sealed the covenant by sacrificing some young bulls as a peace offering to God. Moses sprinkled some of the blood from the bulls, saying, "This is the blood of the covenant which the LORD has made with you in accordance with all these words of his" (Exodus 24:8).

Then God called Moses back to the top of the mountain. There God gave the Ten Commandments to Moses. The **Ten Commandments** are the Laws of God's covenant. If God's people would live by the Ten Commandments, they would keep their covenant relationship with God. He would be their God, and they would be his people. We can find the commandments in Exodus, Chapter 20. God also gave Moses other Laws to help the people, and these are recorded in the Book of Leviticus.

Growing up in a Jewish family, Jesus learned the commandments. He lived by God's Laws, and as disciples of Christ, we follow the Ten Commandments, too.

Write a few ways that you can show your love for God and others by following the Ten Commandments?

_____

_____

THE TEN COMMANDMENTS

1. I am the LORD your God: you shall not have strange gods before me.
2. You shall not take the name of the LORD your God in vain.
3. Remember to keep holy the LORD's Day.
4. Honor your father and your mother.
5. You shall not kill.
6. You shall not commit adultery.
7. You shall not steal.
8. You shall not bear false witness against your neighbor.
9. You shall not covet your neighbor's wife.
10. You shall not covet your neighbor's goods.

La nueva alianza   De acuerdo a la interpretación cristiana, los doce pilares del altar de piedra también simbolizan a los doce apóstoles, los hombres con quienes Jesús compartió su ministerio de manera especial. Jesucristo también los envío a predicar la buena nueva de que él era el Hijo de Dios, enviado para salvar a todos.

Antes de morir Jesús fue con sus apóstoles y discípulos a celebrar la comida de pascua. Durante esta comida, que los cristianos llaman la Última Cena Jesús dijo: "Éste es el cáliz de la nueva alianza sellada con mi sangre, que se derrama por ustedes" (Lucas 22:20).

Jesucristo ofreció su propia vida para salvarnos y para librarnos del pecado. Así que la *nueva* alianza entre Dios y su pueblo ha sido sellada con la sangre de Jesús. Por esta nueva alianza es posible que nosotros podamos compartir la vida y la amistad con Dios. Celebramos esta nueva alianza en cada celebración de la Eucaristía.

El pueblo construyó una morada.

Mientras Moisés estaba en el Monte Sinaí, Dios le dio dos tablas en las que estaban escritos los Diez Mandamientos. Dios le recordó a Moisés que los israelitas no debían adorar a ningún otro dios. Dios instruyó a Moisés en la forma en que el pueblo debía adorar al único y verdadero Dios. Esas instrucciones incluían planes para hacer diferentes cosas que debían usar durante los ritos.

Como Moisés estuvo en la cima de la montaña por mucho tiempo, los israelitas estaban impacientes. Ellos fueron donde Aarón y le dijeron: "¡Anímate!, fabrícanos un dios que nos guíe, porque no sabemos qué habrá sido de ese Moisés que nos sacó del país de Egipto" (Éxodo 32:1). Entonces tomaron sus joyas y construyeron una estatua de un buey. Cuanto estuvo terminada, empezaron a adorarla como si fuera dios.

Cuando Moisés bajó y vio al pueblo celebrando alrededor del buey, se enojó tanto que tiró las tablas y se rompieron. El pueblo se había rebelado contra los mandamientos de Dios construyendo un ídolo. Moisés castigó a los infieles a Dios e imploró a Dios que perdonara al pueblo. Dios llamó a Moisés a la montaña por última vez. Cuando Moisés regresó volvió con dos tablas nuevas de los Diez Mandamientos.

Construyendo una morada   Como Dios lo pidió, los israelitas empezaron a construir una "morada" para Dios. Contribuyeron con objetos personales para hacer:

- Un lugar de reunión para alabar a Dios, "una morada", que pudiera moverse de un lugar a otro

- El **arca de la alianza**, una caja de madera en la que se guardaban las tablas de los Diez Mandamientos

- Varios altares y muebles necesarios para la alabanza

Un año después que los israelitas salieron de Egipto, Dios entró en esta "morada". El escritor bíblico simboliza la presencia de Dios por medio de truenos y relámpagos. Los israelitas de dieron cuenta de que Dios estaba siempre con ellos y que serían consolados por ese recuerdo visible de su presencia.

¿Cuándo o dónde sientes la presencia de Dios?

Interpretación artística de como debía ser el arca de la alianza.

The New Covenant   According to Christian interpretation, the twelve pillars of the stone altar also symbolize the Twelve Apostles, the men with whom Jesus shared his ministry in a special way. Jesus Christ would send them out to spread the Good News that he was the Son of God, sent to save all people.

Before his Death Jesus was with his Apostles and some disciples celebrating the Passover meal. At this meal, which Christians call the Last Supper, Jesus said, "This cup is the new covenant in my blood, which will be shed for you" (Luke 22:20).

Jesus Christ offered his own life to save us and to free us from sin. So the *new* covenant between God and his people has been sealed with Jesus' blood. Through this new covenant it is possible for us to share in God's life and friendship. We celebrate the new covenant at each celebration of the Eucharist.

The Dwelling Place

The people built God a dwelling place.

While Moses was on Mount Sinai, God gave him two tablets on which the Ten Commandments were written. God reminded Moses that the Israelites were not to worship false gods. God gave Moses instructions on the ways the people should worship the one true God. These instructions included plans to make different things that the Israelites needed to use in their worship.

Since Moses had been on the mountain for a very long time, the Israelites became restless. They went to Aaron and said, "Come, make us a god who will be our leader; as for the man Moses who brought us out of the land of Egypt, we do not know what has happened to him" (Exodus 32:1). So they constructed a statue of a calf out of their gold jewelry. When it was finished, they began to worship it as if it were a god.

When Moses came down and saw the people celebrating around the calf, he was angry. He threw down the tablets and they broke. The people had gone against God's commandment by building an idol. Moses then punished those who were unfaithful to God and begged God to forgive the people. God called Moses to the mountain one last time. And when Moses returned from the mountain he had two new tablets of the commandments.

Building the Dwelling Place   Then as God had instructed, the Israelites began making the "dwelling place" for God. They contributed their personal belongings, and made

- a meeting tent, God's dwelling place, which served as a movable place of worship

- the **ark of the covenant**, a wooden box in which the tablets of the Ten Commandments were kept

- several altars and furniture needed for worship

Almost a year after the Israelites had left Egypt, God entered this "dwelling place." The biblical writer symbolized this by the thunder and lightning that appeared over the tent. The Israelites realized that God was always with them, and they were comforted by the visible reminder of his presence.

👤 When or where do you feel God's presence most strongly?

Dios dirigió a su pueblo hacia la tierra prometida.

Se dice que el peregrinaje de los israelitas a la tierra prometida de Canaán duró 40 años. La historia de este viaje es mayormente contada en el libro de Números. El nombre hebreo para este libro quiere decir "en el desierto". Se refiere a los dos censos, durante el viaje, para contar el número de personas.

Durante el viaje Dios se hizo presente en una enorme nube que, durante el día, se mantenía sobre la tienda de reuniones. Durante la noche se iluminaba para que los israelitas pudieran verla. Cuando la nube se movía ellos la seguían. Cuando se detenía, los israelitas se quedaban donde estaban. La nube simbolizaba que Dios mismo estaba dirigiendo el viaje.

En las planicies de Moab Dios usó la experiencia en el desierto para ayudar a su pueblo a crecer y a ser más fiel y más caritativo. Los israelitas enfrentaron muchas dificultades durante su viaje. Aprendieron más sobre Dios y sobre ellos mismos. Finalmente los israelitas llegaron a las planicies de Moab, al este de Canaán. Ahí encontraron a un profeta llamado Balaam, quien predijo las grandezas de Israel en el futuro.

"Lo veo, pero no se realizará ahora; lo contemplo pero no está cerca: una estrella sale de Jacob, un cetro surge de Israel". (Números 24:17)

Aunque los israelitas no habían entrado aún a Canaán, el tiempo de Moisés se había cumplido, ya era muy viejo y murió. Así que Moisés le dijo a Dios: "Señor, tú que conoces el corazón de todos los hombres, pon al frente de esta comunidad un hombre que la presida y la conduzca, para que la comunidad del Señor no quede como rebaño sin pastor". (Número 27:16–17)

Dios le dijo a Moisés que pondría su mano sobre Josué, uno de sus generales de confianza y lo nombraría para dirigir al pueblo de Dios a Canaán. Dios cumplió su promesa.

RESPONDEMOS

Subraya, en esta página, las formas en que Dios actuó en las vidas de los israelitas.

Mira en tu propia vida. ¿Cuáles son algunas formas en que Dios ha actuado en tu vida?

_____

_____

_____

Como católicos...

En nuestras iglesias, el tabernáculo es una hermosa caja decorada en la que se mantiene el Santísimo Sacramento o la Eucaristía, reservada para ser distribuida a los enfermos y para la adoración. La palabra *tabernáculo* viene del latín "tienda". En el Santísimo Sacramento, Cristo está real y verdaderamente presente. Reverenciamos y adoramos a Jesús, el Hijo de Dios.

Visita tu parroquia y pasa tiempo en oración ante el Santísimo Sacramento.

Vocabulario

Monte Sinaí (pp 350)

milagro (pp 350)

maná (pp 349)

Diez Mandamientos (pp 349)

arca de la alianza (pp 349)

God led his people toward the promised land.

The journey of the Israelites to the promised land of Canaan is said to have taken forty years. The story of this journey is mainly told in the Book of Numbers. The Hebrew name for this book means "in the desert." The English meaning refers to two censuses, or head counts of all the people, that took place during the journey.

On their journey God made his presence known by the huge cloud that hung over the meeting tent during the day. At night the cloud became fiery, so that the Israelites could see it. When the cloud moved, they followed it. When it did not move, the Israelites remained where they were. The guiding cloud symbolized that God himself was directing their journey.

On the Plains of Moab   God used the experience in the desert to help his people grow to be more loving and faithful. The Israelites faced many difficult situations during their journey. From these they learned more about God and about themselves. Finally the Israelites arrived on the plains of Moab, east of Canaan. Here they met a prophet named Balaam, who predicted the greatness of Israel in the centuries to come.

"I see him, though not now;
   I behold him, though not near:
A star shall advance from Jacob,
   and a staff shall rise from Israel."
(Numbers 24:17)

Though the Israelites had not yet entered Canaan, the time was coming for Moses, who was a very old man, to die. So Moses asked God, "May the LORD, the God of the spirits of all mankind, set over the community a man who shall act as their leader in all things, to guide them in all their actions; that the LORD's community may not be like sheep without a shepherd" (Numbers 27:16–17).

God told Moses to lay his hand on Joshua, one of his trusted generals, and commission him to lead God's people into Canaan. God's promise would be fulfilled.

WE RESPOND

On this page, highlight the ways God acted in the lives of the Israelites.

Look back at your own life. What are some of the ways God has acted in your life?

_____

_____

Key Words

Mount Sinai (p. 352)

miracle (p. 352)

manna (p. 351)

Ten Commandments (p. 352)

ark of the covenant (p. 351)

As Catholics...

In our churches, the tabernacle is a beautifully crafted box in which the Blessed Sacrament, or the Eucharist, is reserved for distribution to those who are sick, and also for adoration. *Tabernacle* comes from the Latin word for "tent." In the Blessed Sacrament Christ is really and truly present. So we show reverence and worship for Jesus, the Son of God.

Visit your parish and spend some time in prayer before the Blessed Sacrament.

HACIENDO DISCIPULOS

Muestra *lo* que sabes

Diseña un "fondo de pantalla" resumiendo el peregrinaje de los israelitas por el desierto. Incluye las palabras del **Vocabulario** y citas en tu diseño.

Escritura

"Unos ocho días después, Jesús tomó consigo a Pedro, a Juan y a Santiago y subió a la montaña para orar. Mientras oraba, cambió el aspecto de su rostro y su vestidura se volvió de un blanco resplandeciente. En esto aparecieron conversando con él dos hombres. Eran Moisés y Elías, que, resplandecientes de gloria, hablaban del éxodo que Jesús iba a cumplir en Jerusalén". (Lucas 9:28–31)

- Subraya la frase que describe a Jesús.
  (Nota: Esta descripción es la transfiguración de Jesús).

- Encierra en un círculo sobre lo que hablaban Moisés y Elías:
  (Nota: El éxodo de Jesús era su sufrimiento, muerte, Resurrección y Ascensión).

PROJECT DISCIPLE

Show What *you* Know

Design a "desktop wallpaper" summarizing the Israelites' journey through the wilderness. Include Key Words and captions in your design.

What's *the* Word?

"[Jesus] took Peter, John, and James and went up to the mountain to pray. While [Jesus] was praying his face changed in appearance and his clothing became dazzling white. And behold, two men were conversing with him, Moses and Elijah, who appeared in glory and spoke of his exodus that he was going to accomplish in Jerusalem." (Luke 9:28–31)

- Underline the phrase that describes Jesus.
  (Note: This description tells of the Transfiguration of Jesus.)

- Circle what Moses and Elijah were speaking about.
  (Note: Jesus' exodus was his suffering, Death, Resurrection, and Ascension.)

Celebra

Los católicos heredamos algunas costumbres de alabanza del pueblo judío. Una de ellas es usar la música y canciones. La hermana de Moisés, Mirian, tocó un tamborín con gozo cuando el pueblo fue liberado. El pueblo judío con frecuencia alababa a Dios con gaitas y platillos, trompetas y cuernos, liras y arpas. Como católicos celebramos con estos instrumentos y muchos otros. Organos, pianos, tambores y guitarras—pueden ayudarnos a "canten al Señor un canto nuevo". (Salmo 149:1)

↳ **RETO PARA EL DISCIPULO** Haz una lista de canciones alabando a Dios.

8:26 PM

Lista de canciones

Datos

Moisés es mencionado en el Nuevo Testamento más que ninguna otra persona del Antiguo Testamento. Encontramos referencias sobre él en los cuatro Evangelios, en Hechos de los apóstoles y las epístolas a los Romanos, 1 y 2 de Corintios, 2 Timoteo, Hebreos y Judas y el Apocalipsis.

Tarea

Comparte estos versículos del Salmo 119 con tu familia:

"Enséñame, Señor, el camino de tus normas, para que lo siga.
Instrúyeme para que observe tu ley y la practique de todo corazón.
Guíame por el camino de tus mandatos, que son mi delicia".

(Salmo 119:33–35)

Pray
Learn
Celebrate
Share
Choose
Live

PROJECT DISCIPLE

Celebrate!

Catholics inherited some customs of worship from the Jewish People. One custom was the use of music and songs. Moses' sister Miriam played a tambourine with joy when the people gained their freedom. The Jewish People often praised God with pipes and cymbals, trumpets and horns, lyres and harps. As Catholics, we celebrate with these instruments and many others. Organs, pianos, drums, and guitars—all can help us to "Sing to the LORD a new song" (Psalm 149:1).

↳ **DISCIPLE CHALLENGE** Create a playlist of songs to praise God.

8:26 PM

PLAYLIST

Fast Facts

Moses is mentioned in the New Testament more than any other Old Testament person. References to him are found in the Gospels of Matthew, Mark, Luke, and John; in the Acts of the Apostles; in these Epistles: Romans, 1 Corinthians, 2 Corinthians, 2 Timothy, Hebrews, and Jude; and in the Book of Revelation.

Take Home

Share these verses from Psalm 119 with your family.

"LORD, teach me the way of your laws;
    I shall observe them with care.
Give me insight to observe your teaching,
    to keep it with all my heart.
Lead me in the path of your commands,
    for that is my delight."
(Psalm 119:33–35)

Catequesis en el hogar

Capítulo 9 (páginas 110–123)

Un pueblo libre

En este capítulo su niño(a) aprenderá sobre el viaje hacia la tierra prometida.

Para los padres

Para encontrar al Espíritu Santo en la Escritura, busque los símbolos del Espíritu. El agua significa la acción del Espíritu, ya sea una inundación o abriendo el mar para dejar pasar a los israelitas. Cuando leen sobre un sacerdote, un profeta o un rey que es ungido con aceite, están viendo actuar al Espíritu. El fuego en la zarza ardiente de Moisés no era otro que el Espíritu Santo, de la misma manera que las lenguas de fuego en Pentecostés.

Todos los días

• Recen juntos la Señal de la Cruz y ofrezcan una oración pidiendo a Dios que bendiga este momento que van a pasar juntos.

Primer día Moisés dirigió al pueblo de Dios por el desierto.

• Enseñe a su niño(a) la foto del paisaje del Monte Sinaí, páginas 112 y 113 y converse sobre las calamidades de atravesar un terreno tan accidentado. Luego lean el título y el texto que sigue.

• Dios proporcionó a su pueblo la comida y la bebida en el desierto. Recuérdele a su niño(a) que así como los israelitas aprendieron a confiar en Dios, tenemos que confiar en Dios y creer en su amor por nosotros. Señale que el viaje de los israelitas a Canaán comenzó con un canto de alabanza a Dios.

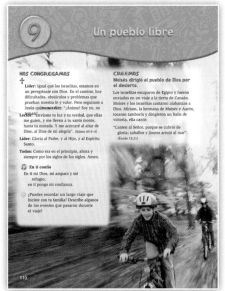

Segundo día Dios dio la ley al pueblo.

• Túrnense para leer el enunciado y el texto. Enfatice que Dios le dio a Moisés los Diez Mandamientos. Invite a su niño(a) a leer en voz alta los Diez Mandamientos.

Tercer día El pueblo construyó una morada.

• Tomen turnos leyendo en voz alta el enunciado y el texto hasta "Construyendo una morada". Converse sobre los sentimientos de Moisés cuando bajó del Monte Sinaí y vio a la gente con el buey de oro. Pregunte: ¿Por qué se enojó Moisés? ¿Qué hizo?

• Señale que Dios no abandonó a su pueblo. Él les dio otra oportunidad. Túrnense para leer "Construyendo una morada". Invite a su niño(a) a mirar el dibujo y encontrar algunas de las características de la morada descrita.

Cuarto día Dios dirigió a su pueblo hacia la tierra prometida.

• Túrnense para leer en voz alta el enunciado y el texto. Ponga énfasis en que la nube simboliza la presencia de Dios.

• Comente acerca de las palabras del profeta Balaam que habló sobre las grandezas futuras de Israel.

Respondemos en fe
Quinto día

• Luego, pida a su hijo(a) que enumere formas de demostrar amor por Dios y por los demás.

Sexto día

• Planifique hacer una visita con su familia al Santísimo Sacramento esta semana.

Catechesis at Home

Chapter 9 (pages 110–123)

A Free People

In this chapter your child will learn about the journey to the promised land.

For the Parents

It is understandable that God the Father and God the Son receive most of the attention in Scripture. To find the Holy Spirit in Scripture, look for the Spirit's symbols. Water signifies the action of the Spirit, when it is curling up to let the Israelites pass through. When you read of a priest or a prophet or a king being anointed with oil, you see the Spirit at work. The fire in Moses's burning bush was the Holy Spirit, as were the tongues of fire at Pentecost.

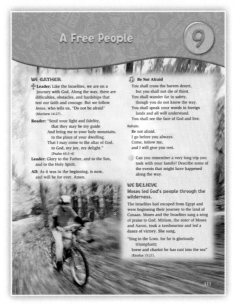

Every Day

- Pray the Sign of the Cross, and offer a short prayer asking God to bless your time together.

Day One Moses led God's people through the wilderness.

- Show your child the photo of the landscape of Mount Sinai and discuss the difficulty and hardship of passing through such rugged terrain. Then read aloud together the statement and the text that follows.

- Remind your child that just as the Israelites learned to trust God, we need to trust God and believe in his love for us. Point out that the Israelites' journey to Canaan began with a song of praise to God.

Day Two God gave his people the law.

- Ask your child to read aloud the statement, and take turns reading the text. Emphasize that God gave Moses the Ten Commandments, the laws of God's covenant. Invite your child to read them aloud.

Day Three The people built God a dwelling place.

- Read aloud the statement and alternate with your child reading the text up to "Building the Dwelling Place." Discuss Moses's feelings when he came down from Mount Sinai and saw the people with the golden calf. Ask: *Why was Moses angry? What did he do?*

- Point out that God did not abandon his people. He gave them another chance. With your child read aloud "Building the Dwelling Place."

Day Four God led his people toward the promised land.

- Alternate with your child as you read the statement and the text that follows. Emphasize the cloud as a symbol of God's presence with the Israelites on their journey toward Canaan.

- Talk about the words the prophet Balaam spoke about the future of Israel. Then discuss the passing of leadership from Moses to Joshua.

We Respond in Faith

Day Five

- Ask your child to list some ways to show love for God and for others.

Day Six

- Plan to visit the blessed sacrament with your family this week.

NOS CONGREGAMOS

 Líder: Bendito sea nuestro Dios, quien ha mostrado su gran amor al pueblo. Bendito sea Dios por siempre.

Lector: "Den gracias al Señor, porque es bueno, porque es eterno su amor. Que lo reconozcan los que el Señor ha rescatado, los que él rescató del poder del opresor, los que congregó de todos los países, del este y del oeste, del norte y del sur". (Salmo 107:1–3)

Líder: Vamos a cantar dando gracias a Dios.

🎵 Un pueblo que camina

Somos un pueblo que camina,
y juntos caminando podremos alcanzar
otra ciudad que no se acaba,
sin penas ni tristezas: ciudad
de eternidad.

☀ Nombra una verdad importante que hayas aprendido últimamente. ¿Cómo la aprendiste?

CREEMOS

El pueblo de Dios conquistó a Canaán.

El tema del libro de Deuteronomio es que el pueblo de Dios debe amarlo y obedecerlo. En Deuteronomio leemos que Moisés dijo al pueblo: "Escucha, Israel, el Señor es nuestro Dios, el Señor es uno. Amarás al Señor tu Dios con todo tu corazón, con toda tu alma y con todas tus fuerzas". (Deuteronomio 6:4–5) Estas palabras de Moisés se convirtieron en una importante oración para los judíos conocida como *shemah*.

WE GATHER

✝ **Leader:** Blessed be our God who has shown his people great love. Blessed be God for ever.

All: Blessed be God for ever.

Reader: "'Give thanks to the LORD who is good,
　　　whose love endures forever!'
　　Let that be the prayer of the LORD's redeemed,
　　　those redeemed from the hand of the foe,
　　Those gathered from foreign lands,
　　　from east and west, from north and south."
(Psalm 107:1–3)

Leader: Let us thank God by singing a song.

 City of God

O comfort my people; make gentle your words.
Proclaim to my city the day of her birth.

Refrain:
Let us build the city of God.
May our tears be turned into dancing!
For the Lord, our light and our love,
has turned the night into day!

 Name one important truth you have learned lately. How did you learn it?

WE BELIEVE

God's people conquered Canaan.

The theme of the Book of Deuteronomy is that God's people must love God and be obedient to him. In Deuteronomy we read that Moses told the people: "Hear, O Israel! The LORD is our God, the LORD alone! Therefore, you shall love the LORD, your God, with all your heart, and with all your soul, and with all your strength" (Deuteronomy 6:4–5). These words of Moses became an important prayer which is known as the *Shema*.

Moisés dijo a los israelitas: "Guarda en tu corazón estas palabras que hoy te digo. Incúlcaselas a tus hijos y háblales de ellas cuando estés en casa o cuando vayas de viaje, acostado o levantado" (Deuteronomio 6:6–7). Los israelitas siguieron las instrucciones de Moisés. Durantes siglos, el pueblo judío ha hecho esta oración parte de su vida diaria. La alianza de Dios con el pueblo judío permanece aún.

Llegada del pueblo a Canaán   Al final del libro de Deuteronomio, vemos que Moisés vio la tierra prometida desde una montaña, pero no vivió para entrar en ella. Después en el libro de Josué leemos que Dios dijo a Josué: "Moisés, mi siervo ha muerto. Ponte en camino y cruza el Jordán con todo este pueblo, hacia la tierra que yo doy a los israelitas. . . el Señor tu Dios estará contigo dondequiera que vayas" (Josué 1:2, 9).

En el libro de Josué los detalles de la entrada de los israelitas a la tierra prometida son simplificados. El recuento de la conquista y entrada no es una descripción diaria, sino un escrito bíblico que interpreta los eventos de significados religiosos.

En el libro de Josué, encontramos un evento famoso en la conquista de Canaán, la caída de Jericó. Jericó era una ciudad muy conocida en el centro de Canaán. Esta es la historia de la caída de Jericó.

 Josué 6:1–20

Dios le dijo a Josué que no atacará directamente la ciudad, sino que marchara a su alrededor con sus tropas. Josué dijo a sus tropas todo lo que Dios le había mandado. Ellos cargaron el arca de la alianza al frente de ellos. Siete sacerdotes con cuernos y

trompetas dirigían la marcha. Josué y sus tropas hicieron esto durante seis días. Al séptimo día ellos marcharon alrededor de la ciudad siete veces. Después los sacerdotes hicieron sonar los cuernos y los israelitas gritaron con fuerza. Las paredes de Jericó se derrumbaron. Después Josué y los israelitas tomaron la ciudad.

Los israelitas conquistaron a esta ciudad porque siguieron el plan de Dios. Aun cuando Josué era el líder militar, Dios fue el verdadero héroe que capturó a Jericó. El escritor bíblico usa esta historia para mostrar que los israelitas creían que Dios estaba con ellos en todos los eventos de sus vidas.

 En el libro de Josué se pone énfasis en que Dios está con su pueblo. Escribe una historia que cuente a otros que Dios está con ellos en todos los eventos de sus vidas. Haz el plan aquí.

_____

_____

Moses told the Israelites, "Take to heart these words which I enjoin on you today. Drill them into your children. Speak of them at home and abroad, whether you are busy or at rest" (Deuteronomy 6:6–7). The Israelites followed Moses' instructions. Through the ages, the Jewish People have made this prayer a part of their everyday lives. God's covenant relationship with the Jewish People remains strong today.

Bringing the People into Canaan   As the Book of Deuteronomy ends, we learn that Moses saw the promised land from a mountain top but did not live to enter it. Then in the

Book of Joshua we read that God said to Joshua, "My servant Moses is dead. So prepare to cross the Jordan here, with all the people, into the land I will give the Israelites. . . . the LORD, your God, is with you wherever you go" (Joshua 1:2, 9).

In the Book of Joshua the details of the Israelites' entry into the promised land are greatly simplified. The account of the

conquest and entry is not a day-by-day description, but rather the biblical writer's interpretation of the religious significance of events.

In the Book of Joshua, we find one very famous event in the conquest of Canaan—the fall of Jericho. Jericho was a well-known city in the center of Canaan. Here is the story of the fall of Jericho.

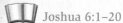 Joshua 6:1–20

God told Joshua not to attack the city directly but to march around it with his troops. Joshua had his troops do all that God commanded him. They carried the ark of the covenant before them. Seven priests using rams' horns as trumpets led the march. Joshua and his troops did this for six days. On the seventh day they marched around the city seven times. Then the priests blew their horns, and the Israelites shouted loudly. And the walls of Jericho fell down! Then Joshua and the Israelites took over the city of Jericho.

The Israelites conquered this city because they followed the plan of God. Even though Joshua was the military leader, it was God who was the real hero in the capture of Jericho. The biblical writer used this story to show that the Israelites believed that God was with them in every part of their lives.

The Book of Joshua emphasizes that God is with his people. Write a story that will tell others that God is with them in every part of their lives. Plan your story here.

_____

_____

127

El pueblo de Dios se estableció en Canaán.

Después que los israelitas conquistaron Canaán, la tierra fue distribuida entre las doce tribus de Israel, los descendientes de los doce hijos de Jacob, o Israel. La tierra fue dividida de acuerdo a la tradición, echando suerte con monedas. Las monedas eran unas piedras especialmente marcadas, o palos forrados de papel. Se establecieron las reglas y los lugares de las parcelas. Se creyó que el resultado era la voluntad de Dios. El escritor bíblico quiere mostrarnos que sólo Dios fue responsable de la distribución de la tierra. La tierra fue un regalo de Dios.

Una vez la tierra fue distribuida, las tribus se reunieron para dar gracias a Dios por sus grandes bendiciones y para renovar la alianza. Los israelitas empezaron a poblar

Canaán. La historia de su establecimiento se encuentra en el libro de Jueces. Este libro también cuenta sobre los jueces de Israel, mujeres y hombres destinados por Dios para ayudar a Israel. Un juez no era un oficial de una corte. Era, generalmente, un líder militar quien había vencido al enemigo y gobernaba la tierra según Dios mandaba. Durante el tiempo de Jueces, los israelitas continuamente se alejaban de Dios y necesitaban ayuda para ser fieles.

Débora, la juez.   Uno de los grandes jueces descritos en el Antiguo Testamento fue Débora. Dios la escogió para recordar a los israelitas que debían cumplir la alianza. Ella saldó muchas disputas y dio consejo al pueblo. "Juzgaba bajo la palmera de Débora …los israelitas acudían a ella para arreglar sus litigios" (Jueces 4:5).

Durante el tiempo de Débora de nuevo los israelitas empezaron a adorar falsos dioses. Debido a esta caída, el territorio israelí cayó en manos de un rey cananeo y su general. Débora ordenó al comandante israelí Barac, reunir a su tropa en el Monte Tabor. Ella le dijo que Dios le daría una gran victoria a Israel.

Barac dudó de Débora, pero ella insistió. Barac le dijo que seguiría sus órdenes si ella lo acompañaba a él y a su ejército al Monte Tabor. Débora fue con él y el ejército a encontrar a los cananitas. Dios envió una gran tormenta que causó que los carros de los cananitas se atascarán en el lodo y fueron derrotados. Por la acción de Dios y la fe de Débora, la tierra estuvo de nuevo libre de enemigos. Débora rezó un gran himno, o cántico, en alabanza a Dios he aquí el final: "Así perezcantodos tus enemigos, Señor; tus amigos sean fuertes como el sol naciente" (Jueces 5:31).

Hay personas que nos ayudan a mantener a Dios en el centro de nuestras vidas. Nombra algunas de esas personas en tu vida. ¿Qué hacen para ayudarte?

Como católicos...

Los votos son promesas serias que se hacen a Dios o a otra persona. Durante el sacramento del Matrimonio un hombre y una mujer prometen amarse y honrarse. De forma similar los hombres y mujeres religiosos toman votos de castidad, pobreza y obediencia. En ambos casos los votos ayudan a las personas a centrarse en vivir vidas dedicadas a Dios y a los demás.

¿Conoces a alguien que ha tomado votos?

God's people settled in Canaan.

After the Israelites conquered Canaan, the land was distributed among the twelve tribes of Israel, the descendants of the twelve sons of Jacob, or Israel. The land was parceled out to each tribe by the ancient practice of casting lots. Lots were coins, sets of specially marked stones, or sticks wrapped in paper. Rules which stated what the lots or the various positions of the lots would represent were agreed upon. The outcome of the lots was believed to be an expression of God's will. The biblical writer used the casting of lots to show us that God alone was responsible for the distribution of the land. The land was a gift from God.

Once the land had been distributed, the tribes gathered to thank God for the great blessings he had bestowed on them and to renew their covenant with him. The Israelites then began to settle in Canaan. The story of their settlement can be found in the Book of Judges. This book also records the accounts of Israel's judges, men and women sent by God to help the Israelites. A judge was not an officer of the court. He or she was often a military leader who defeated the enemy and ruled the land as God directed. During the time of the Judges, the Israelites continually turned from God and needed help to be faithful.

Deborah, the Judge   One of the great judges described in the Old Testament was Deborah. God chose Deborah to remind the Israelites to keep the covenant. She settled legal disputes and offered advice to the people. "She used to sit under Deborah's palm tree . . . and there the Israelites came up to her for judgment." (Judges 4:5)

During Deborah's lifetime the Israelites once again began to worship false gods. Because of this failure, Israelite territory was taken over by a Canaanite king and his general. So Deborah ordered the Israelite commander Barak to call his troops together at Mount

Tabor. She told him that God would give the Israelites a great victory there.

Barak doubted Deborah, but she insisted. Barak told Deborah that he would follow her order as long as she accompanied him and his army to Mount Tabor. Thus, Deborah went with Barak and the army to meet the Canaanites at Mount Tabor. God sent a great thunderstorm that caused the chariots of the Canaanites to get stuck in the mud, and they were defeated. Through God's actions and Deborah's faith, the land was again free of enemies. Deborah prayed a great hymn, a canticle, in praise of God. Here is its ending:

"May all your enemies perish thus, O LORD!
   but your friends be as the sun rising in
      its might!" (Judges 5:31).

There are people in our lives who help us to stay focused on loving God and one another. Name some of these people in your life. What do they do to help you?

Sansón fue el juez más famoso.

De nuevo los israelitas se alejaron de Dios y cayeron en manos de sus enemigos, los filisteos. Dios envió otro juez al pueblo. Este juez fue el único cuyo nacimiento fue pronosticado de manera extraordinaria.

Un ángel del Señor se apareció a una mujer en la ciudad de Zora y le dijo: "Tú eres estéril y no has tenido hijos, pero concebirás y darás a luz un hijo . . . No pasará la navaja sobre su cabeza, porque el niño estará consagrado a Dios desde el vientre de su madre. Él empezará a salvar a Israel del poder de los filisteos". (Jueces 13:3–5).

Cuando nació el niño se le dio por nombre Sansón y el espíritu del Señor estaba con Sansón. Dios lo bendijo dándole gran fuerza. Durante toda su vida Sansón fue un **nazareo**, persona consagrada a Dios. Como nazareo Sansón mantuvo promesas especiales, o votos. El no debía tomar vino o bebidas fuertes, tocar nada muerto, ni cortarse el pelo. Dios lo fortalecería mientras el cumplía sus votos.

Sansón se casó con una filistea, pero los filisteos los maltrataban a los dos. Así empezó una lucha personal entre Sansón y los filisteos. Los filisteos mataron a su esposa y su familia. Sansón se enfureció y se vengó de los filisteos. Ellos empezaron a temer a la fuerza de Sansón y querían capturarlo.

Sansón y Dalila   Sansón se enamoró de otra filistea, Dalila. Los líderes filisteos le pagaron a Dalila para que descubriera el secreto de la fuerza de Sansón. Al principio Sansón le mintió. Esto enojó a Dalila. Por temor a perderla Sansón le dijo a Dalila que Dios le mantendría su fuerza mientras él mantuviera sus votos nazareos. Un día mientras Sansón dormía, Dalila dejó que un hombre cortara el cabello de Sansón. Después llamó a los filisteos, quienes cegaron a Sansón y lo llevaron a la cárcel, donde lo mantuvieron encadenado forzándolo a rodar una gran piedra de molino.

En la cárcel su pelo volvió a crecer. Un día los filisteos llevaron a Sansón al templo. Lo pusieron en medio de las columnas del templo. Ahí Sansón rezó a Dios para que le devolviera sus fuerzas. Sansón empujó las columnas que sostenían el templo. El templo cayó matando a Sansón y a todos los que ahí se encontraban.

La historia de Sansón simboliza al Israel de su tiempo. El nacimiento de Sansón, como el nacimiento de Israel, fue el resultado de la mano guiadora de Dios. Sansón fue dedicado a Dios y Dios estaba con él, igual que Dios estaba con los israelitas. Sansón olvidó sus votos a Dios. Él usó su fuerza para vengarse de los que personalmente le habían herido. Pero Dios convirtió la derrota de Sansón en el inicio de la caída de los filisteos. De nuevo Dios permitió que los israelitas derrotaran a los que trataron de vencerlos.

Ser fuerte es más que tener fuerza física. Dios nos hace fuertes compartiendo su vida y su amor con nosotros. ¿Cuáles son algunas formas en que Dios hace eso en nuestras vidas?

Vocabulario

nazareo (pp 350)

Ruth lived a life of self-sacrifice.

The Book of Ruth, one of the Bible's most beautiful short stories, shows God's presence in the events of daily life. The story of Ruth teaches us that even in difficult times people can faithfully live out the covenant. They can follow God's will for them.

The story begins in a time of famine in Israel. An Israelite named Elimelech, his wife Naomi, and their two sons needed to find food. So they traveled eastward from Bethlehem of Judah and crossed the Jordan River into Moab. There people did not believe in the one true God, but Elimelech's family settled in Moab because they were able to find food.

Sometime after that, Elimelech died, and each of his sons married a Moabite woman. Then the two sons also died. This left Naomi and her daughters-in-law, Orpah and Ruth, sad and in financial trouble. Naomi had no relatives in Moab who could help them.

When she decided to go back to her homeland, Naomi told her daughters-in-law that they should go back to their own mothers' houses. But Ruth refused to leave her mother-in-law. She said, "Do not ask me to

abandon or forsake you! for wherever you go I will go, wherever you lodge I will lodge, your people shall be my people, and your God my God" (Ruth 1:16). Ruth's loyalty and her acceptance of the God of Israel impressed Naomi. The two women went together to Bethlehem.

When it was time for the harvest, Ruth went into a field to gather up grain left behind from the harvest. People without money were allowed to do this. Boaz, who owned the field, was a relative of Naomi's deceased husband, and he had been told about Ruth's devotion to Naomi. So Boaz told his servants to help and protect Ruth.

When Naomi heard this, she hoped that Boaz, as her relative by marriage, would claim some land that she was selling. If he did, then by the law of the Israelites, Boaz would also have the responsibility of taking Ruth as his wife.

Boaz did claim the land and married Ruth. God blessed Boaz and Ruth with a son, who was given the name Obed. "He was the father of Jesse, the father of David." (Ruth 4:17)

In the story of Ruth, the biblical writer shows us that sadness can be turned into joy. We learn that when we bring God's love to one another, God's will is accomplished by our actions. Like Naomi, Ruth, and Boaz, we are called to be part of God's plan by living lives of faithfulness and kindness.

WE RESPOND

God is always faithful to us. He asks us to be faithful, too. Imagine that you have been asked to produce a music CD about our faithfulness to God. Write what you would name your CD. Discuss what songs you would include.

Title: _____

Songs: _____

Muestra *lo* que sabes

Usa la clave para completar el cuadro.

Clave	Tu respuesta
Esposa de Elimelec y suegra de Orfá y Rut	
Se apareció a la madre de Sansón	
Hogar de los padres de Sansón	
Pueblo que conquistó Canaán	
Se negó a dejar a su suegra	
Las doce tribus de donde descienden sus doce hijos	
"Armas" usadas para conquistar Jericó	
El esposo de Noemí	

✒ RETO PARA EL DISCIPULO

- Escribe la palabra del de este capítulo.

  ____ ____ ____ ____ ____ ____ ____

- ¿En qué se relaciona la palabra del *Vocabulario* con Sansón?

  _____

Haz *lo*

Ser parte del plan de Dios es vivir una vida de fidelidad y de bondad. Esta semana seré parte del plan de Dios practicando:

_____

_____

_____

Compártelo.

Datos

Rut fue la bisabuela de David. Su hijo mayor fue el padre de Jesé, quien fue el padre de David, así que Rut es antepasada de Jesús.

Noemí y Rut

Pray
Learn
Celebrate
Share
Choose
Live

PROJECT DISCIPLE

Show What *you* Know

Use the clues to complete the chart.

Clue	Your Answer
wife of Elimelech and mother-in-law of Orpah and Ruth	
appeared to Samson's mother	
home of Samson's parents	
the people who conquered Canaan	
refused to leave her mother-in-law	
the twelve tribes were descendants of his twelve sons	
"weapons" used to conquer Jericho	
Naomi's husband	

✎ DISCIPLE CHALLENGE

- Write the found in this chapter:

  ___ ___ ___ ___ ___ ___ ___ ___

- How does this Key Word relate to the story of Samson?

  _____

Make *it* Happen

Be part of God's plan by living a life of faithfulness and kindness. This week, I will be part of God's plan by

_____

_____

_____

Now, pass it on!

Fast Facts

Ruth was the great-grandmother of David. Her son Obed was the father of Jesse, who was the father of David. Therefore, Ruth was an ancestor of Jesus.

HACIENDO DISCIPULOS

Orar
Conocer
Celebrar
Compartir
Expresar
Vivir

Vidas de santos

Santa Catalina nació en Siena, Italia. Desde pequeña vivió una vida de oración centrada en Cristo. Gradualmente, la gente empezó a darse cuenta de que ella tenía el don para tomar buenas decisiones. La gente la buscaba para que le ayudara a resolver disputas entre familiares y vecinos. A Catalina le preocupaban los asuntos políticos y de actualidad y ayudó a la Iglesia tanto como pudo. Visitó reyes y reinas para pedir que evitaran las guerras. Mientras estaba en Roma, trabajando por la paz en la Iglesia, Catalina murió a la edad de treinta y tres años. Ella fue canonizada y se conoce como Santa Catalina de Siena.

RETO PARA EL DISCIPULO

- Subraya la oración que describe como Catalina vivió su vida.

  Visita *Vidas de santos* en **religion.sadlierconnect.com** para contestar estas preguntas sobre Catalina de Siena:

- ¿A qué animaba Catalina a la gente hacer?

  _____

- ¿Cuándo se celebra su fiesta?

  _____

Realidad

Como los personajes bíblicos presentados en este capítulo, también nosotros tenemos cualidades únicas, o "fortalezas". Escribe cinco de tus "fortalezas".

_____

_____

_____

RETO PARA EL DISCIPULO Mira tu lista. ¿Cómo usas esas "fortalezas" para ayudar a otros?

Tarea

Josué dirigió a los israelitas a la tierra prometida. Antes de morir, Josué llamó a los israelitas a recordar su alianza con Dios.

"Yo y los míos daremos culto al Señor".
(Josué 24:15)

En familia conversen sobre formas en que puedes servir al Señor esta semana.

136

PROJECT DISCIPLE

Saint Stories

Catherine was born in 1347 in Siena, Italy. From a very young age, she lived a life of prayer focused on Christ. Gradually, people began to realize that she had the gift of good judgment. People went to her when they had disputes within their families or among their neighbors. Catherine was concerned about current events and politics, and helped the Church as much as she could. She visited kings and queens and asked them to avoid war. While in Rome working for peace within the Church, Catherine died at the age of thirty-three. She was later canonized a saint and is known as Saint Catherine of Siena.

↳ DISCIPLE CHALLENGE

• Underline the sentence that describes how Catherine lived her life.

Visit *Lives of the Saints* on **religion.sadlierconnect.com** to answer these questions about Saint Catherine of Siena:

• What did Catherine encourage people to do?

_____

• When is her feast day?

_____

Reality Check

Like the biblical characters presented in this chapter, we all have unique qualities, or "strengths." List five of your strengths.

_____

_____

_____

↳ **DISCIPLE CHALLENGE** Look over your list. How can you use these strengths to help others?

Take Home

Joshua led the Israelites to the Promised Land. Before Joshua died, he called the Israelites to remember their covenant with God:

"As for me and my household we will serve the LORD" (Joshua 24:15).

As a family, talk about ways you can serve the Lord this week.

137

Catequesis en el hogar

Capítulo 10 (páginas 124–137)

Un pueblo conquistador

En este capítulo su niño(a) aprenderá sobre la conquista de Canaán.

Para los padres

El libro de Rut está basado en Noemí. El hambre la hace irse de su tierra y la muerte se lleva a su esposo y a sus dos hijos. Sumida en la pobreza, Noemí ordena a las viudas de sus hijos, Orfa y Rut regresar a Belén. Rut le dice: "¡No me pidas que te deje y que me separe de ti! Iré adonde tu vayas, y viviré donde tú vivas. Tu pueblo será mi pueblo, y tu Dios será mi Dios" (Rut 1:16).

Todos los días

- Recen juntos la Señal de la Cruz seguida de un Padrenuestro.

Primer día   El pueblo de Dios conquistó a Canaán.

- Túrnense para leer en voz alta el enunciado y el texto. Señale que el tema del libro de Deuteronomio es que el pueblo de Dios debe amarlo y obedecerlo.

Segundo día   El pueblo de Dios se estableció en Canaán.

- Lea en voz alta el enunciado. Pida a su niño(a) que lea en silencio hasta "Deborah, la jueza" y luego que haga un resumen de la lectura en sus propias palabras. El resumen debe incluir que la tierra se distribuyó entre las doce tribus, que los israelitas dieron gracias a Dios y comenzaron a establecerse en Canaán, y que durante este tiempo se alejaron de Dios y necesitaron ayuda para ser fieles.

- Lea en voz alta la historia de Deborah. Señale que cuando los israelitas comenzaron a adorar a dioses falsos, perdieron territorio a un rey cananeo. Haga énfasis en que fue a través de la fe de Débora y las acciones de Dios que la tierra fue liberada.

Tercer día   Sansón fue el juez más famoso.

- Pídale a su niño(a) que lea en voz alta el enunciado y luego que lea en silencio hasta la sección "Sansón y Dalila". Luego pídale que cuente la historia en sus propias palabras. Comente sobre los votos que Sansón tomó como nazareo. Ponga énfasis en que mientras Sansón mantuvo sus votos, Dios lo hizo fuerte.

- Túrnense para leer en voz alta el resto del texto. Ponga énfasis en que fue un error de Sansón utilizar su gran fuerza como venganza personal.

Cuarto día   Rut vivió una vida de sacrificio.

- Tomen turnos leyendo en voz alta el enunciado y el texto que sigue. Enfatice que esta historia muestra la presencia de Dios en la vida cotidiana.

- Hable acerca de la fidelidad de Rut. Recalque que Noemí, Rut y Boaz trajeron el amor de Dios a los demás a través de su amor y fidelidad.

Respondemos en fe

Quinto día

- Invite a su hijo(a) a nombrar personas que conoce que han tomado votos.

Sexto día

- Haga de una simple oración parte de su vida diaria en familia.

Chapter 10 (pages 124–137)

A Conquering People

In this chapter your child will learn about the conquest of Canaan.

For the Parents

The Book of Ruth first focuses on Naomi. Famine drives her from her land, and death takes her husband and her two sons. Reduced to poverty, she tells her widowed daughters-in-law, Orpah and Ruth, to leave her as she returns to her people in Bethlehem. But Ruth says, "Do not ask me to abandon or forsake you! for wherever you go I will go, wherever you lodge I will lodge, your people shall be my people, and your God my God" (Ruth 1:16).

Every Day

• Pray the Sign of the Cross and an Our Father.

Day One God's people conquered Canaan.

• Read aloud the statement, then alternate reading the text aloud with your child. Point out that the theme of the Book of Deuteronomy is that God's people must love him and obey him.

Day Two God's people settled in Canaan.

• Read aloud the statement. Ask your child to read silently up to the "Deborah" head and then summarize the reading in his or her own words. The summary should include that the land was distributed among the twelve tribes, that the Israelites thanked God and began settling in Canaan, and that

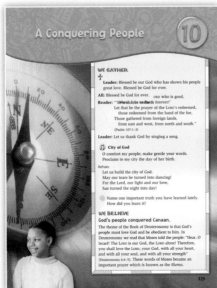

during this time the people turned from God and needed help to be faithful.

• Read aloud the story of Deborah. Point out that when the Israelites began to worship false gods, they lost territory to a Canaanite king. Emphasize that it was through the faith of Deborah and the actions of God that the land was freed.

Day Three Samson was the most famous judge.

• Have your child read aloud the statement and then read silently up to the "Samson and Delilah" head. Then have your child retell the story in his or her own words. Talk about the vows Samson took as a Nazirite. Emphasize that as long as Samson kept his vows, God made him strong.

• Alternate reading aloud the rest of the text. Emphasize that it was wrong of Samson to use his great strength for personal revenge.

Day Four Ruth lived a life of self-sacrifice.

• Take turns reading aloud the statement and the text that follows. Emphasize that this story shows God's presence in everyday life.

• Talk about Ruth's faithfulness. Emphasize that Naomi, Ruth, and Boaz brought God's love to others through their kindness and faithfulness.

We Respond in Faith

Day Five

• Invite your child to name people you know who have taken vows.

Day Six

• Make a simple prayer a part of the daily life of your family.

NOS CONGREGAMOS

Líder: Jesús, eres el Buen Pastor. Ayúdanos a seguirte en todo lo que decimos y hacemos. Quédate con nosotros mientras rezamos.

Lector 1: "El Señor es mi pastor, nada me falta. En prados de hierba fresca me hace descansar, me conduce junto a aguas tranquilas, y renueva mis fuerzas. Me guía por la senda del bien, haciendo honor a su nombre".

Todos: Buen Pastor guíanos por caminos de paz.

Lector 2: "Aunque pase por un valle tenebroso, ningun mal temeré, porque tú estás conmigo; tu vara y tu bastón me dan seguridad". (Salmo 23:1–4)

Todos: Jesús, Buen Pastor, aléjanos del mal y la oscuridad.

🎵 El Señor es mi pastor

El Señor es mi Pastor, nada me faltará.
Me conduce hacia fuentes tranquilas
    y repara mis fuerzas.
Él me guía por senderos justos,
    por honor de su nombre.

 ¿Has sido llamado alguna vez para hacer algo? ¿Qué se te pidió?

CREEMOS

Dios llamó a Samuel para que le sirviera.

En la Biblia encontramos muchas formas literarias, o tipos de escritura, usadas para contar los eventos que nos ayudan a conocer y a entender a Dios. Escritos históricos cuentan los eventos históricos o períodos en la historia. El Primer y Segundo libros de Samuel, junto con algunos otros libros de la Biblia, son ejemplos de libros históricos.

Al inicio del primer libro de Samuel leemos sobre Ana y su oración por un niño. Ella prometió a Dios que si la bendecía con un hijo lo dedicaría a Dios. Ana tuvo un hijo a quien llamó Samuel y lo dedicó al servicio de Dios. Samuel creció en el santuario de Silo bajo la dirección de un anciano sacerdote llamado Elí.

A Royal People

WE GATHER

✝ **Leader:** Jesus, you are the Good Shepherd. Help us to follow you in all that we say and do. Be with us as we pray.

Reader 1: "The LORD is my shepherd;
　　　　there is nothing I lack.
　　In green pastures you let me graze;
　　　　to safe waters you lead me;
　　　　you restore my strength.
　　You guide me along the right path
　　　　for the sake of your name."

All: Jesus, Good Shepherd, lead us in paths of peace.

Reader 2: "Even when I walk through a dark valley,
　　　　I fear no harm for you are at my side;
　　　　your rod and your staff give me courage."
(Psalm 23:1–4)

All: Jesus, Good Shepherd, show us your goodness and love!

🎵 **The King of Love My Shepherd Is**

The King of love my shepherd is,
Whose goodness fails me never;
I nothing lack if I am his,
And he is mine forever.

☀ Have you ever felt called to do something? What was it?

WE BELIEVE

God called Samuel to serve him.

The Bible contains many literary forms, or types of writing, used to retell events that help us know and encounter God. Historical writing gives an account of historical events or periods in history. The First and Second Books of Samuel, along with some other books in the Bible, represent Scripture's historical books.

As the First Book of Samuel opens, we read about Hannah and her prayer for a child. She promised God that if he blessed her with a son, she would dedicate the child to him. Hannah did have a son. She called him Samuel and dedicated him to God's service. Samuel grew up at the shrine of the Shiloh under the watchful eye of an old priest named Eli.

Siendo aún muy joven, Dios llamó a Samuel durante un sueño. Al principio Samuel pensó que Elí lo estaba llamando. Elí se dio cuenta que era Dios y le dijo: "Vete a acostarte, y si te llaman, respondes: Habla Señor, que tu siervo escucha" (1 Samuel 3:9). Cuando Dios llamó una vez más, Samuel contestó. Entonces Dios le dijo lo que haría.

Dios estaba con Samuel y: "ninguna de sus palabras dejó de cumplirse…. El Señor continuó manifestándose en Siló, pues era allí donde revelaba su palabra a Samuel" (1 Samuel 3:19–21). Samuel se convirtió en un profeta de Dios. Un **profeta** es alguien que habla en nombre de Dios, defiende la verdad y trabaja por la justicia.

Tiempos de tribulación   Durante esta época mucha gente seguía alejándose de Dios. Los enemigos de Israel, los filisteos, se aprovecharon de la desunión de Israel amenazando su existencia. Los filisteos tomaron tanta tierra que algunos israelitas tenían que mudarse. Los filisteos tomaron el arca de la alianza y la tuvieron por un tiempo.

Además de tener enemigos, los israelitas estaban en un estado de caos y hasta empezó una guerra civil. Peor aún, parecía que Dios había abandonado a su pueblo.

Durante este tiempo Samuel fue llamado a tomar el liderazgo de Israel gradualmente. El regresó el arca a su lugar. Samuel ofreció sacrificios a Dios, rezó para que Israel venciera a los filisteos. Verdaderamente que Dios nunca abandona a su pueblo. Su amor por él nunca acaba.

Igual que Samuel, somos llamados a servir a Dios. ¿Qué crees que Dios quiere que hagas? Escribe alguna forma de contestar la llamada de Dios.

_____

_____

Saúl se convierte en el primer rey de Israel.

Samuel creció, los israelitas pedían un rey. Ellos querían que alguien los guiara y los protegiera.

El único rey de Israel había sido el Señor. Ahora el pueblo quería ser como otras naciones. Quería una monarquía. Una **monarquía** es un reino o imperio gobernado por una persona, un rey o una reina.

Samuel no estaba contento porque él creía que sólo Dios podría ser rey de Israel. A pesar de que Dios tampoco estaba contento, le dijo a Samuel que dejaría que Israel tuviera un rey terreno y se convirtiera en una monarquía.

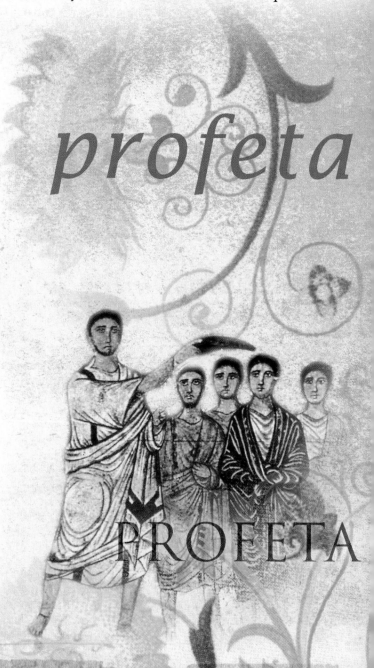

profeta

PROFETA

When Samuel was still very young, God called to him while he was sleeping. At first Samuel thought Eli was calling him. Eli realized though that it was God. Eli told Samuel, "Go to sleep, and if you are called, reply, 'Speak, LORD, for your servant is listening'" (1 Samuel 3:9). When God called once more, Samuel answered him. Then God told Samuel about the things that he, the Lord, would do.

God was with Samuel, and did not permit "any word of his to be without effect . . . . The LORD continued to appear at Shiloh; he manifested himself to Samuel at Shiloh through his word, and Samuel spoke to all Israel" (1 Samuel 3:19, 21). Samuel became God's prophet. A **prophet** is someone who speaks on behalf of God, defends the truth, and works for justice.

Desperate Times   At this time many people continued to turn away from God. Israel's enemy, the Philistines, took advantage of Israel's disunity and threatened Israel's existence. The Philistines took so much land that some Israelites had to find a new home. The Philistines even captured the ark of the covenant and kept it for a time.

Besides having enemies, the Israelites were themselves in a state of chaos and a civil war even broke out. Worse yet, God himself seemed to have abandoned his people.

During this time Samuel was called to gradually take over the leadership of Israel. He brought the ark back to a proper resting place. And Samuel offered sacrifice to God, praying for Israel's victory over the Philistines. Indeed, God would never abandon his people. His love for them would never end.

Like Samuel we are called to love and serve God. What do you think God is calling you to do? Write one way you can answer God's call.

Saul became Israel's first king.

As Samuel grew older, the Israelites cried out to him for a king. They wanted someone to lead and protect them.

Yet Israel's only king had always been the Lord. Now the people wanted to be like other nations. They wanted to be a monarchy. A **monarchy** is a kingdom or empire ruled by one person, either a king or a queen.

Samuel was displeased because he believed only God was Israel's king. Although God was also displeased, he told Samuel to let the people have an earthly king and become a monarchy.

141

El primer rey. Dios pidió a Samuel ungir a Saúl para ser el primer rey de Israel. Esta unción sería un símbolo de la consagración de Saúl al servicio de Dios. Samuel derramó aceite sobre la cabeza de Saúl y lo besó. Mientras lo ungía Samuel le dijo: "El Señor te unge como jefe de su heredad" (1 Samuel 10:1).

Dios le habló a Saúl por medio de Samuel. Al principio Saúl siguió los consejos de Samuel para dirigir al pueblo. Como comandante de la armada de Israel, Saúl ganó batallas a los filisteos. Los israelitas estaban contentos de tener un rey.

Gradualmente, Saúl dejo de escuchar a Samuel. Estaba más afanado en sus propios intereses que en los intereses del pueblo. Saúl empezó a actuar por su propia cuenta. Una vez pidió a la armada dejar de pelear y su error, que dio tiempo a los filisteos a reorganizarse, hizo que Israel perdiera la batalla.

A consecuencia de sus acciones, Saúl dejó de gobernar con la bendición de Dios. Dios le dijo a Samuel: "Me pesa haber hecho a Saúl rey de Israel, porque se ha apartado de mí y no ha cumplido mis órdenes" (1 Samuel 15:11). Así que Dios escogió otro rey.

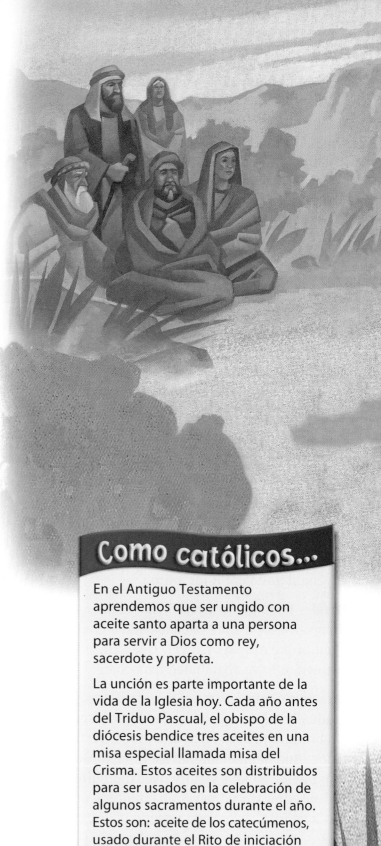

Imagina que vives durante los tiempos del reinado de Saúl. ¿Qué consejo le darías para que gobernara? Representa esta escena con un compañero.

Como católicos...

En el Antiguo Testamento aprendemos que ser ungido con aceite santo aparta a una persona para servir a Dios como rey, sacerdote y profeta.

La unción es parte importante de la vida de la Iglesia hoy. Cada año antes del Triduo Pascual, el obispo de la diócesis bendice tres aceites en una misa especial llamada misa del Crisma. Estos aceites son distribuidos para ser usados en la celebración de algunos sacramentos durante el año. Estos son: aceite de los catecúmenos, usado durante el Rito de iniciación cristiana para adultos y antes de la celebración del Bautismo, el aceite de los enfermos, usado en la Unción de los Enfermos, crisma sagrado, usado en el Bautismo, la Confirmación y el Orden Sacerdotal.

The First King Samuel was told by God to anoint Saul to be the first king of Israel. This anointing would be a symbol of Saul's consecration to God's service. Samuel poured oil on Saul's head and kissed him. As he anointed Saul, Samuel said, "The LORD anoints you commander over his heritage" (1 Samuel 10:1).

God spoke to Saul through Samuel. At first Saul followed Samuel's advice in leading the people. As commander of the Israelite army, Saul won battles against the Philistines. The Israelites were happy that they had a king.

Gradually, Saul stopped listening to Samuel. He was more concerned with his own interests than those of God's people. Saul began to act on his own. Once Saul even told his army to stop fighting and this error, which allowed the Philistines time to regroup, caused Israel to lose the battle.

As a result of Saul's actions, he no longer ruled with God's blessing. God said to Samuel, "I regret having made Saul king, for he has turned from me and has not kept my command" (1 Samuel 15:11). Therefore God would choose another king.

As Catholics...

Anointing is an important part of the life of the Church today. We learn from the Old Testament that being anointed with holy oil set a person apart to serve God as a king, a priest, or a prophet. Each year just before the Easter Triduum, the bishop of the diocese blesses three holy oils at a special Mass called the Chrism Mass. These oils are then distributed for use in the celebration of some of the sacraments during the coming year. The oils are: the oil of catechumens, used during the Rite of Christian Initiation of Adults and before the celebration of Baptism; the oil of the sick, used in the Anointing the Sick; and Sacred Chrism, used in Baptism, Confirmation, and Holy Orders.

Imagine that you are living during Saul's reign. What advice would you give him about being king? With a partner, role-play this scene.

Dios escogió a David para dirigir a Israel.

Samuel siguió los consejos de Dios para elegir el segundo rey de Israel. Dios envió a Samuel a ofrecer un sacrificio en Belén. Después le pidió invitar a Isaí y su familia a la fiesta celebrada después del sacrificio.

Isaí y siete de sus hijos fueron a la fiesta. Samuel pensó que seguramente uno de esos hijos sería escogido para ser el nuevo rey. Pero ninguno fue aceptado por Dios. Dios le dijo a Samuel: "La mirada de Dios no es como la del hombre: el hombre ve las apariencias, pero el Señor ve el corazón" (1 Samuel 16:7).

Entonces Samuel le preguntó a Isaí si no tenía otros hijos. Isaí le dijo que sí. David era el más pequeño y estaba en el campo cuidando las ovejas. Samuel le dijo a Isaí que lo llamara.

David se presentó ante Samuel: "Samuel tomó el cuerno del aceite y lo ungió en presencia de sus hermanos. A partir de aquel día el espíritu del Señor entró en David" (1 Samuel 16:13). Dios escogió a David para eventualmente reemplazar a Saúl como rey de Israel.

David y Goliat   Otra vez Los filisteos trataban de superar a los israelitas. Su ejército se reunió en los alrededores de una montaña en Judá y el ejército de Israel estaba en otra cercana. Sin embargo, los israelitas tenían miedo de atacar porque el ejército filisteo era comandado por Goliat, un gigante mucho más alto que todos los demás. Su lanza y su escudo eran muy pesados para que alguien más pudiera llevarlos. Todos los días Goliat retaba a los israelitas a que fueran a pelear. Nadie aceptaba el reto de Goliat.

Un día Isaí envió a David a llevar provisiones a sus hermanos quienes estaban en el ejército de Israel. Al entrar al campo, Goliat empezó a gritar sus insultos. Los israelitas huyeron.

David preguntó: "¿Qué recompensa tendrá el hombre que mate a ese filisteo y salve el honor de Israel?" (1 Samuel 17:26).

Las palabras de David fueron llevadas a Saúl, quien lo mandó a buscar. David le aseguró al rey Saúl que él estaba preparado para pelear con Goliat. David le dijo que él había matado leones y osos mientras cuidaba de las ovejas de su padre. David dijo: "El Señor, que me ha librado de las garras del león y de las zarpas del oso, me librará de las manos de ese filisteo". (1 Samuel 17:37) Saúl estuvo de acuerdo en que David peleara con Goliat.

Cuando David contestó el reto de Goliat, este lo insultó. David, sin embargo, le dijo a Goliat que él iba en nombre del Dios de Israel. David tomo una piedra redonda, la puso en su honda y tiró la piedra hacia Goliat. La piedra le pegó en la frente y lo dejó inconsciente. Entonces David lo mató. Cuando los filisteos vieron eso salieron corriendo.

En grupo dramaticen un segmento de noticia para la TV en el que David, Goliat y Saúl sean entrevistados para la batalla entre David y Goliat.

144

God chose David to lead Israel.

Samuel followed God's instruction in choosing Israel's second king. God first sent Samuel to offer sacrifice in Bethlehem. Then God had Samuel invite Jesse and his family to the feast that followed the sacrifice.

Jesse and seven of his sons entered the feast. Samuel thought that surely one of these sons would be the new king. But none of these were acceptable to God. God said to Samuel, "Not as man sees does God see, because man sees the appearance but the LORD looks into the heart" (1 Samuel 16:7).

Then Samuel asked Jesse whether he had any more sons. Jesse told him that he had one more son, David. David, his youngest son, was in the fields tending the sheep. Samuel told Jesse to send for David.

David came before Samuel. "Then Samuel, with the horn of oil in hand, anointed him in the midst of his brothers; and from that day on, the spirit of the LORD rushed upon David." (1 Samuel 16:13) God had chosen David to eventually replace Saul as Israel's king.

David and Goliath   The Philistines were again trying to overcome the Israelites. The Philistine army was gathered on a hill in Judah, and the Israelite army was on a neighboring hill. The Israelites, however, were afraid to attack because the Philistine army was led by a giant of a man named Goliath. Goliath was much taller than all the other men. His spear and shield were too heavy for most of them to lift. Every day Goliath challenged the Israelites to come and fight him. But no one accepted Goliath's challenge.

One day Jesse sent young David with supplies for his brothers who were in the Israelite army. As David entered the Israelite camp, Goliath began to shout his usual insults. The Israelites fled. David asked, "What will be done for the man who kills this Philistine and frees Israel of the disgrace?" (1 Samuel 17:26).

David's words were reported to Saul, who sent for David. David assured King Saul that he was prepared to fight Goliath. David told him that he had often killed a lion or bear when protecting his father's sheep. David said, "The LORD, who delivered me from the claws of the lion and the bear, will also keep me safe from the clutches of this Philistine" (1 Samuel 17:37). Saul then agreed to let David fight Goliath.

When David answered Goliath's challenge, Goliath cursed him. David, however, told Goliath that he came in the name of the God of Israel. David took a smooth stone, put it in his slingshot, and hurled the stone at Goliath. The stone hit Goliath in the forehead and knocked him down. Then David was able to kill Goliath. When the Philistines saw this, they ran away.

In groups dramatize a TV news segment in which David, Goliath, and Saul are interviewed about the upcoming battle between David and Goliath.

El valor de David vino de su confianza en Dios. Contrario a Saúl, David confió totalmente en el Señor. ¡Ciertamente Dios había salvado a David y a todo Israel!

David es nombrado rey de Israel.

Alrededor del 1000 AC después de la muerte de Saúl, David fue proclamado rey de Israel.

Inmediatamente David se dispuso a resolver los problemas de Israel. Tan pronto como empezó su reinado empezó a planificar su ataque a los filisteos. David forzó a los filisteos a salir de Israel. También capturó territorio filisteo para Israel.

David tenía otra tarea importante: recobrar las tierras de Israel que estaban en manos de los cananeos. David capturó la mayoría de esas áreas y las otras simplemente se rindieron. Los israelitas tomaran a Caná y la nación de Israel fue unida.

Jerusalén fue una ciudad de Caná conquistada por David. La ciudad se convirtió en propiedad privada del rey porque la había tomado con sus soldados. Así en los escritos bíblicos Jerusalén se conoce como la ciudad de David.

La ciudad de David David decidió hacer de Jerusalén la capital religiosa y política de Israel. Todas las tribus estuvieron de acuerdo con la decisión de David. David llevó el arca de la alianza a Jerusalén y : "David danzaba ante el Señor frenéticamente… Así David y todo Israel trajeron el arca entre gritos de júbilo y al son de trompetas" (2 Samuel 6:14-15).

David también instaló el gobierno en Jerusalén. Como líder, David probó ser brillante. Dios estaba con él y bajo la guía de David, Israel fue transformada de un grupo de tribus débiles y desunidas en un fuerte reino. En todo Dios estaba presente, en la vida de las personas y en la vida de la nación.

Durante su vida, David fue un pastor, un poeta, un músico, un narrador, un guerrero y un gran rey. También tuvo sus debilidades. Una de estas fue el amor por una hermosa mujer llamada Betsabé. David quería casarse con ella, pero ella era casada.

David mandó a matar en una batalla a Urías, el esposo de Betsabé. El profeta Natán le dijo a David que el asesinato de Urías había disgustado a Dios. David pidió perdón a Dios diciendo: "He pecado contra el Señor" (2 Samuel 12:13). David pidió perdón a Dios. Hizo penitencia ante el Señor y Dios lo perdonó.

Una vez que aprendemos sobre los eventos de Dios en la vida de las personas, conocemos la gran misericordia de Dios. Dios siempre perdona a los que se arrepienten.

RESPONDEMOS

En grupos hablen de los dones y talentos que hicieron de Samuel, Saúl y David unos buenos líderes.

Vocabulario

profeta (pp 350)

monarquía (pp 350)

David's courage came from trusting in God. Unlike Saul, David relied on the Lord completely. God had indeed saved David and the rest of Israel!

David was declared the king of Israel.

Around 1000 B.C. after the death of Saul, David was declared king of Israel.

David immediately set out to solve Israel's problems. As soon as he became king, he began to plan his attack against the Philistines. David soon drove the Philistines from central Israel. In later battles David forced them out of the rest of the country.

David dealt with another important task: taking over the areas in Israel that were still under Canaanite control. David captured most of these areas and the others simply surrendered to him. As a result, the Israelite takeover of Canaan was finally completed. Israel became a nation united.

One of the Canaanite cities that David conquered was Jerusalem. The city became the king's private property because he had captured it with his own soldiers. Thus, in biblical writings Jerusalem became known as the City of David.

The City of David   David decided to make Jerusalem the religious and political capital of all Israel. All the tribes agreed with David's choice. David brought the ark of the covenant to Jerusalem and "came dancing before the LORD with abandon, as he and all the Israelites were bringing up the ark of the LORD with shouts of joy and to the sound of the horn" (2 Samuel 6:14–15).

David also set up a government in Jerusalem. As a leader, David proved to be brilliant. God was with David, and under David's guidance Israel was transformed from a group of weak and disunited tribes into a strong kingdom. God was present in the lives of the people and in the life of the nation.

Throughout his years, David had been a shepherd, a storyteller, a poet, a musician, a warrior, and a great king. Yet he also had weaknesses. One was his love for a woman named Bathsheba. David wanted to marry Bathsheba, but she was already married.

David arranged to have Bathsheba's husband, Uriah, killed in battle. The prophet Nathan told David that Uriah's murder displeased God. David asked God's forgiveness saying, "I have sinned against the LORD" (2 Samuel 12:13). Then David prayed for God's forgiveness. He did penance before the Lord, and God forgave David.

Once again in learning about the events in the life of God's people, we learn of God's great mercy. God always forgives those who are sorry for their sins.

WE RESPOND

In groups discuss the gifts and talents of Samuel, Saul, and David that made them good leaders of God's people.

Key Words

prophet (p. 352)
monarchy (p. 352)

Muestra *lo* que sabes

Los clasificados en los periódicos o en los sitios Web están diseñados para atraer ofertas de trabajo, casas, apartamentos, carros, etc. Escribe un anuncio clasificado para las palabras del *Vocabulario*.

¿Qué harás?

Hay un nuevo club en la escuela que no tiene miembros. Tu maestro te ha alabado por tu liderazgo y te ha mencionado que dirijas ese club. Tu

_____

_____

_____

Reza

Como católicos somos llamados a rezar por las necesidades de la Iglesia y el mundo. Reza la siguiente oración por los líderes civiles:

Dios Padre,
Nos guías en sabiduría y amor.
Acepta las oraciones que te ofrecemos
por nuestra nación.En tu bondad, vela por las autoridades,
para que todos en todas partes puedan gozar de libertad, seguridad y paz.
Te lo pedimos por nuestro Señor Jesucristo.
Amén.

PROJECT DISCIPLE

Show What *you* Know

Classified ads found in newspapers or on Web sites are designed to attract offers of, or requests for, jobs, homes, apartments, cars, etc.

Write a classified ad for the Key Words.

_____
_____
_____
_____
_____
_____
_____

What Would *you* do?

There is a new service club at school that does not have many members. Your teacher has praised your leadership skills and has nominated you to lead this club. You

_____
_____
_____

Pray Today

As Catholics, we are called to pray for the needs of the Church and the world. Pray the following prayer for civic leaders:

*God our Father,
you guide everything in wisdom and love.
Accept the prayers we offer for our nation.
In your goodness,
watch over those in authority,
so that people everywhere may enjoy
freedom, security, and peace.
We ask this through our Lord Jesus Christ.
Amen.*

HACIENDO DISCIPULOS

Vidas de santos

Ignacio Loyola fue un valiente y aventurero soldado español que vivió durante el siglo XVI. Mientras se recuperaba de una lesión leyó un libro sobre vidas de santos. Se dio cuenta que, igual que los santos, él podía ser aventurero y valiente por Cristo. Eventualmente se hizo sacerdote. Fundó la Sociedad de Jesús, conocida como Jesuitas. Ellos servían a Cristo y la Iglesia.

Ignacio escribió un libro titulado *Ejercicios espirituales* para ayudar a la gente a acercase a Cristo. Este libro incluye importantes preguntas: "¿Qué he hecho por Cristo?, ¿Qué estoy haciendo por Cristo? ¿Qué voy a hacer por Cristo?" La Iglesia honra a Ignacio de Loyola el 31 de julio.

RETO PARA EL DISCIPULO

- Encierra en un círculo lo que explica porque Ignacio fundó la sociedad de Jesús.

- Subraya las preguntas que están en los *Ejercicios espirituales*. Escoge una para contestarla en estas líneas.

_____

_____

Realidad

Samuel respondió el llamado de Dios, diciendo:

"Habla, que tu siervo escucha".
(1 Samuel 3:10)

¿Cuáles son algunas formas en que Dios "te habla"?

❏ En oración

❏ En los asuntos diarios

❏ _____

RETO PARA EL DISCIPULO ¿Cómo muestras que escuchas?

Tarea

David le pidió a Dios que bendijera su casa. (Ver 2 Samuel 7:29). En familia, escriban una oración a Dios pidiéndole bendecir su hogar.

_____

_____

_____

_____

Saint Stories

Ignatius Loyola was a courageous and adventurous Spanish soldier who lived during the sixteenth century. During a recovery from an injury, he read a book on the lives of the saints. Ignatius realized that, like the saints, he could be courageous and adventurous for Christ. He eventually became a priest. He founded the Society of Jesus, known as the Jesuits. These men were to serve Christ and the Church.

Ignatius wrote a book called *The Spiritual Exercises* to help people to become more like Christ. His book includes these important questions: "What have I done for Christ? What am I doing for Christ? What am I going to do for Christ?" The Church honors Saint Ignatius Loyola on July 31.

↳ DISCIPLE CHALLENGE

- Circle the phrase that explains why Ignatius founded the Society of Jesus.
- Underline the questions from *The Spiritual Exercises*. Choose one to answer on the lines below.

_____

_____

Reality Check

Samuel replied to God's call by saying,

"Speak, for your servant is listening"
(1 Samuel 3:10).

What are some ways God "speaks" to you?

❏ In prayer

❏ In everyday occurrences

❏ _____

↳ DISCIPLE CHALLENGE How do you show that you listen?

Take Home

David asked God to bless his house. (See 2 Samuel 7:29.) As a family, write a prayer to God asking his blessing on your home.

_____

_____

_____

_____

Capítulo 11 (páginas 138–151)

Un pueblo real

En este capítulo su niño(a) aprenderá sobre la transformación de Israel bajo el liderazgo de Saúl y David.

Para los padres

El Antiguo Testamento es la historia del liderazgo de Dios y muchas veces de la resistencia del pueblo. Después de que los israelitas se establecieron en Canaán, Dios nombró jueces para guiar al pueblo. Samuel, el hijo de Ana, escuchó el llamado de Dios en un sueño. Samuel contestó: "Habla que tu siervo escucha" (1 Samuel 3:9). Dios lo eligió para que guiara a su pueblo, hablara en nombre de su pueblo y defendiera la verdad y la justicia.

Todos los días

- Recen juntos la Señal de la Cruz y una corta oración pidiendo a Dios que bendiga el momento que van a pasar juntos.

Primer día **Dios llamó a Samuel para que le sirviera.**

- Lea en voz alta el enunciado y el texto. Repase los puntos importantes: La oración de Ana fue contestada; Ana dedicó a su hijo Samuel al servicio de Dios; Dios llamó a Samuel para que fuera profeta.

- Invite a su niño(a) a leer en voz alta el resto del texto. Enfatice que Israel desunido se alejó de Dios, se habían robado el arca de la alianza, el pueblo sentía que Dios los había abandonado, y Samuel aparece como un líder y recupera el arca.

Segundo día **Saúl se convierte en el primer rey de Israel.**

- Lea en voz alta el enunciado; túrnense para leer en voz alta el texto. Converse sobre el deseo de los israelitas de tener un rey para que los protegiera como lo tenían otras naciones. Ponga énfasis en que Dios le dijo a Samuel que ungiera a Saúl y que Saúl no escuchó a Samuel. Ya no era un buen rey y perdió la bendición de Dios.

- Invite a su niño(a) a que comparta el consejo que daría a Saúl acerca de cómo ser rey.

Tercer día **Dios escogió a David para dirigir a Israel.**

- Lea en voz alta el enunciado. Luego invite a su niño(a) a leer en voz alta la historia de David.

- Recalque que la unción de David, igual que la de Saúl, fue para consagrarlo al servicio de Dios.

Cuarto día **David es nombrado rey de Israel.**

- Túrnense para leer en voz alta el texto. Señale que en esta historia vemos lo brillante que es David como líder y su debilidad como hombre.

- Piensen en la misericordia de Dios. Enfatice que cuando David pidió perdón e hizo penitencia, Dios lo perdonó.

Respondemos en fe

Quinto día

- Anime a su hijo(a) a reflexionar esta semana en las palabras del Salmo 23.

Sexto día

- En familia conversen sobre las características de un buen líder. Después recen por los líderes de nuestro país, nuestra iglesia y nuestra comunidad.

Chapter 11 (pages 138–151)

A Royal People

In this chapter your child will learn about the transformation of Israel under the leadership of Saul and David.

For the Parents

The Old Testament is a story of God's leadership and, often, of people's resistance. After the Israelites had settled in Canaan, God called judges to lead his people. Samuel, son of Hannah, heard God's call in a dream. Samuel replied, "Speak, LORD, for your servant is listening" (1 Samuel 3:9). God chose Samuel to lead his people, to speak on God's behalf, and to defend truth and justice.

Every Day

• Pray the Sign of the Cross, and offer a short prayer asking God to bless your time together.

Day One God called Samuel to serve him.

• Read aloud the first *We Believe* statement and the text. Review the main points: Hannah's prayer was answered; she dedicated her son Samuel to God; God called Samuel to be a prophet.

• With your child read aloud the rest of the text. Emphasize that Israel was turning from God, that the country was breaking up, that the ark of the covenant was stolen, that the people felt abandoned by God, and that Samuel emerged as a leader and brought back the ark.

Day Two Saul became Israel's first king.

• Read aloud the statement; then take turns reading the text aloud. Discuss the Israelites' wish to be like other nations, with a king to protect them. Emphasize that God told Samuel to anoint Saul with oil. Point out that when Saul did not listen to Samuel, he was not a good king. He no longer had God's blessing.

• Invite your child to describe the advice he or she would give to Saul about being king.

Day Three God chose David to lead Israel.

• Read aloud the statement. Then invite your child to read aloud the story of David.

• Emphasize that David's anointing with oil, like Saul's, was to consecrate him to God's service.

Day Four David was declared the king of Israel.

• Take turns reading the text aloud. Point out that in this story we see David's brilliance as a leader and his weakness as a man.

• Together with your child, reflect on God's mercy. Emphasize that when David prayed for God's forgiveness and did penance, God forgave him.

We Respond in Faith

Day Five

• Encourage your child to reflect during the week on the words of Psalm 23.

Day Six

• With your family discuss the characteristics of a wise leader. Then offer prayers for the leaders of our country, our Church, and our local communities.

Un pueblo próspero

NOS CONGREGAMOS

✝ **Líder:** Jesús llamó al apóstol Santiago "Hijo del trueno" porque tenía un temperamento malo. Pero Santiago fue un hombre sabio y enseñó el significado de la sabiduría. Vamos a rezar pidiendo sabiduría en nuestras vidas y en las vidas de todo el mundo.

Lector: Por la sabiduría de ser amables y pacíficos con otros.

Por la sabiduría de cuidar de la tierra y sus criaturas.

Por la sabiduría de ser misericordiosos con los necesitados.

Por la sabiduría de ser fieles y sinceros con nuestros amigos.

Por la sabiduría de incluir y no excluir a los demás.

Todos: Te lo pedimos en el nombre de Jesucristo, nuestro Señor. Amén.

☀ Describe como sería el mundo si todos trabajáramos por la paz.

CREEMOS

El reinado de Salomón fue un tiempo de paz y prosperidad.

Después de reinar por cuarenta años, David murió. Su hijo Salomón lo sucedió. Bajo el reinado de Salomón, Israel alcanzó una gran paz y prosperidad. La historia del reinado de Salomón, que duró aproximadamente cuarenta años, es contada en el Primer Libro de Reyes y el Segundo Libro de Crónicas.

Mientras su padre, David, se recuerda mayormente como un gran guerrero, Salomón fue un diplomático. El reinado de Salomón fue un tiempo de paz. Salomón no peleó ninguna guerra. El hizo tratos, acuerdos con otros reyes y reinas. Estas alianzas mantuvieron seguro a Israel contra ataques y le dieron la oportunidad de nuevos negocios.

A Prosperous People

WE GATHER

✝ **Leader:** Jesus called the Apostle James a "son of thunder" because of his quick temper! But James became a wise man, and taught the meaning of wisdom. Let us pray for wisdom in our lives and in the lives of all people.

Reader: For the wisdom to be gentle and peaceful with others,

For the wisdom to care for the earth and its creatures,

For the wisdom to be merciful toward those in need,

For the wisdom to be faithful and sincere with our friends,

For the wisdom to include and not exclude others,

All: We ask this in your name, Lord Jesus. Amen.

☀ Describe what the world would be like if everyone worked for peace.

WE BELIEVE

Solomon's reign was a time of peace and prosperity.

After forty years as king, David died. David's son Solomon succeeded him as king. Under Solomon's rule Israel achieved its greatest peace and prosperity. The story of Solomon's reign as king, which lasted for about forty years, is told in the First Book of Kings and the Second Book of Chronicles.

While his father, David, was remembered chiefly as a mighty warrior, Solomon was a diplomat. Solomon's reign was a time of peace. Solomon did not wage any wars. Rather, he made treaties, or agreements, with other kings and queens. These alliances kept Israel safe from attack and gave the country new business opportunities.

Salomón ayudó a Israel a prosperar con sus exitosos tratados con el extranjero. Durante su reinado, Israel se enriqueció. Por primera vez en la historia de Israel, la gente común, no sólo los poderosos, empezaron a gozar de una vida plena.

Para mostrar el poder y el éxito de Israel, Salomón empezó un gran programa de construcción. Este programa fue diseñado para fortalecer las defensas y embellecer sus cuidades, especialmente Jerusalén.

Lo más importante de este proyecto de construcción involucraba la construcción de un Templo en Jerusalén. Estos proyectos incluían un palacio para el rey.

Muchas formas de arte también empezaron a florecer en Israel. Entre las más importantes están el tallado del marfil, la carpintería, tallado de piedras y joyería.

La literatura también alcanzó grandes logros durante el reinado de Salomón. Los libros históricos de la Biblia se empezaron a escribir y a ser recopilados. También se escribieron salmos, proverbios y otro tipo de poesías. El primer paso hacia la organización de la Biblia tuvo lugar durante el reino de Salomón.

Salomón trabajó por la paz en Israel. Escribe algunas formas en que trabajarás por la paz.

_____

_____

_____

_____

_____

_____

Representación en el siglo XVI de la prosperidad de la época de Salomón: "Salomón y el tesoro del Templo", de Frans Francken II, Holanda (1581–1642).

Desierto de Negeb

Solomon helped Israel to prosper by his success in overseas trade. During Solomon's time as king, Israel was richer than it had ever been before. For the first time in Israel's history, some of the common people—not just the powerful—began to enjoy a life of plenty.

To showcase Israel's power and success, Solomon began a great building program. This program was designed to strengthen the country's defenses and to beautify its cities, especially Jerusalem.

The most important of these building projects involved the construction of the Temple in Jerusalem. There were other projects including a palace for the king.

Many forms of art also began to flourish in Israel. Among the most important were ivory carving, carpentry, stonework, and jewelry making.

Literature was also very important during Solomon's reign. The historical books of the Bible began to be written and compiled. Psalms, proverbs, and other kinds of poetry were also written. The first steps toward assembling the Bible were taken when Solomon was king.

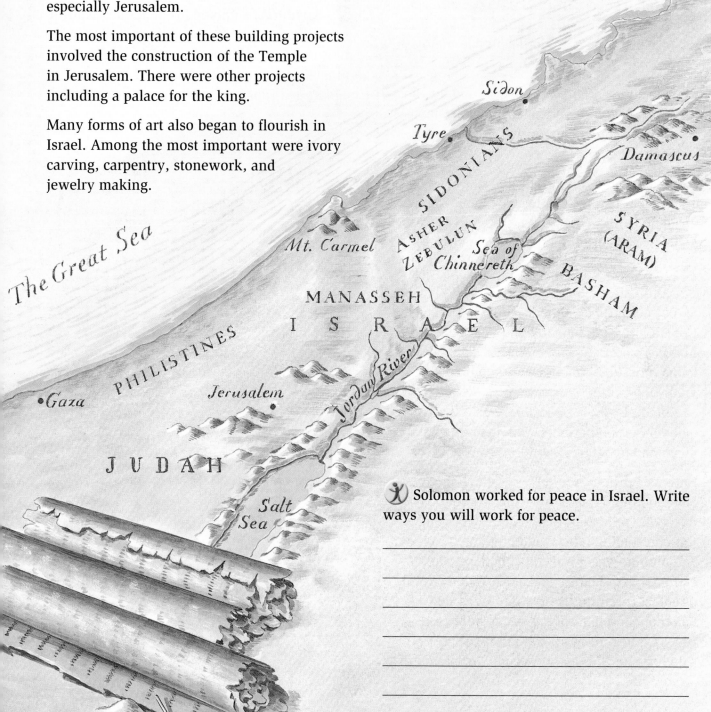

Solomon worked for peace in Israel. Write ways you will work for peace.

_____

_____

_____

_____

_____

_____

155

Salomón fue famoso por su sabiduría.

Al principio de su reinado, Salomón pidió a Dios que lo guiara. Dios estaba tan complacido con la fidelidad de Salomón que decidió hacer algo especial por él. Dios se le apareció a Salomón en un sueño y le prometió que le daría lo que deseara.

Salomón respondió a Dios. "Soy muy joven y no sé cómo gobernar. . . . Da, pues, a tu siervo un corazón sabio para gobernar a tu pueblo y poder discernir entre lo bueno y lo malo" (1 Reyes 3:7, 9).

Complacido con la respuesta de Salomón Dios le dijo: "Te doy un corazón sabio y prudente como no ha habido antes de ti ni lo habrá después" (1 Reyes 3:12).

Salomón quedó tan agradecido que fue a Jerusalén a pararse frente al arca de la alianza del Señor. Ahí ofreció sacrificio y ofrendas de paz. Después dio un banquete para sus sirvientes.

La sabiduría de Salomón   Después que Dios le dio sabiduría a Salomón, esta fue probada. Dos mujeres que habían tenido un bebé cada una fueron donde Salomón. Uno de los bebés había muerto, pero ambas reclamaban el bebé vivo. Una mujer acusó a la otra de haber cambiado los bebés y empezaron a discutir. Salomón no podía saber cual de las dos estaba diciendo la verdad.

Entonces ordenó probar a las mujeres. Salomón pidió que el bebé fuera partido en dos y que se le diera una mitad a cada una. Cuando sólo una de las mujeres suplicó a Salomón no hacer eso con el bebé, él vio claramente quien era la madre. Todo Israel quedó sorprendido con la habilidad de Salomón para determinar la verdad en ese caso. De hecho, el pueblo vio la propia sabiduría de Dios en la decisión de Salomón.

La historia de Salomón nos ayuda a entender la importancia de la sabiduría. Sabiduría es un don de Dios. **Sabiduría** es el conocimiento y la habilidad de reconocer y seguir la voluntad de Dios en nuestras vidas. Nos ayuda a ver como Dios ve y a actuar como Dios quiere que actuemos. Necesitamos el don de la sabiduría de Dios para vivir una buena vida y ser fieles a nuestra alianza con Dios.

Sabiduría es uno de los dones del Espíritu Santo. Esta nos ayuda a ver y seguir el plan de Dios para nosotros. Identifica algunas situaciones en que el pueblo puede pedir sabiduría a Dios.

_____

_____

_____

Solomon gained fame for his wisdom.

When he was a young king, Solomon prayed to God for guidance. God was so pleased with Solomon's faithfulness that he decided to do something special for him. God appeared to Solomon in a dream and promised that he could have anything he desired.

Solomon replied to God, "I am a mere youth, not knowing at all how to act. . . . Give your servant, therefore, an understanding heart to judge your people and to distinguish right from wrong" (1 Kings 3:7, 9).

Delighted by Solomon's reply, God said: "I give you a heart so wise and understanding that there has never been anyone like you up to now, and after you there will come no one to equal you" (1 Kings 3:12).

Solomon was so grateful that he went to Jerusalem and stood before the ark of the covenant of the Lord. There he offered sacrifice and peace offerings. Then he gave a banquet for all his servants.

Solomon's Wisdom   Soon after God granted Solomon wisdom, it was tested. Two women, each recently having had a child, came to Solomon. One of the babies had died and both women claimed to be the mother of the baby that was alive. One woman accused the other of switching the babies and both women began to argue. How would Solomon possibly determine which woman was telling the truth when there were no witnesses?

In order to test the women, Solomon ordered that the baby be cut in two and one half given to each woman. When only one of the women pleaded with Solomon not to kill the child, he saw that she was clearly the mother. All Israel was amazed by Solomon's ability to determine the truth in this case. In fact, they saw God's own wisdom behind Solomon's decision.

Solomon's story helps us understand the importance of wisdom. Wisdom is a gift from God. **Wisdom** is the knowledge and ability to recognize and follow God's will in our lives. It enables us to see as God sees and to act as God wants us to act. We need God's gift of wisdom to live a good life and to be faithful to our covenant with God.

Wisdom is one of the gifts of the Holy Spirit. It helps us to see and follow God's plan for us. Identify some situations in which people call upon God for wisdom.

_____

_____

_____

El Templo fue construido en Jerusalén.

Para mostrar el amor a Dios y su deseo de ser fiel a la alianza, Salomón decidió construir un gran templo de piedra en Jerusalén. Este templo debía ser el centro de adoración al único y verdadero Dios. Debía unir al pueblo de Dios y a Israel.

El Templo mismo consistía de dos grandes cuartos: el santuario o lugar más santo y la nave. El santuario, el cual estaba en la parte central del Templo, era un pequeño cuarto elevado reservado exclusivamente para Dios. Sólo los sumos sacerdotes podían entrar a ese lugar. El santuario contenía el arca de la alianza donde se creía que moraba Dios invisible. Dos grandes estatuas de ángeles llamados querubines servían como símbolos de la presencia de Dios en el santuario.

La nave del Templo era un cuarto más grande en el frente del santuario. En él había un pequeño altar para quemar incienso. Un piso de peldaños y una puerta con una cortina conducían al santuario.

En tres de los lados del santuario y de la nave había pequeños cuartos usados para almacenar, o reservados para los sacerdotes. En frente del Templo había una corte de sacerdotes. Esta tenía un gran altar diseñado para la ofrenda y sacrificios de varios tipos.

Después de la corte de los sacerdotes había una serie de largas cortes con paredes que rodeaban todo el Templo. Una de estas cortes estaba reservada para los hombres de Israel, una estaba diseñada para las mujeres y otra para los visitantes que no eran israelitas. Una pared alta con elevadas puertas y entradas rodeaba todo la estructura del Templo y sus cortes.

La terminación del Templo fue considerada tan importante que los escritores del Primer libro de Reyes compararon el hecho con la fundación de la nación de Israel en el Monte Sinaí. El éxito de la terminación del Templo también simbolizó la permanente presencia

Una representación de un artista del Templo de Jerusalén

de Dios con su pueblo escogido en la tierra prometida. Así la construcción del Templo de Jerusalén fue símbolo de gran éxito para Salomón.

Describe un lugar sagrado donde la gente pueda sentir la presencia de Dios en él.

Como católicos...

El Espíritu Santo nos fortalece para vivir como discípulos de Cristo y compartir sus siete dones con nosotros. Los dones del Espíritu Santo son sabiduría, inteligencia, consejo, fortaleza, ciencia, piedad y temor de Dios. En el sacramento de la Confirmación recibimos los dones del Espíritu Santo en forma especial. Esos dones nos ayudan a seguir las enseñanzas de Cristo y a dar testimonio de nuestra fe.

¿Qué don del Espíritu Santo te gustaría pedir ahora?

An artist's representation of the Temple of Jersulem

nave   *sanctuary*

The Temple was built in Jerusalem.

To show his love for God and his desire to be faithful to the covenant, Solomon decided to build a great stone Temple in Jerusalem. This Temple was meant to be the center of worship of the one true God. It was meant to bind all the people to God and to Israel.

The Temple itself consisted of two main rooms: the sanctuary, or holy of holies, and the nave. The sanctuary, which was the innermost part of the Temple, was a small

raised room reserved exclusively for God. Only the High Priest could enter the holy of holies. The sanctuary contained the ark of the covenant where God was believed to reside invisibly. Two huge statues of angels called *cherubim* served as symbols of God's presence in the sanctuary.

The nave of the Temple was a larger room in front of the sanctuary. It contained a small altar for burning incense. A flight of steps and a doorway with a curtain across it led from the nave to the sanctuary.

On three sides of the sanctuary and nave were smaller rooms used for storage or reserved for the priests. In front of the Temple stood the Court of the Priests. It contained a great altar designed for the offering of sacrifices of various kinds.

Beyond the Court of the Priests, was a series of larger walled courts that surrounded the entire Temple. One of the courts was reserved for male Israelites, one was designed for female Israelites, and one was for visitors who were not Israelites. A high retaining wall with elaborate gates and entranceways surrounded the whole structure of the Temple and its courts.

The completion of the Temple was considered so important that the writer of the First Book of Kings compared it to the founding of the Israelite nation on Mount Sinai. The successful completion of the Temple also symbolized God's permanent presence among his Chosen People in the promised land. Thus, the building of the Temple in Jerusalem was Solomon's greatest achievement.

Describe a sacred, or holy, space in which people can feel God's presence.

As Catholics...

The Holy Spirit strengthens us to live as Christ's disciples and shares seven spiritual gifts with us. The gifts of the Holy Spirit are wisdom, understanding, counsel, fortitude, knowledge, piety, and fear of the Lord. In the Sacrament of Confirmation we receive the gifts of the Holy Spirit in a special way. These gifts help us to follow Christ's teachings and to give witness to our faith.

What is one gift of the Holy Spirit that you would ask for right now?

Los salmos nos enseñan como rezar.

Muchos sabios creen que varias secciones de la Biblia fueron completadas, o por lo menos empezaron a recopilarse, durante los reinos de David y Salomón. Los más importantes de estos libros son el Cantar de los Cantares y el libro de los Salmos.

El libro de los Salmos, también conocido como Salterio, es una gran colección de cantos religiosos hebreos. Un **salmo** es una oración poética diseñada para ser cantada. Se piensa que David escribió muchos de los salmos. Esto tiene sentido porque David era poeta y músico. Otros salmos pueden haber sido compuestos por Salomón. Y otros fueron escritos muchos siglos después.

Como judío, Jesús rezaba los salmos con frecuencia. Hoy los salmos son rezados por el pueblo judío y también son importantes en la liturgia de los cristianos. Ellos nos ayudan a rezar y profundizan nuestra relación con Dios.

Los salmos se encuentran en la Liturgia de las Horas, parte de la oración oficial de la Iglesia y en otros libros de oración. Los salmos se encuentran en los misales o libros de canciones usados por la iglesia, y son rezados o cantados durante la celebración de la misa.

Hay muchas clases de salmos.
- *Salmos reales* fueron compuestos para celebrar varias ocasiones durante el dominio de un rey.

- *Himnos alabando a Dios y a Sión* estan centrados en el poder de Dios o en la gloria de Sión.

- *Lamentaciones* expresan tristeza, dolor o pesadumbre.
- *Poemas de sabiduría* enseñan mas que estimulan a rezar.

El Cantar de los cantares es otro libro importante del Antiguo Testamento. Es una colección de poemas de amor. En este libro, el Señor es un amante y los israelitas sus amores y la alianza entre ellos es descrita como un matrimonio. El Cantar de los cantares contiene los más hermosos de los poemas de amor jamás escritos.

¿Cuáles son algunos salmos que conoces?

_____

_____

RESPONDEMOS

🎵 **Salmo 121: Qué alegría**

Qué alegría cuando me dijeron: "Vamos a la casa del Señor".

Qué alegría cuando me dijeron: "Vamos a la casa del Señor". Y ahora en tus portales entramos ya, Jerusalén, entramos ya, Jerusalén.

Vocabulario

sabiduría (pp 350)
salmo (pp 350)

The psalms teach us how to pray.

Many scholars believe that several sections of the Bible were completed, or at least begun, during the reigns of David and Solomon. The most important of these writings are the Book of Psalms and the Song of Songs.

The Book of Psalms, also known as the Psalter, is the great collection of Hebrew religious songs. A psalm is a poetic prayer designed to be sung or chanted. David is thought to have written many of the psalms. That would make sense because we know that David was a poet and a musician. Other psalms may have been composed by Solomon. And still others were written many centuries later.

As a Jew, Jesus prayed the psalms often. Today the psalms are still prayed by the Jewish People, and the psalms are also an important part of the liturgical life of all Christians. They help us to pray and to deepen our relationship with God.

The psalms are found in the Liturgy of the Hours, part of the official prayer of the Church, and in other prayer books. Psalms are found in the missals or song books that we use in church, and are prayed and sung during the celebration of Mass.

There are many kinds of psalms.
• *Royal Psalms* were composed to celebrate various occasions in the reign of a king.
• *Hymns praising God and Zion* focus on God's power or on the glory of Zion.
• *Laments* express sorrow, mourning, or regret.
• *Wisdom poems* teach rather than encourage prayer.

The Song of Songs is another important Old Testament book. It is a collection of love poems. In the Song of Songs, the Lord is the one who loves, the Israelites are his beloved, and the covenant between them is described as their marriage. The Song of Songs contains some of the most beautiful love poems ever written.

 What are some psalms that you know?

_____

_____

WE RESPOND

 Psalm 121: Qué Alegría/I Rejoiced

Refrain:
I rejoiced when I heard them say,
"Let us go to the house of the Lord.
Let us go to the house of the Lord."

I rejoiced when they said to me,
"We will go to the house of the Lord."
And now inside your gates we stand,
   Jerusalem,
we stand, Jerusalem. (Refrain)

Key Words

wisdom (p. 352)
psalm (p. 352)

HACIENDO DISCÍPULOS

Muestra lo que sabes

Escribe las letras usando los pares ordenados que se muestran. Encontrarás las palabras del *Vocabulario*. Escribe una oración con cada una.

✳	S	A	L
♥	D	U	R
❄	M	O	I
◆	K	E	B

★ ◎ ✖

1. ___ ___ ___ ___ ___ ___ ___ ___ ___
(★,✳) (◎,✳) (✖,◆) (✖,❄) (★,♥) (◎,♥) (✖,♥) (✖,❄) (◎,✳)

2. ___ ___ ___ ___ ___
(★,✳) (◎,✳) (✖,✳) (★,❄) (◎,❄)

Escritura

David dio la siguiente instrucción a su hijo Salomón:

"Yo voy a morir; ten ánimo y compórtate como un hombre. Sé fiel al Señor, tu Dios, y camina por sus sendas; cumple sus mandamientos, dictámenes, preceptos y normas, como está escrito en la ley de Moisés, para que triunfes en todo lo que emprendas".
(1 Reyes 2:2–3)

• ¿Qué quiso decir David cuando le dijo a Salomón, "Yo voy a morir"?

_____

• Subraya la frase que describe lo que le pasaría a Salomón si sigue a Dios y sus leyes.

Datos

Setenta y tres de los ciento cincuenta salmos en el libro de los salmos se atribuyen a David. Como era un talentoso músico incluía instrumentos musicales con los salmos que escribía, "instrumentos de cuerda, de viento, flauta y lira". Los salmos de David tienen muchos temas incluyendo alabanza, acción de gracias y tristeza.

Show What *you* Know

Write the letters found by using the ordered pairs shown.
You will find the Key Words. Write a sentence for each.

✳	P	A	L
♥	D	S	M
❄	W	O	I

★　◎　✖

1. ___ ___ ___ ___ ___ ___
(★,✳) (✖,✳) (◎,♥) (★,♥) (◎,✳) (✖,♥)

_____

2. ___ ___ ___ ___ ___
(★,❄) (◎,♥) (◎,❄) (✖,✳) (✖,♥)

_____

What's *the* Word?

David gave the following instructions to his son Solomon:

"I am going the way of all mankind. Take courage and be a man. Keep the mandate of the LORD, your God, following his ways and observing his statutes, commands, ordinances, and decrees as they are written in the law of Moses, that you may succeed in whatever you do, wherever you turn" (1 Kings 2:2–3).

• What does David mean when he tells Solomon, "I am going the way of all mankind"?

_____

• Underline the phrase that describes what will happen to Solomon if he follows God and his ways.

Seventy-three of the one hundred fifty psalms in the Book of Psalms are attributed to David. As a talented musician, he included musical instructions with the psalms he wrote, such as "with stringed instruments," "with wind instruments" "for flute accompaniment," or "upon an eight-string lyre." David's psalms have many themes, including praise, thanksgiving, and sorrow.

King David as psalmist; illuminated manuscript, France, 13th century

HACIENDO DISCIPULOS

✛ Reza

Toda iglesia es una casa de oración y un lugar santo. Mostramos nuestra reverencia por ese lugar sagrado de muchas formas. Apreciamos el trabajo del arquitecto que diseñó el edificio de la iglesia. Admiramos el trabajo de los artistas que contribuyeron a su belleza. Damos gracias a Dios por todas las personas que se sacrificaron en el pasado para construir esta casa de oración. Estamos agradecidos por los que cuidan del interior de la iglesia, las vestimentas y los vasos del altar.

➥ **RETO PARA EL DISCIPULO** Escribe una oración de acción de gracias por esas personas.

_____

_____

_____

_____

_____

Celebra

Esta semana en la misa, o en la celebración de otros sacramentos, pon especial atención cuando se canten los salmos Canta con el coro y deja que la presencia de Dios entre en tu corazón.

Tarea

Conversa sobre el significado de la palabra sabiduría con tu familia. Sabiduría es un don de Dios y nos permite vivir una vida buena y ser fiel a Dios.

Invita a tu familia a compartir historias o experiencias en la que los miembros de la familia han pedido sabiduría a Dios.

164

Pray
Learn
Celebrate
Share
Choose
Live

PROJECT DISCIPLE

Pray Today

Every church building is a house of prayer and a holy place. We show our reverence for this sacred space in many ways. We appreciate the work of the architect who planned this church building. We admire the work of the artists and craftspeople who contributed to its beauty. We thank God for all the people who sacrificed in the past to build this house of prayer. We are grateful for those who take care of the interior of the church, the vestments, and altar vessels.

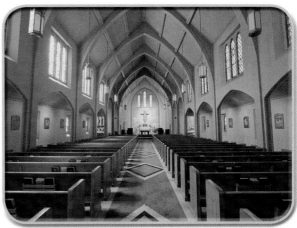

↳ **DISCIPLE CHALLENGE** Write a prayer to thank God for all of these people.

_____

_____

_____

_____

_____

Celebrate!

This week at Mass, or the celebration of other sacraments, pay particular attention when psalms are sung. Sing along, and let the presence of God truly enter your heart.

Take Home

Talk about the word *wisdom* with your family. Wisdom is a gift from God, and it enables us to live a good life and to be faithful to God.

Invite your family to share stories or experiences in which people, including your family members, asked God for wisdom.

165

Catequesis en el hogar

Capítulo 12 (páginas 152–165)

Un pueblo próspero

En este capítulo su niño(a) aprenderá sobre el reino del rey Salomón.

Para los padres

David y Salomón son los dos reyes más famosos de Israel. David sucedió al rey Saúl. Con la ayuda de Dios llegó a tener muchas victorias, expandió las fronteras de Israel y unificó a la nación. Pero David cometió un pecado contra Dios. Pero se arrepintió y Dios lo perdonó.

Todos los días

- Juntos recen la Señal de la Cruz y una oración de acción de gracias.

Primer día **El reinado de Salomón fue un tiempo de paz y prosperidad.**

- Junto con su niño(a) lea en voz alta el enunciado y el texto que sigue. Luego, pídale a su niño(a) que nombre las cosas que muestran la prosperidad del reino de Salomón.

- Enfatice que el proyecto más importante durante el reinado de Salomón fue la construcción del Templo de Jerusalén.

Segundo día **Salomón fue famoso por su sabiduría.**

- Regrese con su niño(a) al capítulo 8 y miren la línea de tiempo. Encuentren el reinado de Salomón y la construcción del Templo.

- Lea en voz alta el enunciado y el texto. Enfatice que, debido a que Salomón oró para que Dios lo guiara, Dios le concedió

sabiduría. Anime a su niño(a) a pedirle a Dios que le dé sabiduría.

Tercer día **El Templo fue construido en Jerusalén.**

- Pida a su niño(a) que mire las fotos a medida que lee en voz alta la descripción del Templo. Enfatice que el Templo era el centro de adoración, que se creía que Dios residía de forma invisible en el Arca de la Alianza, que se ofrecían sacrificios en el altar mayor y que el Templo fue el mayor logro de Salomón.

- Recuerde a su niño(a) que Salomón construyó el Templo para mostrar el amor de Dios y la fidelidad a la alianza y para que fuera el centro de la adoración.

Cuarto día **Los salmos nos enseñan cómo rezar.**

- Lea en voz alta el enunciado y los primeros párrafos. Luego pídale a su niño(a) que lea en voz alta la descripción de cada clase de canción y juntos lean en voz alta los versos.

- Señale que como judío, Jesús oró los Salmos, al igual que lo hacemos nosotros y como lo hacen hoy los judíos. Oramos los Salmos en la misa, en la Liturgia de las Horas y en nuestras devociones privadas. Lea en voz alta el texto sobre el Cantar de los Cantares.

Respondemos en fe

Quinto día

- Ayude a su hijo (a) a identificar situaciones en que las personas piden sabiduría a Dios.

Sexto día

- En familia conversen sobre cómo cultivar la sabiduría.

Chapter 12 (pages 152–165)

A Prosperous People

In this chapter your child will learn about the reign of King Solomon.

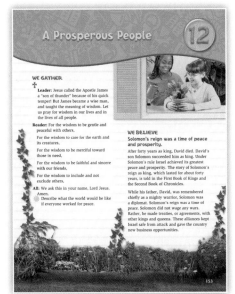

For the Parents

David and Solomon are the two most famous kings of Israel. David succeeded King Saul. With God's help he won many victories, expanded the borders of Israel, and unified the nation. But David sinned against God and God forgave him.

Every Day

• Pray the Sign of the Cross, and offer a short prayer asking God to bless your time together.

Day One **Solomon's reign was a time of peace and prosperity.**

• With your child read aloud the *We Believe* statement and the text that follows. Then ask your child to name the things that show the prosperity of Solomon's reign.

• Emphasize that the most important building project during the reign of Solomon was the construction of the Temple in Jerusalem.

Day Two **Solomon gained fame for his wisdom.**

• With your child look back at the time line in Chapter 8 of the text. Find Solomon's reign and the building of the Temple

• Read aloud the statement. Emphasize that because Solomon prayed humbly for guidance, God granted him wisdom. Discuss the meaning of the word *wisdom*.

Day Three **The Temple was built in Jerusalem.**

• Ask your child to look at the pictures as you read aloud the description of the Temple. Emphasize that the Temple was the center of worship, that God was believed to reside invisibly in the ark of the covenant, that sacrifices were offered on the great altar, and that the Temple was Solomon's greatest achievement.

• Recall to your child that Solomon built the Temple to show love for God and faithfulness to the covenant and to provide a central place for worship.

Day Four **The psalms teach us how to pray.**

• Read aloud the statement and the opening paragraphs. Then have your child read aloud the description of each type of psalm, and together read aloud the verses.

• Point out that as a Jew Jesus prayed the psalms, just as we do and as Jews do today. We pray the psalms at Mass, in the Liturgy of the Hours, and in our private devotions. Read aloud the text about the Song of Songs.

We Respond in Faith

Day Five

• Help your child identify situations in which people call on God for wisdom.

Day Six

• Talk as a family about ways to cultivate wisdom.

Adviento

Durante el Adviento, la Iglesia se prepara para celebrar la Navidad.

NOS CONGREGAMOS

✝ *Jesús, tráenos paz mientras nos preparamos para celebrar tu nacimiento.*

¿Qué significa para ti la palabra *paz*? ¿Cómo describirías la paz en el mundo? ¿En tu vecindario? ¿En tu escuela?

CREEMOS

El Tiempo de Adviento es tiempo de espera y esperanza. Nos preparamos, celebramos y anticipamos la venida de Cristo al mundo.

La palabra *adviento* significa "venida" y las cuatro semanas de Adviento son un tiempo especial de gozo y espera.

- Esperamos la venida futura de Cristo y nos preparamos para ser fieles a él y vivir en paz con los demás.

- Celebramos la presencia de Cristo en el mundo hoy. Jesús viene a nosotros todos los días en la celebración de la Eucaristía, en todos lo sacramentos y en el amor que nos tenemos. Su presencia nos da esperanza y nos fortalece para hacer de este un mundo más unido y pacífico.

- Esperamos con gozo para celebrar que el Hijo único de Dios primero vino al mundo hace dos mil años en Belén de Judá.

El color violeta es símbolo de espera gozosa. Nos recuerda también la necesidad de hacer penitencia. Durante el Adviento celebrar el sacramento de la Reconciliación es una manera importante de prepararnos para la venida de Cristo.

El profeta Isaías La voz poderosa de Isaías se escucha en muchas de nuestras lecturas durante el Tiempo de Adviento. Isaías expresa la espera del pueblo de Dios por el Salvador que Dios les había prometido. Isaías les asegura que el Mesías será del pueblo de Dios y que llamará al pueblo a escoger la paz, no la guerra. Los israelitas creían que el Mesías sería un rey como cualquier otro que les traería libertad y paz.

"Habitará el lobo junto al cordero,
la pantera se echará junto al cabrito,
el ternero y el leoncillo comerán juntos
y un niño pequeño cuidará de ellos".

Isaías 11:6

Advent

Advent | Christmas | Ordinary Time | Lent | Triduum | Easter | Ordinary Time

During Advent, the Church prepares for the celebration of Christmas.

WE GATHER

✝ *Jesus, bring us peace as we prepare to celebrate your birth.*

What does the word *peace* mean to you? How would you describe peace in the world? in your neighborhood? in your school?

WE BELIEVE

The season of Advent is a time of waiting and expectation. We are preparing, celebrating, and anticipating the coming of Christ into the world.

The word *Advent* means "coming," and the four weeks of Advent are a special time of joyous anticipation and preparation.

- We hope for Christ's coming in the future, and we prepare by being faithful to him and living in peace with one another.

- We celebrate Christ's presence in the world today. Jesus comes to us every day in the celebration of the Eucharist, in all the sacraments, and in the love we have for one another. His presence gives us hope and strengthens us to make the world a more just, peaceful place.

- We wait with joyful expectation to celebrate that the only Son of God first came into the world over two thousand years ago in the town of Bethlehem in Judea.

The color violet is a symbol of this waiting and joyful expectation. It also reminds us of the need for penance. During Advent the celebration of the Sacrament of Penance and Reconciliation is an important way to prepare for the coming of Christ.

The Prophet Isaiah The powerful voice of Isaiah the prophet rings out in many of our readings during the season of Advent. Isaiah expresses the longings of God's people as they wait for the Savior God has promised to send. Isaiah assures them that the Messiah will come from among God's own people and that he will call the people to choose peace, not war. The Israelites believe that the Messiah will be a just king who will bring them freedom and peace.

"Then the wolf shall be the guest of the lamb,
and the leopard shall lie down with the kid;
The calf and the young lion shall browse together,
with a little child to guide them."

(Isaiah 11:6)

167

Durante el Adviento y la Navidad escuchamos el título Emanuel. Este nombre también lo encontramos en las lecturas de Isaías, donde leemos sobre Emanuel, palabra hebrea que significa "Dios con nosotros". Isaías usa esta palabra como el nombre del salvador, y la describe de esta forma:

"Porque un niño nos ha nacido, un hijo se nos ha dado. Sobre sus hombros descansa el poder, y su nombre es: 'Consejero prudente, Dios fuerte, Padre eterno, Príncipe de la Paz" (Isaías 9:5).

El Mesías del cual habla Isaías tendrá autoridad. El será sabio y prudente. El actuará como un soldado y defenderá al pueblo, como si fuera Dios mismo. Su reino será de paz.

Los cristianos creemos que el salvador prometido por Dios por medio del profeta Isaías, ya vino. Creemos que Jesucristo es el Mesías. El es nuestro Emanuel. El es el niño, hijo, que se hizo uno de nosotros. El cumplió la promesa de Dios. El nos trae un mensaje de amor y respeto para todos y nos muestra como hacer lo mismo.

Isaías usó imágenes para decir al pueblo que el Salvador vendría y le pediría convertir la violencia en paz. Algunas de esas imágenes son el lobo invitado por el cordero, una vaca y un oso de vecinos, un león comiendo heno como un toro y un bebé protegido, jugando al lado de la madriguera de una cobra. En grupo hagan una lista de las imágenes que Isaías pudiera usar si viviera hoy para llevar el mismo mensaje. Después ilustra una.

Juan el Bautista   En las primeras semanas de Adviento escuchamos las palabras de Juan el Bautista, llamado con frecuencia el profeta del Nuevo Testamento. Los escritores de los cuatro Evangelios describen a Juan con palabras del profeta Isaías.

"Voz del que grita en el desierto: ¡Preparen el camino al Señor; nivelen sus senderos!" (Marcos 1:3)

Juan cumple las palabras de Isaías. Él prepara al pueblo para la venida del Mesías. Él predica un mensaje de arrepentimiento y conversión. Señala que Jesús es el Mesías. El gozo más grande de Juan es proclamar que Jesús es el Mesías, el tan esperado Salvador: "Éste es el Cordero de Dios, que quita el pecado del mundo" (Juan 1:29).

Rezamos estas palabras de Juan el Bautista en cada Eucaristía, antes de recibir el Cuerpo y la Sangre de Cristo en la Comunión. Jesús, el Salvador del mundo, ya no es una esperanza. Él es verdaderamente "Emanuel", verdaderamente Dios con nosotros.

El árbol Isaí es una forma simbólica de presentar la historia del amor de Dios y la acción en la vida de su pueblo a través del tiempo. El nombre se encuentra en la Escritura:

"Saldrá un brote del tronco de Jesé, un retoño brotará de sus raíces" (Isaías 11:1).

El árbol de Isaí es un forma de conectar los tiempos de Adviento con la fidelidad de Dios a su pueblo por más de cuatro mil años. Dios promete a Israel que la gloria que tuvo durante el reinado de David volverá. Habrá otro rey de la familia de David. Jesús era de "la casa y la familia de David". El árbol Isaí es como un árbol genealógico que muestra a los antepasados de Jesús.

During Advent and Christmas we hear the title Emmanuel. This, too, comes from the prophet Isaiah. In the Book of Isaiah we read of *Immanuel,* which is a Hebrew word meaning "With us is God." Isaiah used this word as a name for the Savior, and he described Immanuel this way:

"For a child is born to us, a son is given us;
  upon his shoulder dominion rests.
They name him Wonder-Counselor,
    God-Hero,
  Father-Forever, Prince of Peace" (Isaiah 9:5).

The Messiah Isaiah speaks of will have authority. He will be wise and prudent. He will act as a warrior and defender of the people, like God himself. And his kingdom will be one of peace.

Christians believe that the Savior, promised by God through his prophet Isaiah, has already come. We believe that Jesus Christ is the Messiah. He is our Emmanuel. He is the child and son born to us. Jesus Christ is God the Son who became one of us. He fulfills God's promises. He brings a message of love and respect for all of us, and he shows us how to do the same.

Isaiah used images to tell the people that the Savior would come and call them to turn violence into peace. Some of those images are of a wolf as a guest of a lamb, a cow and a bear as neighbors, a lion eating hay like an ox, and a baby playing in safety by a cobra's den. In groups work to list some images that Isaiah might use today to get across this same message. Then illustrate one image.

John the Baptist   In the early weeks of Advent we hear the words of John the Baptist, often called a New Testament prophet. The writers of all four Gospels describe John with words from the Prophet Isaiah.

"A voice of one crying out in
    the desert:
  'Prepare the way of the Lord,
    make straight his paths'" (Mark 1:3).

John fulfills the words of Isaiah. He prepares the people for the coming of the Messiah. He preaches a message of repentance and conversion. He points out Jesus as the Messiah. John's greatest joy is proclaiming that Jesus is the Messiah, the hoped-for Savior: "Behold, the Lamb of God, who takes away the sin of the world" (John 1:29).

We pray these words of John the Baptist at every Eucharist, before we receive the Body and Blood of Christ in Holy Communion. Jesus, the Savior of the world, is no longer a hope. He is truly "Emmanuel," truly God with us.

The Jesse Tree   The Jesse Tree is a symbolic way of presenting the story of God's love and action in the lives of his people throughout the centuries. The name comes from Scripture:

"But a shoot shall sprout from the
    stump of Jesse,
  and from his roots a bud shall
    blossom" (Isaiah 11:1).

The Jesse Tree is a way to connect the season of Advent to God's faithfulness to his people for over four thousand years. God promises Israel that the glory they had during King David's rule will be theirs again. There will be another king from David's family. Jesus was "of the house and family of David." The Jesse Tree is like a family tree that shows Jesus' ancestry.

Tradicionalmente un ornamento simbólico, para cada día de adviento, se coloca en el árbol. También se coloca uno para el día de Navidad. El cuadro que se presenta aquí tiene una lista de los nombres de algunas personas y eventos que son parte de nuestra historia de salvación.

RESPONDEMOS

¿Cómo nos preparamos durante el Adviento para recordar los temas y eventos en el árbol de Isaí?

Investiga más sobre las personas y eventos representados en el árbol Isaí.

El árbol Isaí

Persona	símbolo ornamental
Abraham	campo de estrellas
Moisés	zarza ardiendo
Samuel	corona
David	arpa o bastón
Isaías	lenguas de fuego con carbón caliente
Juan Bautista	caracol
María	lirio blanco
Isabel (madre de Juan Bautista)	madre y bebé
José	martillo o cuadrante

✝ Respondemos en oración

Líder: Nuestra ayuda viene de Dios.

Todos: Quien hizo el cielo y la tierra.

Líder: En los cortos días y noches largas de Adviento, nos damos cuenta que estamos siempre esperando que Dios nos libere.

Lector: Lectura del libro del Profeta Jeremías.

"Vienen días, oráculo del Señor, en que yo cumpliré la promesa que hice a los habitantes de Israel y de Judá. Entonces, en aquellos días, suscitaré a David un retoño legítimo, que practicará el derecho y la justicia en la tierra".
(Jeremías 33:14–15)

Palabra de Dios.

Todos: Te alabamos, Señor.

Líder: Señor, nuestro Dios.
Te alabamos por tu Hijo, Jesucristo. Él es Emanuel, la esperanza de los pueblos, él es la sabiduría que nos enseña y guía, él es el Salvador de todas las naciones. Ven, Señor Jesús.

Todos: Ven Señor, no tardes.

🎵 Cristianos venid (tradicional)

Cristianos, venid, cristianos, llegad,
y adorad al niño que
ha nacido ya,
y adorad al niño que ha
nacido ya.

Qué noche tan clara, qué clara que
está; un sol de los cielos brilla
en un portal.
El verbo humanado nos viene a salvar;
venid confiados, humildes, llegad.

THE JESSE TREE

People	Symbolic Ornament
Abraham	Field of stars
Moses	Burning bush
Samuel	Crown
David	Shepherd's crook
Isaiah	Fire tongs with hot coal
John the Baptist	Scallop shell
Mary	White lily
Elizabeth (mother of John the Baptist)	Mother and child
Joseph	Carpenter's square or hammer

Traditionally a different symbolic ornament is placed on the Jesse Tree for each of the days of Advent. There is also one for Christmas Day. The chart here lists some people that are part of the history of our salvation.

WE RESPOND

How does our preparation during Advent help us to remember these themes and events on the Jesse Tree?

Research to find more people and events represented on the Jesse Tree.

✝ We Respond in Prayer

Leader: Our help is in the name of the Lord.

All: Who made heaven and earth.

Leader: In the short days and long nights of Advent, we realize how we are always waiting for deliverance from our God.

Reader: A reading from the Book of the Prophet Jeremiah

"The days are coming, says the LORD, when I will fulfill the promise I made to the house of Israel and Judah. In those days, in that time, I will raise up for David a just shoot; he shall do what is right and just in the land." (Jeremiah 33:14–15)

The word of the Lord.

All: Thanks be to God.

Leader: Lord our God,
we praise you for your Son, Jesus Christ:
he is Emmanuel, the hope of the peoples,
he is the wisdom that teaches and guides us, he is the Savior of every nation.
Come, Lord Jesus.

All: Come quickly and do not delay.

🎵 Prepare the Way

Echo each line
Prepare the way for the coming of God!
Make a straight path for the coming of God!
Ev'ry valley will be filled in,
all hills and mountains will be made low;
crooked roads will be straightened out,
all the rough land will be made smooth.
And all the people on the earth
shall see the saving pow'r of God.

HACIENDO DISCIPULOS

 Celebra Completa la oración sobre el tiempo.

1. La palabra *Adviento* significa "_____".

2. El color _____ es un símbolo de espera y de gozo. También nos recuerda que necesitamos hacer _____.

3. Hay _____ semanas en el tiempo de Adviento.

4. Durante el tiempo de Adviento y Navidad escuchamos el título _____. Que quiere decir en hebreo "Dios con nosotros".

5. El _____ es una forma simbólica de presentar a los antepasados de Jesús y el pueblo y los eventos que son parte de la historia de nuestra salvación.

Haz lo

Esta semana invita _____ a
(nombre)
participar en la celebración del sacramento de la Reconciliación contigo.

Realidad

Haz una lista de las cosas que harás durante el Adviento para promover la paz.

Primera semana _____

Segunda semana _____

Tercera semana _____

Cuarta semana _____

Tarea

Anima a tu familia a prepararse para el Adviento haciendo buenas obras y rezando. Participando en las organizaciones de la parroquia que ofrecen materiales, ayuda u oración por los militares en el mundo. Si no hay esos programas en tu parroquia puedes junto con tu familia organizar uno.

Grade 6 • Advent

PROJECT DISCIPLE

Celebrate! Complete the sentences about the season.

1. The word *Advent* means "_____."

2. The color _____ is a symbol of waiting and joyful expectation. It also reminds us of the need for _____.

3. There are _____ weeks in the season of Advent.

4. During Advent and Christmas, we hear the title _____, which is a Hebrew word meaning, "With us is God."

5. The _____ is a symbolic way of presenting Jesus' ancestry and the people and events that are part of the history of our salvation.

Make it Happen

This week, invite _____ to
(name)
participate in the celebration of the Sacrament of Penance and Reconciliation with you.

Reality Check

Make a list of actions that you will do during Advent to promote peacemaking.

Week 1 _____

Week 2 _____

Week 3 _____

Week 4 _____

_____

Take Home

Encourage your family to prepare for Advent through good works and prayer. Participate in parish organizations that help to provide supplies, support, or prayer chains for our servicemen and women serving throughout the world. If there is no such program in your parish, you and your family might want to organize one!

Capítulo 13 (páginas 166–173)

Adviento

En este capítulo su niño(a) aprenderá que durante Adviento la Iglesia se prepara para la celebración de la Navidad.

Para los padres

Durante las cuatro semanas de Adviento, la Iglesia escucha las voces proféticas de Isaías y Juan el Bautista en su llamado al arrepentimiento, reconciliación y paz. La Iglesia escucha el llamado: "Alégrense siempre en el Señor, repito ¡Alégrense! Que todos los conozcan a ustedes como personas bondadosas. El Señor está cerca" (Filipenses 4:4–5).

Todos los días

• Juntos recen la Señal de la Cruz y la siguiente oración: *Ven, Señor Jesús. Amén.*

Primer día **Adviento es tiempo de espera.**

• Conversen sobre el significado de la palabra *adviento*.

• Juntos lean en voz alta el versículo al final de la página 182 y conversen sobre las preguntas en "Nos congregamos".

Segundo día **Adviento es tiempo de preparación.**

• Lea en voz alta el enunciado. Túrnense para leer el texto hasta el título "El profeta Isaías".

• Conversen sobre el simbolismo del color violeta.

Tercer día **Durante el Adviento la Iglesia se prepara para la celebración de la Navidad.**

• Invite a su hijo(a) a nombrar las acciones de Adviento que nos preparan para la Navidad. Pídale que lea en voz alta el texto del profeta Isaías. Comente acerca de las imágenes que Isaías usó para describir al Mesías.

Cuarto día **Durante el Adviento, la Iglesia se prepara para la celebración de la Navidad. (Continuación)**

• Lea en voz alta el texto sobre san Juan Bautista hasta la sección "El árbol de Jesé". Luego invite a su niño(a) a que le explique por qué llamamos a Juan un profeta del Nuevo Testamento.

• Ponga énfasis en que Jesús es el Hijo de Dios, el Salvador que cumple las promesas de Dios. Señale que Juan el Bautista anuncia que Jesús es el Mesías. Tanto Juan el Bautista como Isaías nos llaman al arrepentimiento, la conversión y la paz para preparar el camino del Señor.

Respondemos en fe

Quinto día

• Comente sobre las personas, temas y símbolos enumerados para cada semana de Adviento y de la Nochebuena y Navidad.

Sexto día

• Este año en familia hagan una lista de cosas que creen que el pueblo de Dios está esperando hoy.

Chapter 13 (pages 166–173)

Advent

In this chapter your child will learn that during Advent the Church prepares for the celebration of Christmas.

For the Parents

During the four weeks of Advent, the Church heeds the prophetic voices of Isaiah and John the Baptist calling for repentance, reconciliation, and peace. The Church heeds the call to "Rejoice in the Lord always. I shall say it again: rejoice! Your kindness should be known to all. The Lord is near" (Philippians 4:4–5).

Every Day

- Pray the Sign of the Cross, and offer this prayer: *"Come Lord Jesus". Amen.*

Day One Advent time of waiting.

- Talk with your child about the meaning of the word *advent*.

- Together read aloud the verse at the end of page 183. Talk about the questions under "We Gather".

Day Two Advent is time of preparation.

- Read aloud the *We Believe* statement. Then take turns with your child reading the text up to the heading "The Prophet Isaiah."

- Discuss the symbolism of the color violet.

Day Three During Advent, the Church prepares for the celebration of Christmas.

- Invite your child to name the Advent actions that prepare us for Christmas. Ask your child to read aloud the text about the prophet Isaiah. Then talk about the images Isaiah used to describe the Messiah.

Day Four During Advent, the Church prepares for the celebration of Christmas. (Continued)

- Read aloud the text about Saint John the Baptist, and invite your child to explain why we call John a New Testament prophet.

- Emphasize that Jesus is God the Son, the savior who fulfills God's promises. Point out that John the Baptist announces that Jesus is the Messiah. Both John the Baptist and Isaiah call us to repentance, conversion, and peacemaking to prepare the way of the Lord.

We Respond in Faith

Day Five

- Talk about the people, themes, and symbols listed for each week of Advent and for Christmas Eve and Christmas Day.

Day Six

- This year, as a family, make a list of things you believe God's people are waiting for today.

Navidad

La Navidad es un tiempo para celebrar la encarnación.

NOS CONGREGAMOS

✝ *Señor, te damos gracias por tu constante presencia.*

¿Cómo muestras a otros que sabes que están en tu casa? ¿En tu escuela? ¿En tu parroquia? ¿En tu vida?

CREEMOS

Lo que celebramos el día de Navidad, y durante todo el tiempo de Navidad, es un maravilloso regalo de Emanuel, Dios con nosotros. Celebramos que Dios está con nosotros hoy y siempre.

El tiempo de Navidad es tiempo de regocijo en la encarnación, la verdad de que el Hijo de Dios se hizo hombre. Celebramos la presencia de Cristo entre nosotros ahora, como hace dos mil años con su primera venida al mundo. Recordamos que Dios amó tanto al mundo que envió a su único Hijo para salvarnos.

El Tiempo de Navidad empieza el 25 de diciembre y termina con la fiesta del Bautismo del Señor. Esta fiesta generalmente se celebra en la segunda semana de enero. Durante la

Navidad tenemos varias fiestas que nos ayudan a celebrar la venida del Hijo de Dios al mundo y su presencia con nosotros todos los días. He aquí algunas de ellas:

San Esteban   El 26 de diciembre celebramos a San Esteban, el primer mártir de la fe. Leemos sobre su vida en el Nuevo Testamento en Hechos de los apóstoles. El predicó la buena nueva de Cristo, el Hijo de Dios y Salvador. Esteban predicó en Jerusalén y muchas personas creyeron y se bautizaron. Esto enojó a los líderes de Jerusalén. Ellos sacaron a Esteban de la ciudad y lo mataron. Él murió rezando por los que le quitaron la vida. La fe de Esteban en Jesús, así como su amor por sus enemigos, es un ejemplo para nosotros.

"Tu Palabra omnipotente Señor, descendió de los cielos desde tu trono real".

(Ritos Iniciales, II domingo después de Navidad, Misal Romano)

Christmas

Advent | Christmas | Ordinary Time | Lent | Triduum | Easter | Ordinary Time

The season of Christmas is a time to celebrate the Incarnation.

WE GATHER

✝ *Lord, we thank you for your constant presence.*

How do you show others that you know they are present in your home? in your school? in your parish? in your life?

WE BELIEVE

What we celebrate on Christmas Day, and during the entire Christmas season, is the wonderful gift of Emmanuel, God-with-us. We celebrate that God is with us today and always.

The season of Christmas is a time to rejoice in the Incarnation, the truth that the Son of God became man. We celebrate Christ's presence among us now as well as his first coming into the world over two thousand years ago. We recall that God so loved the world that he sent his only Son to be our Savior.

The Christmas season begins on December 25 and ends with the Feast of the Baptism of the Lord. This feast is usually celebrated around the second week of January. During the Christmas season we have several feasts that help us to celebrate the Son of God's coming into the world and his presence with us today. Here are a few of them.

Saint Stephen On December 26 we remember Saint Stephen, the first martyr for the faith. We read about Stephen's life in the New Testament in the Acts of the Apostles. He spread the Good News of Christ, the Son of God and Savior. Stephen preached in Jerusalem, and many people came to believe and were baptized. This angered the leaders in Jerusalem. They had Stephen taken out of the city and killed. He died praying for those who were about to take his life. Stephen's belief in Jesus, as well as his love for his enemies, is an example for all of us.

> "Come, you nations, and adore the Lord. Today a great light has come upon the earth."
> Introductory Rites, Monday after Second Sunday after Christmas

San Juan El 27 de diciembre recordamos a San Juan, uno de los apóstoles de Cristo. A Juan se le acredita la escritura de uno de los Evangelios. Su Evangelio narra la vida y ministerio de Jesús desde el punto de vista de un amigo y discípulo. Juan proclamó que en el Hijo de Dios la Palabra se hizo carne para nuestra salvación. Durante la Navidad nos regocijamos de que la Palabra está entre nosotros, hoy y siempre. "La Palabra entre nosotros" y "la Palabra hecha carne" son títulos para Cristo, pero lo más importante es que ellos explican la encarnación. La palabra *encarnación* quiere decir "hecho carne".

Santos inocentes El 28 de diciembre recordamos a los niños, llamados santos inocentes, asesinados por Herodes cuando nació Jesús.

Los reyes magos que vinieron del Este le dijeron al rey Herodes que le había nacido un rey a los judíos. Ellos habían viajado para ver a ese niño. Ellos encontraron al niño Jesús, lo adoraron y le ofrecieron regalos.

Herodes, con miedo de perder su poder, quiso matar al rey recién nacido. Para estar seguro de ello ordenó a sus soldados matar a todos los niños, menores de dos años de edad, en Belén y áreas vecinas. Pero un ángel del Señor le había avisado a José para que se marchara a Egipto con el bebé y María. Así se salvó Jesús.

La Sagrada Familia El domingo después de Navidad, honramos a Jesús, María y José, la Sagrada Familia.

El domingo de la celebración de la Sagrada Familia rezamos por nuestras familias, y escuchamos lecturas en la misa que nos alientan a amar y obedecer nuestra propia vida familiar. La Iglesia enseña que nuestras familias deben aprender a ser como la Sagrada Familia y amarse y respetarse unos a otros. Todos los miembros, con su forma de vivir, contribuyen a la santidad de la familia.

María, la Madre de Dios. Celebramos a María el 1 de enero. Decimos: "Ave María, tu hijo es el rey del cielo y la tierra". Celebramos el papel de María en la historia de la acción salvadora de Dios. Jesús es verdaderamente humano y divino. Él es el Hijo de Dios, la segunda Persona de la Santísima Trinidad que se hizo hombre. María es la madre de Dios. El amor de María por su hijo se extiende a la Iglesia. Honramos a María como madre de la Iglesia.

Epifanía El domingo entre el 2 de enero y el 8 enero celebramos la Epifanía. Celebramos que Dios Padre se reveló en su Hijo a todas las naciones. En ese día celebramos la epifanía de Jesús o que Jesús se muestra al mundo. Escuchamos en el Evangelio de Mateo que cuando Jesús nació en Belén los magos, hombres sabios, vinieron del Este a buscarlo. Llegaron a Jerusalén preguntando: "¿Dónde está el rey de los judíos que acaba de nacer? Hemos visto su estrella en el oriente y venimos a adorarlo a adorarlo" (Mateo 2:2).

Durante el tiempo de Jesús muchas personas creían que una nueva estrella aparecía en el cielo cuando nacía un rey. Los magos vieron esta estrella desde tierras muy lejanas y vinieron a buscar al nuevo rey. Los magos no eran judíos, sino que querían honrar a Jesús con oro, incienso y mirra. El domingo de Epifanía celebramos que la venida de Jesús fue importante para todo el mundo. La buena nueva de Jesucristo es para todos.

Saint John On December 27 we remember Saint John, one of Christ's Apostles. John is credited with writing one of the four Gospels. His Gospel records the life and ministry of Jesus from his very personal view as Jesus' friend and disciple. John proclaimed that in the Son of God the Word became flesh for our salvation. During the Christmas season we rejoice that the Word is among us, today and always. "The Word among us" and "the Word made flesh" are titles for Christ, but more importantly they are explanations for the Incarnation. In fact, the word *Incarnation* means "becoming flesh."

Holy Innocents On December 28 we remember the children, called the Holy Innocents, who lost their lives near the time of Jesus' birth. The wise men, or magi, from the East told King Herod about a newborn king of the Jews. Then they traveled on to find this child. They found the child Jesus, praised him, and offered him their gifts.

Herod, afraid that he would lose his power, wanted this newborn king killed. To be sure that this would happen Herod ordered his soldiers to kill all the baby boys in Bethlehem and the surrounding areas who were under two years of age. But the angel of the Lord had appeared to Joseph and told him to flee to Egypt with the newborn Jesus and Mary. So Jesus was saved.

Feast of the Holy Family On the Sunday after Christmas, we honor Jesus, Mary, and Joseph, the Holy Family. On Holy Family Sunday we pray for our own families, and hear readings at Mass that challenge us to be loving and obedient in our own family life. The Church teaches that our families should learn to be like the Holy Family and love and respect one another. All the members contribute to the holiness of the family by the way they live.

Mary, Mother of God On January 1 we celebrate one of Mary's feasts. We say "Hail, holy Mother! The child to whom you gave birth is the King of heaven and earth for ever." We celebrate Mary's role in God's saving action in history. Jesus was truly human and truly divine. He is God the Son, the Second Person of the Blessed Trinity who became man. So Mary is the Mother of God. Mary's love for her son extends to his Church. We honor Mary as the Mother of the Church, too.

Epiphany

On the Sunday between January 2 and January 8 we celebrate the Feast of the Epiphany. We celebrate that God the Father revealed his Son to all nations. On this day we celebrate Jesus' Epiphany, or the showing of Jesus, to the whole world. We hear in the Gospel of Matthew that when Jesus was born in Bethlehem, magi, or wise men, from the east traveled to find him. They arrived in Jerusalem asking, "Where is the newborn king of the Jews? We saw his star at its rising and have come to do him homage" (Matthew 2:2).

During the time of Jesus, many people believed that a new star appeared in the sky at the birth of a new ruler. The magi saw this star from lands far away and came in search of the new king. The magi themselves were not Jewish, but they still wanted to honor Jesus with gifts of gold, frankincense, and myrrh. On Epiphany Sunday we celebrate that Jesus' coming into the world was important to the whole world. The Good News of Jesus Christ is meant for everyone.

El Bautismo del Señor   El domingo después de la Epifanía celebramos el Bautismo del Señor por Juan el Bautista en el Río Jordán. Aunque Jesús no tiene pecado, le pide a Juan que lo bautice. Juan sabe que Jesús no necesita ese bautismo con agua. Él sabe que Jesús es el Mesías. Sin embargo, Jesús lo convence de que lo bautice. Por su bautismo Jesús se identifica con todos los que luchan por cumplir la ley de Dios y los mandamientos. Jesús muestra que él entiende lo que significa ser humano.

Es después de su bautismo que se revela su divinidad. El Espíritu de Dios desciende sobre Jesús: "Este es mi Hijo amado, en quien me complazco" (Mateo 3:17).

El Tiempo de Navidad empieza con el nacimiento de Jesús y termina con su bautismo. Durante el Tiempo de Navidad, nacimiento y bautismo son conectados. Celebramos a Jesús, nuestro salvador, quien nació para nosotros en la tierra y celebramos la nueva vida nacida en nosotros por medio del sacramento del Bautismo.

RESPONDEMOS

En grupos conversen sobre formas especiales en que pueden celebrar las fiestas de Navidad este año. En grupo compartan sus ideas. Después hagan una lista de las cinco más importantes y descubran formas de compartir sus ideas con otros en el grupo.

✝ Respondemos en oración

Líder: Gloria al Padre, y al Hijo y al Espíritu Santo.

Todos: Como era en el principio, ahora y siempre, por los siglos de los siglos. Amén.

Lector: Lectura de Hechos de los apóstoles:

"Verdaderamente ahora comprendo que Dios no hace distinción de personas, sino que acepta a quien lo honra y obra rectamente sea de la nación que sea. Él envió su palabra a los hijos de Israel, anunciando la buena noticia de la paz por medio de Jesucristo, que es el Señor de todos. Ustedes están enterados de lo que ha ocurrido en el país de los judíos, comenzando por Galilea, después del bautismo predicado por Juan. Me refiero a Jesús de Nazaret, a quien Dios ungió con el poder del Espíritu Santo. Él pasó haciendo el bien y curando a los oprimidos . . . porque Dios estaba con él

(Hechos de los apóstoles 10:34–38).

Palabra de Dios.

Todos: Te alabamos, Señor.

Lado 1: "Aquí está mi siervo, a quien sostengo,

Lado 2: "Éste es mi siervo a quien sostengo, mi elegido en quien me complazco. He puesto sobre él mi espíritu, para que manifieste el derecho a las naciones". (Isaías 42:1)

🎵 Los Confines de la Tierra

Respuesta

Los confines de la tierra
han contemplado
la victoria de nuestro Dios,
la victoria de nuestro Dios.

Canten al Señor un cántico nuevo,
porque ha hecho maravillas.
Su diestra le ha dado la victoria,
su santo brazo.

Baptism of the Lord On the Sunday after Epiphany we celebrate Jesus' baptism by John the Baptist at the Jordan River. Even though Jesus is without sin, he asks John to baptize him. John knows that Jesus does not need this baptism with water. He knows that Jesus is the Messiah. Yet Jesus convinces John to baptize him. By his baptism Jesus identifies himself with all of those who struggle to follow God's Law and live by the covenant. Jesus shows that he understands what it means to be human.

And it is after Jesus' baptism that his divinity is revealed. The Spirit of God descended on Jesus, "And a voice came from the heavens, saying, 'This is my beloved Son, with whom I am well pleased'" (Matthew 3:17).

The Christmas season begins with the birth of Jesus and ends with his baptism. During the Christmas season, birth and baptism are connected for us, too. We celebrate Jesus, our Savior, born to us on earth, and we celebrate his new life born in us through the Sacrament of Baptism.

WE RESPOND

In groups brainstorm some special ways that your class can celebrate the feasts of the Christmas season. As a class share your ideas. Then make a database of the top five and find a way to share your ideas with other classes.

✝ We Respond in Prayer

Leader: Glory to the Father, and to the Son, and to the Holy Spirit:

All: as it was in the beginning, is now, and will be for ever. Amen.

Reader: A reading from the Acts of the Apostles

"In truth, I see that God shows no partiality. Rather, in every nation whoever fears him and acts uprightly is acceptable to him. You know the word [that] he sent to the Israelites as he proclaimed peace through Jesus Christ, who is Lord of all, what has happened all over Judea, beginning in Galilee after the baptism that John preached, how God anointed Jesus of Nazareth with the holy Spirit and power. He went about doing good and healing all those oppressed . . . for God was with him."

(Acts of the Apostles 10:34–38)

The word of the Lord.

All: Thanks be to God.

Side 1: "Here is my servant whom I uphold,
my chosen one with whom I am pleased,

Side 2: Upon whom I have put my spirit;
he shall bring forth justice to the nations." (Isaiah 42:1)

🎵 Psalm 98: All the Ends of the Earth

Refrain
All the ends of the earth have
seen the saving pow'r of God.
All the ends of the earth have seen
the saving power of God.

The Lord has made his salvation known:
in the sight of the nations
he has revealed his justice.
He has remembered his kindness
and his faithfulness
toward the house of Israel. (Refrain)

HACIENDO DISCIPULOS

Celebra

Horizontales

5. El 26 de diciembre recordamos el primer mártir de la Iglesia.

6. El 1 de enero celebramos su papel en el plan de salvación en la historia.

7. El domingo después de Navidad honramos a Jesús, María y José en la Sagrada _____.

8. En esta fiesta se celebra la manifestación de Jesús a todo el mundo.

Verticales

1. El _____ del Señor termina el tiempo de Navidad.

2. El 28 de diciembre recordamos a los santos _____.

3. El 27 de diciembre recordamos a este apóstol y escritor de uno de los cuatro Evangelios.

4. El tiempo de Navidad es tiempo para celebrar la _____, la verdad que el Hijo de Dios se hizo hombre.

¡Ven, Señor Jesús!

Escritura

Lee sobre el nacimiento de Jesús y la visita de los magos. Esos recuentos se encuentran en los primeros dos capítulos del evangelio de Mateo.

Tarea

Navidad es un tiempo de celebración. ¿Cuáles son algunas tradiciones y celebraciones especiales en tu familia?

_____

_____

_____

PROJECT DISCIPLE

 Celebrate!

Across

5. On December 26 we remember this first martyr for the faith.

6. On January 1 we celebrate her role in God's saving action in history.

7. On this feast we celebrate the showing of Jesus to the whole world.

8. On the Sunday after Christmas, we honor Jesus, Mary, and Joseph, the Holy _____.

Down

1. The _____ of the Lord ends the season of Christmas.

2. On December 28 we remember the children, called the Holy _____, who lost their lives near the time of Jesus' birth.

3. On December 27 we remember this Apostle and writer of one of the four Gospels.

4. The season of Christmas is a time to celebrate the _____, the truth that the Son of God became man.

What's the Word?

Read about the birth of Jesus and the visit of the Magi. These accounts are found in the first two chapters of the Gospel of Matthew.

Take Home

The season of Christmas is a time of celebration. What are some Christmas traditions and celebrations that are unique to your family?

_____

_____

_____

Capítulo 14 (páginas 174–181)

Navidad

En este capítulo su niño(a) aprenderá que la Navidad es un tiempo para celebrar la encarnación.

Para los padres

Durante el tiempo de Navidad la Iglesia se regocija en el misterio de la encarnación, mediante el cual el Hijo de Dios se hizo hombre. "Dios mostró su amor hacia nosotros al enviar a su Hijo único al mundo para que tengamos vida por él" (1 Juan 4:9). La creencia en la encarnación del Hijo de Dios radica en el corazón de nuestra fe cristiana. La Iglesia nos enseña que la Palabra se hizo hombre para reconciliarnos con Dios y para que el amor de Dios se manifestara.

Todos los días

• Juntos recen la Señal de la Cruz y las palabras al final de la página.

Primer día **La navidad es un tiempo para celebrar.**

• Invite a su hijo(a) a compartir sus respuestas a las preguntas en *Nos congregamos*.

Segundo día **La navidad es un tiempo para celebrar la encarnación.**

• Lea en voz alta el enunciado de *Creemos*. Pregunte: *¿Qué crees que celebramos durante el Tiempo de Navidad?*

• Recuerde a su hijo(a) que Emanuel, el Dios con nosotros, está presente en este tiempo y en todas las estaciones de nuestras vidas.

Tercer día **Durante la Navidad nos regocijamos en la presencia del Señor.**

• Lea en voz alta el texto hasta el título "San Esteban". Invite a su niño(a) a definir las palabras *Emanuel* y *Encarnación*.

• Ponga énfasis en que la Navidad no es un día, sino un tiempo que se inicia el 25 de diciembre y termina con la fiesta del bautismo del Señor. Es un tiempo para regocijarse en la Encarnación.

Cuarto día **Durante la Navidad celebramos muchas fiestas.**

• Tomen turnos leyendo sobre cada una de las fiestas durante el tiempo de Navidad. Después de leer cada sección, pídale a su niño(a) que describa las fiestas en sus propias palabras.

• Invite a su hijo(a) a ilustrar cada una de las fiestas usando marcadores y una cartulina. Coloque el trabajo final en un lugar de honor en la casa.

Respondemos en fe

Quinto día

• Ayude a su hijo(a) a decidir cómo donar algunos de sus juguetes o ropa a un centro o agencia que sirva a niños desamparados.

Sexto día

• Juntos decidan cómo su familia se va a regocijar en la presencia del Hijo de Dios durante la Navidad.

Chapter 14 (pages 174–181)

Christmas

In this chapter your child will learn that the season of Christmas is a time to celebrate the Incarnation.

For the Parents

During the Christmas season the Church rejoices in the mystery of the Incarnation by which the Son of God assumed our human nature. "In this way the love of God was revealed to us: God sent his only Son into the world so that we might have life through him" (1 John 4:9). Belief in the Incarnation of the Son of God lies at the heart of our Christian faith. The Church teaches that the Word became flesh in order to reconcile us with God and to make God's love manifest to us.

Every Day

- Pray the Sign of the Cross. Proclaim the words under the picture on the opening page.

Day One Christmas is time to celebrate.

- Invite your child to share his or her responses to the *We Gather* questions.

Day Two During Christmas we celebrate the Incarnation.

- Read aloud the *We Believe* statement. Ask: *What do you think we celebrate during the Christmas season?*

- Remind your child that Emmanuel, God-with-us, is present in this season and in every season of our lives.

Day Three During Christmas we rejoice in the presence of the Lord.

- Read aloud the text up to the heading "Saint Stephen." Invite your child to define the words *Emmanuel* and *Incarnation*.

- Emphasize that Christmas is not a day, but a season, from December 25 to the feast of the Baptism of the Lord. It is a time to rejoice in the Incarnation.

Day Four During Christmas we celebrate many fests.

- Alternate with your child as you read about each of the feasts of the Christmas season. After reading each section, ask your child to describe that feast in his or her own words.

- Invite your child to illustrate one of the feasts of the Christmas season, using colored markers on poster board. Display the finished poster in a place of honor in your home.

We Respond in Faith

Day Five

- Help your child to decide how he or she might donate some of his toys or clothing to a homeless shelter or a relief agency that serves children.

Day Six

- Together decide how you and your family will rejoice in the presence of the Son during the Christmas season.

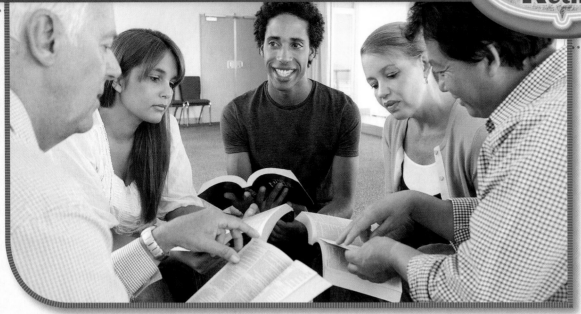

Testimonio

Oración

Todos rezan la señal de la cruz.

Líder: Por ser bautizados en Cristo somos llamados a ser su luz en el mundo. Jesús nos enseñó la forma de dar testimonio. Vamos a pedir a Jesús que nos ayude a ser fieles testigos.

Lector 1: Que podamos enseñar sobre Dios por medio de nuestras palabras.

Todos: Señor, ayúdanos a ser tu luz.

Lector 2: Que podamos enseñar sobre Dios por medio de nuestras obras.

Todos: Señor, ayúdanos a ser tu luz.

Lector 3: Que podamos aprender sobre Dios por el testimonio de otros, especialmente aquellos a quienes servimos.

Todos: Señor, ayúdanos a ser tu luz.

Líder: Señor Dios, ayúdanos a proclamar tu reino en el mundo. Danos las palabras para enseñar sobre ti. Danos el valor de darte a conocer por medio de nuestras acciones. Abre nuestros corazones para aprender de los demás.

Vamos a terminar rezando la oración por la evangelización.

Todos: Dios compasivo y misericordioso, oramos para que a través del Espíritu Santo todos los católicos puedan escuchar el llamado de la Nueva Evangelización y buscar una relación más profunda con tu Hijo, Jesús.

Oramos por todos los miembros de la Iglesia, para que demos testimonio del Evangelio y compartamos nuestra fe con otros.

Amén.

(Tomado de "Oración", *Discípulos llamados a dar testimonio: La Nueva Evangelización,* Conferencia de Obispos Católicos de los Estados Unidos)

Witness

Prayer

All pray the Sign of the Cross.

Leader: Because we are baptized into Christ, we are called to reflect his light in the world. Jesus taught us the way we witness to him. Lets us ask Jesus to help us to be faithful witnesses.

Reader 1: That we may teach about God through our words.

All: Lord, help us be your light.

Reader 2: That we may teach about God through our works.

All: Lord, help us be your light.

Reader 3: That we may learn about God from others, especially those whom we serve.

All: Lord, help us be your light.

Leader: Lord God, guide us in proclaiming your Kingdom in this world. Give us the words to teach about you. Grant us courage to make you known through our actions. Open our hearts to learn about you from others.

Let us close by praying together a prayer for evangelization.

All: Heavenly Father,

Stir in my soul the desire to renew my faith and deepen my relationship with your Son, our Lord Jesus Christ, so that I might truly believe in and live the Good News.

Open my heart to hear the Gospel and grant me the confidence to proclaim the Good News to others.

Pour out your Spirit, so that I might be strengthened to go forth and witness to the Gospel in my everyday life through my words and actions.

Amen.

(From the "Prayer for the New Evangelization," United States Conference of Catholic Bishops)

Testimonio

Compartiendo la Palabra de Dios

Reflexión sobre la lectura de la Escritura.

"Ustedes son la luz del mundo. No puede ocultarse una ciudad situada en la cima de una montaña. Tampoco se enciende una lámpara de aceite para cubrirla con una vasija de barro; sino que se pone sobre el candelero, para que alumbre a todos los que están en la casa". (Mateo 5:14–16)

LEA despacio y con atención el pasaje del Evangelio de Mateo.

REFLEXIONE sobre la lectura.

Piense en las siguientes preguntas.

- ¿Qué significa ser luz para otros?

- ¿Cómo puede ser una luz del amor y la misericordia de Jesús para los demás?

- ¿Qué quiere decir ocultar nuestra luz "con una vasija de barro"? ¿Qué dones tiene que puede usar más plenamente para dar testimonio del Evangelio?

- ¿Qué testigos del Evangelio han sido luz para usted?

COMPARTA sus ideas en grupo.

Conversen sobre cómo han dado testimonio del Evangelio y cómo otros los han ayudado.

MEDITE y comparta sus pensamientos y sentimientos con Jesús en oración.

En grupo compartan ideas de cómo propagar la buena nueva de Jesucristo. Escriban algunas en las líneas.

Conversen sobre cómo pueden dar testimonio del mensaje del Evangelio.

_____

_____

_____

_____

_____

_____

Con un compañero(a) túrnense compartiendo formas en las que este retiro ha aumentado su comprensión al llamado de propagar la buena nueva.

Witness

Sharing God's Word

Reflect on the Bible reading.

> "You are the light of the world. A city set on a mountain cannot be hidden. Nor do they light a lamp and then put it under a bushel basket; it is set on a lampstand, where it gives light to all in the house. Just so, your light must shine before others, that they may see your good deeds and glorify your heavenly Father."
> (Matthew 5:14–16)

READ the passage from the Gospel of Matthew. Read slowly and carefully.

REFLECT on what you read.

Think about the following questions:

- What does it mean to be a light for others?
- How can you be a light of Jesus' love and mercy for others?
- What does it mean to hide our gifts "under a bushel basket"? Do you have gifts that you can use more fully in witnessing to the Gospel?
- Whose witness of the Gospel has been a light for you?

SHARE your thoughts with your group.

Talk about ways you have witnessed to the Gospel and ways others' witness has helped you.

CONTEMPLATE and share your thoughts and feelings with Jesus in prayer.

In your group, share ideas on ways to spread the Good News of Jesus Christ. Write some on the lines below.

Discuss ways we can be witnesses of the Gospel's message.

_____

_____

_____

_____

_____

With a partner, take turns sharing ways this retreat has helped you grow in understanding the call to spread the Good News.

Testimonio

Valoramos nuestra fe católica

El tema de nuestro retiro es *Testimonio*. Piense en lo siguiente:

- Cómo puede predicar la buena nueva por medio de palabras y obras.

- Sus dones únicos y cómo puede usarlos para llevar la luz de Cristo al mundo.

- Cómo predicar la buena nueva de Jesús en su vida diaria, en la escuela, en el trabajo y en la casa.

- Cómo Jesús le puede dar el valor de ser un buen testigo de la buena nueva.

Celebramos y honramos nuestra identidad católica

El papa Francisco dijo: "Evangelizar significa ser un testigo personal del amor de Dios, es vencer el egoísmo, es servir agachándose para lavar los pies de nuestros hermanos como lo hizo Jesús". (Homilía, en la Misa de la Jornada Mundial de la Juventud, el 28 de julio de 2013)

Converse con un compañero(a) sobre cómo podemos evangelizar sirviendo a otros. Hagan una lista de algunas cosas específicas.

_____
_____
_____
_____
_____
_____

Conversen sobre alguna vez en la que sirvieron a otros. Compartan ideas sobre cómo servir es una forma de predicar la buena nueva. Escríbanlas aquí.

_____
_____
_____
_____
_____
_____

En familia, túrnense para compartir formas en las que este retiro les ayudó a crecer en entendimiento de su llamado a predicar la buena nueva.

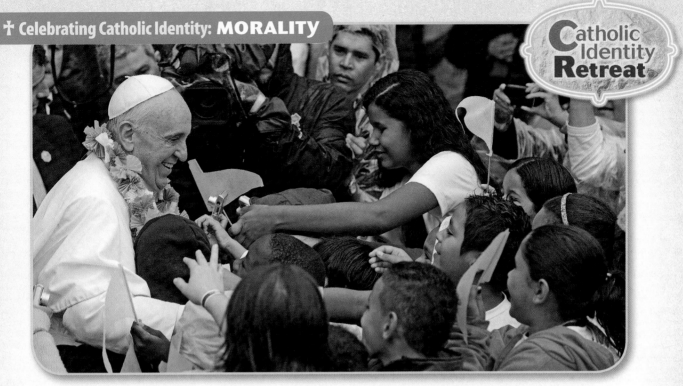

Pope Francis visiting Varginha favela in 2013, Rio de Janeiro, Brazil

Witness

We Value Our Catholic Faith

The theme of our retreat is *Witness*.
Think about:

- ways you can share the Good News through your words and actions.

- your unique gifts and how these can be a way to bring the light of Christ into the world.

- how to spread the Good News of Jesus in your daily life at school, at work, and at home.

- how Jesus can strengthen you to be a strong witness to his Good News.

We Celebrate and Honor Our Catholic Identity

Pope Francis said, "Evangelizing means bearing personal witness to the love of God, it is overcoming our selfishness, it is serving by bending down to wash the feet of our brethren as Jesus did" (Homily, World Youth Day Mass, July 28, 2013).

Discuss with a partner how we can evangelize by serving others. Make a list of some specific ways of serving below.

_____

_____

_____

_____

_____

Talk about times when you have served others. Share insights about how this service was a way of spreading the Good News. Write some insights here.

_____

_____

_____

_____

As a family, take turns sharing ways this retreat helped you grow in your understanding of your call to spread the Good News.

Llevando el retiro a casa

Testigos

Repaso del retiro

Repase con su familia las páginas del retiro *Celebrando la identidad católica: Moral*. Conversen sobre lo que escucharon acerca de cómo propagar la buena nueva. Enfatice:

■ Por nuestro bautismo, somos llamados a ser testigos de nuestra fe.

■ Somos llamados a evangelizar: a propagar la buena nueva de Jesucristo y a compartir el amor de Dios con los demás.

■ Podemos ser testigos con nuestras palabras, nuestras obras y nuestras decisiones.

Luz del mundo

Jesús dijo, "Yo soy la luz del mundo. El que me siga no caminará a oscuras, sino que tendrá la luz de la vida" (Juan 8:12). Jesús también nos llamó a ser la luz del mundo, cuando dijo que nuestra luz "brille delante de los hombres" (Mateo 5:16). Con nuestras palabras y obras, podemos propagar la buena nueva y ser la luz de Cristo para los demás. Escriban juntos una oración de fortaleza para seguir a Jesús y llevar la luz a otros. Recen la oración juntos.

Nuestra oración familiar:

_____

_____

_____

_____

_____

_____

Un momento de reflexión

En familia, conversen sobre formas en las que pueden evangelizar a otros siendo testigos en su vida diaria. Hablen sobre los retos que podrían encontrar y cómo resolverlos.

Oración en familia

Juntos, recen de nuevo la oración por la evangelización.

Oramos para que a través del Espíritu Santo todos los católicos puedan escuchar el llamado de la Nueva Evangelización, demos testimonio del Evangelio y compartamos nuestra fe con otros.

Amén.

Tomado de "Oración", *Discípulos llamados a dar testimonio: La Nueva Evangelización*, Conferencia de Obispos Católicos de los Estados Unidos

Para más recursos vea *Identidad católica Amigo del hogar* al final del libro.

Catholic Identity Retreat

Bringing the Retreat Home

Witness

Retreat Recap

Review with your family the *Celebrating Catholic Identity: Morality* retreat. Talk about what you heard about spreading the Good News. Emphasize:

- Through our Baptism, we are called to witness to our faith.
- We are called to evangelize: to spread the Good News of Jesus Christ and share God's love with others.
- We can witness through our words, our actions, and our decisions.

Light of the World

Jesus said, "I am the light of the world. Whoever follows me will not walk in darkness, but will have the light of life" (John 8:12). Jesus also called us the light of the world, saying that our light "must shine before others" (Matthew 5:16). Through our words and actions, we can spread the Good News and be Christ's light for others. Together write a prayer for the strength and courage to follow Jesus and bring his light to others. Pray the prayer together.

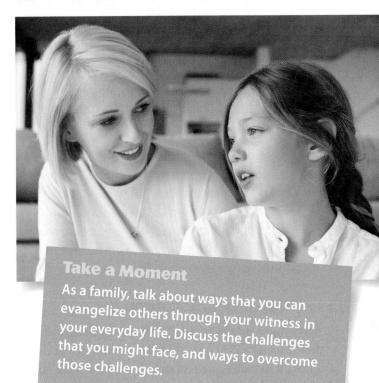

Take a Moment

As a family, talk about ways that you can evangelize others through your witness in your everyday life. Discuss the challenges that you might face, and ways to overcome those challenges.

Family Prayer

Together, pray again in the words of the Prayer for the New Evangelization.

Open my heart to hear the Gospel and grant me the confidence to proclaim the Good News to others.

Pour out your Spirit, so that I might be strengthened to go forth and witness to the Gospel in my everyday life through my words and actions.
Amen.

(From the "Prayer for the New Evangelization," United States Conference of Catholic Bishops)

Our family prayer:

_____
_____
_____
_____
_____
_____

For more resources, see the *Catholic Identity Home Companion* at the end of this book

Qué creemos
como familia católica

Si alguien nos pregunta:

- ¿Qué quiere decir la Iglesia con "Nueva Evangelización"?

Los siguientes recursos nos pueden ayudar a contestar:

Cuando evangelizamos predicamos la buena nueva de Jesucristo y compartimos el amor de Dios con los demás. Podemos evangelizar hablando y actuando de forma tal que reflejemos el amor de Dios, hablando sobre las maravillas que Cristo hizo con otros y animando a otros que ya creen en Cristo a continuar creciendo en su fe.

🌿 ¿Qué dice la Escritura?

Jesús dijo a sus discípulos: "Brille su luz delante de los hombres de modo que, al ver sus buenas obras, den gloria a su Padre que está en los cielos". (Mateo 5:16)

"Vayan y hagan discípulos a todos los pueblos y bautícenlos para consagrarlos al Padre, al Hijo y al Espíritu Santo, enseñándoles a poner por obra todo lo que les he mandado". (Mateo 28: 19–20)

Como discípulos de Jesús, estamos llamados a proclamar la buena nueva. Una preocupación importante de la Iglesia de hoy es la Nueva Evangelización, que nos llama a cada uno a "profundizar su propia fe, tener confianza en el Evangelio y poseer la voluntad de compartir el Evangelio". (Conferencia de Obispos Católicos de los Estados Unidos *Discípulos llamados a dar testimonio: La Nueva Evangelización*)

El enfoque de la Nueva Evangelización es ser evangelizado e ir a evangelizar. No solo evangelizamos a los que no han escuchado la buena nueva de Jesucristo sino también a los que la han escuchado y no tienen el valor de vivirla.

🌿 ¿Qué dice la Iglesia?

Hay una "situación especial en países de raíces cristianas antiguas y también se presenta en algunas iglesias jóvenes, donde grupos de bautizados pierden el sentido de vivir la fe, o no se consideran parte de la iglesia y viven una vida alejada de Cristo y el evangelio. En esos casos es necesario una nueva evangelización". (San Juan Pablo II, *Redemptoris Missio*,33).

Para evangelizar, entonces, es necesario abrirnos de nuevo al horizonte del Espíritu de Dios, sin miedo a lo que nos va a pedir o hacia dónde nos va a dirigir. Vamos a encomendarnos a él. Él puede permitir que vivamos para dar testimonio de nuestra fe e iluminará el corazón de aquellos con quienes nos encontremos.

(Papa Francisco, Audiencia general, 22 de mayo de 2013)

Evangelizando en familia

Casi todos hemos oído el viejo refrán: "La manzana no cae lejos del árbol". Este dicho se usa comúnmente para hacer notar las conductas o acciones compartidas por miembros de una misma familia. Con su trabajo, Jesús reveló la identidad del Padre. Los "trabajos" de su familia, ¿qué revelan acerca de su familia? Juntos piensen en "trabajos" nuevos, como aprender a escuchar atentamente o a hacer actos de bondad. Las acciones de su familia, como las que obró Jesucristo, ayudarán a otros a ver la bondad de Dios.

Why We Believe
As a Catholic Family

What if someone asks us:

- What does the Catholic Church mean by the "New Evangelization"?

The following resources can help us to respond:

When we evangelize, we spread the Good News of Jesus Christ and share God's love with others. We can evangelize by speaking and acting in ways that reflect God's love, telling others about the wonderful things that Christ has done, and encouraging others who already believe in Christ to continue to grow in their faith.

🌿 What does Scripture say?

Jesus said to his disciples:

"Your light must shine before others, that they may see your good deeds and glorify your heavenly Father." (Matthew 5:16)

"Go, therefore, and make disciples of all nations, baptizing them in the name of the Father, and of the Son, and of the holy Spirit, teaching them to observe all that I have commanded you." (Matthew 28:19–20)

As Jesus' disciples today, we are called to proclaim his Good News. An important concern of the Church today is the New Evangelization, which is a call to each person to "deepen his or her own faith, have confidence in the Gospel, and possess a willingness to share the Gospel" (United States Conference of Catholic Bishops, *The New Evangelization: Disciples on Mission in the World*).

The focus of the New Evangelization is being evangelized and then going forth to evangelize. We not only evangelize people who have not heard the Good News of Jesus Christ, but also those who have heard it but need encouragement to live it.

🌿 What does the Church say?

There is a "situation, particularly in countries with ancient Christian roots, and occasionally in the younger Churches as well, where entire groups of the baptized have lost a living sense of the faith, or even no longer consider themselves members of the Church, and live a life far removed from Christ and his Gospel. In this case what is needed is a 'new evangelization' or a 're-evangelization'" (Saint John Paul II, Redemptoris Missio, 33).

"To evangelize, therefore, it is necessary to open ourselves once again to the horizon of God's Spirit, without being afraid of what he asks us or of where he leads us. Let us entrust ourselves to him! He will enable us to live out and bear witness to our faith, and will illuminate the heart of those we meet."
(Pope Francis, General Audience, May 22, 2013)

Evangelizing as a Family

Most of us have heard the old adage "The apple doesn't fall far from the tree." This saying is commonly used to note behaviors or actions shared by family members. It is through his works that Jesus revealed his Father's identity. What do the "works" of your family reveal about your family? Together brainstorm new "works," such as becoming good listeners or doing random acts of kindness. Your family's Christ-like actions will help others to see the goodness of God.

Apreciada familia

En la unidad 3 los niños aprenderán a crecer como discípulos de Jesús:

- aprendiendo acerca de las divisiones entre el pueblo de Dios y los profetas que proclamaron la fidelidad de Dios

- comprendiendo que el pueblo de Judá luchó por permanecer fiel a Dios, y que los profetas le llevaron el consuelo y la esperanza de Dios

- apreciando el papel de los profetas, quienes proclamaron el mensaje de Dios a su pueblo

- reconociendo que el pueblo judío vivía unido y adoraba en comunidad y cómo los macabeos defendían la fe judía

- aprendiendo sobre el papel de María e Isabel en el plan de Dios, y la Encarnación de Jesús como el cumplimiento de la promesa de Dios.

Realidad

"La familia cristiana es una comunión de personas, reflejo e imagen de la comunión del Padre y del Hijo en el Espíritu Santo".

(*Catecismo de la Iglesia Católica*, 2205)

Reza

En todo el Antiguo Testamento, Dios se revela como un Dios fiel y él nos pide devolver esa fidelidad. Den gracias a Dios por su fidelidad a nuestros antepasados en la fe y a su familia. Recen para que su familia sea fiel a Dios en todo ahora y siempre.

Vidas de santos

San Gabriel fue el ángel que le dio la noticia a María de que ella sería la madre de Jesús y es el santo patrón de los trabajadores en la comunicación. Santa Clara de Asís es la santa patrona de la televisión y San Isidro de Sevilla es el patrón de los que usan la computadora e Internet. En 2004 el papa Juan Pablo II envió mensajes por texto electrónico; el papa Benedicto XVI envió textos electrónicos a los participantes de la Jornada mundial de la juventud. El papa Francisco usa Twitter para enviar millones de mensajes a sus seguidores. Hay muchas formas de propagar la buena nueva hoy en día. ¿Cómo puede su familia propagar la buena nueva de Jesús?

San Isidro de Sevilla

Haz lo

Los profetas le recordaron al pueblo de Dios su alianza con él y de ser fieles. ¿Quiénes les recuerdan la presencia de Dios y les ayudan a responder a su amor? Agradézcanles por su ayuda.

Tarea

Las tareas para esta unidad son:

Capítulo 15: Tomando acción contra la injusticia

Capítulo 16: Respetando a Dios, especialmente en la vida familiar

Capítulo 17: Leyendo/conversando sobre la historia de Job

Capítulo 18: Planificando tiempo para estar en familia

Capítulo 19: Respondiendo el llamado de Jesús al discipulado

Exprésalo

Repase la cronología de las páginas 184–187. Invite a cada miembro de la familia a elegir a una persona o evento para buscar en el libro y luego contarlo a toda la familia. ¿En qué formas nos recuerdan estos eventos y personas de la fidelidad de Dios?

Dear Family

In Unit 3 your child will grow as a disciple of Jesus by:

- learning the divisions among God's people, and the prophets who proclaimed God's faithfulness

- understanding that the people of Judah struggled to remain faithful to God, and the prophets who brought them comfort and hope from God

- appreciating the role of the prophets who continued to bring God's message to his people

- recognizing that the Jewish People lived and worshipped together, and how the Maccabees defended the Jewish faith

- learning Mary's and Elizabeth's roles in God's plan, and Jesus' Incarnation as the fulfillment of God's promise.

Saint Stories

The angel who brought the news to Mary that she would be the Mother of Jesus is Saint Gabriel the Archangel. Saint Gabriel is the patron saint of communications workers. Saint Clare of Assisi is the patron saint of television, and Saint Isidore of Seville is the patron of computer users and the Internet. Pope John Paul II sent text messages in 2004. Pope Benedict XVI sent texts to World Youth Day participants and opened the first papal Twitter account. Pope Francis regularly "tweets" to his millions of followers on Twitter. There are so many ways to spread the Good News today! How can your family spread the Good News of Jesus this week?

Saint Isidore of Seville

Picture This

Use the timeline on pages 184–187 as a review and a preview. Invite each family member to choose one person or event to look up in the text and then tell about to your entire family. In what ways do these events and people remind us of God's faithfulness?

Reality Check

"The Christian family is a communion of persons, a sign and image of the communion of the Father and the Son in the Holy Spirit."

(*Catechism of the Catholic Church*, 2205)

Pray Today

Throughout the Old Testament, God reveals himself as a faithful God. He calls us to be faithful to him in return. Thank God for his faithfulness to our ancestors in faith and to your family. Pray that your family will be faithful to God in everything today and every day.

Make it Happen

The prophets reminded God's people of their covenant with God and called them to be faithful. Who reminds you of God's presence and helps you to respond to his love? Thank him or her for helping you to be a disciple.

Take Home

Be ready for this unit's Take Home:

Chapter 15: Standing up against injustice

Chapter 16: Respecting God, especially in family life

Chapter 17: Reading/discussing the story of Job

Chapter 18: Setting aside quality time for family

Chapter 19: Answering Jesus' call to discipleship

NOS CONGREGAMOS

✝ **Líder:** El Señor nos habla de diferentes formas y por medio de diferentes personas. He aquí como habló al profeta Elías.

Lector: "Cuando Elías llegó a la montaña, entró en una gruta y pasó allí la noche. El Señor le dirigió su palabra: '¿Qué haces aquí, Elías?' Él respondió: 'Sufro por amor al Señor todopoderoso, porque los israelitas han roto tu alianza, han destruído tus altares y han matado a tus profetas. Sólo he quedado yo, y me buscan para matarme'. El Señor le dijo: 'Sal y quédate de pie ante mí en la montaña. ¡El Señor va a pasar!' Pasó primero un viento fuerte e impetuoso, que hacía temblar las montañas. . . pero el Señor no estaba en el viento. Al viento siguió un terremoto, pero el Señor no estaba en el terremoto. Al terremoto siguió un fuego, pero el Señor no estaba en el fuego. Al fuego siguió una suave brisa. Elías, al oirla, se cubrió el rostro con su manto". (1 Reyes 19:9–13)

Líder: Con frecuencia Dios nos habla en la quietud. Cuando estamos quietos podemos escuchar a Dios hablar en nuestros corazones. Vamos a hacer una pausa y quietos vamos a invitar al Señor a entrar en nuestros corazones y mentes. (*Pausa en silencio*)

Dios, ayúdanos a escuchar cuidadosamente tu voz en el "susurro" dentro de nuestros corazones y mentes.

Todos: Amén.

 ¿Cuándo te es fácil escuchar a alguien? ¿Cuándo te es difícil?

CREEMOS

El reino de Salomón se dividió.

Dios nos ama tanto que nos da la habilidad de amarnos y cuidarnos unos a otros. También nos da la libertad de elegir amar. Dios quiere que seamos felices y vivamos en paz. Él quiere lo mejor para nosotros. Sin embargo, nuestras decisiones, algunas veces, pueden dirigirnos a vivir en forma que no es buena para nosotros.

Parece que eso fue lo que le pasó al rey Salomón, el hijo de David. Algunas de las decisiones de Salomón hirieron su relación con Dios y su corazón fue lentamente alejándose de Dios. Salomón gradualmente olvidó la alianza y siguió falsos dioses. Por eso Dios le dijo que le quitaría su reino y se lo daría a otra persona. Dios también le dijo: "Sin embargo, no le quitaré todo el reino; le dejaré una tribu, en atención a mi siervo David y a Jerusalén, la ciudad que yo elegío". (1 Reyes 11:13)

A Divided People: Israel, the Northern Kingdom

WE GATHER

✝ **Leader:** The Lord speaks to us in many different ways and through many people. Here is the way he spoke to the prophet Elijah.

Reader: Elijah "came to a cave, where he took shelter. But the word of the LORD came to him, 'Why are you here, Elijah?' He answered: 'I have been most zealous for the LORD . . . but the Israelites have forsaken your covenant, torn down your altars, and put your prophets to the sword. I alone am left, and they seek to take my life.' Then the LORD said, 'Go outside and stand on the mountain . . . the LORD will be passing by.' A strong and heavy wind was rending the mountains . . . but the LORD was not in the wind. After the wind there was an earthquake—but the LORD was not in the earthquake. After the earthquake there was a fire—but the LORD was not in the fire. After the fire there was a tiny whispering sound. When he heard this, Elijah hid his face in his cloak" (1 Kings 19:9–13).

Leader: Often God speaks to us in stillness. When we are quiet, we can hear God speaking to us in our hearts. Let us pause now in stillness and quiet, and invite the Lord to enter our hearts and minds. *(Silent pause)*

God, help us to listen carefully to your voice in the "tiny whispering sound" within our hearts and minds.

All: Amen.

 When do you find it easy to listen to someone? When is it difficult?

WE BELIEVE
Solomon's kingdom was divided.

God loves us so much that he gives us the ability to love and care for one another. He also gives us the freedom to choose to love. God wants us to be happy and at peace. He wants what is best for us. However, our choices sometimes may lead us to live in ways that are not good for us.

It seems that this happened to King Solomon, the son of David. Some of Solomon's choices greatly hurt his friendship with God, and his heart was slowly turned away from God. Solomon gradually forgot the covenant and followed the ways of many false gods. Because of this God told Solomon that he would take the kingdom away from him and give it to someone else. But God also said, "Nor will I take away the whole kingdom. I will leave your son one tribe for the sake of my servant David and of Jerusalem, which I have chosen" (1 Kings 11:13).

183

REINO DIVIDIDO (EN EL NORTE ISRAEL ▪. EN EL SUR JUDÁ ▪) *(Las fechas son aproximadas)*

| 922 AC | 869 AC | 842 AC | 786 AC | | 721 AC | | 640 AC | 612 AC | 609 AC |

Muere Solomón
División del reino
Kingdom divides in two
Solomon dies

Jehú elimina falsos dioses
Adoración de falsos dioses
Worship of false gods
Jehú drives out worship of false gods

Jeroboam II (Edad de oro)
Jeroboam II "golden age"

El profeta Oseas
El profeta Amós
Amos, the prophet
Hosea, the prophet

Asiria conquista Israel
Assyria conquers Israel

El profeta Miqueas
Prophet Micah

Isaía de Jerusalén
Isaiah of Jerusalem

Josías reforma las prácticas religiosas
Josiah after workers find the "Book of the Law", reforms religious practices

Cae Nínive
Ninevah falls

Cae Judá
Judah becomes part of Babylonian empire

| 922 BC | 869 BC | 842 BC | 786 BC | | 721 BC | | 640 BC | 612 BC | 609 BC |

THE DIVIDED KINGDOM (NORTHERN KINGDOM—ISRAEL ▪, SOUTHERN KINGDOM—JUDAH ▪) *(All dates approximate)*

El rey Salomón gobernó y unió a Israel y terminó muchos proyectos incluyendo la construcción del Templo de Jerusalén. Sin embargo, él hizo que el pueblo pagara grandes impuestos y trabajara largas horas para terminar esos proyectos. Cuando Salomón murió en 922 A.C., los israelitas no estaban contentos.

Roboam, el hijo de Salomón, fue el siguiente rey y anunció que la carga del pueblo sería aún mayor. Cuando las diez tribus del norte escucharon eso se negaron a aceptarlo como rey. Entonces siguieron a Jeroboam. Las palabras del Señor a Salomón se cumplieron, y el imperio de Salomón fue dividido en dos reinos. El reino compuesto de las diez tribus del norte, con Jeroboam como rey, se conoció como Israel. El reino compuesto por las dos tribus del sur, con Roboam como rey, fue el reino de Judá.

Aunque Dios permitió a Jeroboam gobernar a Israel, Jeroboam no cumplió los mandamientos de Dios. Él no adoraba a Dios con todo su corazón. Él llevó a Israel a olvidar su alianza con el único y verdadero Dios. Con sus obras, Jeroboam llevó al pueblo a la idolatría. **Idolatría** significa adorar a una criatura o cosa en vez de a Dios. La idolatría está prohibida por el primer mandamiento.

El primer mandamiento nos pide amar y honrar a Dios sobre todas las cosas. Honramos a Dios con nuestra fe en él. Adoramos a Dios con nuestras oraciones y alabanzas, dándole gracias y honor sólo a él. Este mandamiento también nos pide poner nuestra esperanza y confianza en Dios. Aun si olvidamos el amor y cuidado de Dios por nosotros, el amor eterno de Dios por nosotros se mantiene.

Desafortunadamente ninguno de los reyes le recordó esto al pueblo. En Judá, Roboam, permitió que el pueblo se olvidara de su promesa a la alianza. Ambos, Jeroboam y Roboam alejaron al pueblo de Dios. Los dos reinos luchaban entre sí constantemente y el reino dividido seguía decayendo.

Haz una lista de la cosas que pueden dividir a la gente hoy.

_____

_____

_____

_____

_____

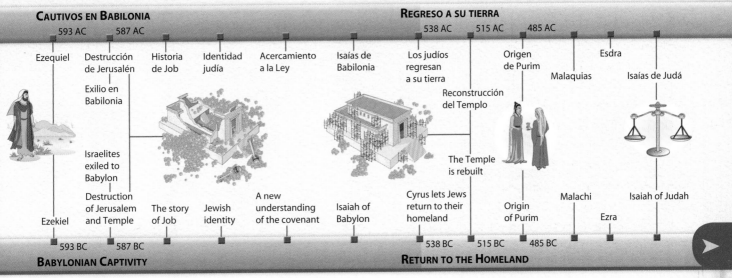

CAUTIVOS EN BABILONIA

593 AC   587 AC

Ezequiel   Destrucción   Historia   Identidad   Acercamiento   Isaías de
            de Jerusalén   de Job   judía   a la Ley   Babilonia

            Exilio en
            Babilonia

            Israelites
            exiled to
            Babylon

Ezekiel   Destruction   The story   Jewish   A new   Isaiah of
            of Jerusalem   of Job   identity   understanding   Babylon
            and Temple   of the covenant

593 BC   587 BC

BABYLONIAN CAPTIVITY

REGRESO A SU TIERRA

538 AC   515 AC   485 AC

Los judíos   Origen   Esdra
regresan   de Purim   Malaquias
a su tierra   Isaías de Judá

        Reconstrucción
        del Templo

        The Temple
        is rebuilt

Cyrus lets Jews   Isaiah of Judah
return to their   Origen   Malachi
homeland   of Purim   Ezra

538 BC   515 BC   485 BC

RETURN TO THE HOMELAND

King Solomon had ruled a united Israel and had completed many projects including the building of the Temple in Jerusalem. However, he had made the people pay heavy taxes and work long hours on these projects. Thus, by the time Solomon died in 922 B.C., the Israelites had grown discontent.

Solomon's son Rehoboam became the next king and announced that he would make the people's burdens even heavier. When the ten northern tribes heard this, they refused to accept Rehoboam as king. Instead they followed a man named Jeroboam. The words of the Lord to Solomon were fulfilled, and Solomon's empire was divided into two separate kingdoms. The kingdom made up of the ten northern tribes, with Jeroboam as king, was known as Israel. The kingdom made up of the two southern tribes, with Rehoboam as king, was known as Judah.

Though God had given Jeroboam rule over Israel, Jeroboam did not keep God's commandments. He did not worship God with all his heart. He led Israel to forget their covenant with the one true God. By his actions, Jeroboam led the people into idolatry. **Idolatry** means giving worship to a creature or thing instead of to God. Idolatry is forbidden by the First Commandment.

The First Commandment calls us to love and honor God above all else. We honor God by our belief in him. We adore God through prayer and worship, by giving thanks and praise to him alone. The commandment also calls us to place our hope and trust in God. Even if we forget God's love and care for us, God's everlasting love for us remains.

Unfortunately neither king reminded the people of this. In Judah, Rehoboam, too, allowed the people to turn away from their covenant promise. So, both Jeroboam and Rehoboam led the people away from God. Their northern and southern kingdoms constantly battled with each other, and the divided kingdom continued to decline.

List some things that divide people today.

_____

_____

_____

_____

185

ISRAEL ENTRE LAS NACIONES *(Las fechas son aproximadas)*

175 AC	167 AC	140 AC	140 AC		63 AC	37 AC	
El rey ordena aceptar la cultura griega	Los macabeos se rebelan y restauran la fe judía	Judas limpia el templo, origen de Januká	Simón gana independencia	Se escribe el libro de la Sabiduría	El Imperio Romano toma Judá	Roma da poder a Herodes el Grande	La anunciación
King orders acceptance of Greek culture and religion	The Maccabees lead rebellion to restore Jewish faith	Judas Maccabeus cleanses the Temple; origin of Hanukkah	Simon Maccabeus gains independence for Judah	Book of Wisdom is written	Roman empire takes over Judea	Rome gives power to Herod the Great	The Annunciation
175 BC	167 BC	140 BC	140 BC		63 BC	37 BC	

ISRAEL AMONG THE NATIONS *(All dates approximate)*

Elías y Eliseo proclaman fidelidad a Dios.

Después de la muerte de Jeroboam, el reino del norte siguió practicando la idolatría. Muchos de los reyes que siguieron a Jeroboam no estaban interesados en dirigir al pueblo hacia Dios. Uno de los peores reyes del norte fue Acab: "Ajab ofendió con su conducta al Señor más que todos sus predecesores". (1 Reyes 16:30) Al inicio de su reinado, Acab se casó con una princesa extranjera llamada Jezabel. Ella adoraba a Baal, y el rey empezó a adorarlo también. Acab construyó un templo para Baal en Samaria. Acab también buscó falsos sacerdotes y profetas para que lo aconsejaran.

Jezabel trató de plantar sus creencias en el corazón del pueblo. Ella puso estatuas de su dios en todas partes. Eventualmente Acab permitió que Jezabel matara cientos de personas que creían en el único y verdadero Dios.

Dios trató de ayudar al pueblo a seguir fiel a él. Él envió profetas a guiar al pueblo. El pueblo experimentó el amor y la presencia de Dios en sus vidas. Los profetas vieron claramente el mal que estaba teniendo lugar en las comunidades. Pidieron al pueblo parar y pensar en lo que estaba haciendo. Ellos llamaron al pueblo a ser fiel a Dios, así como Dios había sido grande con el.

Durante el reinado de Acab, el primer profeta que Dios envió al reino del norte fue Elías.

186

Elías significa "Yavé es mi Dios". Él llamaba al pueblo a tener fe en el único y verdadero Dios.

Elías ungió a Eliseo para que hiciera el trabajo de Dios. También puso una capa sobre Eliseo como signo de que había sido escogido para ser profeta. El Espíritu de Dios estaba sobre Eliseo, igual que con Elías. Ambos hablaron las palabras de Dios a muchos y advirtieron al pueblo que debía vivir con justicia y fidelidad.

Las obras de Elías y Eliseo se recuerdan en el primer y segundo libros de Reyes. Todas sus obras muestran que el poder de un profeta viene del verdadero Dios. Sus palabras y obras muestran que Dios es amoroso y fiel a su pueblo, aun cuando el pueblo no sea fiel.

Con un compañero nombra a alguien que pueda llamar a la gente a ser fiel a Dios hoy.

Como católicos...

Por sus palabras y obras los profetas nos recuerdan que la justicia, la paz y el amor a nuestro prójimo, especialmente a los pobres y oprimidos, deben ser parte de nuestra vida cristiana. En nuestros tiempos modernos podemos citar como profetas a: la Madre Teresa, el beato papa Juan Pablo II, Dorothy Day, César Chávez, Dr. Martín Luther King Jr., y a la hermana Thea Bowman. Escoge a uno de esas personas e investiga sobre su vida. Descubre por qué los llamamos profetas de hoy.

Nacimiento de Jesús — La sagrada familia en Nazaret — Tensión entre Roma y los judíos — Tensión religiosa aumenta

Bautismo de Jesús — Jesús inicia su ministerio público

The Holy Family in Nazaret — Relations between Rome and Jews are strained — Religious tensions increase

John baptizes Jesus — Jesus begins his public ministry

Jesus is born

A.D. (The Year of Our Lord)

Elijah and Elisha proclaimed God's faithfulness.

After Jeroboam died, the northern kingdom continued to practice idolatry. Many of the kings that followed Jeroboam were not interested in leading the people back to God. One of the worst northern kings was Ahab. He "did evil in the sight of the LORD more than any of his predecessors" (1 Kings 16:30). Early in his reign Ahab married a foreign princess named Jezebel. She worshiped a false god named Baal, and King Ahab began to worship Baal, too. Ahab built a temple to Baal in Samaria, the capital city of the northern kingdom. Ahab also used false priests and prophets as advisors.

Jezebel tried to plant her beliefs in the heart of the people of the northern kingdom. She set up statues of her gods everywhere. Eventually Ahab even allowed Jezebel to kill hundreds of people who believed in the one true God.

God tried to help the people of the kingdom of Israel to stay close to him. He sent prophets to guide the people in his ways. They experienced God's love and presence in their own lives. Because of this, the prophets clearly saw the wrongs that were taking place in their communities. The prophets told the people to stop and think about the way they were living. They called the people to be faithful to God just as God was faithful to them.

During the reign of King Ahab, the first prophet whom God sent to the northern kingdom was Elijah. The name Elijah means "Yahweh is my God." Elijah's message called the people to faith in the one true God.

Elijah eventually anointed Elisha to do God's work, too. Elijah threw his cloak over Elisha as a sign that he was called to the mission of a prophet. So Elisha had the spirit of God upon him, just as Elijah did.

These two prophets spoke God's words to many and urged the people to live in justice and faithfulness. The deeds of Elijah and Elisha are recorded in the First and Second Book of Kings. All of their works show that the power of a prophet comes from the one true God. Their words and actions show that God is loving and faithful to his people, even when they are not faithful to him.

With a partner name someone who calls people to be faithful to God today.

As Catholics...

Through their words and actions, prophets remind us that justice, peace, and love of neighbor—especially those who are poor and oppressed—must be part of our Christian way of life. Such people in our modern times include Blessed Mother Teresa, Saint John Paul II, Dorothy Day, César Chávez, Dr. Martin Luther King, Jr., and Sister Thea Bowman. Choose one of these people to research. Discover why we call that person a prophet for today.

187

Los sirios destruyeron el reino del norte.

En el 850 A.C. el rey Acab murió en una batalla. El había alejado al pueblo de Dios de su alianza con Dios. Acab fue sucedido primero por un hijo y luego por otro. Ambos trataron de llevar al reino del norte, Israel, a adorar al único y verdadero Dios. Sin embargo, tuvieron poco éxito porque su madre, Jezabel, tenía el poder.

En el 842 A.C., Jezabel y la mayoría de la familia de Acab fue asesinada por Jehú, un general. Jehú también destruyó los lugares donde se adoraban falsos dioses. Se proclamó como rey y liberó al reino del norte de la adoración a falsos dioses.

En el 801 A.C. Joacaz comenzó a reinar. Su reino empezó un período de poder y prosperidad. Bajo su hijo Jeroboam II, Israel empezó a ganar las tierras perdidas del norte y a establecer la paz con el reino del sur, Judá. Algunos israelitas se hicieron muy ricos, pero muchos otros eran pobres. La mayoría de los israelitas tenían una vida dura. Las diferencias económicas, inexistentes antes, ahora eran un problema. Muchos llegaron a ser avaros y actuaban mal.

Vocabulario

idolatría (pp 349)

Junto a esas injusticias sociales, había problemas religiosos. La fe del pueblo seguía influenciada por la adoración a falsos dioses. El verdadero significado de la alianza se había olvidado. Mucha gente no cumplía sus promesas a Dios.

La fe es un don de Dios. Podemos perder la fe si no vamos a Dios para fortalecerla. Cuando seguimos el ejemplo de Cristo, y pedimos al Espíritu Santo nos ayude, nuestra fe crece. Rezar, leer la Escritura, celebrar los sacramentos y vivir como discípulos de Jesús, también fortalece nuestra relación con Dios. Es siempre importante mantener fuerte nuestra fe en Dios.

Después que Jeroboam II murió en el 746 A.C. el poder y la prosperidad de Israel se desvanecieron debido al nuevo poder de Siria. En el 724 A.C. el rey de Siria atacó a Israel y tomó las tierras aledañas. Tomó el rey de Israel prisionero y ocupó toda la tierra excepto Samaria, la capital. Después en el 721 A.C. Samaria finalmente cayó bajo Asiria.

Un gran número de israelitas fueron deportados como esclavos. Los asirios llenaron el reino del norte con gente de otras tierras. Más de veintisiete mil israelitas fueron deportados y nunca más se supo de ellos. Ellos se conocieron como las diez tribus perdidas de Israel. Así el reino del norte fue parte del imperio asirio.

La experiencia del pueblo de Dios nos muestra que el pecado no lleva a la vida. La fidelidad a Dios y a los demás es necesaria para vivir como Dios quiere que vivamos.

Escribe algunas de las formas en que la comunidad parroquial puede mostrar fidelidad a Dios y los demás.

_____

_____

The Assyrians destroyed the northern kingdom.

In 850 B.C. King Ahab died in battle. He had led God's people away from their covenant with God. Ahab was first succeeded by one of his sons and then by another. They both tried to get Israel, the northern kingdom, to worship the one true God. However, they had very little success because their mother, Jezebel, was still too powerful.

In 842 B.C., Jezebel and most of Ahab's family were killed by Jehu, a general. Jehu also destroyed the places where false gods were worshiped. Jehu established himself as king and freed the northern kingdom from the worship of false gods.

In 801 B.C. Jehoash became king. His reign seemed to begin a period of power and prosperity. Under Jehoash's son, Jeroboam II, Israel even regained lost land in the north and established peace with the southern kingdom of Judah. Some people in Israel became very wealthy, but many others were poor. Most Israelites lived a hard life. Economic differences, which had not previously existed, now became a problem. Many people grew greedier and acted in evil ways.

Along with these social injustices, there were also religious problems. The faith of the people was still influenced by the worship of false gods. The real meaning of the covenant was forgotten. Many people no longer fulfilled their promises to God.

Faith is a gift from God. We can lose faith if we do not turn to God to strengthen our faith. When we follow the example of Christ, and ask the Holy Spirit for help, our faith can grow. Spending time in prayer, studying Scripture, celebrating the sacraments, and living together as Jesus' disciples all strengthen our relationship with God. It is always important to keep our faith in God strong.

After Jeroboam II's death in 746 B.C., Israel's power and prosperity vanished due to a new power—the nation of Assyria. And in 724 B.C. the king of Assyria attacked Israel and took over the countryside. He took the king of Israel prisoner and occupied all the land except for Samaria, the capital city. Then in 721 B.C. Samaria finally fell to Assyria.

Great numbers of Israelites were sent away, or deported as slaves. The Assyrians filled the northern kingdom with people from other lands. Over twenty-seven thousand Israelites who were deported were never heard from again. They became known as the ten lost tribes of Israel. Thus, the northern kingdom of Israel became just another part of the Assyrian empire.

The experience of God's people shows us that sinfulness does not lead to life. Faithfulness to God and to one another is necessary for living as God calls us to live.

Write one way that your parish community can show faithfulness to God and one another.

_____

_____

idolatry (p. 351)

Otros profetas llevaron el mensaje de Dios a Israel.

Algunos profetas del norte dejaron registros escritos de sus mensajes. El mensaje del profeta Amós puede encontrarse en el libro de Amós, uno de los libros proféticos del Antiguo Testamento.

Amós era del reino del sur, Judá, pero Dios lo llamó para que fuera al reino del norte, Israel. Amós fue un pastor que vivió durante la mitad del reinado de Jeroboan II, que al parecer fue un tiempo de prosperidad. En realidad muchos problemas sociales y religiosos existían en el reino del norte. Amós habló de esos problemas con vehemencia. El mensaje que Amós llevó a Israel era difícil pero necesario que el pueblo lo escuchara. Amós le dijo que eran duros de corazón, avaros y deshonestos. Él los acusó de darle la espalda a Dios. Señaló que ellos habían olvidado a lo pobres y a los huérfanos, que hacían pagar a las viudas y a los campesinos impuestos injustos y que habían cometido crímenes e injusticias sociales.

Amós le dijo al pueblo que Dios no estaba impresionado con sus prácticas religiosas cuando él vio que no vivían justamente. El insistió que la única esperanza de salvación para Israel era actuar justamente. El llamó al pueblo de Israel a recordar que sus acciones debían mostrar lo que había en sus corazones. Amós proclamó:

"Busquen el bien y no el mal para que vivan; Así estará con ustedes el Señor Dios todopoderoso como pretenden". (Amós 5:14)

Desafortunadamente muchos ignoraron el mensaje de Amós. Amós no vio señal de que el pueblo de Israel cambiaría. Él predijo que el reino sería destruido. Sus palabras se hicieron realidad cuando Siria tomó Israel.

También nosotros somos llamados a actuar justamente y luchar por lo que es justo y correcto. Debemos trabajar por la justicia y la paz. La Iglesia llama a cada uno de nosotros a seguir el ejemplo de Cristo de fe en Dios, el Padre, y a trabajar por los oprimidos, los desamparados y los que están en necesidad. No podemos separar nuestro amor a Dios de nuestro amor al prójimo. ¿Cómo podemos seguir el mensaje de Amós hoy?

Otro profeta del reino del norte fue Oseas, quien vivió durante los tiempos de Amós. Oseas era casado con una mujer llamada Gomer. Gomer no le era fiel. Aun cuando Oseas estaba escandalizado de su infidelidad, la amaba tanto que no podía despedirla. Oseas le dijo al pueblo que Dios se sentía de la misma forma acerca de Israel: Dios se negaba a abandonar a Israel a pesar de que el pueblo le había sido infiel.

Para Oseas, la idolatría de Israel y sus injusticias contra los pobres mostraban falta de fe. Oseas le dijo que su promesa de fidelidad a Dios era vacía a menos que mostraran su amor de la forma en que vivían.

RESPONDEMOS

Profetiza. Planifica un comercial corto que anime a la gente a ser fiel a Dios.

Other prophets brought God's message to Israel.

A number of northern prophets left written records of their messages. The prophet Amos' message can be found in the Book of Amos, one of the prophetic books of the Old Testament.

Amos was from the southern kingdom of Judah, but God called him to go to the northern kingdom of Israel. Amos was a shepherd who lived during the middle of the reign of Jeroboam II, which seemed like a time of prosperity. In reality many social and religious problems existed in the northern kingdom. Amos addressed these problems fearlessly. The message Amos delivered to Israel was difficult yet necessary for the people to hear. Amos told them that they were heartless, greedy, and dishonest. He accused them of turning their backs on God. He pointed out that they had forgotten those who were poor and orphaned, had unjustly taxed widows and farmers, and had committed crimes and other social injustices.

Amos told the people that God was not impressed by their religious practices when he saw that they were not living justly. He insisted that Israel's only hope of salvation was to act justly. He called the people of Israel to remember that their actions must show what was in their hearts. Amos proclaimed,

"Seek good and not evil,
    that you may live;
Then truly will the LORD, the God of hosts,
    be with you as you claim!" (Amos 5:14).

Unfortunately many people ignored Amos' message. Amos saw no clear sign that the people of Israel would change their ways. He predicted the kingdom's final destruction. His words later came true when Assyria took over Israel.

We, too, are called to act justly and stand up for what is fair and right. We all share in the work of social justice. The Church calls each of us to follow Christ's example of faith in God the Father and outreach to those who are oppressed, neglected, or in need. We cannot separate love for God and love for neighbor.

How can we follow Amos' message today?

Hosea, another northern prophet, lived around the time of Amos. We can read his story in the Book of Hosea. Hosea was married to a woman named Gomer. Gomer was not faithful to him. Though Hosea was horrified by her unfaithfulness, Hosea loved Gomer so much that he could not give her up. Hosea told the people that God felt the same way about Israel: God refused to abandon Israel even though its people had been unfaithful to him.

For Hosea, Israel's idolatry and injustices against the poor showed their lack of faith. Hosea told them that their promise of faithfulness to God was empty unless they could show their love by the way they lived.

WE RESPOND

Be a prophet! Plan a short commercial that encourages people to stay faithful to God.

Muestra *lo* que sabes

Completa el cuadro para mostrar los efectos de practicar la idolatría durante los siguientes reinados.

Definición de idolatría:

_____

_____

_____

Salomón	Jeroboam y Roboam	Ahab
_____	_____	_____
_____	_____	_____
_____	_____	_____

Datos

El Dr. Martin Luther King Jr. fue inspirado por el llamado a la justicia del profeta Amós. King citó a Amós en su famoso discurso: "Tengo un sueño". (Ver Amós 5:24). La cita es el centro del monumento a los derechos civiles en Montgomery, Alabama. Este monumento honra a los que perdieron sus vidas entre 1954 y 1968 mientras trabajaban por la justicia social y en contra del racismo.

Consulta

¿Sobre qué profeta te gustaría aprender más?

❏ Elías   ❏ Amós

❏ Eliseo   ❏ Oseas

¿Por qué?

_____

_____

PROJECT DISCIPLE

Show What you Know

Complete the flow chart to show the effects of the practice of idolatry during the following reigns.

Idolatry
Definition:

_____

_____

_____

Solomon	Jeroboam and Rehoboam	Ahab
_____	_____	_____
_____	_____	_____
_____	_____	_____

Fast Facts

Dr. Martin Luther King Jr. was inspired by the prophet Amos's call for social justice. King quoted Amos in his famous "I Have a Dream" speech. (See Amos 5:24.) The quote is the centerpiece of the Civil Rights Memorial in Montgomery, Alabama. This memorial honors those who lost their lives from 1954 to 1968 while working against racism and for social justice.

Question Corner

Which prophet would you like to learn more about?

❏ Elijah ❏ Amos

❏ Elisha ❏ Hosea

Why?

_____

_____

HACIENDO DISCIPULOS

Investiga

En el 1943, los obispos de los Estados Unidos fundaron Catholic Relief Services (CRS) (CARE en español) para ayudar a los necesitados en otros países. CRS sigue las enseñanzas y ejemplo de Jesucristo tratando de aliviar el sufrimiento y la pobreza humana trabajando por el desarrollo de los pueblos. CARE ayuda a los que necesitan alimentos, ropa, salud, comida, vivienda y educación. Ayuda a las personas a hacer sus comunidades más seguras y a tener mejores lugares para vivir. También educa a los católicos en los Estados Unidos sobre las responsabilidades de cuidar de la familia humana.

RETO PARA EL DISCIPULO

- ¿Qué ejemplo sigue CARE?

_____

- ¿Qué hace CARE por los católicos en los Estados Unidos?

_____

Visita el sitio Web de CARE www.crs.org para contestar estas preguntas:

- ¿En cuántos países opera CARE?

_____

- ¿Qué tipo de trabajo hizo CARE en Europa cuando fue fundada?

_____

¿Qué harás?

¿Qué dirías si se te pidiera animar a otros a ser fieles a Dios?

_____

_____

_____

Compártelo.

Tarea

Igual que el pueblo de Dios hace miles de años, también somos llamados a actuar con justicia y abogar por lo que es justo y correcto. En familia decidan una forma en que puedes hablar en contra de la injusticia a tu alrededor.

_____

_____

_____

PROJECT DISCIPLE

More to Explore

In 1943, the bishops of the United States founded Catholic Relief Services (CRS) to assist people outside of the United States who are in need in any way. CRS follows the teaching and example of Jesus Christ by trying to stop human suffering and poverty, by working for the development of people, and by encouraging peace and justice. CRS aids those who are in need of food, health care, homes, and education. It helps people to make their communities safer and to find better places to live. CRS also educates Catholics in the United States about the responsibilities of caring for all members of the human family.

DISCIPLE CHALLENGE

- Whose example does CRS follow?

  _____

- What does CRS do for Catholics in the United States?

  _____

  Visit Catholic Relief Services Web site (www.crs.org) to answer these questions:
- In how many countries does CRS operate?

  _____

- What kind of work did CRS do in Europe when CRS was first founded?

  _____

What Would you do?

What if you were asked to encourage others to be faithful to God? What would you say?

_____

_____

_____

Now, pass it on!

Take Home

Just like God's people thousands of years ago, we are called to act justly and stand up for what is fair and right. As a family, decide on one way you will stand up against injustices that you see around you.

_____

_____

_____

195

Catequesis en el hogar

Capítulo 15 (páginas 182–195)

Un pueblo dividido: Israel, el reino del norte

En este capítulo su niño(a) aprenderá sobre la división del reinado de Salomón y la función de los profetas durante ese tiempo.

Para los padres

El reino del norte se dirigía al desastre cuando Dios llamó a los profetas para que fueran su voz en la tierra. Ellos le pedían al pueblo cambiar sus maneras de actuar y regresar a Dios.

Todos los días

- Juntos recen la Señal de la Cruz y la oración: *Padre Celestial, bendice nuestro tiempo.*

Primer día **El reino de Salomón se dividió.**

- Miren la línea de tiempo y conversen sobre las personas y eventos tratados en esta unidad. Luego lea en voz alta el enunciado y túrnense para leer sobre la división del reino de Salomón. Enfatice que las decisiones de Salomón lo alejaron de Dios y que como Salomón no pudo mantener la alianza, Dios le quitó el reino.

- Al mirar el mapa en la página 185 señale que el área de las tribus del norte se convirtió en el reino de Israel, gobernado por Jeroboam; la zona de las tribus del sur se convirtió en el reino de Judá bajo Roboam, hijo de Salomón.

Segundo día **Elías y Eliseo proclaman fidelidad a Dios.**

- Pida a su niño(a) que lea en voz alta el enunciado. Lean el texto

que sigue. Recuérdele que Jeroboam introdujo la idolatría en el reino del norte.

- Señale que los profetas Elías y Eliseo fueron enviados por Dios para desafiar al pueblo para que viviera justamente.

Tercer día **Los sirios destruyeron el reino del norte.**

- Pídale a su niño(a) que lea en voz alta el enunciado y el texto. Señale que los hijos de Acab trataron de llevar al pueblo de vuelta a Dios, pero fracasaron debido a que su madre, Jezabel, era muy poderosa.

- Converse sobre los tres reyes que trabajaron para liberar la tierra de la adoración de falsos dioses. Enfatice que esto los llevó a un período de prosperidad y paz, pero que la fe débil del pueblo todavía estaba influenciada por la adoración de falsos dioses y el verdadero significado de la alianza fue olvidado.

Cuarto día **Otros profetas llevaron el mensaje de Dios a Israel.**

- Lea en voz alta el enunciado. Luego pida a su niño(a) que lea los párrafos sobre el profeta Amós. Converse sobre Amós y su mensaje a Israel a actuar con justicia y demostrar con sus acciones lo que había en sus corazones.

Respondemos en fe

Quinto día

- Invite a su niño(a) a nombrar a alguien que llama a las personas a ser fieles a Dios.

Sexto día

- Converse sobre las cosas que dividen a las personas de hoy y cómo sanarlas.

195A

Catechesis at Home

Catholic Identity

Family Catechesis

Chapter 15 (pages 182–195)

A Divided People: Israel, the Northern Kingdom

In this chapter your child will learn about the division of Solomon's kingdom and the role of the prophets during this time.

For the Parents

The northern kingdom of Israel was heading for disaster when God called the prophets to be his voice in the land. They urged to change their ways, and return to God.

Every Day

- Pray the Sign of the Cross together, and pray. *Heavenly Father, bless our time.*

Day One **Solomon's kingdom was divided.**

- Look with your child at the time line, and discuss the people and events you will read about in this unit. Read aloud the statement. Then take turns reading aloud about the division of Solomon's kingdom. Emphasize that Solomon's choices led him away from God and that because Solomon failed to keep the covenant, God took the kingdom away from him.

- As you look at the map on page 185, point out that the area of the northern tribes became the kingdom of Israel, ruled by Jeroboam; the area of the southern tribes became the kingdom of Judah under Solomon's son Rehoboam.

Day Two **Elijah and Elisha proclaimed God's faithfulness.**

- Ask your child to read aloud the statement and remind your child that Jeroboam introduced idolatry in the northern kingdom.

- Point out that the prophets Elijah and Elisha were sent by God to tell the people to live just lives.

Day Three **The Assyrians destroyed the northern kingdom.**

- Ask your child to read aloud the statement. Then take turns reading the text. Point out that Ahab's sons tried to lead their people back to God but failed because their mother, Jezebel, was still too powerful.

- Discuss the three kings who worked to free the land from the worship of false gods. Emphasize that this led to a period of prosperity and peace, but that the weak faith of the people was still influenced by the worship of false gods, and the real meaning of the covenant was forgotten.

Day Four **Other prophets brought God's message to Israel.**

- Read aloud the statement; then ask your child to read aloud the paragraphs about the prophet Amos. Discuss Amos and his message to Israel to act justly and show by their actions what was in their hearts.

We Respond in Faith

Day Five

- Invite your child to name someone who calls people to be faithful to God today.

Day Six

- With your child discuss things that divide people today and ways to heal such divisions.

Un pueblo dividido: Judá, el reino del sur

NOS CONGREGAMOS

✝ **Líder:** Como pueblo de Dios estamos llamados a tener fe en el único y verdadero Dios quien es siempre fiel.

Lado 1: "¡Alaben al Señor todas las naciones, aclámenlo todos los pueblos!".

Lado 2: "Grande es su amor por nosostros, y la fidelidad del Señor dura por siempre. ¡Aleluya!" (Salmo 117:1–2)

Lado 1: Gloria al Padre, y al Hijo y al Espíritu Santo.

Lado 2: Como era en el principio, ahora y siempre, por los siglos de los siglos. Amén.

🎵 **Profetiza**

Profetiza, pueblo mío, profetiza una vez más. Que tu voz sea el eco del clamor de los pueblos en la opresión.
Profetiza, pueblo mío, profetiza una vez más, anunciándole a los pobres una nueva sociedad.

¡Profeta te consagro, no haya duda y temor en tu andar por la historia; sé fiel a tu misión!

☀ Nombra a alguien a quien conoces y que ha hecho una diferencia en tu vida.

CREEMOS

Judá lucha para ser fiel a Dios.

Toda persona que gobierne el pueblo de Dios tiene la responsabilidad de ayudarlo a acercarse a Dios. Sin embargo, Roboam, el rey de Judá y su sucesor permitieron la adoración de dioses falsos. Esto afectó grandemente al pueblo de Dios en Judá.

Asa, el siguiente rey, trabajó para liberar a Judá de las prácticas contra el único y verdadero Dios. El hijo de Asa, Josafat, también ayudó al pueblo a volver a ser fiel a Dios.

WE GATHER

✝ **Leader:** As God's people, we are called to faith in the one true God who is ever faithful.

Side 1: "Praise the LORD, all you nations! Give glory, all you peoples!

Side 2: The LORD's love for us is strong; the LORD is faithful forever."

(Psalm 117:1–2)

Side 1: Glory to the Father, and to the Son, and to the Holy Spirit:

Side 2: as it was in the beginning, is now, and will be for ever. Amen.

🎵 **Though the Mountains May Fall**

Though the mountains may fall
and the hills turn to dust,
yet the love of the Lord will stand
as a shelter for all who will call
   on his name.
Sing the praise and the glory of God.

 Name someone you know who has made a difference in your life.

WE BELIEVE

Judah struggled to remain faithful to God.

Each person who ruled God's people had the responsibility to help them stay close to God. However, Rehoboam, the king of Judah, and his successor permitted the worship of false gods. This greatly affected God's people in Judah.

Asa, the next king, worked to free Judah from practices against the one true God. And Asa's son Jehoshaphat also brought the people back to faithfulness to God.

Desafortunadamente, debido a la esposa del siguiente rey, la adoración del falso dios Baal fue introducida en Jerusalén. A pesar de todo lo que tuvo lugar durante cada reinado, la fe del pueblo en Dios nunca se perdió.

Durante el reino del rey Acaz, Judá perdió su independencia a cambio de que Asiria la protegiera de Siria e Israel. Los asirios forzaron al pueblo de Judá a reconocer a sus falsos dioses y le colocaron un gran altar en el Templo de Jerusalén. Como resultado el pueblo practicó la idolatría nuevamente. Los asirios también hicieron que el pueblo de Judá pagara grandes impuestos. La pobreza, el sufrimiento y la injusticia empezaron a esparcirse en Judá igual que pasaba en el reino del norte de Israel.

Maltratado por los asirios, el pueblo de Judá dudó de Dios y su poder. Entonces Dios envió a un gran profeta para tranquilizar a su pueblo. Este fue el profeta Isaías de Jerusalén. Igual que Amós antes que él, Isaías habló en contra de todas las formas de idolatría e injusticia. Su mensaje lo encontramos en los capítulos 1–39 del libro de Isaías.

Como católicos...

Como bautizados cristianos compartimos una vocación común. Somos llamados a crecer en santidad, a acercarnos más a Jesucristo y llevar la buena nueva de Jesús a otros.

Dios también llama a cada persona a servirle en la vida de soltero, casado, religioso, sacerdote o diácono. El Espíritu Santo nos guía, y nuestras familias amigos y maestros también nos ayudan a descubrir como Dios nos llama a servirle.

En grupo identifiquen la vocación de diferentes personas en sus vidas.

Isaías recordó al rey y al pueblo del amor de Dios. Él les dijo como ser fieles a Dios. Isaías avisó al rey que el pueblo sufriría debido a los asirios. Pero Acaz y el pueblo seguían alejados de Dios. Isaías les dijo que Dios purificaría y de nuevo haría de Judá un pueblo fiel. El mensaje de Isaías fue de esperanza y aliento.

Habla del por qué es importante para los líderes del mundo tomar decisiones justas para su pueblo y tratar a los países vecinos con respeto. Escribe una oración por los líderes del mundo.

_____

_____

Unfortunately, through the wife of the next king, the worship of the false god Baal was introduced into Jerusalem. Yet despite all that took place during each king's reign, the people's faith in God never completely failed.

During the reign of King Ahaz, Judah gave up its independence in exchange for Assyria's protection from Syria and Israel. Assyrians forced the people of Judah to recognize Assyria's false gods, and they even set up a huge altar in the Temple in Jerusalem. As a result, the people practiced idolatry once again. The Assyrians also made the people of Judah pay heavy taxes. Poverty, suffering, and injustice began to spread in Judah just as they had in the northern kingdom of Israel.

Mistreated by the Assyrians, the people of Judah questioned God's power and doubted him. So God sent a great prophet to reassure his people. We call this prophet Isaiah of Jerusalem. Like Amos before him, Isaiah spoke out against all forms of idolatry and injustice. His message is recorded in Chapters 1—39 of the Book of Isaiah.

Isaiah reminded the king and the people of God's love for them. He told them how to be faithful to God. Isaiah warned the king that the people would suffer because of the Assyrians. But Ahaz and the people still turned from God. Yet, Isaiah told them God would make Judah pure and faithful again. Isaiah's message was one of hope and comfort.

Talk about why it is important for world leaders to make just decisions for their people and to treat neighboring countries with respect. Write a prayer for world leaders.

_____

_____

Los profetas llevan aliento y esperanza a Judá.

Isaías llamó a los reyes a ser justos con el pueblo de Dios. El rey Acaz no escuchó, pero el rey Ezequías, su sucesor, sí. Él detuvo las prácticas en contra del único y verdadero Dios y sacó los ídolos del Templo.

Exequias también trató de ayudar a los pobres y los que sufrían por causa de las muchas injusticias en Judá. Él trabajó para mantener al pueblo de Judá fiel para adorar al único y verdadero Dios. "Esto fue lo que hizo Ezequías en todo Judá: agradó al Señor, su Dios, con una conducta buena, recta y fiel. . . . con todo corazón. Por eso tuvo éxito".
(2 Crónicas 31:20–21)

Isaías dijo a Exequias que Dios no permitiría que Judá fuera destruida por naciones extranjeras. Isaías señaló que aunque el pueblo se encontrara en momentos difíciles, Dios estaría con él. Dios sacaría nueva vida de la muerte y la destrucción.

Para Isaías, la fe era una total confianza en el plan y la sabiduría de Dios. Él le dijo al pueblo que en su misericordia, Dios salvaría un retazo del pueblo. Un *retazo* es un pequeño pedazo de tela. Este retazo o pequeño grupo del pueblo de Dios sobreviviría y viviría vidas justas y santas como una comunidad de fieles de Dios.

Miqueas fue otro profeta que predicó en Judá. Miqueas tenía un profundo entendimiento del pueblo y su alianza con Dios. Sus mensajes se encuentran en el libro de Miqueas. Miqueas habló en contra de los falsos profetas que trataban de hacerse populares diciendo al pueblo sólo lo que ellos querían escuchar. Desgraciadamente, el pueblo con frecuencia ignoraba el mensaje de Miqueas.

Miqueas estaba enojado por la avaricia, deshonestidad y corrupción del pueblo de Dios. Él predicó que la bondad radica en la práctica de la justicia social y la fidelidad al único y verdadero Dios. Miqueas le dijo al pueblo lo que Dios quería.

"Tan sólo respetar el derecho, amar la fidelidad y obedecer humildemente a tu Dios" (Miqueas 6:8).

El profeta Miqueas vio los terribles efectos del pecado y advirtió al pueblo la eventual destrucción de los reinos. Miqueas aseguró al pueblo que Dios no lo abandonaría. Dios recibiría de nuevo al pueblo y le perdonaría sus pecados. La restauración sería por medio de la obra de un nuevo David.

Como cristianos creemos que esta promesa se cumplió en Jesucristo. Jesús hizo lo correcto, amó la bondad y fue humilde ante Dios, su Padre. Habló contra las injusticias y devolvió el pueblo a Dios.

Si Miqueas e Isaías vivieran hoy, ¿sobre que asuntos y preocupaciones hablarían? Como seguidores de Jesucristo hablen sobre como podemos resolver esos asuntos y preocupaciones.

El mensaje de los profetas hoy

_____

_____

_____

_____

_____

Prophets brought Judah hope and comfort.

Isaiah called kings to act justly on behalf of God's people. King Ahaz did not listen, but King Hezekiah, his successor, did. He stopped practices against the one true God and removed foreign idols from the Temple.

Hezekiah also tried to help the poor and those who were suffering because of the many injustices in Judah. He managed to keep the people of Judah faithful to the worship of the one true God. "This Hezekiah did in all Judah. He did what was good, upright and faithful before the LORD, his God. . . . He did this wholeheartedly, and he prospered."

(2 Chronicles 31:20–21)

Isaiah told Hezekiah that God would not allow Judah to be destroyed by foreign nations. Isaiah pointed out that even if events went against his people, God would be with them. God would bring new life out of death and destruction.

For Isaiah, faith was complete trust in God's plan and wisdom. He told the people that in his mercy God would spare a remnant of the people. A *remnant* is a small piece left over from something larger. This remnant, or small group of God's people, would survive and live just and holy lives as God's faithful community.

Micah was another prophet who preached in Judah. Micah had a deep understanding of people and their covenant relationship with God. His messages are recorded in the Book of Micah. Micah spoke out against false prophets who tried to become popular by telling their listeners only what they wanted to hear. Unfortunately, people often ignored or rejected Micah's message.

Micah was angered by the greed, dishonesty, and corruption of God's people. Micah preached that goodness lies in the practice of social justice and in faithfulness to the one

true God. Micah told the people that God required them

"Only to do the right and to love goodness,
    and to walk humbly with your God"

(Micah 6:8).

The prophet Micah saw the terrible effects of sin at work and warned of the eventual destruction of both the northern and southern kingdoms. But Micah assured the people that God would not abandon his chosen people. God would welcome his people back and forgive their sins. He would restore them through the work of a new David.

As Christians we believe that this promise of a new David has been fulfilled in Jesus Christ. Jesus did what was right, loved goodness, and was humble before God his Father. He spoke out against injustices and, in a way no one else could, brought the people back to God.

 If Micah or Isaiah were living today, what issues and concerns would they be preaching about? Discuss how followers of Jesus Christ can address their issues and concerns.

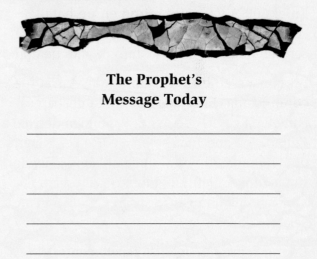

**The Prophet's
Message Today**

_____

_____

_____

_____

_____

El fin del reino de Judá.

Cuando Josías se convirtió en rey en el 640 A.C., ayudó a que lentamente, Judá ganara su independencia. Más importante aún, cuando los trabajadores de Josías reparaban el Templo, encontraron una copia de "el libro de las leyes". Esta era probablemente una versión del Deuteronomio.

Josías se sorprendió al ver lo diferente que era la adoración en los tiempos de Moisés a la de su tiempo. Así que empezó a reformar las prácticas religiosas en Judá. Prohibió las prácticas falsas y llevó a los sacerdotes al Templo.

El profeta Sofonías, cuyo mensaje se encuentra en el libro Sofonías, apareció al inicio del reinado de Josías. Sofonías, condenó la adoración a los falsos dioses y dio la bienvenida a las reformas de Josías. El profeta pidió al pueblo volver a la fe de Moisés. Sofonías dijo que Dios, en su gran amor, permitiría que los fieles que quedaban tuvieran paz, prosperidad y justicia como lo prometía la alianza.

En el 609 A.C. Josías murió en un batalla contra el rey de Egipto. Judá ahora tenía que ser fiel a Egipto. Esto no duró mucho tiempo.

Leemos en el libro de Nahún que Asiria fue conquistada. El rey de Babilonia destruyó Nínive, la capital de Asiria y también derrotó a Egipto. Así que Judá se hizo parte del imperio de Babilonia. El rey de Judá no siguió siendo fiel a Dios y alentó la idolatría. Floreció la violencia y la injusticia social y mucha gente se alejó de Dios.

Cuando el rey de Judá se rebeló contra el rey de Babilonia, Babilonia invadió a Judá. El rey de Babilonia arruinó la cosecha y el pasto y capturó a Jerusalén. Él forzó al nuevo rey de Judá, a los oficiales de la corte y a muchas otras personas, a salir de Judá y huir a Babilonia. Este fue el primer paso hacia el exilio, en su propia tierra, del pueblo de Dios.

El rey de Babilonia también se llevó mucha de la riqueza de Judá y dejó a Sedequias encargado de Judá. Más tarde Sedequias se rebeló contra el rey y el rey invadió a Judá por segunda vez. Luego deportó más personas a Babilonia y se llevó más de la riqueza de Judá. En el 587 A.C., el rey de Babilonia invadió a Judá por tercera vez. Destruyó Jerusalén, incluyendo el Templo y deportó aun más personas a Babilonia. El pueblo de Judá estaba exilado.

Este fue el fin de Judá, el reino del sur, y su orgullosa línea de reyes descendientes de David.

Piensa en el mensaje de Isaías, Miqueas y Sofonías. Después piensa que eres un profeta que está llamando al pueblo de Judá a regresar a Dios. ¿Cuál es tu mensaje para ellos? Escríbelo.

_____

_____

Háblenlo con el grupo.

The kingdom of Judah came to an end.

When Josiah became king in 640 B.C., he helped Judah to slowly regain its independence. More importantly, while Josiah's workers were repairing the Temple, they found a copy of "the book of the law." This was probably an early version of the Book of Deuteronomy.

Josiah was surprised to discover how different the worship of his day was from that of the time of Moses. Thus, Josiah began a reform of religious practices in Judah. He banned all false practices. He closed local places of worship and brought all the priests to the Temple.

The prophet Zephaniah, whose message is in the Book of Zephaniah, appeared early in Josiah's reign. Zephaniah condemned the worship of false gods and welcomed Josiah's reforms. The prophet urged the people to return to the faith of Moses. Zephaniah said that God, in his great love, would allow a faithful remnant to at last enjoy the peace, prosperity, and justice that the covenant promised.

In 609 B.C., Josiah died in battle against the king of Egypt. Judah now had to pledge loyalty to Egypt. This did not last for long, however.

We read in the Book of Nahum that Assyria was eventually conquered. The king of Babylon destroyed Nineveh, the capital of Assyria and also defeated Egypt. So Judah became a part of the Babylonian empire. The king of Judah did not remain faithful to God, and he encouraged idolatry. Violence and social injustice flourished and many people turned their backs on God.

When the king of Judah was disloyal to the king of Babylon, Babylon invaded Judah. The king of Babylon ruined the crop and pasture lands and captured Jerusalem. He forced the new king of Judah, the court officials, and many other people to leave Judah and go to Babylon. This was the first step of the exile, or forced removal, of God's people from their own land.

The king of Babylon also carried off much of Judah's wealth, and he left Zedekiah in charge of Judah. Zedekiah later rebelled, and the king of Babylon invaded Judah a second time. He deported more of the people to Babylon and carried off more of Judah's wealth. In 587 B.C. the king of Babylon invaded Judah a third time. He destroyed Jerusalem, including the Temple, and deported even more people to Babylon. The people of Judah were in exile. This was the end of Judah, the southern kingdom, and its proud line of kings descended from David.

Think about the messages of Isaiah, Micah, and Zephaniah, calling the people of Judah to turn back to God. Then pretend you are a prophet. What is your message to them? Write it here.

_____

_____

In small groups deliver your speeches to one another.

Los profetas llaman al pueblo a ser fiel.

Los profetas sirvieron a Dios llamando constantemente al pueblo a cambiar sus vidas. Uno de esos profetas fue Habacuc, quien surgió entre los años 605 y 597 A.C. Su mensaje puede leerse en el libro de Habacuc. El profeta le preguntó a Dios:

"¿Por qué me haces sentir la maldad?"
  (Habacuc 1:3).

Dios le dijo que Babilonia era un instrumento para purificar a Judá de sus pecados. Los fieles a él y los justos con su prójimo seguirían siendo amados por él.

Dios llama a cada uno de nosotros a limpiarnos de nuestros pecados. Es en el sacramento del Bautismo que por primera vez se nos libra del pecado. Algunas veces fallamos en cumplir las leyes de Dios y es en el sacramento de la Reconciliación que se nos perdonan nuestros pecados. Nuestra promesa de hacer penitencia muestra que estamos arrepentidos de habernos alejado de Dios y de no amar a los demás. Parte de la reconciliación con Dios es nuestro firme propósito de confiar en Dios y no volver a pecar.

Otro profeta de nombre Jeremías vivió desde 650 A.C., hasta después de 593 A.C. Estos tiempos problemáticos afectaron profundamente a Jeremías y provocaron una crisis con su vocación. Una **vocación** es el llamado de Dios a servirle de manera especial. En el caso de Jeremías, este fue un llamado a ser profeta de Dios.

Al principio, Jeremías se resistió al llamado de Dios diciendo:

"¡Ah, Señor, mira que no sé hablar, pues soy un niño!"

Dios le contestó:
"No les tengas miedo . . .
pues yo estoy contigo contigo". . .
"Entonces el Señor alargó su mano, tocó mi boca y me dijo:
'Mira, pongo mis palabras en tu boca'".
(Jeremías 1: 6, 8, 9)

Desde ese momento Jeremías se dedicó al servicio de Dios. Cuando Jeremías vio al pueblo haciendo ceremonias religiosas, sin tomar en cuenta la alianza y como esta los llamaba a vivir con justicia, lloró por su infidelidad.

Jeremías alertó al pueblo de Judá de que Dios dijo que nada quedaría, ni siquiera un retazo, a *menos* que empezaran a vivir de acuerdo a la alianza.

El pueblo no aceptó el mensaje de Jeremías y lo acusó de blasfemia. La **Blasfemia** es un pensamiento, palabra y obra que falta el respeto y es irreverente a Dios. Jeremías fue rechazado, atacado y puesto en la cárcel. Él rogó a Dios que le quitara su vocación. Pero Dios le pidió que siguiera siendo fiel, porque Dios estaría con él. Jeremías siguió hablando en contra del pecado de la nación.

El mensaje profético del libro de Baruc fue similar al de Jeremías. Fue escrito para llevar alivio al pueblo que había perdido su tierra. Pone énfasis en la fe y en el único y verdadero Dios, fidelidad a la ley de Moisés, el arrepentimiento y la esperanza.

RESPONDEMOS

Los profetas, especialmente Jeremías, llamaron al pueblo a ser justo con su "prójimo". ¿Quién es nuestro prójimo? Con un compañero nombren algunas formas en que podemos trabajar por la justicia para todo el mundo.

Vocabulario

vocación (pp 350)

blasfemia (pp 349)

Prophets called the people to faithfulness.

Prophets served God by constantly calling the people to change their ways. One of these prophets was Habakkuk, who appeared between 605 and 597 B.C. His message can still be read in the Book of Habakkuk. The prophet questioned God's ways saying,

"Why do you let me see ruin;
   why must I look at misery?"
(Habakkuk 1:3)

God told him that Babylon was an instrument for purifying Judah of its sins. Those who were faithful to him and just to their neighbors would continue to remain in his love.

God calls each of us to be cleansed of our sins. It is in the Sacrament of Baptism that we are first freed from sin. We sometimes fail to follow God's laws, and then it is in the Sacrament of Penance that we are forgiven our sins. Our promise to perform a penance shows that we are sorry for turning away from God and not loving others. Part of reconciling with God is our firm purpose to rely on God and not to sin again.

Another prophet named Jeremiah lived from around 650 B.C. until just after 583 B.C. These troubled times affected Jeremiah deeply and caused him to struggle with his vocation. A **vocation** is God's call to serve him. In Jeremiah's case, it was a call to be God's prophet.

At first Jeremiah resisted God's call, saying,

"I know not how to speak; I am too young."
But God replied,
"Have no fear. . .
   because I am with you."
Then God touched Jeremiah's mouth and said,
"See, I place my words in your mouth!"
(Jeremiah 1:6, 8, 9)

Thereafter, Jeremiah was dedicated to God's service. When Jeremiah saw that people were performing religious ceremonies without

understanding the covenant and how it called them to live justly, he wept at this unfaithfulness.

Key Words

vocation (p. 352)
blasphemy (p. 351)

Jeremiah warned the people of Judah that God said that nothing would remain, not even a remnant, *unless* they started to live according to the covenant.

The people did not accept Jeremiah's message and accused him of blasphemy. **Blasphemy** is a thought, word, or act that refers to God without respect or reverence. Jeremiah was rejected, attacked, and imprisoned. He begged God to let him abandon his vocation. But God told Jeremiah to remain faithful, for God would be with him. So, Jeremiah continued to speak out against the sins of the nation.

The prophetic writing in the Book of Baruch was similar to that of Jeremiah. It was written to bring comfort to people who had lost their homeland. It stressed belief in the one true God, faithfulness to the Law of Moses, repentance, and hope.

WE RESPOND

The prophets, especially Jeremiah, called people to treat their "neighbors" justly. Who are our neighbors? With a partner name some ways that we can work for justice for all people.

HACIENDO DISCIPULOS

Muestra *lo* que sabes

Escribe un perfil en internet hablado sobre Jeremías. Incluye las palabras del **Vocabulario**.

Datos

Las palabras de paz del profeta Isaías (ver Isaías 2:4) están escritas en granito en la pared de un parque en la acera frente al edificio de las Naciones Unidas en la ciudad de Nueva York. El parque Ralph J. Bunche, que honra al diplomático negro y premio nobel de la paz en 1950, es el lugar donde se encuentran las palabras de Isaías.

Escritura

"Entonces oí la voz del Señor, que decía: '¿A quién enviaré? ¿Quién irá por nosotros?' Respondí: 'Aquí estoy yo, envíame'. Él me dijo: 'Vete a decir a este pueblo: Por más que escuchen, no entenderán; por más que miren, no comprenderán'".
(Isaías 6:8–9)

↳ RETO PARA EL DISCIPULO

- Subraya las oraciones que dicen como Isaías responde al llamado de Dios.

- ¿Qué dice el profeta Isaías al pueblo?

_____

_____

Pray
Learn
Celebrate
Share
Choose
Live

Grade 6 • Chapter 16

PROJECT DISCIPLE

Show What *you* Know

Write an online profile for Jeremiah. Include the Key Words in your profile.

Fast Facts

The prophet Isaiah's words of peace (see Isaiah 2:4) are inscribed in a granite wall in a park across the street from the United Nations in New York City. Ralph J. Bunche Park, named for the African-American diplomat and winner of the 1950 Nobel Peace Prize, is the site of the Isaiah Wall.

What's *the* Word?

"Then I [Isaiah] heard the voice of the Lord saying, 'Whom shall I send? Who will go for us?' 'Here I am;' I said; 'send me!' And he [God] replied: 'Go and say this to the people:
Listen carefully, but you shall not understand!
Look intently, but you shall know nothing!'"
(Isaiah 6:8–9)

↳ **DISCIPLE CHALLENGE**
- Underline the sentences that tell how Isaiah responds to God's call.
- What does the prophet Isaiah say to the people?

_____

_____

religion.sadlierconnect.com

207

HACIENDO DISCÍPULOS

Investiga

Una forma en que la Iglesia ha continuado la misión de los profetas ha sido por medio de las encíclicas. Las encíclicas son cartas con enseñanzas que los papas han enviado a toda la Iglesia. Las encíclicas nos ayudan a entender los eventos mundiales y como podemos ayudar a la sociedad viviendo el Evangelio. En 1963, el papa Juan XXIII escribió una encíclica sobre el derecho de todas las personas a vivir en paz y libertad. En 1995 el papa Juan Pablo II escribió una encíclica sobre el valor de la vida humana. En 2007 el papa Benedicto XVI escribió una encíclica sobre la verdad de la esperanza cristiana. Igual que los escritos de los profetas, estas cartas de los papas nos dan palabras de sabiduría para nuestros tiempos. Ellos nos llaman a vivir como fieles seguidores de Jesucristo.

Emblema del papado

RETO PARA EL DISCÍPULO

• ¿Qué tipo de escrito es una encíclica?

_____

• ¿Quién escribe encíclicas para toda la Iglesia?

_____

Busca más información sobre las encíclicas.

Consulta

¿Has influido en la vida de alguien alguna vez?

❏ Si   ❏ No

¿Ha influido alguien en ti?

❏ Si   ❏ No

RETO PARA EL DISCÍPULO
Reza para que, como discípulo de Jesús, puedas hacer una diferencia en el futuro.

Tarea

Planifica un diálogo con tu familia. Conversen sobre las formas en que puedes usar el nombre de Dios. Conversen sobre posibles formas en que puedes mostrar más respeto a Dios con tus palabras, pensamientos y obras.

¡Ahora, compártelo!

PROJECT DISCIPLE

More to Explore

One way that the Church has carried on the mission of the prophets has been through encyclicals. Encyclicals are teachings that the popes have sent in letter form to the whole Church. Encyclicals help us to understand world events and how we can help society by living out the Gospel. In 1963, Pope John XXIII wrote an encyclical about the right of all people to live in peace and freedom. In 1995, Pope John Paul II wrote an encyclical on the value of human life. In 2007, Pope Benedict XVI wrote an encyclical on true Christian hope. In 2013, Pope Francis published an encyclical about the virtue of faith, begun by Pope Benedict XVI. Like the writings of the prophets, these letters from the popes give us words of wisdom for our times. They call us to live as faithful followers of Jesus Christ.

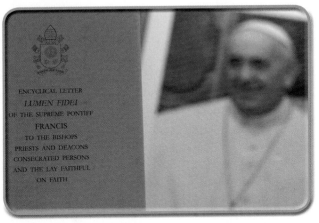

An English edition of Pope Francis's first encyclical, titled *Lumen Fidei*, is displayed next to a portrait of the pontiff during the press conference for the release of the encyclical on July 5, 2013, at the Vatican.

DISCIPLE CHALLENGE

- What kind of writing is an encyclical?

_____

- Who writes encyclicals for the whole Church?

_____

Find out more about encyclicals.

Question Corner

Have you ever made a difference in someone's life?

❏ Yes   ❏ No

Has someone made a difference in your life?

❏ Yes   ❏ No

DISCIPLE CHALLENGE Pray that as Jesus' disciple you can make a difference in the future.

Take Home

Plan a family discussion. Talk about the ways you use the name of God. Talk about the ways you can bring greater respect for God into your thoughts, words, and actions.

Now, pass it on!

Capítulo 16 (páginas 196–209)

Un pueblo dividido: Judá, el reino del sur

En este capítulo su niño(a) aprenderá que los profetas continúan llamando al pueblo a volver a alabar al único y verdadero Dios.

Para los padres

De todos los profetas, Jeremías aparece en las páginas de la Escritura como una persona de carne y hueso, llena de emociones y capaz de discutir con Dios. Jeremías tenía sentimientos definidos sobre muchas cosas. Expresó alegría cuando sus compatriotas exiliados escaparon de Babilonia.

Todos los días

- Juntos recen la siguiente oración: *Querido Padre celestial, te damos gracias por este día.*

Primer día Judá lucha para ser fiel a Dios.

- Lea en voz alta el enunciado y el texto. Enfatice que el pueblo de Judá fue tentado a adorar a los dioses falsos. Algunos de sus líderes ayudaron a que permanecieran fieles, pero otros los llevaron lejos del único Dios verdadero.

- Recalque que cuando los asirios forzaron a los israelitas a pagar impuestos, el pueblo se sintió triste y abandonado.

Segundo día Los profetas llevan aliento y esperanza a Judá.

- Pida a su niño(o) que lea en voz alta el enunciado y el texto. Enfatice que el rey Ezequías escuchó al profeta Isaías, mantuvo a la gente fiel al único Dios verdadero y trató de ayudar a los pobres.

- Señale que el profeta Isaías prometió a Ezequías que Dios no permitiría que su pueblo fuera destruido.

Tercer día El fin del reino de Judá.

- Tomen turnos leyendo el enunciado y el texto. Enfatice que Josías comenzó una reforma de las prácticas religiosas. Señale que el profeta Sofonías condenó la adoración de falsos dioses y dio la bienvenida a las reformas de Josías.

- Explique que después de la muerte de Josías, Judá tuvo que jurar lealtad a Egipto. Babilonia conquistó Egipto y se hizo cargo de Judá. Cuando el pueblo de Judá se rebeló, Babilonia invadió Judá. Muchos del pueblo de Dios se vieron obligados al exilio en Babilonia y el Templo de Jerusalén fue destruido.

Cuarto día Los profetas llaman al pueblo a ser fiel.

- Pida a su niño(a) que lea el enunciado y el texto. Señale que Dios le dijo a Habacuc que Babilonia era un instrumento para la purificación de Judá de sus pecados.

- Comente la llamada de Dios a Jeremías y su lucha con la fidelidad a su vocación.

Respondemos en fe

Quinto día

- Invite a su niño(a) a hacer el papel de profeta llamando al pueblo a regresar a Dios.

Sexto día

- En familia escriban una oración pidiendo a Dios que los ayude a tomar decisiones justas.

Chapter 16 (pages 196–209)

A Divided People: Judah the Southern Kingdom

In this chapter your child will learn how the prophets continued to call the people back to worshiping the one true God.

For the Parents

Of all the prophets, Jeremiah leaps off the pages of Scripture as a flesh-and-blood person, buffeted by strong emotions and capable of arguing with God. Jeremiah felt deeply about many things. He expressed immense joy about his exiled compatriots who escaped the Babylonian sword.

Every Day

- Pray the Sign of the Cross together, *Dear heavenly Father, we thank you for this day.*

Day One Judah struggled to remain faithful to God.

- Read aloud the statement. Then take turns reading the text. Emphasize that the people of Judah were tempted to worship false gods. Some of their leaders helped them to remain faithful, but others led them away from the one true God.

- Stress that when the Assyrians forced them to recognize false gods and pay heavy taxes, the people of Judah felt angry, sad, and abandoned.

Day Two Prophets brought Judah hope and comfort.

- Ask your child to read aloud the statement and the text. Emphasize that King Hezekiah listened to the prophet Isaiah, kept the people faithful to the one true God, and tried to help the poor.

- Point out that the prophet Isaiah promised Hezekiah that God would not allow his people to be destroyed.

Day Three The kingdom of Judah came to an end.

- Alternating with your child, read aloud the statement and the text. Emphasize that Josiah began a reform of religious practices. Point out that the prophet Zephaniah condemned the worship of false gods and welcomed Josiah's reforms.

- Explain that after the death of Josiah, Judah had to pledge loyalty to Egypt. When Babylon conquered Egypt, Babylon took over Judah. When the people of Judah rebelled, Babylon invaded Judah three times. Many of God's people were forced into exile in Babylon, and the Temple in Jerusalem was destroyed.

Day Four Prophets called the people to faithfulness.

- Ask your child to read aloud the statement. Then alternate reading aloud the text. Point out that God told Habakkuk that Babylon was an instrument for purifying Judah of its sins.

- Talk with your child about God's call to Jeremiah, and about Jeremiah's struggle with and ultimate faithfulness to his vocation.

We Respond in Faith

Day Five

- Invite your child to pretend to be a prophet calling people back to God.

Day Six

- With your child write a prayer asking God to help them make just decisions.

209B

El exilio y el regreso a casa

NOS CONGREGAMOS

✝ **Líder:** Hay muchas personas en nuestro mundo que viven en el exilio, quienes han sido enviados fuera de su hogar y su país. Vamos a rezar por ellos.

Lector 1: Por los desamparados en nuestros pueblos y ciudades, oremos.

Todos: Señor, ayúdanos a ayudarlos.

Lector 2: Por los encarcelados, especialmente los acusados injustamente y por sus familias, oremos.

Todos: Señor, ayúdanos a ayudarlos.

Lector 3: Por los refugiados de guerra, hambre y opresión, oremos.

Todos: Señor, ayúdanos a ayudarlos.

☀ ¿Has extrañado tu hogar alguna vez? ¿Cómo te sentiste?

CREEMOS

Los profetas siguieron compartiendo el mensaje de Dios.

Después de la destrucción de Jerusalén, el pueblo de Dios lloró por su nación, su Templo y el pueblo perdido. El libro de las Lamentaciones expresa el sufrimiento y dolor del pueblo. Una **lamentación** es un dolor expresado en forma de poema. El libro de las Lamentaciones contiene cinco de esos poemas describiendo la destrucción de Judá y el sufrimiento del pueblo. El escritor bíblico, se cree que fue el profeta Jeremías, sabía que sólo la fe firme en el amor de Dios podría consolar al pueblo.

The Exile and the Journey Home

17

WE GATHER

Leader: There are many people in our world who live in exile, who have been sent away from their home or country. Let us pray for them.

Reader 1: For those who are homeless in our towns and cities, let us pray.

All: Lord, help us to help them.

Reader 2: For those in prison, especially for those who are unjustly accused, and for their families, let us pray.

All: Lord, help us to help them.

Reader 3: For refugees from war, famine, and oppression, let us pray.

All: Lord, help us to help them.

Have you ever been homesick? What was it like?

WE BELIEVE

Prophets continued to share God's message.

Following the destruction of Jerusalem, God's people mourned for their nation, their Temple, and the people who had been lost. The Book of Lamentations expresses the suffering and grief of the people. A lamentation is a sorrow that is expressed in the form of a poem. The Book of Lamentations contains five such poems describing the destruction of Judah and the suffering of the people. The biblical writer, most likely the prophet Jeremiah, knew that only firm faith in God's love could comfort the people.

211

El profeta Ezequiel tuvo un mensaje similar para el pueblo de Dios. Ezequiel, un sacerdote, fue llamado por Dios para profetizar en el 593 A.C. Ezequiel llevó a cabo sus veinte años de ministerio entre los israelitas exiliados en Babilonia. EL mensaje de Ezequiel, que se encuentra en el libro de Ezequiel, llama al pueblo a regresar a Dios y condena las formas de injusticia social, la idolatría y la superstición. **La superstición** es la creencia falsa de que criaturas y cosas poseen poderes que no tienen. Las supersticiones alejan el honor que debemos sólo al omnisciente y todopoderoso Dios.

Ezequiel tuvo una visión en la que la gloria de Dios primero se alejó del lugar santo, después del Templo y finalmente de la ciudad de Jerusalén. Ezequiel declaró que de acuerdo a esa visión el pueblo había rechazado a Dios, y ahora Dios estaba saliendo de Jerusalén y del Templo, su morada.

La visión de Ezequiel se hizo realidad después de la destrucción final de Jerusalén en el 587 A.C.

Después, durante el tiempo del exilio, Ezequiel empezó a ofrecer palabras de esperanza y aliento al pueblo. Él le dijo que Dios había dicho: "Les daré un corazón nuevo y les infundiré un espíritu nuevo" (Ezequiel 36:26). Ezequiel dijo que Dios purificaría a los que siguieran confiando en él. Él los guiaría triunfante de regreso a sus hogares en la tierra prometida. La prosperidad y la justicia prevalecerían bajo la guía del verdadero Dios. Dios de nuevo escoge a Jerusalén como su morada. El le daría un nuevo nombre a la ciudad. "El Señor está aquí". (Ezequiel 48:35).

Imagina que Ezequiel no ha dicho su mensaje, pero ha pintado un cuadro o hecho una escultura simbolizando el regreso a la tierra prometida. Dibújalo en una hoja de papel.

Como católicos...

Durante el bautismo de Jesús, el Padre hizo conocer que Jesús era su Hijo. El Espíritu Santo descendió sobre él y lo ungió como sacerdote, profeta y rey.

Llamamos sacerdote a Jesús porque él ofrece el perfecto sacrificio que nadie más podía hacer. Jesús se ofreció a sí mismo para salvarnos. Él fue un profeta porque trajo el mensaje de misericordia de Dios y habló sobre la verdad y la Justicia. Jesús se mostró como rey porque él cuidó de todos.

Como miembros bautizados de la Iglesia compartimos el papel de Jesús de sacerdote, profeta y rey. ¿Cómo podemos servir a otros con lo que hacemos y decimos?

The prophet Ezekiel had a similar message for God's people. Ezekiel, a priest, was called to be God's prophet in 593 B.C. Ezekiel carried out his twenty-year ministry among the Israelites exiled in far-off Babylon. Ezekiel's message, found in the Book of Ezekiel, called the people back to God and condemned all forms of social injustice, idolatry, and superstition. **Superstition** is the false belief that living creatures or things possess powers that in fact they do not have. Superstitions take away from the honor we owe the all-knowing and all-powerful God.

Ezekiel had a vision in which the glory of God first left the holy of holies, then the Temple itself, and finally the city of Jerusalem. Ezekiel declared that according to this vision the people had rejected God, and now God was leaving Jerusalem and leaving the Temple, his dwelling place.

Ezekiel's vision became a reality after the final destruction of Jerusalem in 587 B.C.

Then, during the time of the exile, Ezekiel began to offer words of hope and comfort to the people. He told them that God had said, "I will give you a new heart and place a new spirit within you" (Ezekiel 36:26). Ezekiel said that God would purify those who remained true to him. He would shepherd them triumphantly back to their homes in the promised land. Prosperity and justice would prevail under the guidance of the one true God. God would again choose Jerusalem as his dwelling place. He would give the city a new name meaning "The LORD is here" (Ezekiel 48:35).

Imagine that Ezekiel had not spoken his message, but had painted a picture or made a sculpture to symbolize the return to the promised land. Draw it on a separate piece of paper.

As Catholics...

At Jesus' baptism, the Father made it known that Jesus was his Son. The Holy Spirit came upon him, anointing him as priest, prophet, and king.

We call Jesus a priest because he offered the perfect sacrifice that no one else could. Jesus offered himself to save us. Jesus was a prophet because he delivered God's message of mercy and spoke out for truth and justice. Jesus showed himself to be a king by the care he gave to all his people.

As baptized members of the Church, we share in Jesus' role as priest, prophet, and king. How can we serve others by what we say and do?

Se le da esperanza al pueblo de Dios en el exilio.

La experiencia del exilio en Babilonia ayudó al pueblo de Dios a crecer en su fe. Por primera vez los exilados se identificaron como judíos y llamaron *judaísmo* a su religión. Más importante aún, empezaron a darse cuenta de lo infieles que habían sido con Dios.

El pueblo judío empezó a ver que el nacer en la tierra prometida, o la ciudadanía en la independiente Judá, no hacía a una persona parte del pueblo de Dios, sino que ser parte del pueblo de Dios quería decir cumplir su voluntad, tener absoluta fe en él y hacer un compromiso personal de cumplir la alianza.

En Babilonia a los judíos se les permitió mantenerse en comunidad. Los babilonios les dieron tierra fértil para vivir y les permitieron caminar libremente. Como resultado, muchos de los exilados se enriquecieron y otros fueron nombrados en posiciones en la corte real. De esa forma Dios seguía protegiendo a su pueblo y organizando su plan para su futuro.

Otro profeta, Isaías de Babilonia, ofreció un mensaje de esperanza claro al pueblo de Israel. Su mensaje es el segundo mensaje profético en el libro de Isaías y se encuentra en los capítulos 40–55.

Isaías llamó al pueblo a ser fiel a Dios y a tener esperanza. Igual que la fe, la esperanza es un don de Dios. La **esperanza** nos ayuda a confiar en las promesas de Dios de que él estará siempre con nosotros. La esperanza nos ayuda a confiar en el amor y cuidado de Dios por nosotros.

Isaías le recuerda al pueblo que Dios es tan fiel y lo ama igual que cuando estaba en Egipto. Pero Isaías dice que la salvación sólo vendrá por medio del sufrimiento de un siervo del Señor, un siervo que no tendrá pecado.

Los escritores del Nuevo Testamento entendieron que las palabras de Isaías se cumplieron en Jesucristo. El es el siervo que nunca pecó y que "no vino para que le sirvan, sino para servir y para dar su vida como precio por la libertad de muchos (Mateo 20:28).

Como Cristianos creemos que Dios nos mostró su gran amor enviando a su único Hijo. En Jesucristo el amor de Dios se hace presente en nosotros, así nuestra esperanza está en Cristo. Nuestra esperanza nos ayuda a confiar no en nuestra fuerza sino en la de Dios Espíritu Santo, enviado a nosotros por el Padre y el Hijo.

Imagina que estás en Babilonia escuchando a Isaías predicar. En grupo escenifiquen la situación. Escojan una persona para ser Isaías para que dé el mensaje de Dios. Otros para que hagan preguntas a Isaías sobre su mensaje y sobre la forma en que Dios los salvará.

El pueblo de Dios busca sabiduría.

Durante los años en Babilonia y a través de su larga historia, los judíos estuvieron atraídos especialmente por la tradición de escribir sobre la sabiduría. Algunos de esos escritos se encuentran en los libros de sabiduría del Antiguo Testamento. Esos libros ofrecen guía práctica sobre como vivir y proverbios para enseñar. Un **proverbio** es un dicho corto que ofrece un consejo sabio. Expresa un punto claro y fácil de recordar.

Babylonian ruins in the Middle East.

God's people in exile were given hope.

The experience of exile in Babylon helped God's people to grow in their faith. For the first time the exiles identified themselves as Jews and called their religion *Judaism*. More importantly, they began to realize just how unfaithful they had been to God.

The Jewish People began to see that birth in the promised land or citizenship in an independent Judah did not make a person one of God's people. Rather, being one of God's people meant truly following his will, having absolute faith in him, and making a personal commitment to follow the covenant.

In Babylon the Jews were able to remain a community. The Babylonians gave them fertile land on which to live and allowed the exiles to go freely about their lives. As a result, many of the exiles became quite wealthy, and some were even appointed to important positions at the royal court. In these ways God continued to protect his people and to set his plan for their future in place.

Late in the exile another prophet, Isaiah of Babylon, offered a clear message of hope to the people of Israel. His message is the second prophetic message in the Book of Isaiah and is found in Chapters 40—55.

Isaiah called the people to be faithful to God and to have hope. Like faith, hope is a gift from God. **Hope** enables us to trust in God's promise to be with us always. Hope enables us to be confident in God's love and care for us.

Isaiah reminded the people that God remained as faithful and loving as he was when they were in Egypt. But Isaiah said that salvation would come only through the suffering of a servant of the Lord, a servant who would be without sin.

The writers of the New Testament understand Isaiah's words to be fulfilled in Jesus Christ. He is the sinless servant who "did not come to be served but to serve and to give his life as a ransom for many" (Matthew 20:28).

As Christians we believe that God showed us his great love by sending his only Son to us. In Jesus Christ God's love is made present to us, so our hope is in Christ. Hope helps us to rely not on our own strength, but on the strength of God the Holy Spirit—sent to us by the Father and the Son.

Pretend that you are in Babylon listening to Isaiah preach. With a group role-play the situation. Have one person be Isaiah and deliver God's message. Have others ask Isaiah questions about this message and about the way God would save them.

God's people searched for wisdom.

During the years in Babylon, and throughout their long history, the Jews were particularly attracted to the tradition of writing about wisdom. Some of this writing is contained in the wisdom books of the Old Testament. These books give practical guidance on how to live and some use proverbs to teach. A **proverb** is a brief saying that gives wise advice. It makes a clear point that can be easily remembered.

Uno de los ejemplos de literatura de sabiduría más famoso es el libro de Job. Es la historia de Job quien tenía una maravillosa esposa, una familia numerosa, muchos parientes y sirvientes y muchas posesiones. Job era un hombre de Dios justo y bueno. De repente perdió a sus hijos, sus posesiones y su salud. A pesar de todo su inexplicable sufrimiento, él permaneció fiel a Dios. Eventualmente el Señor recompensó la fidelidad de Job y le devolvió doblemente todo lo que había perdido.

Empiecen un libro de proverbios, en que trabaje todo el grupo, que sea un manual para vivir una vida buena y justa. ¿Cómo llamarán al libro? Escriban el título y varios proverbios aquí.

_____

_____

El largo regreso a Judá sucedió en tres etapas.

Dios amaba a su pueblo, Israel. Él planificó etapas para su regreso a la tierra prometida. En el 539 A.C. los persas tomaron el imperio babilónico. Un año más tarde, Cirio, el rey de Persia, decidió dejar que los judíos exiliados regresaran a su tierra. Aun cuando Judá seguía perteneciendo a Persia y tenía un gobernador persa, los judíos podrían gobernarse en lo referente a gobiernos locales y religión. Esta noticia fue recibida con júbilo.

En el 538 A.C. Ciro nombró un prominente descendiente de David para dirigir el regreso a Judá de un grupo de judíos. Este grupo empezó a reconstruir la nación de Israel. Entonces Ciro murió inesperadamente en una batalla y todo el trabajo se detuvo. Pero los judíos estaban en su tierra.

Los libros de sabiduría en el Antiguo Testamento

Job	nos recuerda que sufrir es parte de la vida de todos.
Salmos	es una colección de oraciones poéticas y canciones.
Proverbios	ofrece consejos sobre como vivir.
Eclesiastés	nos enseña que la felicidad que da la riqueza, el placer y algunas veces la sabiduría, es momentánea.
Cantar de los cantares	es una colección de poemas de amor que usa un lenguaje simbólico que nos ayuda a entender el amor de Dios.
Sabiduría	anima a la gente a vivir vidas buenas y santas.
Eclesiástico	enseña como podemos crecer en la fe.

One of the most famous examples of wisdom literature is the Book of Job. It is the story of Job, who had a wonderful wife, a large family, many relatives and servants, and a great number of possessions. Job was a good and just man of God. Yet suddenly, he lost his children, his possessions, and even his own health. However, throughout his unexplainable suffering, he remained faithful to God. And eventually the Lord rewarded Job's faithfulness and gave Job back in a double measure everything that Job had lost.

As a class start a book of proverbs that is a how-to-manual for living a good and just life. Write the title and a proverb here.

_____

_____

The long return to Judah happened in three stages.

God loved his people, Israel. He planned the stages of their return to the land that he had promised them. In 539 B.C. the Persians took over the Babylonian empire. A year later Cyrus, the Persian king, decided to let the Jews in exile return to their homeland. Though Judah would still belong to Persia and have a Persian governor, the Jews would be allowed to govern themselves in local and religious matters. This news was greeted with joyous celebrations.

In 538 B.C. Cyrus appointed a prominent descendant of David to lead a group of Jews back to Judah. This group began the rebuilding of the Jewish nation. Then Cyrus unexpectedly died in battle and all work was stopped. Still, the Jews were again in their homeland.

Books of Wisdom in the Old Testament

Job	reminds us that suffering is a part of life.
Psalms	is a collection of poetic prayers and songs.
Proverbs	gives advice on how to live.
Ecclesiastes	teaches us that riches, pleasure, and even wisdom only bring happiness for a while.
Song of Songs	is a collection of love poems that use symbolic language to help us understand God's love.
Wisdom	is designed to urge people to live a good and holy life.
Sirach	or Ecclesiasticus teaches that we can grow in faith by living a good and holy life.

Aproximadamente en el 520 A.C. se escucharon las voces de dos nuevos profetas, Hageo y Zacarías. Ellos empezaron a decir a los que habían regresado que dejaran de pensar sólo en su propio interés y que reconstruyeran el Templo. Sus argumentos están en los libros de Hageo y Zacarías.

Después, el nuevo y poderoso gobernador del imperio persa nombró dos importantes líderes judíos para dirigir una gran expedición de judíos de regreso a Judá. Este grupo tuvo éxito en la reconstrucción del Templo y se asentaron en una gran porción de tierra. Esta primera etapa del plan de Dios para reestablecer al exilado pueblo judío en su tierra estaba completa: los judíos ocuparon la tierra y el Templo fue reconstruido.

Cerca de setenta años después de la reconstrucción del Templo, el territorio judío en el sur y sureste fue invadido. Nehemías fue enviado a construir murallas para proteger a Jerusalén de los ataques. Así, como leemos en el libro de Nehemías, Dios completó la segunda etapa del regreso: Judá fue liberada de los ataques extranjeros.

Otro judío, Esdras, dirigió el regreso a Judá de un grupo de judíos exilados. Esdras reformó las prácticas religiosas y sociales de Judá. Su trabajo se recuerda en el Libro de Esdras.

En una dramática escena en el Templo, Esdras llora públicamente y le recuerda al pueblo sus pecados contra Dios. El pueblo estaba tan conmovido que se arrepintió y estuvo de acuerdo en cumplir la ley de Dios. Estas leyes se encuentran en el Tora, palabra hebrea para los cinco primeros libros del Antiguo Testamento. Así Dios finaliza la última etapa del regreso a Judá, el pueblo se rinde totalmente a Dios.

RESPONDEMOS

 Junto con un compañero hablen sobre diferentes formas en que, como miembros de la Iglesia, podemos decir y hacer cosas que Jesucristo nos enseñó a hacer.

Vocabulario

lamentación (pp 349)

superstición (pp 350)

esperanza (pp 349)

proverbio (pp 350)

Tora (pp 350)

Around 520 B.C. the voices of two new prophets, Haggai and Zechariah, were heard. They cried out to those who had returned to stop concentrating only on their own interest and to rebuild the Temple. Their stirring arguments are in the Book of Haggai and in the Book of Zechariah.

Then a strong new ruler of the Persian empire appointed two prominent Jews to lead a large Jewish expedition back to Judah. This group succeeded in rebuilding the Temple and resettling a large part of the land. The first stage of God's plan to reestablish the exiled Jews in their homeland was now completed: Jews occupied the land, and the Temple was restored.

About seventy years after the Temple was rebuilt, Jewish territory in the south and southeast was invaded. Nehemiah was sent to rebuild the walls of Jerusalem and protect the city from these attacks. Thus as we can read in the Book of Nehemiah, God completed the second stage of the return: Judah was freed from foreign attack.

Another Jew, Ezra, led a group of Jewish exiles back to Judah. Ezra reformed the religious and social practices in Judah. His work is recorded in the Book of Ezra.

In a dramatic scene in the Temple, Ezra wept publicly and recalled the people's sins against God. The people were so moved that they repented and agreed to follow God's Law. This Law was found in the Torah, the Hebrew name for the first five books of the Old Testament. In this way God accomplished the last stage of the return to Judah: The people submitted fully to God's Law.

WE RESPOND

With a partner, brainstorm different ways that we, as members of the Church, can say and do the things that Jesus Christ taught us to do.

Key Words

lamentation (p. 351)

superstition (p. 352)

hope (p. 351)

proverb (p. 352)

Torah (p. 352)

HACIENDO DISCIPULOS

Muestra *lo* que sabes

Escribe un resumen sobre las experiencias de los israelitas durante el exilio en Babilonia y su peregrinaje hacia su hogar. Asegúrate de usar las palabras del **Vocabulario** en tu resumen.

Celebra

Los salmos son partes importantes de la liturgia de la Iglesia. Ellos nos ayudan a alabar a Dios. Durante la misa, ¿cuándo se proclaman los salmos?

❏ durante los Ritos Iniciales

❏ durante la Liturgia de la Palabra

❏ durante la Liturgia de la Eucaristía

❏ durante los Rito de Conclusión

Exprésalo

El ancla era uno de los símbolos de esperanza más populares entre los primeros cristianos. Como símbolo de esperanza está basado en la Escritura (Ver Hebreos 6:18–19). Piensa en tu propio símbolo de esperanza y dibújalo en el espacio.

Pray
Learn
Celebrate
Share
Choose
Live

PROJECT DISCIPLE

Show What *you* Know

Write a summary of the Israelites' experiences during the exile in Babylon and the journey home. Be sure to use the Key Words in your summary.

Celebrate!

Psalms are an important part of the Church's liturgy. They help us to give worship to God. During Mass, when are psalms proclaimed?

❏ the Introductory Rites

❏ the Liturgy of the Word

❏ the Liturgy of the Eucharist

❏ the Concluding Rites

Picture This

The anchor was one of the most popular early Christian symbols of hope. The anchor as a symbol of hope is based on Scripture. (See Hebrews 6:18–19.) Think of your own symbol of hope and draw it in the space below.

HACIENDO DISCÍPULOS

Orar · Conocer · Celebrar · Compartir · Expresar · Vivir

Vidas de santos

San Buenaventura nació en 1221 en Toscana, Italia. Desde muy temprana edad se unió a los franciscanos, una comunidad religiosa fundada por San Francisco de Asís. Se mudó a París, Francia, donde estudió en la universidad. Escribió sobre Dios y se dio a conocer por su gran amor a Dios. Él mantenía un crucifijo grande sobre su escritorio. Decía que aprendió de Jesucristo todas las cosas hermosas que escribió sobre Dios. También escribió una biografía de San Francisco de Asís. Los libros de Buenaventura lo hicieron famoso, pero él siguió siendo humilde. En 1273, Buenaventura fue nombrado cardenal. Su conocimiento y sabiduría ayudaron al papa y a los obispos. La universidad San Buenaventura en Olean, Nueva York, fue fundada en su honor. Su fiesta se celebra el 15 de julio.

↳ RETO PARA EL DISCÍPULO

- Subraya la oración que describe la fuente de los escritos de Buenaventura.
- Traza un círculo alrededor de la comunidad religiosa a que pertenecía Buenaventura.

Visita, *Vidas de santos* en religion.sadlierconnect.com para ver más información sobre los santos.

Escritura

El libro de los Proverbios, uno de los libros de sabiduría del Antiguo Testamento, ofrece consejos sobre como vivir. Lee el siguiente versículo y explica su significado.

"Rico y pobre tienen esto en común: a los dos los hizo el Señor". (Proverbios 22:2)

_____

_____

_____

Tarea

En familia, lean la historia de Job que se encuentra en la página 216. Conversen sobre el sufrimiento y la fidelidad de Job. ¿Qué situación en el mundo hoy te recuerda la historia de Job?

_____

_____

_____

222

Saint Stories

Saint Bonaventure was born in 1221 in Tuscany, Italy. At a young age he joined the Franciscans, a religious community founded by Saint Francis of Assisi. He moved to Paris, France, where he studied at the university. He wrote about God and became known for his great love of God. He kept a large crucifix on his desk. He said that he learned of all the beautiful things he wrote about God from Jesus, his only teacher. He also wrote a biography of Saint Francis of Assisi. Bonaventure's books made him famous, but he remained humble. In 1273, Bonaventure was made a cardinal. His knowledge and wisdom helped the pope and bishops. Saint Bonaventure University in Olean, New York, was named in honor of the saint. His feast day is July 15.

Devereux Hall on the campus of St. Bonaventure University, Olean, New York

DISCIPLE CHALLENGE

- Underline the sentence that describes the source of Bonaventure's writing.
- Circle the name of the religious community that Bonaventure joined.

Visit *Lives of the Saints* on **religion.sadlierconnect.com** to find out more about other saints and holy people.

What's the Word?

The Book of Proverbs, one of the wisdom books of the Old Testament, gives advice on how to live. Read the following passage and explain its meaning.

"Rich and poor have a common bond: the Lord is the maker of all." (Proverbs 22:2)

_____

_____

_____

_____

Take Home

As a family, read the story of Job found on page 217. Talk about Job's sufferings and his faithfulness. What situation in today's world reminds you of the story of Job?

_____

_____

_____

Catequesis en el hogar

Identidad católica
Catequesis en familia

Capítulo 17 (páginas 210–223)

El exilio y el regreso a casa

En este capítulo su niño(a) aprenderá cómo el pueblo de Dios creció en sabiduría durante su exilio en Babilonia y su regreso a Judá.

Para los padres

Los profetas Ezequiel e Isaías brindaron su ministerio al pueblo de Judá en Babilonia. El Señor transmitió palabras de esperanza y consuelo a través de ellos. El pueblo exiliado regresó a su tierra natal más sabio y más cerca de Dios.

Todos los días

- Juntos recen: *Querido Dios, te alabamos y te adoramos.*

Primer día Los profetas siguieron compartiendo el mensaje de Dios.

- Lea en voz alta el enunciado y pida a su niño(a) que lea el texto que sigue. Converse sobre el Libro de las Lamentaciones, como una expresión de la tristeza del pueblo de Dios. Enfatice que el mensaje de la fe firme en el amor de Dios nos ofrece consuelo.

- Comente acerca de la condenación del profeta Ezequiel de la injusticia social, la idolatría y la superstición, y converse sobre su predicción de la caída de Jerusalén y el exilio.

Segundo día Se le da esperanza al pueblo de Dios en el exilio.

- Con su niño(a) lea el enunciado y el texto. Comente sobre el crecimiento de los exiliados en la fe y su identificación de sí mismos como judíos.

- Señale la creciente comprensión de los exiliados sobre la importancia de mantener la alianza y su crecimiento en la fe, en la esperanza y en la comprensión de su relación con Dios.

- Converse acerca de la promesa de Isaías de que la salvación vendría a través de un siervo sufriente, que no tendría pecado. Enfatice que las palabras de Isaías se cumplen en Jesucristo.

Tercer día El pueblo de Dios busca la sabiduría.

- Lea en voz alta el enunciado y el texto. Comente sobre los proverbios y dé algunos ejemplos. Converse sobre el mensaje y el propósito de cada libro de sabiduría.

- Pida a su niño(a) que lea la historia de Job. Converse sobre los sufrimientos de Job, su fidelidad y su recompensa.

Cuarto día El largo regreso a Judá sucedió en tres etapas.

- Lea en voz alta el enunciado. Luego revise las tres etapas del retorno del pueblo a Judá. La primera etapa comenzó cuando el rey de Persia, Ciro, permitió a los judíos que regresaran y reconstruir el templo. En la segunda etapa Nehemías reconstruyó los muros de Jerusalén para proteger la ciudad. En la tercera, Esdras llevó a un grupo de exiliados de regreso a Judá, reformó las prácticas religiosas y sociales, y lloró públicamente por los pecados del pueblo.

Respondemos en fe

Quinto día

- Anime a su niño(a) a escribir una oración por los refugiados.

Sexto día

- Esta semana pidan a Dios que les ayude a mantenerse fieles.

Catechesis at Home

Chapter 17 (pages 210–223)

The Exile and the Journey Home

In this chapter your child will learn how the people of God grew in wisdom during their exile in Babylon and their return to Judah.

For the Parents

The prophets Ezekiel and Isaiah ministered to the people of Judah in Babylon. Through these prophets the Lord spoke words of hope and comfort. The exiled people eventually returned to their homeland wiser and closer to God.

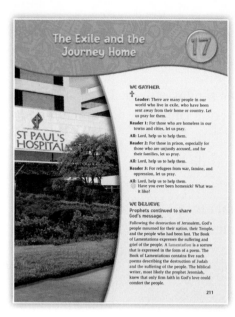

Every Day

Pray, *Loving God we praise you and adore you.*

Day One **Prophets continued to share God's message.**

- Read aloud the *We Believe* statement and the text that follows. Discuss the Book of Lamentations as an expression of the grief of God's people. Emphasize the message that firm faith in God's love offers comfort.

- Talk about the prophet Ezekiel's condemnation of social injustice, idolatry, and superstition, and discuss his prediction of the fall of Jerusalem and the exile.

Day Two **God's people in exile were given hope.**

- With your child read the statement and the text. Talk about the exiles' growth in faith and their identification of themselves as Jews.

- Point out the exiles' growing realization of the importance of keeping the covenant and their growth in faith, in hope, and in understanding of their relationship with God.

- Talk about Isaiah's promise that salvation would come through a suffering servant of the Lord who would be without sin. Emphasize that Isaiah's words are fulfilled in Jesus Christ.

Day Three **God's people searched for wisdom.**

- Read aloud the statement and the introductory text. Talk with your child about proverbs, and give a few examples. Discuss the message and purpose of each wisdom book.

- Ask your child to read the story of Job. Discuss Job's sufferings, faithfulness, and his reward.

Day Four **The long return to Judah happened in three stages.**

- Read aloud the statement. Take turns reading the text; then review the three stages of the people's return to Judah. The first stage started when the Persian king Cyrus allowed Jews to return to Judah and rebuild the Temple, the second stage Nehemiah rebuilt the walls of Jerusalem to protect the city, the third stage Ezra led a group of exiles back to Judah, reformed religious and social practices, and wept publicly for the people's sins.

We Respond in Faith

Day Five

- Encourage your child to write a prayer remembering displaced people.

Day Six

- This week pray to god to remain faithful.

Un pueblo fuerte

NOS CONGREGAMOS

✝ **Líder:** Los sabios caminan por las sendas del Señor. Escuchan los mensajes que Dios les envia.

Vamos a escuchar algunas palabras de la sabiduría de la Escritura.

Lector 1: "El que se porta honradamente está seguro, el que actúa torcidamente es descubierto". (Proverbios 10:9)

Todos: Señor, danos sabiduría para hablar y actuar honestamente.

Lector 2: "El odio provoca peleas, el amor disimula las faltas". (Proverbios 10:12)

Todos: Señor, danos sabiduría para amar a todo el mundo.

☀ Piensa en un libro, un programa de televisión o una película que tenga un importante mensaje para la gente. ¿Cuál es el mensaje? ¿Cómo comunica el mensaje?

CREEMOS

Los judíos vivían y adoraban juntos.

Como hemos visto, cada uno de los profetas tenía un mensaje de Dios. Uno de esos profetas fue Isaías de Judá. Su mensaje, el tercer mensaje profético en el Libro de Isaías, puede leerse en los capítulos 56—66 de ese libro.

Isaías no sólo se centró en la verdadera adoración sino que también hizo una relación entre adorar y dar un tratamiento justo a los demás. Él asoció la alabanza a Dios con la justicia social. Alabar, decía, debe llevar al pueblo a actuar con justicia, especialmente hacia los que sufren.

En el libro de Malaquías encontramos otro llamado a adorar a Dios y a ser justos. Malaquías profetizó que Dios vendría a juzgar a su pueblo. Malaquías significa "mi mensajero" y el profeta habla de un mensajero que preparará el camino del arrepentimiento y verdadera adoración. Leemos sobre ese mensajero en el Evangelio de Mateo cuando Juan el Bautista aparece en Judea:

"Voz del que grita en el desierto: 'Preparen el camino al Señor, nivelen sus senderos'".

(Mateo 3:3)

A Strong People

WE GATHER

✟ **Leader:** The wise walk in the ways of the Lord. They listen to the messages that God sends them.

Let us listen to these words of wisdom from Scripture.

Reader 1: "He who walks honestly walks securely,

but he whose ways are crooked will fare badly."

(Proverbs 10:9)

All: Lord, give us wisdom to speak and act with honesty.

Reader 2: "Hatred stirs up disputes, but love covers all offenses."

(Proverbs 10:12)

All: Lord, give us wisdom to grow in love for all people.

☀ Think of a book, television show, or movie that contains an important message for people. What is the message? How is it communicated?

WE BELIEVE

The Jews lived and worshiped together.

As we have seen, each of the prophets had a message for God's people. One of these prophets was known as Isaiah of Judah. His message, the third prophetic message in the Book of Isaiah, can still be read in Chapters 56—66 of that book. Isaiah not only focused on true worship, but also made a connection between worship and the fair and just treatment of others. He linked praising God and social justice. Worship, he said, must lead people to act with justice, especially toward those who suffer.

In the Book of Malachi we find another call to worship God and to be just. Malachi foresaw a day when God would come to judge his people. Malachi, meaning "my messenger," tells of a messenger who would prepare the way for repentance and true worship. We read about such a messenger in the Gospel of Matthew when John the Baptist appears in Judea:

"A voice of one crying out in the desert,
'Prepare the way of the Lord,
make straight his paths.'"

(Matthew 3:3)

El Libro de Abdías fue escrito cuando el pueblo judío tenía problemas con el pueblo de Edom. Durante el regreso a Babilonia de los judíos, los idumeos empezaron a asentarse en el sur de Judea. El Libro de Abdías nos recuerda que Dios es justo. Presenta la esperanza por la supervivencia del pueblo judío y el regreso al reino empezado por David.

El libro de Joel usa imágenes para mostrar al pueblo la necesidad de un arrepentimiento verdadero: "Desgarren su corazón, no sus vestiduras; conviértanse al Señor, su Dios" (Joel 2:13) insistía el profeta. Él dijo al pueblo que sólo de esa manera Dios volvería a favorecer a Israel.

El libro de Daniel ofrece información sobre los muchos años de exilio en Babilonia y el dominio persa. Historias sobre Daniel y sus compañeros expresan esperanzas y hablan de la importancia de un comportamiento que agrade a Dios. Muestra que el pueblo de Dios debe ser fiel a sus tradiciones religiosas aun estando en tierras extranjeras.

El libro de Ester, igual que el libro de Daniel, es una historia romántica agradable. Es una mezcla de ficción y realidad diseñada para ofrecer esperanza e instrucción a un pueblo derrotado. Ester fue una virtuosa judía casada con el rey de Persia. Ella detuvo un complot en el que el rey estaba de acuerdo con la matanza de judíos. El día del terrible evento sería decidido al azar, en hebreo *purim*.

Los judíos siguen recordando ese día, cuando con la ayuda de Dios Ester salvó al pueblo de Dios. Ellos celebran este día como la fiesta de purim.

A través de la historia Dios ha estado trabajando en su pueblo. ¿Cuáles son algunas formas en que Dios trabaja en su pueblo?

_____

_____

Dios siguió trabajando en su pueblo.

Contar historias es una forma importante usada por los escritores bíblicos para ayudar al pueblo a entender su relación con Dios. Las historias en la Biblia son algunas veces partes de libros históricos o proféticos. Otras veces la historia es narrada en un libro específico de la Biblia, muchas veces titulado con el nombre del personaje de la historia. De cualquier manera las historias contienen personajes simbólicos interesantes que tratan la providencia de Dios. La providencia de Dios es el constante cuidado y protección de Dios por su pueblo.

La historia de Tobit   El libro de Tobit es sobre un rico judío que vivía en Nínive, Asiria. Cuando se quedó ciego, Tobit envió a su hijo Tobías a Persia donde conoció a una mujer llamada Sara. Ahí Dios envió al ángel Rafael a ayudar a Tobit, entonces Tobías y Sara resuelven todos sus problemas.

Tobit entonces cantó un hermoso himno de alabanza a Dios por su providencia. Empieza así: "Bendito sea Dios que vive eternamente" (Tobías 13:1).

The Book of Obadiah was written at a time when the Jewish People were having problems with the people in Edom. During the Jewish return from Babylon, the Edomites started to settle in southern Judah. The Book of Obadiah reminds us that God is just. It presents the hope for the survival of the Jewish People and the return of the kingdom begun by David.

The Book of Joel uses images to show the people the need for true repentance. "Rend your hearts, not your garments, /and return to the LORD, your God" (Joel 2:13), the prophet insists. He tells the people that only in this way will Israel be restored to God's favor.

The Book of Daniel gives insight into the long years of Babylonian exile and Persian domination. Stories about Daniel and his companions express hope and tell of the importance of behavior that is acceptable to the Lord. They show that God's people are able to be faithful to their religious traditions even in a foreign land.

The Book of Esther, like the Book of Daniel, is a kind of historical romance. It is a mixture of fact and fiction designed to offer hope and instruction to a defeated people. Esther was a virtuous Jewish girl married to the king of Persia. She stopped a terrible plot in which the king agreed that the Jews should be killed. The day of this terrible event would be decided by casting lots, or in Hebrew, *purim*.

Jews everywhere still mark this day when through God's help Esther saved God's people. They celebrate it as the feast of Purim.

Throughout history God has worked through his people. What are some ways that God works through people?

_____

_____

God continued to work through his people.

Storytelling is an important way that the biblical writers help people to understand their relationship with God. The stories in the Bible are sometimes a part of historical or prophetic books. Other times the story is recorded in a specific book of the Bible—often bearing the name of a character in the story. Either way the stories contain symbolic, interesting characters who deal with the issue of God's providence. Providence is God's constant care for and protection of his people.

The Story of Tobit   The Book of Tobit is about a wealthy Jew living in Nineveh, Assyria. When he became blind, Tobit sent his son Tobiah to Persia where he met a woman named Sarah. There God sent the angel Raphael in disguise to help Tobit, Tobiah, and Sarah solve all their problems.

Tobit then sang a beautiful hymn praising God for his providence. It began,
"Blessed be God who lives forever,
   because his kingdom lasts for all ages"
(Tobit 13:1).

Esther appeals to the king of Persia. A page from the Megillat—The Book of Esther, 18th century.

La historia de Judit La providencia es también el tema principal en el libro de Judit. Al iniciarse la historia, los judíos se negaban a ayudar a Asiria a luchar contra sus enemigos. Entonces Asiria iba a castigar al pueblo judío.

La historia describe a Judit como una gran heroína cuyas valientes acciones rescataron a los judíos. Por su valor, Dios salvó a su pueblo de sus enemigos.

La Historia de Jonás Uno de los escritos más interesantes de esos tiempos es la corta historia contenida en el libro de Jonás. Es también conocido como una *parábola*. Una **parábola** es una historia corta que tiene un mensaje. Una parábola es usualmente sobre algo conocido usado para poner énfasis sobre algo diferente.

En la historia, Jonás fue llamado a ser un profeta de Dios. Sin embargo, se negó a llevar el mensaje de Dios a la pecadora ciudad de Nínive. Por el contrario, Jonás se fue en un barco que fue azotado por las olas. Luego Jonás fue tragado por un enorme pez y después de tres días fue devuelto sano y salvo a tierra firme. Entonces Dios lo envió de nuevo a Nínive a completar su misión.

Como cristianos, esta simbólica historia nos recuerda a la Resurrección. Tal como quería Dios que Jonás llevara el mensaje, Dios envió a Jesucristo a traer su vida y amor a todos los pueblos. Tal como Jonás pasó tres días en el vientre de un pez, Jesucristo resucitó de la muerte después de tres días en la tumba.

Cuando Jonás fue a Nínive el pueblo escuchó, se arrepintió y fue salvado. Jonás se quejó a Dios de que ese pueblo malvado debía ser castigado. Dios le recordó a Jonás que esa gente era también criatura de Dios.

Esta historia lleva un mensaje: Dios extiende su misericordia a todo el que verdaderamente se arrepiente. Esto nos recuerda que no debemos tener una mala actitud hacia otras personas.

Piensa en el significado de una de las historias de los libros de Tobit, Judit y Jonás. Escribe un resumen explicando la importancia de la historia hoy.

_____

_____

Como católicos...

Jesús usaba parábolas en sus enseñanzas. También usaba ejemplos de la naturaleza, las cosechas, las fiestas y todo trabajo para describir el reino de Dios, el poder del amor de Dios en el mundo y en nuestras vidas. Jesús también contó parábolas para ayudar a sus discípulos a entender la misericordia y la justicia de Dios.

Lee con tu familia y conversen sobre una parábola del capítulo 13 del Evangelio de Mateo.

The Story of Judith   Providence is also the principal theme of the Book of Judith. As her story opens, the Jews had refused to help Assyria fight against its enemies. Thus, Assyria was about to punish the Jewish People.

The story goes on to portray Judith as a great heroine whose brave actions rescued the Jews. Through her courage, God saved his people from their enemies.

The Story of Jonah   One of the most interesting writings of the time is the short story that makes up the Book of Jonah. It is also known as a *parable*. A **parable** is a short story that has a message. A parable is usually about something familiar, but it is told to make a point about something else.

In the story Jonah was called to be one of God's prophets. But he refused to carry God's message of doom to the sinful city of Nineveh. Instead Jonah sailed off on a ship, was thrown overboard, swallowed by a huge fish, and after three days, was thrown safe and sound onto dry land. Then he was sent back to Nineveh by God to complete his mission.

Detail of *Judith*, by Giorgione (1476–1510)

As Catholics...

Jesus often used parables in his teaching. Jesus used examples from nature, farming, feasts, and everyday work to describe the Kingdom of God—the power of God's love coming into the world and into our lives. Jesus also told parables to help his disciples understand God's mercy and God's justice.

With your family read and discuss one parable from Chapter 13 of the Gospel of Matthew.

As Christians, this symbolic story reminds us of the Resurrection. Just as God wanted Jonah to deliver a message, God sent Jesus Christ to bring his life and love to all people. And just as Jonah spent three days in the belly of the fish, Jesus Christ rose from the dead after three days in the tomb.

When Jonah went to Nineveh the people listened, repented, and were spared. Jonah complained to God that these wicked people should have been punished. God reminded Jonah that these people were also God's creation.

This story conveys a message: God extends his mercy to all who truly repent. It reminds us not to be narrow-minded but to have a tolerant attitude toward all people.

Think about the meaning of one of the stories from the Books of Tobit, Judith, and Jonah. Write a caption to explain the importance of the story today.

_____

_____

Los macabeos defendieron la fe judía.

En el año 323 A.C. Judá, que era parte de Palestina, cayó bajo el gobierno sirio-mesopotámico. Sin embargo, ninguno de los tradicionales arreglos políticos y religiosos cambiaron.

En el 175 A.C. se le avisó al rey sirio-mesopotámico que el imperio romano estaba tratando de adueñarse de sus tierras. El rey decidió unir más a su reino. Así que decidió pedir a todos que aceptaran la cultura y religión griegas.

Esta política dividió la comunidad judía de Palestina. Algunos judíos estuvieron a favor de la cultura griega; fueron llamados helenitas, o del partido griego. Otros no estaban de acuerdo, fueron llamados hasídicos, del partido pío. Cuando el rey supo que su ley había sido rechazada empezó a perseguir a los hasídicos. Él también capturó Jerusalén, canceló a su sumo sacerdote y dañó el templo.

Esto causó una rebelión en el 167 A.C. Los eventos de esta rebelión fueron recopilados en el primer y segundo libro de los Macabeos. En el 166 A.C. Judas Macabeo se encargó de la revuelta. Los hasídicos se unieron a Judas en la rebelión y ganaron muchas batallas. Judas y sus seguidores recuperaron a Jerusalén.

En el 164 A.C. Judas limpió el Templo y lo dedicó de nuevo a la adoración de Dios. La menorá (lámpara) del Templo fue encendida de nuevo. Judas pidió al pueblo recordar ese evento con un festival. El festival se llamó "fiesta de las luces" porque el contenido de aceite de un día de la menorá duró ocho. Este fue el origen del festival Januká celebrado por los judíos aún hoy. Celebran las obras del pueblo de Dios que rechazó negar su fe.

Cuando Judas murió en una batalla en el 160 A.C. su hermano Jonatan dirigió al pueblo. Durante diez y siete años ellos vencieron en sus luchas contra Siria. Cuando Jonatan murió, su hermano Simón lo sucedió.

Simón se aprovechó de la debilidad de Siria y negoció la independencia para Judá. Simón fue el primer rey judío desde el año 587 A.C. Simón fue también un sumo sacerdote. Judá fue fortalecida porque Simón tenía autoridad civil y religiosa.

Los escritores de los libros de los Macabeos nos muestran que la providencia de Dios, el heroísmo y la diplomacia de muchos hombres y mujeres ayudaron a salvar el pueblo de Dios y permitirles profesar su fe.

Durante el tiempo de los macabeos ¿cómo se manifestó la providencia de Dios para su pueblo? Ilustra las formas en que Dios provee para su pueblo hoy.

_____

_____

Judea perdió su independencia por el gobierno romano.

En el año 134 A.C., Simón Macabeo fue asesinado y su hijo Juan pasó a ser rey. Juan adquirió gran cantidad de tierra en el sur. Como también él era un sumo sacerdote, insistió que el pueblo adorara al único y verdadero Dios y dejara sus falsas prácticas religiosas.

The Maccabees defended the Jewish faith.

In 323 B.C. Judah, which was part of Palestine, came under Syrian-Mesopotamian rule. However, none of Judah's traditional political and religious arrangements changed.

In 175 B.C., the king of Syria-Mesopotamia was warned about the Roman empire trying to take over his land. He decided that his kingdom should be more united. So he required everyone to accept the Greek culture and religion.

This policy split the Jewish community in Palestine. Some Jews favored the introduction of Greek culture; they were called Hellenists, or the Greek party. Others disagreed; they were the Hasidim, or the Pious party. When the king saw that his policy was being resisted, he began to persecute the Hasidim. He also captured Jerusalem, removed the high priest, and damaged the Temple.

This caused a rebellion in 167 B.C. The events of this rebellion were recorded in the First and Second Books of Maccabees. In 166 B.C. Judas Maccabeus took charge of the revolt. The Hasidim joined Judas in rebellion and won many battles. Judas and his followers recaptured Jerusalem.

In 164 B.C. Judas cleansed the Temple and rededicated it to the worship of God. The Temple menorah, or lamp stand, was lit once again. Judas asked the people to remember this event with a festival. The festival was called the "the feast of lights" because a one-day's supply of oil in the menorah lasted for eight days. This was the origin of the festival of Hanukkah, which Jews still celebrate today. They celebrate the deeds of the people of God who refused to give up their faith.

When Judas died in battle in 160 B.C., his brother Jonathan led the people. For seventeen years they were successful in their struggle against Syria. Then Jonathan died, and his brother Simon took his place.

Simon took advantage of Syrian weakness and negotiated independence for Judah. Simon became the country's first Jewish king since 587 B.C. Simon was also the high priest. Judah was strengthened because Simon had both civil and religious authority.

The writers of the Books of Maccabees have shown us that God's providence and the heroism and diplomacy of many men and women helped save God's people and allowed them to again follow their faith.

During the time of the Maccabees how did God provide for his people? Write two ways God provides for people today.

Judea lost its independence to Roman rule.

In 134 B.C. Simon Maccabeus was killed and his son, John Hyrcanus, became king. John acquired a great deal of land in the south. Because he was also the high priest, he insisted that the people living there worship the one true God and give up their false religious practices.

231

Durante el reinado de Juan hubo desunión y pelea entre el partido de los píos y los hasídicos. Ellos cuestionaron el derecho de Juan a ser sumo sacerdote. Diferentes grupos se formaron dentro de los hasídicos. Esos grupos fueron los esenios, los fariseos y los saduceos. Sólo los saduceos se unieron con la comunidad de judíos y siguieron adorando en el Templo de Jerusalén.

Cuando murió Juan, su hijo menor, Alejandro, lo sucedió. Él expandió su reino tomando Galilea y Samaria. Alejandro empezó a perseguir a los fariseos porque ellos se oponían a sus políticas. Aun así, cuando murió dejo atrás una Judea más fuerte. Judea era la traducción de Judá, la tierra donde los judíos se habían asentado.

Cuando Alejando murió, se inició una guerra civil debido a problemas entre sus dos hijos. Roma notó el problema en Judea y decidió intervenir.

Vocabulario

parábola (pp 350)

En el año 63 A.C. el senado, cuerpo gubernamental romano, envió a Pompeyo el Grande a arreglar los problemas en el Este. Pompeyo hizo de lo que quedaba de Siria-Mesopotamia una provincia de Roma. La llenó de tropas romanas. Pompeyo invadió Judea, capturó Jerusalén y puso el reino de Judea bajo el imperio romano. Esto marcó el fin del reino y la independencia judía durante más de dos mil años. Los próximos treinta y tres años estuvieron llenos de confusión y lucha por el poder, no sólo de Judea sino también de Roma. Durante estos conflictos, muchos judíos y romanos, incluyendo a Pompeyo, fueron asesinados.

Cuando retornó la paz en el 30 AC., Judea se encontraba bajo el gobierno de Roma. El poder de Judea lo tenía un extranjero, Herodes el Grande. Herodes era descendiente de una de las familias del sur de las tierras que habían sido forzadas por Juan a aceptar al único y verdadero Dios. Por es razón muchos judíos dudaban si Herodes era judío.

La principal preocupación de Herodes era sobrevivir en un mundo en peligro. Así que trató de complacer a Roma todopoderosa, ahora gobernada por el emperador César Augusto. Para ello Herodes impidió todo intento local para liberar a Judea del control romano. Él cambió la oficina del sumo sacerdote de un puesto heredado a un puesto designado. También mandó a matar a todo el que se opusiera a su autoridad. Así se ganó el odio de muchos judíos y la admiración de muchos romanos. De hecho, los romanos estaban tan contentos con su forma de gobernar que lo hicieron rey de Judea.

RESPONDEMOS

¿Qué pueden hacer los líderes para mostrar respeto por la religión y creencias de sus ciudadanos? Conversen sobre formas en que puedes mostrar respeto por la religión y fe de otros.

Key Word

parable (p. 352)

During John's reign there was disunity and fighting among the Pious party, the Hasidim. They questioned whether John had the right to the office of high priest. So different groups within the Hasidim formed. These groups were the Essenes, the Pharisees, and the Sadducees. Only the Sadducees recognized John's title and worked closely with him. Yet the Pharisees and the Sadducees joined with the community of Jews and continued to worship in the Temple in Jerusalem.

When John died, his younger son, Alexander Jannaeus, became king. He expanded his kingdom acquiring Galilee and Samaria. Alexander began to persecute the Pharisees because they opposed his policies. Still, when he died, he left behind him a much stronger Judea. Judea was a translation for Judah, the land where the Jews had resettled.

After Alexander Jannaeus died, a civil war broke out because of problems between his two sons. Rome sensed the trouble in Judea and decided to get involved.

In 63 B.C. the Senate, the governing body in Rome, sent Pompey the Great to settle matters in the East. Pompey made what remained of Syria-Mesopotamia a Roman province. He filled it with Roman troops. Pompey invaded Judea, captured Jerusalem, and brought the kingdom of Judea under Roman rule. This marked the end of the kingdom, as well as the end of Jewish independence for over two thousand years.

The next thirty-three years or so saw a confused struggle for power, not only in Judea but also in Rome. During these conflicts, many Jews and many Romans, including Pompey himself, were killed.

When peace returned in 30 B.C., Judea found itself under Roman rule. Power in Judea was given to a complete outsider, Herod the Great. Herod was a descendant of one of the families from the southern lands that had been forced by John Hyrcanus to accept the one true God. For that reason many Jews doubted whether Herod was a Jew at all.

Herod's main concern was to survive in a dangerous world. So Herod tried to please the all-powerful Rome, now governed by the emperor Caesar Augustus. To do this Herod stopped all local attempts to free Judea from Rome's control. He changed the office of the high priesthood from one of inheritance to one of appointment. Herod also put to death all who challenged his authority. Thus he was hated by many Jews and admired by most Romans. In fact, the Romans were so happy with the way Herod was ruling that they made him king of Judea.

WE RESPOND

What can leaders do to show respect for the religious beliefs of their citizens? Discuss ways you can show respect for the religious beliefs of others.

HACIENDO DISCIPULOS

Muestra *lo* que sabes
Usa la clave para completar el cuadro.

Clave	Tu respuesta
Fiesta judía para recordar que por medio de la ayuda de Dios Ester salvó al pueblo	
País vencido por la acción de Judit	
El ángel que ayudó a Tobit, Tobías y a Sara	
Fue rey de Israel (Judea), cuando murió su padre Juan Hyrcanus	
Lugar de exilio donde está ambientado el libro de Daniel	
El pueblo judío _____ a Herodes porque complacía a Roma	
Hanukah es la "fiesta de la _____"	
Libro escrito cuando el pueblo judío tenia problemas con el pueblo de Edón	

↳ **RETO PARA EL DISCIPULO** Mira tus respuestas:

• Encierra en un círculo la primera letra de cada respuesta

• Usa las circuladas para escribir la palabra del *Vocabulario*:

____ ____ ____ ____ ____ ____ ____ ____

La historia de Jonás es una parábola. ¿Cuál es su mensaje?

_____

_____

Consulta

¿Qué te ayuda a seguir adelante cuando los cosas se ponen difíciles? Chequea todas las que aplican.

❏ determinación

❏ familiares y amigos

❏ fe en Dios

❏ _____

Datos

La frase: "el hoyo de mejilla" viene de la fiesta judía de Purín. Mejilla es la palabra judía para "rollo". El rollo donde se encuentra el libro de Ester se lee en su totalidad en la sinagoga el dia de Purín. De esta manera la frase "El hoyo de mejilla" significa una larga y complicada historia.

PROJECT DISCIPLE

Show What you Know
Use the clues to complete the chart.

Clue	Your Answer
Jewish feast recalling that through God's help Esther saved God's people	
the country defeated by the actions of Judith	
the angel that helped Tobit, Tobiah, and Sarah	
he became king of Judah (Judea) when his father, John Hyrcanus, died	
the place of exile that is the setting of the Book of Daniel	
Hanukkah is "the feast of _____"	
Hasidim group that was persecuted by John Hyrcanus, and believed to have set up a community at Qumran on the Dead Sea	

↳ **DISCIPLE CHALLENGE** Look over your answers.
- Then, circle the first letter of each answer.
- Use the circled letters to write the :

____ ____ ____ ____ ____ ____ ____

The story of Jonah is a parable. What is its message?

_____

_____

Question Corner

What helps you get "going" when the "going is tough"? Check all that apply.

❏ determination

❏ family and friends

❏ faith in God

❏ _____

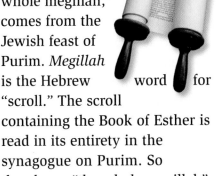

Fast Facts

The phrase, "the whole megillah," comes from the Jewish feast of Purim. *Megillah* is the Hebrew word for "scroll." The scroll containing the Book of Esther is read in its entirety in the synagogue on Purim. So the phrase "the whole megillah" has come to mean a long, complicated story.

Vidas de santos

Santa Genoveva nació en el siglo V en un pequeño pueblo cerca de París. A la edad de quince años dedicó su vida a Dios. Después de la muerte de sus padres, se fue a vivir con su madrina a París. Ahí rezaba diariamente y trabajaba duro cuidando a los necesitados. Genoveva se acercó mucho a Jesús y quería compartir su bondad con otros. Ella se dio a conocer por su valor, su fe y justicia. Una vez convenció a la gente de París confiar en Dios y esperar en la ciudad cuando se temía el ataque enemigo. Ella le pidió ayunar y rezar para mostrar su fe. París no fue atacada. Ella es la patrona de París. Su fiesta se celebra el 3 de enero.

RETO PARA EL DISCIPULO

- Subraya la frase que describe las características que dieron a conocer a Genoveva.

- Traza un círculo alrededor de la ciudad donde Genoveva es patrona.

Visita, *Vidas de santos* en **religion.sadlierconnect.com** para más información sobre los santos.

¿Qué harás?

Daniel, Ester y Tobit permanecieron fieles a Dios aun estando en tierras donde no se conocía a Dios. ¿Qué pasaría si vivieras en medio de personas que no compartían tu fe? ¿Cómo continuarías tu vida de fe? ¿Cómo recordarías tu relación con Dios?

_____

_____

_____

Tarea

Puede que en casa el tiempo de todos esté tan ocupado que dificulta sacar tiempo para comer juntos, y menos para sentarse a conversar.

Esta semana planifica "tiempo en familia" para hacer algo junto con tu familia. Asistir a misa juntos y compartir una comida después de la misa. Saquen tiempo para "conectarse" unos con otros.

Saint Stories

Saint Genevieve was born in the fifth century in a small village near Paris. When she was fifteen she dedicated her life to God. After the death of her parents, she lived with her godmother in Paris. There she prayed every day and worked hard to care for those in need. Genevieve grew closer to Jesus and wanted to share his goodness with others. She became well known for her courage, faith, and just ways. Once she convinced the people of Paris to trust in God and remain in the city when an enemy attack was feared. She had them fast and pray to show their faith. Paris was spared! She is the patron saint of Paris. Her feast day is January 3.

↳ DISCIPLE CHALLENGE

- Underline the phrase that describes the characteristics for which Genevieve became well known.
- Circle the name of the city for which Genevieve is patron saint.

Visit *Lives of the Saints* on **religion.sadlierconnect.com** to find out more about other saints and holy people.

What Would *you* do?

Daniel, Esther, and Tobit remained faithful to God in lands where people did not know God. What if you lived among people that did not share your faith? How would you continue to live your faith and remember your relationship with God?

_____

_____

_____

Take Home

Within a home, everyone's schedule may be so full that it can be difficult to find enough time to eat a meal together, let alone sit down to talk.

This week, plan some "family time" to do something together. Attend Mass together and share a meal afterward. Make time to really "connect" with one another.

Capítulo 18 (páginas 224–237)

Un pueblo fuerte

En este capítulo su niño(a) aprenderá cómo el pueblo de Dios luchó por mantener la independencia política y religiosa.

Para los padres

En el 539 A.C. el rey persa, Ciro, permitió a los judíos regresar a su patria en tres etapas. Ellos planeaban renovar su nación, reconstruir su Templo, volver a dedicarse a la práctica de las leyes de Dios y controlar su propio destino. Pero fuerzas más allá de sus fronteras destrozaron los planes por la independencia del pueblo.

Todos los días

- Juntos recen la Señal de la Cruz y la siguiente oración: *Bendito sea el nombre de Dios por siempre.*

Primer día Los judíos vivían y adoraban juntos.

- Lean en voz alta el enunciado y el texto. Relacione el mensaje de Isaías con la forma en que el pueblo adoraba a Dios y cómo nos lleva a actuar con justicia en el mundo de hoy. Pida a su niño(a) que hable brevemente sobre Malaquías, quien llamó al pueblo a adorar a Dios y ser justo; Abdías, quien dio esperanzas de supervivencia y de restauración del reino de David al pueblo judío; Joel, quien llamó al arrepentimiento; y Daniel, quien llamó a un comportamiento aceptable al Señor.

Segundo día Dios continuó trabajando en su pueblo.

- Lea en voz alta el enunciado y el párrafo que sigue. Comente sobre la importancia de las historias como una forma de explicar la providencia de Dios.

- Pida a su niño(o) que lea en voz alta las historias de Tobías y Judit. Enfatice que se trata de historias sobre la providencia de Dios.

Tercer día Los macabeos defendieron la fe judía.

- Lea en voz alta el enunciado y pida a su niño(a) que lea en silencio el texto que sigue. Pregunte: *¿Por qué el rey intentó forzar la cultura griega y religión sobre los judíos?* (Para unir el reino por la amenaza romana).

- Comente sobre los hasídicos y los helenistas. Pregúntele a su niño(a) por qué el rey persiguió a los hasídicos, eliminó al sumo sacerdote y dañó el Templo.

- Converse sobre Judas Macabeo y el significado de Janucá. Señale que Simón Macabeo negoció la independencia de Judá y ganó la autoridad civil y religiosa.

Cuarto día Judea perdió su independencia por el gobierno romano.

- Pida a su niño(a) que lea en voz alta el enunciado y el texto que sigue. Comente sobre los diferentes grupos dentro de la comunidad judía. Luego, pídale a su niño(a) que describa el reinado de Alejandro.

Respondemos en fe

Quinto día

- Invite a su niño(a) a resumir la historia de Ester y describir la fiesta de Purín.

Sexto día

- Hable acerca de las maneras en que Dios siempre ha provisto para su familia.

Catechesis at Home

Catholic Identity
Family Catechesis

Chapter 18 (pages 224–237)

A Strong People

In this chapter your child will learn how the people of God grew in wisdom during their exile in Babylon and their return to Judah.

For the Parents

In 539 B.C. the Persian king Cyrus allowed the Jews to return home. They planned to renew their nation, rebuild their Temple, rededicate themselves to the practice of God's law, and control their own destiny. But like so many plans, these were only partially realized. Forces beyond their borders shattered the people's plans for independence.

Every Day

- Pray the Sign of the Cross together, and the following prayer, *Blessed be the name of God forever and ever.*

Day One **The Jews lived and worshiped together.**

- With your child read aloud the *We Believe* statement and the text that follows. Relate to today's world Isaiah's message that the way people worship God must lead them to act with justice.

- Ask your child to speak briefly about Malachi, who called the people to worship God and be just; Obadiah, who gave hope for the people's survival and restoration of David's kingdom; Joel, who called for repentance; and Daniel, who called for behavior acceptable to the Lord.

Day Two **God continued to work through his people.**

- Read aloud the statement and the *We Believe* paragraph that follows. Talk with your child about the importance of stories as a way to explain God's providence.

- Have your child read aloud the stories of Tobit and Judith. Emphasize that these are stories about God's providence.

Day Three **The Maccabees defended the Jewish faith.**

- Read aloud the statement. Have your child read silently through the text. Ask: *Why did the king try to force Greek culture and religion on the Jews?* (To unite the kingdom in the face of the Roman threat) Then invite your child to tell in his or her own words what happened.

- Talk about the Hasidim and the Hellenists. Ask your child why the king persecuted them, removed the high priest, and damaged the Temple.

- Together talk about Judas Maccabeus and the significance of Hanukkah. Point out that Simon Maccabeus negotiated independence for Judah and gained both civil and religious authority for himself.

Day Four **Judea lost its independence to Roman rule.**

- Have your child read aloud the statement and the text that follows. Talk about the different groups within the Jewish community. Then ask your child to describe the reign of Alexander Jannaeus.

We Respond in Faith

Day Five

- Invite your child to summarize Esther's story and describe the feast of Purim.

Day Six

- Talk about the ways God has always provided for your family.

NOS CONGREGAMOS

 El Señor es mi luz

El Señor es mi luz y mi salvación.
El Señor es la defensa de mi vida.
Si el Señor es mi luz,
¿a quién temeré?
¿Quién me hará temblar?

Lector: Las palabras de Isaías, el profeta, se repiten cuando San Marcos escribe sobre la misión de Juan el Bautista.

Lectura del santo Evangelio según San Marcos

Todos: Gloria a ti, Señor.

Lector: Leer Marcos 1:2–3
Palabra del Señor.

Todos: Gloria a ti, Señor Jesús.

¿Qué cosa importante te ha pasado? ¿Por qué es importante?

CREEMOS
María fue bendecida por Dios.

Durante los dos últimos años del reinado de Herodes en Judea, sucedieron los eventos más importantes de la historia de la salvación. En un pueblo de Nazaret en Galilea, un ángel de Dios dio un mensaje a una joven llamada María. María estaba comprometida con José, un descendiente del rey David. El ángel le dijo a María: "Dios te salve, llena de gracia, el Señor está contigo" (Lucas 1:28). El ángel continuó: "No temas, María, pues Dios te ha concedido su favor. Concebirás y darás a luz un hijo, al que pondrás por nombre Jesús. Él será grande, será llamado Hijo del Altísimo; el Señor Dios le dará el trono de David, su padre, reinará sobre la descendencia de Jacob por siempre y su reino no tendrá fin".
(Lucas 1:30–33)

María no entendió como podía pasarle eso. Ella no estaba casada. Pero el ángel le explicó: "El Espíritu Santo vendrá sobre ti y el poder del Altísimo te cubrirá con su sombra; por eso, el que va a nacer será santo y se llamará Hijo de Dios" (Lucas 1:35).

God Fulfills His Promise

WE GATHER

 Christ, Be Our Light

Christ, be our light!
Shine in our hearts.
Shine through the darkness.
Christ, be our light!
Shine in your church gathered today.

Reader: The words of Isaiah the Prophet are repeated as Saint Mark writes about the mission of John the Baptist.

A reading from the holy Gospel according to Mark

All: Glory to you, O Lord.

Reader: (Read Mark 1:2–3.)
The Gospel of the Lord

All: Praise to you, Lord Jesus Christ.

 What is one important thing that has happened to you? Why is it important?

WE BELIEVE
Mary is blessed by God.

During the last year or two of King Herod's reign over Judea, the most important event in the history of salvation took place. In the town of Nazareth in Galilee, an angel of God gave a message to a young girl named Mary. Mary was engaged to Joseph, a descendant of King David.

The angel said to Mary, "Hail, favored one! The Lord is with you" (Luke 1:28). The angel continued, "Do not be afraid, Mary, for you have found favor with God. Behold, you will conceive in your womb and bear a son, and you shall name him Jesus. He will be great and will be called Son of the Most High, and the Lord God will give him the throne of David his father, and he will rule over the house of Jacob forever, and of his kingdom there will be no end" (Luke 1:30–33).

Mary did not understand how all of this would happen to her. She was not even married yet. But the angel explained, "The holy Spirit will come upon you, and the power of the Most High will overshadow you. Therefore the child to be born will be called holy, the Son of God" (Luke 1:35).

239

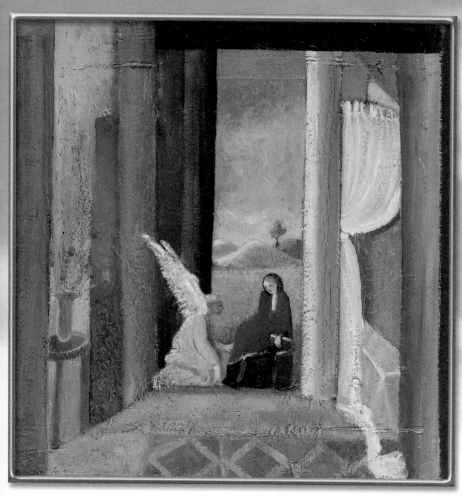

La Anunciación. **María Pía Marrella, 1995.**

José no estaba enterado de que eso era parte del plan de Dios. Así que decidió dejar a María. Entonces un ángel del Señor vino a José en sueños. El ángel le dijo: "José, hijo de David, no temas aceptar a María como tu esposa, pues el hijo que espera viene del Espíritu Santo. Dará a luz un hijo, y le pondrás por nombre Jesús, porque él salvará a su pueblo de los pecados".
(Mateo 1:20–21)

Igual que María, José hizo lo que el Señor le pidió.

Imagina como se sintieron María y José.

Imagina que se te pide anunciar la venida del Hijo de Dios. Hablen de como lo harías y como creen que reaccionará la gente.

El ángel también le dijo que su prima Isabel, quien era ya anciana, había concebido un hijo. El ángel le dijo que nada era imposible para Dios.

María le dijo al ángel:
"Aquí está la esclava del Señor, que me suceda como tú dices" (Lucas 1:38). Las palabras de María muestran su fe total en Dios y su decisión de aceptar y seguir el plan de Dios.

El cumplimiento de todo lo que Dios había prometido por medio de los profetas empezaba. El tan esperado Mesías, el Salvador del pueblo, pronto vendría al mundo. El niño que María concibió fue el Hijo de Dios. Por medio de María, el Hijo de Dios, la Segunda Persona de la Santísima Trinidad, se hizo uno de nosotros.

Como católicos...

Durante toda su vida María amó y obedeció a Dios. Ella confió plenamente en Dios. María amó y cuidó de Jesús y junto con José, le enseñó a ser fiel a la alianza y a cumplir con las leyes y costumbres judías. María estuvo junto a Jesús cuando moría en la cruz. Su fe en su hijo no se debilitó en tiempos de sufrimiento o pérdida. Junto con los seguidores de Jesús, María esperó en oración y con esperanza la venida del Espíritu Santo. María fue el discípulo más importante de Jesús y es la mayor entre los santos. Ella es modelo para todos nosotros.

¿En qué forma puedes mostrar que eres discípulo de Jesús?

The angel also told Mary that her relative Elizabeth, who was very old, would conceive a child. The angel said that nothing was impossible with God.

Mary spoke to the angel saying, "Behold, I am the handmaid of the Lord. May it be done to me according to your word" (Luke 1:38). Mary's words showed her complete faith in God and her choice to accept and follow God's plan.

The fulfillment of all that God had promised through the prophets had now begun. The long-awaited Messiah, the Savior of all people, would soon come into the world. The child that Mary had conceived was the Son of God. Through Mary, God the Son, the Second Person of the Blessed Trinity, would become one of us.

Joseph was unaware that this was all part of God's plan. So Joseph was going to leave Mary quietly. Then an angel of the Lord came to Joseph in a dream. The angel said, "Joseph, son of David, do not be afraid to take Mary your wife into your home. For it is through the holy Spirit that this child has been conceived in her. She will bear a son and you are to name him Jesus, because he will save his people from their sins" (Matthew 1:20–21).

Like Mary, Joseph did what the Lord asked of him.

Take a moment to imagine how Joseph and Mary must have felt.

Imagine that you have been asked to announce the coming of God's Son. Discuss how you would do it and how you think people would react to the news.

María e Isabel tenían un papel especial en el plan de Dios.

A través de la historia del pueblo judío, Dios llamó a muchas mujeres para que ayudaran a su pueblo a crecer fuerte y fiel. Dios llamó a María y a Isabel para que participaran en su plan de salvación.

Después que el ángel visitó a María, ella fue a ver a sus parientes Isabel y Zacarías. También a Zacarías lo había visitado un ángel. El ángel le dijo que su esposa, Isabel, iba a tener un hijo y que se llamaría Juan. Zacarías se quedó mudo por no creer que eso pudiera pasar. El ángel le dijo que no hablaría hasta que naciera su hijo.

Cuando María llegó y saludó a Isabel, el niño se movió en el vientre de Isabel. Ella se llenó del Espíritu Santo y dijo: "Bendita tú entre las mujeres y bendito el fruto de tu vientre. Pero ¿cómo es posible que la madre de mi Señor venga a visitarme? Porque en cuanto oí tu saludo, el niño saltó de alegría en mi seno. ¡Dichosa tú que has creído! Porque lo que te ha dicho el Señor se cumplirá" (Lucas 1:42–45).

En respuesta al saludo lleno de gozo de Isabel, María alabó a Dios en un canto. El canto de María, es conocido como el *Magnificat*. He aquí una parte:

"Mi alma glorifica al Señor, y mi espíritu se alegra en Dios mi Salvador, porque ha mirado la humildad de su sierva. Desde ahora me llamarán dichosa todas las generaciones, porque ha hecho en mí cosas grandes el Poderoso. Su nombre es santo" (Lucas 1:46–49)

María se quedó con Isabel y Zacarías casi tres meses. Después volvió a su casa. Isabel tuvo a su hijo. Todos creían que lo llamaría Zacarías. Pero su padre escribió en una tabla "Juan es su nombre" (Lucas 1:63). Entonces Zacarías pudo hablar. Todos sus parientes y vecinos se preguntaban: "'¿Qué llegará a ser este niño?'

Porque efectivamente el Señor estaba con él" (Lucas 1:66).

Después Zacarías, lleno del Espíritu Santo, habló. La profecía de Zacarías se llama el *Cántico de Zacarías*. Esta es una parte del canto:

"Bendito sea el Señor, Dios de Israel, porque ha visitado y redimido a su pueblo. . . Y tú, niño, serás llamado profeta del Altísimo, pues irás delante del Señor para preparar sus caminos, para anunciar a su pueblo la salvación, por medio del perdón de sus sus pecados. . . para dirigir nuestros pasos hacia el camino de la paz". (Lucas 1:68, 76–77, 79)

Juan tendría una parte importante en el cumplimiento de la promesa de Dios a su pueblo. Igual que los profetas anteriores a él, Juan prepararía el camino para la venida del Mesías.

¿Cuáles son algunas formas en que podemos alabar a Dios por las cosas que ha hecho por nosotros?

Mary and Elizabeth had special roles in God's plan.

Throughout the history of the Jewish People, God had called many women to help his people to grow strong and faithful. God called Mary and Elizabeth to take their roles in his plan of salvation.

After the angel's visit to her, Mary traveled to see her relatives Elizabeth and Zechariah. Zechariah had been visited by an angel, too. The angel told Zechariah that his wife, Elizabeth, would have a child and the child should be named John. Because Zechariah did not believe that this could happen, he lost his ability to speak. The angel told him that he would not speak again until his son was born.

When Mary arrived and greeted Elizabeth, the child that Elizabeth was carrying moved within her. Filled with the Holy Spirit, Elizabeth said, "Most blessed are you among women, and blessed is the fruit of your womb. And how does this happen to me, that the mother of my Lord should come to me? For at the moment the sound of your greeting reached my ears, the infant in my womb leaped for joy. Blessed are you who believed that what was spoken to you by the Lord would be fulfilled" (Luke 1:42–45).

In response to Elizabeth's joyful words, Mary praised God in a song. Mary's song, or canticle, is also known as the *Magnificat*.

"My soul proclaims the greatness of the Lord;
  my spirit rejoices in God my savior.
For he has looked upon his handmaid's
    lowliness;
  behold, from now on will all ages call me
    blessed.
The Mighty One has done great things for
    me, and holy is his name." (Luke 1:46–49)

Mary stayed with Elizabeth and Zechariah for about three months. Then she traveled home again. Elizabeth gave birth to her son. Everyone thought that he would be called Zechariah. But his father wrote on a tablet, "John is his name" (Luke 1:63). It was then that Zechariah was able to speak again. All his relatives and neighbors wondered, "'What, then, will this child be?' For surely the hand of the Lord was with him" (Luke 1:66).

Then Zechariah, filled with the Holy Spirit, spoke. Zechariah's prophesy is called *The Canticle of Zechariah*.

"Blessed be the Lord, the God of Israel,
for he has visited and brought redemption
    to his people. . . .
And you, child, will be called prophet of
    the Most High,
for you will go before the Lord to prepare
    his ways,
to give his people knowledge of salvation
    through the forgiveness of their sins. . . .
    to guide our feet into the path of peace."
(Luke 1:68, 76–77, 79)

John would have an important part in the fulfillment of God's promise to his people. Like the prophets before him, John would prepare the way for the coming of the Messiah.

What are some ways we can praise God for the things he has done for us?

243

El Hijo de Dios se hizo hombre.

María y José vivían en Nazaret, un pueblo de Galilea. Se preparaban para la llegada de su hijo y la vida que compartirían con él. Dios les había hablado. Sin embargo, el evento que iba a tener lugar estaba más allá de su comprensión. El hijo que María iba a tener era el Hijo de Dios. El niño, concebido por el poder del Espíritu Santo, salvaría a todos. En ese tiempo se estaba llevando a cabo un censo, un conteo de la gente de Judá. José y María tenían que ir a Belén de Judá, la ciudad donde nació el rey David. Todo hombre tenía que inscribir a su familia en la ciudad de sus antepasados y José era descendiente de David. María, también era de la casa de David. Fue en Belén donde María dio a luz a su hijo. Así se cumplieron las palabras del profeta Miqueas: Belén es el lugar de nacimiento de un "soberano de Israel". (Miqueas 5:1)

Siguiendo las indicaciones del ángel en el sueño de José, llamaron al niño Jesús. Este nombre significa "Dios salva". Dios Hijo se hizo uno de nosotros. "Y la Palabra se hizo carne y habitó entre nosotros". (Juan 1:14)

Este misterio es llamado la encarnación. **Encarnación** es la verdad de que el Hijo de Dios, la segunda Persona de la Santísima Trinidad se hizo hombre.

María y José cumplieron las leyes de su fe judía y viajaron a Jerusalén a presentar a Jesús en el Templo. Ahí se encontraron con un santo hombre llamado Simeón a quien el Espíritu Santo había revelado que el vería al Mesías antes de morir. María y José también se encontraron con una profetiza llamada Ana. Ambos reconocieron que en el niño Jesús se cumplía la promesa de Dios de salvar a su pueblo.

En Nazaret, Jesús creció junto a María y José y muchos amigos y familiares. Jesús escuchó sobre sus antepasados judíos y celebró las fiestas judías. La familia viajaba al Templo de Jerusalén para celebrar algunas fiestas.

Lucas 2:41–52

Cada año María y José iban a Jerusalén a celebrar la fiesta de Pascua. Cuando Jesús tenía doce años, él fue con ellos. Cuando llegó el tiempo de regresar a Nazaret, Jesús se quedó en Jerusalén. Ni María ni José se dieron cuenta. Pensaron que iba con alguno de sus parientes. Cuando no pudieron encontrarlo regresaron a Jerusalén para buscarlo.

Tres días más tarde lo encontraron escuchando y haciendo preguntas a los maestros. María y José estaban sorprendidos. Jesús les dijo que debían saber que él debía estar en la casa de su Padre. "Pero ellos no comprendieron lo que les decía. Bajó con ellos a Nazaret, donde vivió obedeciéndolos. Su madre conservaba cuidadosamente todos estos recuerdos en su corazón. Y Jesús iba creciendo en sabiduría, en estatura y en aprecio ante Dios y ante los hombres". (Lucas 2:50–52) Este es uno de los pocos recuentos de los primeros años de Jesús. Sabemos por esto que Jesús fue un niño judío fiel y obediente. También vemos que tenía un profundo conocimiento de Dios.

Escenifiquen esta historia de María, José y Jesús para celebrar la Pascua en Jerusalén.

God the Son became man.

Mary and Joseph began their life together in Nazareth, a town in Galilee. They prepared for the birth of the child and for the life that they would share with him. God had spoken to each of them. However, the event that was about to take place was beyond Mary and Joseph's understanding. The child who was about to be born of Mary was the Son of God. This child, conceived by the power of the Holy Spirit, would save all people.

At this time in Judea, a census, or count of the people, was being taken. Joseph and Mary went to Bethlehem of Judea, the city of King David's birth. All men had to enroll their families in the city of their ancestors, and Joseph was a descendant of David. Mary, too, was of the house of David. It was in Bethlehem that Mary gave birth to her son. Thus, the words of the prophet Micah were fulfilled. Bethlehem is the birthplace of the "one who is to be ruler in Israel" (Micah 5:1).

Following the instructions of the angel in Joseph's dream, Mary and Joseph named the child Jesus. This name means "God saves." God the Son became one of us.
"And the Word became flesh
and made his dwelling among us." (John 1:14)

This mystery is called the Incarnation. The **Incarnation** is the truth that the Son of God, the Second Person of the Blessed Trinity, became man.

Mary and Joseph followed the laws of their Jewish faith, and so they traveled to Jerusalem to present Jesus in the Temple. There they met a holy man named Simeon to whom the Holy Spirit revealed that he would not die before he saw the Messiah. Mary and Joseph also met a prophetess named Ana. They recognized the child Jesus as the fulfillment of God's promise to save his people.

In Nazareth, Jesus grew up with Mary and Joseph and many relatives and friends. Jesus heard about his Jewish ancestors and celebrated the Jewish feasts. On certain feasts his family traveled to the Temple in Jerusalem.

Luke 2:41–52

Each year Mary and Joseph went to Jerusalem to celebrate the feast of Passover. When Jesus was twelve years old, he went with them. When the time came to return to Nazareth, Jesus remained in Jerusalem. But Mary and Joseph did not know this. They thought he was travelling with their relatives. When they could not find him, they went back to Jerusalem.

They found him three days later, listening and questioning the teachers. Mary and Joseph were astounded. Jesus told them that they should have known that he was in his Father's house. "But they did not understand what he said to them. He went down with them and came to Nazareth, and was obedient to them; and his mother kept all these things in her heart. And Jesus advanced [in] wisdom and age and favor before God and man" (Luke 2:50–52).

This is one of the few accounts of Jesus' early years. We learn from it that Jesus was a faithful, obedient Jewish child.

Role-play the story of Mary, Joseph, and Jesus during their visit to Jerusalem to celebrate Passover as found in Luke 2:41–52.

245

Juan preparó el camino para Jesús.

En los Evangelios no sabemos mucho de la vida de Jesús hasta que llega a los treinta años. Durante esos años "ocultos", como se llaman, las cosas cambiaron en Judá.

Cuando murió Herodes el Grande, rey de Judá, sus familiares no se pusieron de acuerdo en quien lo sucedería. Así que César Augusto de Roma usó la oportunidad para debilitar a Judá y dividir los territorios de Herodes entre sus hijos Arquelao, Filipo y Herodes Antipas.

Arquelao fue un líder tan malo que César Augusto lo desterró. Para gobernar esta parte del reino de Herodes, César Augusto nombró un procurador, un tipo de vicegobernador. Roma lentamente tomaba total control de Judea, llama da Palestina por los romanos.

Judea era un país dividido. Algunas regiones eran gobernadas directamente por Roma y otras por príncipes judíos que reportaban a los romanos. Por consiguiente, las relaciones entre Roma y los judíos era muy tensas.

Las tensiones religiosas también eran un problema. Los judíos temían que los romanos interfirieran con su adoración y observación de la ley de Dios. Aumentaron las divisiones religiosas e injusticias sociales. Fue durante esos tiempos difíciles que "la Palabra de Dios vino sobre Juan, el hijo de Zacarías" (Lucas 3:2).

Juan empezó a profetizar y a pedir al pueblo que se arrepintiera y que pidiera perdón a Dios. El le pidió que se preparara para la venida del Mesías, el Ungido, el que habían anunciado los profetas.

Como la gente empezó a dejarse bautizar por él en el Río Jordán, él se conocía como Juan el Bautista. Este bautismo de Juan mostraba la voluntad del pueblo de cambiar sus vidas. Juan le dijo a la gente: "Los bautizo con agua; pero viene el que es más fuerte que yo . . . Él los bautizará con Espíritu Santo y fuego" (Lucas 3:16).

Fue por esa época que Jesús salió de Nazaret y fue al Río Jordán para escuchar a Juan y bautizarse. "Un día cuando se bautizaba mucha gente, también Jesús se bautizó. Y mientras Jesús oraba se abrió el cielo, y el Espíritu Santo bajó sobre él en forma visible, como una paloma, y se oyó una voz que venía del cielo: 'Tu eres mi Hijo amado, en ti me complazco" (Lucas 3:21–22).

Igual que Juan, podemos también preparar a la gente para recibir a Jesús. Por el Bautismo todos estamos llamados a vivir como un discípulo de Jesús. Cuando hacemos lo correcto y tratamos a los demás con justicia, estamos mostrando lo que significa seguir a Jesús.

RESPONDEMOS

¿Puedes preparar el camino a Jesús? ¿Qué dirás? ¿Qué harás?

Vocabulario

Encarnación (pp 349)

John prepared the way for Jesus.

From the Gospels we do not learn much about Jesus' life until he was about thirty years old. During these "hidden" years, as they are called, things changed in Judea.

When Herod the Great, king of Judea, died, his relatives could not agree on his successor. So Caesar Augustus in Rome used this opportunity to weaken Judea by dividing Herod's territories among his sons Archelaus, Philip, and Herod Antipas.

Archelaus was a terrible leader, so Augustus removed him. To rule this part of Herod's old kingdom, Caesar Augustus set up a procurator, a kind of deputy governor. Rome was slowly taking over complete control of Judea, which the Romans called Palestine.

Judea was a divided country. Some regions were ruled directly by Rome, and others were governed by Jewish princes who were reporting to the Romans. Therefore, relations between Rome and the Jews were very strained.

Key Word

Incarnation (p. 351)

Jesus' baptism from the TV miniseries *Jesus of Nazareth* (1977)

Religious tensions were also a problem. The Jews feared that the Romans would interfere with their worship and observance of the covenant with God. Religious divisions and social injustices were widespread. It was in these troubled times that "the word of God came to John the son of Zechariah in the desert" (Luke 3:2).

John began to prophesy and to urge people to repent and to ask God for forgiveness. He encouraged them to get ready for the coming of the Messiah, the Anointed One, the one foretold by the prophets.

Since people came to be baptized by him in the Jordan River, he was known as John the Baptist. This baptism by John showed people's willingness to change their lives.

John told the people, "I am baptizing you with water, but one mightier than I is coming. . . . He will baptize you with the holy Spirit and fire" (Luke 3:16).

It was about this time that Jesus left Nazareth and went to the Jordan River to hear John preach and to be baptized by him. "After all the people had been baptized and Jesus also had been baptized and was praying, heaven was opened and the holy Spirit descended upon him in bodily form like a dove. And a voice came from heaven, 'You are my beloved Son; with you I am well pleased.'" (Luke 3:21–22)

Like John, we can prepare the way for people to welcome Jesus, too. By Baptism, each of us is called to live as one of Jesus' disciples. When we do what is right and treat others fairly and with justice, we are showing what it is to be a follower of Jesus.

WE RESPOND

Can you prepare the way for Jesus today? What will you say? What will you do?

HACIENDO DISCIPULOS

Muestra *lo* que sabes

¿Quién soy? Escribe la letra que mejor describe el personaje bíblico.

a. Ana

b. Isabel

c. Juan

d. Simeón

e. Zacarías

1. _____ Prediqué y animé al pueblo a arrepentirse y a pedir perdón.

2. _____ Me quedé mudo cuando no creí el anuncio del ángel de que iba a tener un hijo.

3. _____ Soy un hombre santo. El Espíritu Santo me reveló que vería al Mesías, el Señor, antes de morir.

4. _____ Vi la presentación de Jesús en el Templo como el cumplimento de la promesa de salvación de Dios.

5. _____ Expresé mi gozo al reconocer la presencia de Dios en el recién nacido.

Escritura

"Pero el ángel le dijo: 'No teman, pues les anuncio una gran alegría, que lo será para ustedes y para todo el pueblo: Les ha nacido hoy, en la ciudad de David, un Salvador, que es el Mesías, el Señor. Esto les servirá de señal: encontrarán un niño envuelto en pañales y acostado en un pesebre'". (Lucas 2:10–12)

- Traza un círculo alrededor del otro nombre dado a Belén en este pasaje.

- ¿Por qué piensas que el nacimiento de Jesús involucra a tantas visitas de ángeles (a María, a José, a Zacarías) y en este pasaje a los pastores?

_____

Datos

El anuncio del nacimiento de Jesús y su niñez son llamados narrativas de la infancia. Las *narrativas de la infancia* se encuentran en los dos primeros capítulos de los evangelios de Mateo y Lucas.

PROJECT DISCIPLE

Show What *you* Know

Who am I? Write the letter that best describes the biblical character.

a. Anna

b. Elizabeth

c. John

d. Simeon

e. Zechariah

1. _____ I preached and encouraged the people to repent and to ask God for forgiveness.

2. _____ I lost my ability to speak when I did not believe the angel's announcement that I would have a son.

3. _____ I am a holy man. The Holy Spirit revealed to me that I would not see death until I had seen the Messiah of the Lord.

4. _____ I saw the presentation of Jesus in the Temple, and I spoke of him as the fulfillment of God's promise of salvation.

5. _____ I expressed joy when I recognized the presence of the God in an unborn child.

What's *the* Word?

"The angel said to them, 'Do not be afraid; for behold, I proclaim to you good news of great joy that will be for all the people. For today in the city of David a savior has been born for you who is Messiah and Lord. And this will be a sign for you: you will find an infant in swaddling clothes and lying in a manger.'" (Luke 2:10–12)

• Circle another name for Bethlehem in the passage.

• Why do you think the birth of Jesus involves so many visits from angels (to Mary, Joseph, Zechariah) and, in this passage, the shepherds?

_____

 Fast Facts The accounts of Jesus' birth and childhood are called the *infancy narratives*. The infancy narratives are found in the first two chapters of the Gospels of Matthew and Luke.

Orar
Conocer
Celebrar
Compartir
Expresar
Vivir

HACIENDO DISCIPULOS

Investiga

La Liturgia de las Horas, parte de la oración pública de la Iglesia, nos ayuda a alabar a Dios durante todo el día. Está compuesta de salmos, lecturas bíblicas, enseñanzas de la Iglesia, himnos y oraciones. Se celebra varias veces durante el día y la noche. Durante la oración de la mañana se reza el canto de Zacarías. En este cántico, se habla de Jesús como "Un sol que nace de lo alto". En la oración de la tarde se reza el cántico de María. En esta oración, María alaba a Dios por todo lo que ha hecho por nosotros. La Liturgia de las Horas nos recuerda que Dios está siempre activo y presente en nuestras vidas.

RETO PARA EL DISCIPULO

- Subraya la frase que dice el propósito de la Liturgia de las Horas.
- Traza un círculo alrededor de la frase que describe a Jesús en el cántico de Zacarías.
- Busca información para aprender más sobre la Liturgia de las Horas.

Reza

En el 2005, el papa Benedicto XVI presentó el *Compendio del Catecismo de la Iglesia Católica.* Él invitó a los católicos a aprender las oraciones comunes de la Iglesia en latín. Visita el *Salón de latín* en **religion.sadlierconnect.com** para aprender más y escuchar las oraciones de la Iglesia en latín.

Celebra

Cada domingo en la misa durante el credo, profesamos nuestra creencia en la encarnación— la verdad de que el Hijo de Dios, la Segunda Persona de la Santísima Trinidad, se hizo hombre. Esta semana en la misa escucha con atención estas palabras cuando profeses el credo.

Tarea

Cuando hacemos lo correcto y tratamos a los demás justamente, mostramos lo que es seguir a Cristo. Habla con tu familia sobre el llamado a vivir como discípulo y pide a tus familiares compartir ideas para vivir ese llamado.

Pray
Learn
Celebrate
Share
Choose
Live

PROJECT DISCIPLE

More *to* Explore

The Liturgy of the Hours, part of the public prayer of the Church, helps us to praise God throughout the entire day. It is made up of psalms, readings from Scripture, and Church teachings, hymns, and prayers. It is celebrated at various times during the day and night. At Morning Prayer, the Canticle of Zechariah is always prayed. In this canticle, Jesus is referred to as "the daybreak from on high." At Evening Prayer, the Canticle of Mary is always prayed. In this prayer we, along with Mary, praise God for all he has done for us. The Liturgy of the Hours reminds us that God is always active and present in our lives.

↳ DISCIPLE CHALLENGE

- Underline the phrase that tells the purpose of the Liturgy of the Hours.
- Circle the phrase that describes Jesus in the Canticle of Zechariah.
- Find out more about the Liturgy of the Hours.

Pray Today

In 2005, Pope Benedict XVI presented the *Compendium of the Catechism of the Catholic Church.* He urged Catholics to learn the common prayers of the Church in Latin. Visit the *Latin Hall* on **religion.sadlierconnect.com** to learn and listen to prayers of the Church in Latin.

Celebrate!

Every Sunday at Mass during the Profession of Faith, we profess our belief in the Incarnation—the truth that the Son of God, the Second Person of the Blessed Trinity became man. This week at Mass, listen closely as the words of the Creed are professed.

Take Home

When we do what is right and treat others fairly, we are showing what it is to be a follower of Jesus. Talk about our call to live as disciples, and ask your family members to share ideas for living out this call.

Catequesis en el hogar

Capítulo 19 (páginas 238–251)

Dios cumple su promesa

En este capítulo su hijo(a) aprenderá sobre la venida de Jesús, el Mesías.

Para los padres

Después de soportar una trágica historia de éxodo y el exilio, el pueblo de Dios esperaba con ansiedad un tiempo de renacimiento. Sus esperanzas se centraban en el Mesías prometido por Dios, que los llevaría a los tiempos de la gloria de los reyes David y Salomón. Sin embargo, Dios tenía muchos más planes.

Todos los días

- Juntos recen la Señal de la Cruz y el *Ave María*.

Primer día   **María fue bendecida por Dios.**

- Lea en voz alta el enunciado. Luego tomen turnos leyendo el texto. Pida a su niño que se imagine cómo debieron sentirse María y José.

- Enfatice que María y José confiaron en Dios aun cuando no entendían el plan de Dios.

- Explique que las promesas de los profetas se cumplieron porque el Mesías, el Salvador de todos, estaba llegando al mundo.

Segundo día   **María e Isabel tenían un papel especial en el plan de Dios.**

- Tomen turnos leyendo el texto. Señale que las palabras de Isabel nos dicen que María es una mujer de gran fe. María alabó a Dios en una canción, o cántico, que llamamos el Magnificat.

- Señale que Isabel y su esposo, Zacarías, se estaban preparando para el nacimiento de su

hijo, Juan, que prepararía el camino para Jesús. Converse sobre Zacarías, su duda y su profecía.

Tercer día   **El Hijo de Dios se hizo hombre.**

- Lea en voz alta el enunciado y la definición de la palabra *Encarnación*.

- Señale que cuando José y María fueron de Nazaret a Belén para obedecer las leyes del censo, y Jesús nació en Belén, se cumplieron las palabras del profeta Miqueas. Señale que Simeón y Ana reconocieron a Jesús como el cumplimiento de la promesa de Dios.

- Enfatice que Jesús es la Segunda Persona de la Santísima Trinidad, el Hijo de Dios que se hizo hombre para salvar a toda la humanidad.

Cuarto día   **Juan prepara el camino para Jesús.**

- Pídale a su niño(a) que lea en voz alta el enunciado y túrnense para leer en voz alta el texto.

- Converse que Judea estaba en agitación política y religiosa, y que Juan llamó al pueblo a prepararse para el Mesías mediante el arrepentimiento y el cambio de sus vidas.

Respondemos en fe

Quinto día

- Pida a su hijo(a) que comparta ideas sobre cómo cumplirá su parte en el plan de Dios.

Sexto día

- En familia conversen sobre su llamado a vivir como discípulos.

251A

Catechesis at Home

Chapter 19 (pages 238–251)

God Fulfills His Promise

In this chapter your child will learn about the coming of Jesus, the Messiah.

For the Parents

After enduring a tragic history of exodus and exile, God's people anxiously hoped for a time of rebirth. Their hopes were focused on God's promised Messiah, who would return them to the glory days of King David and King Solomon. God, however, had far greater plans.

Every Day

- Pray the Sign of the Cross together and the *Hail Mary*.

Day One Mary is blessed by God.

- Read aloud the statement. Then take turns reading the text. Ask your child to imagine how Mary and Joseph must have felt.

- Emphasize that like Mary, Joseph trusted God completely even when he didn't understand God's plan.

- Explain that the promises of the prophets were fulfilled because the Messiah, the Savior of all, was about to come into the world.

Day Two Mary and Elizabeth had special roles in God's plan.

- With your child read aloud the statement and the text. Point out that Elizabeth's words of greeting tell us that Mary is a woman of great faith. Mary praised God in a song, or canticle, that we call the Magnificat.

- Point out that Elizabeth and her husband, Zechariah, were preparing for the birth of a son, John, who would prepare the way for Jesus. Discuss Zechariah, his doubt, and his prophecy.

Day Three God the Son became man.

- Read aloud the statement and the definition of the word *Incarnation*.

- Point out that when Joseph and Mary went from Nazareth to Bethlehem to obey the census laws, and Jesus was born in Bethlehem, this fulfilled the words of the prophet Micah. Point out that Simeon and Anna recognized Jesus as the fulfillment of God's promise.

- Emphasize that Jesus is the Second Person of the Blessed Trinity, the Son of God who became man to save all people.

Day Four John prepared the way for Jesus.

- Ask your child to read aloud the statement. Then take turns reading aloud the text.

- Discuss that Judea was in religious and political turmoil, and that John called on the people to prepare for the Messiah by repenting and changing their lives.

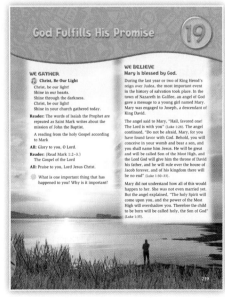

We Respond in Faith

Day Five

- Ask your child to share ideas for carrying out his or her part in god's plan.

Day Six

- Talk as a family about your call to live as disciples.

251B

Cuaresma

El tiempo de Cuaresma es un período de preparación para la Pascua.

NOS CONGREGAMOS

✝ *Jesús, ayúdanos a seguir tu camino.*

¿Has estado viajando lejos de tu casa? ¿Dónde fuiste? ¿Fue un viaje de vacaciones u otra razón? ¿Qué aprendiste durante tu viaje?

CREEMOS

Todo el tiempo de Cuaresma es un peregrinaje. Una peregrinación es un viaje a un santuario o a algún lugar sagrado. Para los cristianos, una peregrinación es un camino de oración que nos ayuda a seguir a Cristo y acercarnos a él. Durante la Cuaresma nos centramos en seguir a Cristo y pensar en la relación que empezamos con él con nuestro bautismo. En el Bautismo nos unimos a Cristo y a otros bautizados. Por medio del agua del Bautismo morimos con Cristo para resucitar a nueva vida con él.

La Cuaresma es un peregrinaje mediante el cual nos preparamos para celebrar la muerte y resurrección de Cristo en la Pascua. Toda la Iglesia participa en esta preparación con nuestra adoración y con la forma en que vivimos. Este tiempo es la etapa final de los que se están preparando para la celebración de los sacramentos de iniciación cristiana, durante la Vigilia Pascual. Estos tres sacramentos, Bautismo, Confirmación y Eucaristía, son llamados sacramentos de pascua. Los que los reciben compartirán la muerte y la resurrección de Cristo y tendrán una nueva vida en Cristo. Rezamos por ellos, los apoyamos y les damos la bienvenida a la Iglesia.

La Cuaresma empieza el Miércoles de Ceniza y termina el Jueves Santo, unas semanas después. La ausencia y la simplicidad describen este tiempo. Hay signos de ausencia en nuestras iglesias y en la liturgia. El agua bendita se retira de la fuente bautismal como preparación a los sacramentos de pascua. Durante la liturgia no se canta ni se reza el aleluya, tampoco se tocan campanas. Se usa un morado oscuro en los ritos, las plantas y las flores se retiran de la iglesia. Todo esos cambios nos recuerdan nuestra necesidad de comprometernos con Cristo y la Iglesia.

Nuestra esperanza está en el Dios de misericordia y perdón.

Lent

Advent | Christmas | Ordinary Time | **Lent** | Triduum | Easter | Ordinary Time

The season of Lent is a period of preparation for Easter.

WE GATHER

✝ *Jesus, help us to follow in your way.*

Have you ever been on a trip away from home? Where did you go? Was this a vacation trip or was it taken for another reason? What did you learn from your travels?

WE BELIEVE

The entire season of Lent is like a pilgrimage. A pilgrimage is a trip taken to a shrine or sacred place. As Christians, a pilgrimage is a prayer journey that helps us follow Christ more closely. During Lent we focus on following Christ and thinking about the relationship that we began with him at Baptism. In Baptism we are united to Christ and to all others who are baptized. Through the waters of Baptism we die with Christ only to rise to new life with him.

Lent is a journey during which we prepare to celebrate at Easter Christ's dying and rising to new life. The entire Church takes part in this preparation through our worship and by the way we live. This season is the final time of preparation for those who will celebrate the Sacraments of Christian Initiation at Easter.

These three sacraments—Baptism, Confirmation, and the Eucharist—are called the Easter Sacraments. Those who receive them will share in Jesus' Death and Resurrection and have new life in Christ. We pray for them, support them, and welcome them into our parish.

The season of Lent begins on Ash Wednesday and ends many weeks later on Holy Thursday evening. Absence and simplicity describe the season of Lent. There are signs of this absence in our churches and in our liturgy. Water is usually removed from the holy water and baptismal fonts as preparation for the Easter Sacraments. During the liturgy, the alleluia is not said or sung nor are bells rung. Dark purple is the color used in worship, and green plants and flowers may be removed from the churches. All of these changes remind us of our need to recommit ourselves to Christ and to the Church.

Our hope is the God of mercy and forgiveness.

Oración • Ayuno • Dar limosna

Oración	Ayuno	Dar limosna
Durante la Cuaresma nos centramos en la misericordia y el perdón de Dios. Pedimos a Dios que nos recuerde y fortalezca para vivir de acuerdo a sus leyes. La Cuaresma es un buen momento para pasar tiempo extra conversando con Dios. Podemos dedicar más tiempo a la oración personal y a la oración en comunidad con nuestra parroquia. La Iglesia reza especialmente por los que se están preparando para recibir los sacramentos de iniciación. Muchas parroquias se reúnen para rezar el vía crucis y tener celebraciones especiales del sacramento de la Reconciliación.	Ayunar es una forma de limpiar nuestro cuerpos de cosas dañinas y nuestros corazones y mentes de cosas que nos mantienen alejados de Dios y de los demás. Ayunar es también una forma de hacer penitencia. Hacer penitencia nos ayuda a volvernos a Dios y centrarnos en las cosas que son importantes en nuestras vidas cristianas. Hacer penitencia es una forma de mostrar que estamos arrepentidos de nuestros pecados. Una forma de ayunar es evitar hacer cosas que nos gustan, como no comer nuestra comida favorita. Los católicos mayores de 14 años son invitados a ayunar el Miércoles de Ceniza y el Viernes Santo. También se les pide no comer carne esos días ni los viernes de Cuaresma.	Durante la Cuaresma también mostramos especial interés en los necesitados. Seguimos el ejemplo de Jesús de dar comida a los que tienen hambre y cuidar de los enfermos. Tratamos de ayudar a otros a obtener las cosas que les hacen falta y asegurarnos de que tienen lo que les corresponde. Muchas parroquias recolectan comida y ropa durante la Cuaresma. Las familias pueden participar en estas actividades, pueden ofrecerse como voluntarios en cocinas populares, visitar a los enfermos o practicar cualquier otra obra de misericordia.

Nos ayudan a preparar para renovar nuestras promesas bautismales en la Pascua y a celebrar la nueva vida que Cristo ha ganado para nosotros con su cruz y resurrección.

La forma en que vivimos durante este tiempo es también signo de ausencia y simplicidad. Se nos llama a seguir las costumbres cuaresmales de oración, ayuno, abstinencia y dar limosna o práctica de obras compasivas. La palabra *limosna* viene del griego y significa "compasión". Dar limosna puede ser dar de nuestro tiempo, dinero o cosas que otros necesiten. Rezar, ayunar y dar limosnas son parte de la vida cristiana. Sin embargo, durante la Cuaresma tienen un significado especial al prepararnos para renovar nuestro bautismo.

Vía crucis Durante la Cuaresma, como siempre, estamos caminando hacia la felicidad de vivir con Dios por siempre. Tenemos muchas oportunidades de seguir los pasos de Jesús. Uno de los lugares más famosos para seguir a Jesús son aquellos por donde un día él caminó, la Tierra Santa. Por siglos, los cristianos han peregrinado a la Tierra Santa. Ellos han caminado por donde Jesús caminó en su ruta al calvario. Como no todo el mundo podía ir a la Tierra Santa, el vía crucis empezó a rezarse en las iglesias. De esa forma todos podían seguir el camino de la muerte y resurrección de Jesús. Todos podían ser peregrinos.

Prayer

During Lent we focus on God's mercy and forgiveness. We call out to God to remember us and strengthen us to live by his laws. Lent is a good time to spend extra time in conversation with God. We may devote more time to personal prayer and to prayer with our parish community.

The Church prays especially for those who are preparing to receive the Sacraments of Christian Initiation. Many parishes gather for the Stations of the Cross and have special celebrations of the Sacrament of Penance.

Fasting

Fasting is a way to cleanse our bodies of harmful things and our hearts and minds of things that keep us from loving God and others. Fasting is also a form of penance. Doing penance helps us to turn to God and to focus on the things that are important in our lives as Christians. Doing penance is a way to show that we are sorry for our sins.

One way to fast is to give up things we enjoy, like a favorite food or activity. Catholics of a certain age are called to fast from food on Ash Wednesday and Good Friday. They are also called to give up meat on these days and on all the Fridays during Lent.

Almsgiving

During Lent we also show special concern for those in need. We follow Jesus' example of providing for the hungry and caring for the sick. We try to help other people to get the things they need and make sure that people have what is rightfully theirs.

Many parishes have food and clothing drives during this time of year. Families may participate in these drives and also volunteer at soup kitchens, visit those who are sick, and practice other works of mercy.

They help us to prepare to renew our baptismal promises at Easter and to celebrate the new life Christ has won for us by his Cross and Resurrection.

The way we live during this season is also a sign of absence and simplicity. We are called to follow the Lenten practices of prayer, fasting, and almsgiving, or practicing works of compassion. The word *alms* comes from a Greek word meaning "compassion." Almsgiving can be the giving of time, money, or goods to those in need. Prayer, fasting, and almsgiving are always part of Christian living. However, during Lent they take on special meaning as we prepare to renew our Baptism.

Stations of the Cross In Lent, as always, we are traveling toward the happiness of living forever with God. We have many opportunities to follow in the footsteps of Jesus. One of the most famous places to follow Jesus is the land where he once walked, or the Holy Land. Through the centuries, Christians have made pilgrimages to the Holy Land. They have walked in the footsteps of Jesus along the way of the cross. Since most people could not travel to the Holy Land, Stations of the Cross began to be placed in parish churches. In this way, everyone could follow Jesus on his path from Death to Resurrection. Everyone could be a pilgrim.

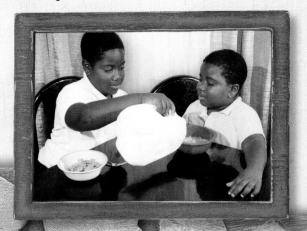

Vía crucis

1. Jesús es condenado a muerte.
2. Jesús toma su cruz.
3. Jesús cae por primera vez.
4. Jesús encuentra a su madre.
5. Simón ayuda a Jesús a cargar la cruz.
6. La Verónica enjuga el rostro de Jesús.
7. Jesús cae por segunda vez.
8. Jesús encuentra a las mujeres de Jerusalén.
9. Jesús cae por tercera vez.
10. Jesús es despojado de sus vestiduras.
11. Jesús es clavado en la cruz.
12. Jesús muere en la cruz.
13. Jesús es bajado de la cruz.
14. Jesús es puesto en un sepulcro.

Hacer el vía crucis se hizo tan popular que se hace con frecuencia durante la Cuaresma. Generalmente en la iglesia encontramos catorce estatuas, cruces o imágenes colocadas en la pared de la iglesia. Cada una es una estación donde nos paramos a recordar y a rezar.

En cada estación rezamos lo siguiente:

Te adoramos Cristo y te bendecimos.
Que por tu santa cruz redimiste al mundo.

RESPONDEMOS

En parejas o pequeños grupos escojan una estación del vía crucis y escriban una meditación o una oración sobre la estación. Usa este espacio para escribir tus ideas.

✝ Respondemos en oración

Líder: Bendito seas, Señor Dios de toda la creación:

Todos: Tú nos haces tener sed y hambre de santidad.

Líder: Bendito seas, Señor Dios de toda la creación:

Todos: Tú nos llamas al verdadero ayuno.

Líder: A libertar a los oprimidos, compartir nuestro pan con los que tienen hambre y dar cobijo a los desamparados y ropa a los desnudos.

Todos: Bendito seas por siempre Señor.

Lector: Lectura de la carta de San Pablo a los filipenses.

"Tengan en cuenta todo lo que hay de verdadero, de noble, de justo, de limpio, de amable, de elogiable, de virtuoso y de recomendable". (Filipenses 4:8)

Palabra de Dios.

Todos: Te alabamos, Señor.

Líder: Vamos ahora a pedirnos perdón unos a otros.

Todos: Dios mío,
Yo confieso ante Dios todopoderoso y ante vosotros, hermanos, que he pecado mucho de pensamiento, palabra, obra y omisión.
Por mi culpa, por mi culpa, por mi gran culpa.
Por eso ruego a santa María, siempre Virgen, a los ángeles, a los santos y a vosotros, hermanos, que intercedáis por mí ante Dios, nuestro Señor.

Following the Stations of the Cross became a devotion that takes place often during the season of Lent. The word *station* comes from a Latin word meaning "stopping point." In a parish the stations are usually fourteen statues, pictures, or crosses placed along the walls of the church. At each station we stop, we remember, and we pray.

At each station we usually pray this way:

We adore you, O Christ,
and we bless you.
Because by your holy Cross,
you have redeemed the world.

WE RESPOND

Break into pairs or small groups and choose one station. Write a meditation or prayer about that station.

Stations of the Cross

1. Jesus is condemned to die.
2. Jesus takes up his Cross.
3. Jesus falls the first time.
4. Jesus meets his mother.
5. Simon helps Jesus carry his Cross.
6. Veronica wipes the face of Jesus.
7. Jesus falls the second time.
8. Jesus meets the women of Jerusalem.
9. Jesus falls the third time.
10. Jesus is stripped of his garments.
11. Jesus is nailed to the Cross.
12. Jesus dies on the Cross.
13. Jesus is taken down from the Cross.
14. Jesus is laid in the tomb.

✝ We Respond in Prayer

Leader: Blessed are you, Lord, God of all creation:

All: you make us hunger and thirst for holiness.

Leader: Blessed are you, Lord, God of all creation:

All: you call us to true fasting.

Leader: to set free the oppressed, to share our bread with the hungry, to shelter the homeless and to clothe the naked.

All: Blessed be God for ever.

Reader: A reading from the Letter of Saint Paul to the Philippians

"Whatever is true, whatever is honorable, whatever is just, whatever is pure, whatever is lovely, whatever is gracious, if there is any excellence and if there is anything worthy of praise, think about these things." (Philippians 4:8)

The word of the Lord.

All: Thanks be to God.

Leader: Let us now ask forgiveness of one another and of God.

All: I confess to almighty God
and to you, my brothers and sisters,
that I have greatly sinned,
in my thoughts and in my words,
in what I have done
and in what I have failed to do,
through my fault,
through my fault,
through my most grievous fault;
therefore I ask blessed Mary ever-Virgin,
all the Angels and Saints,
and you, my brothers and sisters,
to pray for me to the Lord our God.

Orar
Conocer
Celebrar
Compartir
Expresar
Vivir

HACIENDO DISCIPULOS

 Celebra   Se te ha pedido acompañar a un estudiante más joven que tú. ¿Cómo le explicarías la Cuaresma?

Reza

Rezar es una práctica tradicional de Cuaresma. Escoge uno de los salmos penitenciales (salmos 6, 32, 38, 51, 102, 130 y 143) para rezar durante la Cuaresma o durante los viernes de Cuaresma. El mensaje de estos salmos es arrepentimiento. Pide a Dios que te ayude y te perdone mientras los rezas.

¡Ahora, compártelo!

Datos

El cuarto domingo de Cuaresma es llamado domingo Laetare. Laetare significa "regocijo" en latín. Ese domingo la oración inicial, la oración sobre las ofrendas y durante la Liturgia de la Eucaristía en la misa hablan del gozo en anticipación a la Pascua. El sacerdote que celebra la misa usa vestimentas rosadas y se pueden poner flores en el altar.

Alégrense
Laetare

Tarea

Juntos en familia tomen tiempo para desarrollar buenos hábitos espirituales durante el tiempo de Cuaresma. Por ejemplo, la oración diaria en familia, examen de conciencia, lectura bíblica semanal, celebración de los sacramentos de la Reconciliación y la Eucaristía. Haz una lista de tus ideas aquí:

_____

_____

PROJECT DISCIPLE

Celebrate! You have been asked to mentor a student who is younger than you. How would you explain the season of Lent to this student?

Pray Today

One traditional Lenten practice is prayer. Choose one of the seven Penitential Psalms (Psalms 6, 32, 38, 51, 102, 130, and 143) to pray during the season of Lent. Or pray one on each Friday of Lent. The message of these psalms is repentance. As you pray each psalm ask God for his help and forgiveness.

Now, pass it on!

Fast Facts

The Fourth Sunday of Lent is called Laetare Sunday. *Laetare* means "rejoice" in Latin. On Laetare Sunday, the opening prayer of the Mass and the prayer over the gifts during the Liturgy of the Eucharist speak of joy in anticipation of Easter. Rose-colored vestments may be worn by the priest to celebrate this Mass, and flowers may adorn the altar.

Take Home

As a family, make time to develop good spiritual habits during the Lenten season. For example: encourage daily family prayer, daily examination of conscience, weekly Bible readings, participating in the Sacrament of Penance, and the Sacrament of the Eucharist. List other ideas here:

_____

_____

Capítulo 20 (páginas 252–259)

Cuaresma

En este capítulo su niño(a) aprenderá que el tiempo de la Cuaresma es un período de preparación para la Pascua.

Para los padres

Durante el tiempo de Cuaresma la Iglesia se prepara para la celebración de la Pascua. A través de sus celebraciones litúrgicas, la Iglesia entra en el misterio del sufrimiento y de la muerte. Estamos unidos con Cristo en sus acciones salvadoras en nuestro favor. En su peregrinación cuaresmal la Iglesia responde a la llamada de Cristo. Las tres prácticas cuaresmales tradicionales de la oración, ayuno y limosna fortalecen del mismo modo al peregrino para acercarse a Cristo.

Todos los días

- Juntos recen la Señal de la Cruz y la siguiente oración: *Querido Jesús, ayúdanos a seguir tu camino durante este tiempo de Cuaresma.*

Primer día **El tiempo de Cuaresma es un periodo de preparación para la Pascua.**

- Lea en voz alta el enunciado de *Creemos* y el texto hasta el inicio de la tabla de la página 254. Enfatice que todo el tiempo de Cuaresma es una peregrinación en nuestro viaje hacia la Pascua y que por el bautismo morimos con Cristo y resucitamos a una nueva vida con él.

- Hable con su niño(a) acerca de la preparación cuaresmal para los sacramentos de iniciación cristiana, los sacramentos de la

Pascua, y sobre los signos de la ausencia y la sencillez que observamos durante la Cuaresma.

Segundo día **El tiempo de Cuaresma es un periodo de preparación para la Pascua. (Continuación)**

- Pida a su niño(a) que lea en silencio el texto acerca de la oración, el ayuno y la limosna. Anime a su niño(a) a que nombre un modo en que podríamos seguir cada una de estas prácticas durante la Cuaresma.

- Tomen turnos leyendo en voz alta el texto sobre el vía crucis. Juntos recen la oración que se dice en cada estación. Luego, pídale a su niño(a) que lea en voz alta la lista de las estaciones.

Tercer día **El tiempo de Cuaresma es un periodo de preparación para la Pascua. (Continuación)**

- Recuérdele a su niño(a) que el vía crucis da a todos una oportunidad de seguir los pasos de Jesús a lo largo del camino de la cruz.

Cuarto día **El tiempo de Cuaresma es un periodo de preparación para la Pascua. (Continuación)**

- Pídale a su niño(a) que diga en sus propias palabras lo que ha aprendido en este capítulo sobre la oración, el ayuno y la limosna.

Respondemos en fe

Quinto día

- Pídale a su niño(a) que escoja una estación del vía crucis y que escriba una oración.

Sexto día

- Conversen sobre lo que usted y su niño(a) van a hacer para seguir las prácticas cuaresmales de *oración, ayuno* y *limosna*.

Chapter 20 (pages 252–259)

Lent

In this chapter your child will learn that the season of Lent is a period of preparation for Easter.

For the Parents

During the season of Lent the Church prepares for the celebration of Easter. Through its seasonal liturgical celebrations, the Church enters into the mystery of suffering and death. We are united with Christ in his saving actions on our behalf. On its Lenten pilgrimage the Church responds to Christ's call. The three traditional Lenten practices of prayer, fasting, and almsgiving likewise strengthen the pilgrim to follow Christ.

Every Day

• Pray together the Sign of the Cross and the following prayer, *Dear Jesus, help us to follow your way during this season of Lent.*

Day One The season of Lent is a period of preparation for Easter.

• Read aloud the *We Believe* statement and the text up to the start of the chart. Emphasize that the entire season of Lent is a pilgrimage that we make together as we journey toward Easter, and that through Baptism we die with Christ and rise to new life with him.

• Talk with your child about Lenten preparation for the sacraments of Christian initiation—the Easter sacraments—and about the signs of absence and simplicity we observe during Lent.

Day Two The season of Lent is a period of preparation for Easter. (Continued)

• Have your child read silently the text about prayer, fasting, and almsgiving, and then describe each practice in his or her own words. Encourage your child to name one way we might follow each of these practices during Lent.

• Alternating with your child, read aloud the text about the Stations of the Cross. Pray together the prayer that is said at each station. Then ask your child to read aloud the list of stations.

Day Three The season of Lent is a period of preparation for Easter. (Continued)

• Remind your child that the Stations of the Cross give all of us an opportunity to follow in Jesus' footsteps along the way of the cross.

Day Four The season of Lent is a period of preparation for Easter. (Continued)

• Ask your child to review in his or her own words what he or she has learned in this chapter about prayer, fasting, and almsgiving.

We Respond in Faith

Day Five

• Have your child choose one station. Write a meditation or prayer about that station.

Day Six

• Discuss what you and your child will do to follow the Lenten practices of *Prayer, Fasting, and Almsgiving.*

TIEMPO LITÚRGICO

Triduo

Adviento | Navidad | Tiempo Ordinario | Cuaresma | **Triduo** | Tiempo de Pascua | Tiempo Ordinario

El Triduo Pascual es también conocido como Pascua cristiana.

NOS CONGREGAMOS

✝ *Jesús, llévanos contigo a tu nueva vida.*

Piensa en alguna vez que alguien confió en un mapa para llegar a algún lugar. ¿Cuál hubiera sido su experiencia sin un mapa?

CREEMOS

El Triduo Pascual nos guía hacia una peregrinación. Nuestra peregrinación con Jesucristo de la muerte a la vida. Cuando celebramos el Triduo Pascual, celebramos los tres días más importantes del año para los cristianos. Estos tres días van desde la tarde del Jueves Santo hasta la tarde del Domingo de Pascua. Se cuentan como lo hacían nuestros antepasados judíos, de una tarde a otra.

Las celebraciones litúrgicas de estos tres días se ven como una liturgia en la que celebramos el paso de Jesús de la muerte a la vida. Estos días se centran en el Misterio Pascual de Cristo, en su sufrimiento, muerte, Resurrección y Ascensión. Pascual viene de *pascua* que significa "paso". El Misterio Pascual es el misterio del sacrificio de Cristo y de su paso de la muerte a la vida.

Jueves Santo La misa de la cena del Señor, el jueves en la tarde, no es un simple recuento de los eventos de la Última Cena, cuando Jesús reunió a sus discípulos para celebrar la Pascua. Es la celebración de una nueva Pascua, el cuerpo y la sangre de Cristo compartida con ellos y que sigue siendo compartida con nosotros en la Eucaristía. Esta es una celebración de amor y servicio a la que Cristo nos llama todos los días.

Durante la misa se celebra una ceremonia de lavado de los pies. Esta acción nos convida a seguir el ejemplo de amor y servicio de Jesús. Él lavó los pies de los discípulos como señal de su amor por ellos.

Una forma de mostrar nuestro amor y servicios por los demás el Jueves Santo, es contribuyendo a la colecta especial por los necesitados.

"Goce también la tierra, inundada de tanta claridad, y que, radiante con el fulgor del rey eterno, se sienta libre de la tiniebla que cubría el orbe entero".

Pregón Pascual, Vigilia Pascual

Triduum

The Easter Triduum is also known as the Christian Passover.

WE GATHER

✝ *Jesus, take us with you into new life.*

Think about times when people count on a map to aid them in getting someplace. What would their experience be like without a map?

WE BELIEVE

The Easter Triduum guides us on a journey. We journey with Jesus Christ from Death to new life. When we celebrate the Easter Triduum, we are celebrating the most important three days of the year for Christians. These three days extend from the evening of Holy Thursday to the evening of Easter Sunday. They are counted as our Jewish ancestors in faith count their days—from sundown to sundown.

The liturgical celebrations of these three days are seen as one connected liturgy in which we celebrate Christ's passing from Death to new life. These days focus on the whole Paschal Mystery of Christ—his suffering, Death, Resurrection, and Ascension. Paschal comes from the word *pasch* which means "Passover." So the Paschal Mystery is the mystery of Christ's sacrifice of himself and of his passing over from Death to life.

Holy Thursday   The Evening Mass of the Lord's Supper is not simply a reenactment of the events of the Last Supper when Jesus gathered to celebrate Passover with his disciples. It is a celebration of the new Passover, Christ's Body and Blood that he shared then and still shares with us today in the Eucharist. It is a celebration of the love and service Christ calls us to everyday.

During this Mass a ceremony of the washing of the feet takes place. This action commits us to follow the example of Jesus' love and service. He washed his disciples' feet as a sign of his love for them.

On Holy Thursday one way that we show our love and service for others is by contributing to a special collection for those who are in need.

"Rejoice, O earth, in shining splendor, radiant in the brightness of your King! Christ has conquered! Glory fills you! Darkness vanishes for ever!"

The Exsultet, the Easter Vigil

261

Viernes Santo En este día recordamos el sufrimiento y muerte de Jesús. La celebración tiene lugar generalmente alrededor de las tres de la tarde. Escuchamos la Pasión de Cristo leída del Evangelio de Juan y ofrecemos diez intercesiones generales que incluyen la oración por todo el mundo. También mostramos reverencia por la cruz, donde fue colgado el Salvador del mundo. La cruz es el signo de la muerte y la victoria que Cristo ganó para nosotros con su muerte y un símbolo de la salvación que Jesucristo ofreció al mundo.

No se celebra la Liturgia de la Eucaristía, se hace un servicio de comunión y los asistentes parten en silencio.

Sábado Santo Durante este día pasamos tiempo pensando y rezando. Recordamos que Jesús murió para salvar a todo el mundo y damos gracias a Dios por su regalo. Rezamos especialmente por los que van a celebrar los sacramentos en la Vigilia Pascual. Los domingos y días de preceptos la Iglesia inicia la celebración litúrgica con una vigilia la noche antes.

El Sábado Santo en la tarde nos reunimos con toda la comunidad parroquial a celebrar la Vigilia Pascual.

La Vigilia Pascual es la vigilia más importante del año y es el punto culminante del Triduo. Empieza la tarde del sábado antes del Domingo de Pascua. Es tiempo de espera. Dos bellos símbolos de nuestra fe son fundamentales esa noche: la luz y el agua.

En toda la historia de la salvación, el fuego ha sido un símbolo de la presencia de Dios. En la noche de la Vigilia Pascual, un fuego se enciende afuera o en la parte atrás de la iglesia. El sacerdote prepara el cirio pascual marcando en él el año.

Después se enciende con el nuevo fuego y el sacerdote dice: "Que la luz de Cristo, resucitado y glorioso, disipe las tinieblas de nuestro corazón y de nuestro espíritu" (Misal romano). Este fuego representa el fuego de la zarza ardiente, y el cirio pascual nos recuerda el pilar de fuego que acompañó a los israelitas en su éxodo. El cirio pascual es más, es un símbolo de Cristo resucitado entre nosotros. Nos recuerda nuestro propio paso con Cristo de la muerte a la vida, de la oscuridad a la luz.

Con reverencia el cirio pascual es llevado a la iglesia oscura. El diácono o el sacerdote canta tres veces: "La luz de Cristo". La asamblea responde cada vez: "Demos gracias". Las pequeñas velas son encendidas con la luz del cirio pascual y la luz de cristo se expande por toda la asamblea.

El diácono o un miembro de la parroquia canta el Exsultet, o Pregón de Pascua. *Exaltarse* significa "regocijarse con gran triunfo".

Good Friday   On this day we recall Jesus' suffering and Death. The celebration often takes place in the afternoon around three o'clock P.M. We hear the Passion of Christ read from the Gospel of John, and we offer ten general intercessions that include prayers for the whole world. We also show reverence to the cross, for upon it hung the Savior of the world. The cross is the sign of Christ's Death and of the victory he wins for us by his Death. The cross is a symbol of the salvation Jesus Christ offers to the world.

Because the Liturgy of the Eucharist is not celebrated on Good Friday, a short communion service takes place and then all depart in silence.

Holy Saturday   During the day we spend time thinking and praying. We remember that Jesus died to save all people and we thank God for this gift. We pray especially for those who will celebrate the Easter Sacraments. On Sundays and very important feast days, the Church begins the liturgical celebration on the night before with a vigil. On Holy Saturday evening we gather with our parish for the celebration of the Easter Vigil.

The Easter Vigil is the most important vigil of the year and it is the high point of the Triduum. It begins after sundown on the Saturday before Easter Sunday. It is a time of watchful waiting. Two beautiful symbols of our faith are a central part of this night: light and water.

Throughout the history of salvation fire has been a symbol of the presence of God. On the night of the Easter Vigil a fire is made outdoors or in the back of the Church. The priest prepares the Paschal candle by marking the year on it. Then the Paschal candle is lit from this new fire and the priest says,
"May the light of Christ, rising in glory, dispel the darkness of our hearts and minds."

The fire represents the fire of the burning bush, and the Paschal candle reminds us of the pillar of fire that accompanied the Israelites on their journey out of Egypt. The Paschal candle is more, though. It is a symbol of the Risen Christ among us. It is a reminder of our own passing with Christ from Death to life, from darkness to light.

The Paschal candle is carried into the dark church with great reverence. The deacon or priest sings "Christ our light" three times. The assembly responds, "Thanks be to God." each time. Often those assembled light small candles from the Paschal candle, and the light of Christ spreads throughout the whole assembly.

Then the deacon or a parish member chants the Exsultet, or Easter Proclamation. To *exult* means to "rejoice with great joy and triumph."

El Exsultet es una proclamación de nuestra fe en la Pascua. Es como un mapa de la celebración de la Pascua. El Exsultet proclama el plan de Dios, y señala que somos parte de ese plan.

"Esta es la noche en que sacaste de Egipto a los israelitas, nuestros padres, y los hiciste pasar a pie el mar Rojo.
"Esta es la noche en que la columna de fuego esclareció las tinieblas del pecado.
"Esta es la noche que a todos los que creen en Cristo, por toda la tierra, los arranca de los vicios del mundo y de la oscuridad del pecado, los restituye a la gracia y los agrega a los santos.
"¡Qué noche tan dichosa! Sólo ella conoció el momento en que Cristo resucitó del abismo".

¡Esta es la más hermosa y alegre noche del año! Nuevos miembros de la Iglesia son bautizados, confirmados y reciben la comunión por primera vez.

El agua es otro importante símbolo de la Vigilia Pascual, para los nuevos bautizados y para todos nosotros, quienes vamos a renovar nuestras promesas bautismales y somos rociados con agua. Este es un símbolo de nuestra nueva vida en la Pascua. Nosotros también resucitamos con Cristo.

Domingo de Pascua   Nuestro gozo continúa en la Eucaristía del Domingo de Pascua cuando rezamos:

"Dios nuestro, que por medio de tu Hijo venciste a la muerte y nos has abierto las puertas de la vida eterna, concede a quienes celebramos hoy la Pascua de Resurrección, resucitar también a una nueva vida, renovados por la gracia del Espíritu Santo".

RESPONDEMOS

¿Qué puedes hacer para ayudar a otros a creer y vivir la nueva vida que viene de Cristo?

✝ Respondemos en oración

Líder: Vamos a regocijarnos en la resurrección de Jesús.

 Resucitó/He Is Risen

Estribillo
Resucitó, resucitó, resucitó, aleluya.
Aleluya, aleluya, aleluya, resucitó.
(He is risen, alleluia.)

Líder: Vamos a rezar el Pregón de Pascua.

Grupo 1: "Alégrense, por fin, los coros de los ángeles, alégrense las jerarquías del cielo
y, por la victoria de rey tan poderoso, que las trompetas anuncien la salvación".

Todos: *Estribillo*

Grupo 2: "Goce también la tierra, inundada de tanta claridad,

y que, radiante con el fulgor del rey eterno, Se sienta libre de la tiniebla que cubría el orbe entero":

Todos: *Estribillo*

Grupo 3: "Alégrese también nuestra madre la Iglesia
Revestida de luz tan brillante;
Resuene este templo con las aclamaciones del pueblo".

Todos: *Estribillo*

Grupo 4: "¡Qué noche tan dichosa!
Sólo ella conoció el momento
En que Cristo resucitó del abismo.
Esta es la noche de la que estaba escrito:
"Será la noche clara como el día,
la noche iluminada por mi gozo".

Todos: *Estribillo*

The Exsultet is a proclamation of our Easter faith. It is like a map of the celebration of Easter. The Exsultet proclaims God's plan, and notes that we are part of that plan.

"This is our passover feast,"
we hear. We also hear,
"This is the night when first you
        saved our fathers:
you freed the people of Israel
        from their slavery."

The waters of the Red Sea remind us of the waters of Baptism. Most importantly, we hear,

"This is the night when Jesus Christ
        broke the chains of death
and rose triumphant from the grave."

This is the most beautiful and exciting night of the year! New members of the Church are baptized, confirmed, and receive the Eucharist for the first time.

Water is another symbol that is very important to the Easter Vigil. It is important to the newly baptized and to all of us who renew our baptismal promises and are sprinkled with water. It is a symbol of our new Easter life. We, too, are risen with Christ.

Easter Sunday   Our joy continues at the Easter Sunday Eucharist as we pray:

"May the risen Lord
breathe on our minds
        and open our eyes
that we may know him in the
        breaking of bread,
and follow him in his risen life."

WE RESPOND

What can you do to help others to believe and experience the new life that comes from Christ?

✝ We Respond in Prayer

Leader: Let us rejoice in the Resurrection of Jesus.

🎵 **Resucitó/He Is Risen**
    Resucitó, resucitó, resucitó, aleluya.
    Aleluya, aleluya, aleluya, resucitó.

Leader: Let us pray the great Easter Proclamation.

Group 1: "Rejoice, heavenly powers!
    Sing, choirs of angels!
Exult, all creation around God's throne!
Jesus Christ, our King, is risen!
Sound the trumpet of salvation!"

All: *Sing refrain.*

Group 2: "Rejoice, O earth, in shining
    splendor,
    radiant in the brightness of your King!

Christ has conquered! Glory fills you!
Darkness vanishes for ever!"

All: *Sing refrain.*

Group 3: "Rejoice, O Mother Church!
    Exult in glory!
The risen Savior shines upon you!
Let this place resound with joy,
echoing the mighty song of all
    God's people!"

All: *Sing refrain.*

Group 4: "Most blessed of all nights,
    chosen by God
to see Christ rising from the dead!
Of this night scripture says:
    'The night will be as clear as day:
    it will become my light, my joy.'"

All: *Sing refrain.*

HACIENDO DISCÍPULOS

Celebra

Escribe el día del Triduo (JS = Jueves Santo, VS = Viernes Santo, SS = Sábado Santo) que corresponde a cada afirmación.

1. _____ El sacerdote marca el año en el cirio pascual. El cirio se enciende y es llevado en procesión con gran reverencia a través de la iglesia oscura.

2. _____ Alrededor de las tres de la tarde se hace una celebración para recordar el sufrimiento y muerte de Jesús.

3. _____ Se celebra una misa en la tarde para celebrar los eventos de la Última Cena—cuando Jesús celebró con sus discípulos.

4. _____ Durante la misa se hace una ceremonia de lavado de los pies.

5. _____ Un corto servicio de comunión tiene lugar porque no se celebra la Eucaristía.

6. _____ Nuevos miembros de la Iglesia son bautizados, confirmados y reciben la comunión por primera vez.

7. _____ Se celebra la vigilia después de caer la tarde.

8. _____ Se lee la Pasión de Cristo del Evangelio de Juan, se ofrecen diez intersecciones de los fieles y reverenciamos la cruz.

Escritura

"Ustedes me llaman 'Maestro' y 'Señor' y tienen razón, porque efectivamente lo soy. Pues bien, si yo, que soy el Maestro y el Señor, les he lavado los pies, ustedes deben hacer lo mismo unos con otros. Les he dado ejemplo, para que hagan lo mismo que yo he hecho con ustedes".
(Juan 13:13–15)

RETO PARA EL DISCÍPULO

• Traza un círculo alrededor de los nombres que los discípulos usaban para Jesús.

• ¿Por qué Jesús pide a los discípulos lavarse los pies unos a otros?

Tarea

Una de las tradiciones más antiguas de la Iglesia Católica es la veneración de la cruz en Viernes Santo. La cruz es el signo, no sólo de la muerte de Cristo, sino también de la victoria que ganó para toda la humanidad con su muerte. Pon una cruz o un crucifijo en un lugar destacado en tu casa. Recuerda tratar con reverencia siempre este símbolo de nuestra fe.

Celebrate!

Write the day of the Triduum (HT = Holy Thursday, GF = Good Friday, HSE = Holy Saturday Evening) that corresponds to each statement.

1. _____ The priest prepares the Paschal Candle by marking the year on it, and the candle is lit and carried into the dark church with great reverence.

2. _____ Around 3:00 P.M. a celebration often takes place at which we recall Jesus' suffering and Death.

3. _____ At an evening Mass we celebrate the events of the Last Supper—when Jesus gathered to celebrate Passover with his disciples.

4. _____ During Mass a ceremony of the washing of feet takes place.

5. _____ A short communion service takes place because the Liturgy of the Eucharist is not celebrated.

6. _____ New members of the Church are baptized, confirmed, and receive the Eucharist for the first time.

7. _____ The Easter Vigil is celebrated after sundown.

8. _____ We hear the Passion of Christ read from the Gospel of John, offer ten general intercessions for the whole world, and show reverence to the cross.

What's *the* Word?

"You call me 'teacher' and 'master,' and rightly so, for indeed I am. If I, therefore, the master and teacher, have washed your feet, you ought to wash one another's feet. I have given you a model to follow, so that as I have done for you, you should also do." (John 13:13–15)

↳ DISCIPLE CHALLENGE

• Circle the names the disciples use for Jesus.

• Why does Jesus ask his disciples to wash one another's feet?

_____

Take Home

One of the most ancient traditions of the Catholic Church is the veneration of the cross on Good Friday. The cross is the sign not only of Christ's Death, but also of the victory Christ won for all humankind by his Death. Place a cross or crucifix in a prominent place in your home. Remember to always treat this symbol of our faith with reverence.

Catequesis en el hogar

Capítulo 21 (páginas 260–267)

Triduo

En este capítulo su niño(a) aprenderá sobre el Triduo Pascual.

Para los padres

Durante el Triduo Pascual la Iglesia pasa con Cristo de la muerte a la nueva vida. Esta celebración de la Pascua o el Misterio Pascual es la celebración más importante del año litúrgico. Comenzando con la misa de la cena del Señor el Jueves Santo, el Triduo continúa con el Viernes Santo y la Vigilia Pascual hasta la oración de la tarde del Domingo de Pascua. La Iglesia se congrega como en una liturgia continua conmemorando las acciones salvadoras de Jesucristo.

Todos los días

- Juntos recen la Señal de la Cruz y proclamen las palabras al final de la página inicial: *Goce también la tierra, inundada de tanta claridad.*

Primer día **El Triduo Pascual es también conocido como el Triduo cristiano.**

- Lea en voz alta el enunciado de *Creemos*. Explique a su niño(a) que en esta lección aprenderá sobre el peregrinaje con Jesús mientras pasa de la muerte a la nueva vida.

- Lea en voz alta el texto hasta la sección "Jueves Santo". Enfatice que el misterio pascual incluye el sufrimiento, muerte, resurrección y ascensión de Jesús.

Segundo día **El Triduo Pascual es también conocido como el Triduo cristiano. (Continuación)**

- Pídale a su niño(a) que lea en voz alta el texto sobre el Jueves Santo. Señale la imagen del lavatorio de los pies y converse sobre su significado.

- Pídale a su niño(a) que lea en voz alta el texto sobre el Viernes Santo. Enfatice que la Liturgia de la Eucaristía no se celebra el Viernes Santo.

Tercer día **El Triduo Pascual es también conocido como el Triduo cristiano. (Continuación)**

- Tomen turnos leyendo el texto sobre el Sábado Santo. Enfatice la importancia de hablar acerca de los símbolos de fuego y agua como se expresa en la liturgia de la Vigilia Pascual.

- Juntos lean en voz alta la oración de la Eucaristía del Domingo de Pascua.

Cuarto día **El Triduo Pascual es también conocido como el Triduo cristiano. (Continuación)**

- Pídale a su niño(a) que explique en sus propias palabras por qué el Triduo Pascual es conocido también como el Triduo cristiano.

- Luego pídale que explique en sus propias palabras qué sucede el Jueves Santo, Viernes Santo y Sábado Santo.

Respondemos en fe

Quinto día

- Pida a su hijo(a) que piense cómo va a venerar la cruz durante el Triduo.

Sexto día

- Invite a su niño(a) a conversar con miembros de su familia sobre el Triduo Pascual e invitarlos a uno o todos los servicios.

Catechesis at Home

Chapter 21 (pages 260–267)

Triduum

In this chapter your child will learn about the Easter Triduum.

For the Parents

During the Easter Triduum the Church passes over with Christ from death to new life. This celebration of the Passover, or Paschal Mystery, is the greatest celebration of the liturgical year. Beginning with the Evening Mass of the Lord's Supper on Holy Thursday, the Triduum continues through Good Friday and the Easter Vigil to the evening prayer of Easter Sunday. The Church gathers as in one continuous liturgy commemorating the astonishing salvific actions of Jesus Christ.

Every Day

- Pray together the Sign of the Cross, and proclaim the words under the picture on the opening page, *Rejoice, O earth, in shining splendor.*

Day One The Easter Triduum is also known as the Christian Passover.

- Read aloud the *We Believe* statement. Explain to your child that in this lesson he or she will learn about the journey the Church takes with Jesus as he passes over from death to new life.

- Read aloud the text up to the "Holy Thursday" heading. Emphasize that the Passover journey is the Paschal Mystery and includes Jesus' passion, death, Resurrection, and Ascension.

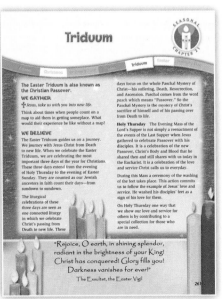

Day Two The Easter Triduum is also known as the Christian Passover. (Continued)

- Ask your child to read aloud the text about Holy Thursday. Point out the picture of the washing of the feet and discuss its significance.

- Ask your child to read aloud the text about Good Friday. Emphasize that the Liturgy of the Eucharist is not celebrated on Good Friday.

Day Three The Easter Triduum is also known as the Christian Passover. (Continued)

- With your child read aloud the text about Holy Saturday. Emphasize the importance and talk about the meaning of the symbols of fire and water as expressed in the Easter Vigil liturgy.

- Together read aloud the prayer from the Easter Sunday Eucharist.

Day Four The Easter Triduum is also known as the Christian Passover. (Continued)

- Ask your child to explain in his or her own words why the Easter Triduum is also known as the Christian Passover.

- Then ask him or her to explain in his or her own words what happens on Holy Thursday, Good Friday, and Holy Saturday.

We Respond in Faith

Day Five

- Ask your child to think how he or she is going to reverence the cross during the Triduum.

Day Six

- Invite your child to talk to family members about the Easter Triduum. Encourage him or her to invite them to one or all of the services.

Devociones y peregrinaciones

Oración

Todos rezan la señal de la cruz.

Líder: La unión con Dios es el inicio y el final de nuestro peregrinaje en esta vida. Vamos con confianza a pedirle diciendo:

Todos: Señor, acompáñanos en nuestro peregrinaje.

Lector 1: Padre de toda santidad, te hiciste guía y camino para tu pueblo mientras caminaban en el desierto; te pedimos que nos protejas mientras estamos en este peregrinaje, para que podamos retornar a casa. Te lo pedimos.

Todos: Señor, acompáñanos en nuestro peregrinaje.

Lector 2: Nos diste a tu único Hijo para ser nuestro camino hacia ti; permite que lo sigamos fielmente y sin desvíos. Te lo pedimos.

Todos: Señor, acompáñanos en nuestro peregrinaje.

Lector 3: Tú guías nuestra Iglesia peregrina en la tierra por medio del Espíritu Santo; que podamos buscarte en todas las cosas y caminar siempre cumpliendo tus mandamientos. Te lo pedimos.

Todos: Señor, acompáñanos en nuestro peregrinaje.

Lector 4: Tú nos guías por caminos derechos y de paz; haz que un día podamos ver tu faz en el cielo. Te lo pedimos.

Todos: Señor, acompáñanos en nuestro peregrinaje.

Líder: Dios todopoderoso, siempre muestras tu misericordia a los que te aman y nunca dejas solos a los que te buscan. Quédate con nosotros en este santo peregrinaje y guía nuestro camino de acuerdo con tu voluntad. Te lo pedimos por medio de Cristo, nuestro Señor.

Todos: Amén.

Devotions and Pilgrimages

Prayer

All pray the Sign of the Cross.

Leader: Union with God is the beginning and the end of life's pilgrimage. Let us call on him with confidence, saying:

All: Lord, be the companion of our journey.

Reader 1: Father all-holy, you made yourself the guide and the way for your people as they wandered in the desert; be our protection as we begin this journey, so that we may return home again in safety. For this we pray:

All: Lord, be the companion of our journey.

Reader 2: You have given us your only Son to be our way to you; make us follow faithfully and unswervingly. For this we pray:

All: Lord, be the companion of our journey.

Reader 3: You guide your pilgrim Church on earth through the Holy Spirit; may we seek you in all things and walk always in the way of your commandments. For this we pray:

All: Lord, be the companion of our journey.

Reader 4: You lead us along right and peaceful paths; grant that we may one day see you face to face in heaven. For this we pray:

All: Lord, be the companion of our journey.

Leader: All-powerful God, you always show mercy toward those who love you, and you are never far away from those who seek you. Remain with us on this holy pilgrimage and guide our way in accordance with your will. We ask this through Christ our Lord.

All: Amen.

Devociones y peregrinaciones

Compartiendo la Palabra de Dios

Reflexión sobre la lectura de la Escritura.

"Y se dijeron uno a otro: '¿No ardía nuestro corazón mientras nos hablaba en el camino y nos explicaba las Escrituras?'. En aquel mismo instante se pusieron en camino y regresaron a Jerusalén, donde encontraron reunidos a los once y a todos los demás, que decían: 'Es verdad, el Señor ha resucitado y se ha aparecido a Simón'. Ellos, por su parte, contaban lo que les había ocurrido cuando iban de camino y cómo lo habían reconocido al partir el pan. Estaban comentando lo sucedido, cuando el mismo Jesús se presentó en medio y les dijo: 'La paz esté con ustedes'". (Lucas 24:32–36)

LEA despacio y con atención el pasaje del Evangelio de Lucas.

REFLEXIONE sobre la lectura.

Piense en las siguientes preguntas:

- Imagine ser uno de los discípulos en el pasaje, cuando ellos encontraron a Jesús, ¿qué sentimientos podría haber experimentado cuando Jesús le hablaba?

- ¿En qué formas se encuentra con Jesús? ¿Qué experimenta cuando está en la presencia de Jesús?

- ¿Cómo se siente al "partir el pan" con su comunidad parroquial?

COMPARTA sus pensamientos en grupo.

Túrnense para conversar sobre algunas veces en las que se han encontrado con Jesús en formas inesperadas en sus vidas.

MEDITE y comparta sus pensamientos y sentimientos con Jesús en oración. Escriba algunas formas en las que pueda encontrarse con Jesús en su vida diaria por medio de:

Experiencias

_____
_____
_____

Otras personas

_____
_____
_____

Retos

_____
_____
_____

Bendiciones inesperadas

_____
_____
_____

Devotions and Pilgrimages

Sharing God's Word

Reflect on the Bible reading.

"Then [two disciples] said to each other, 'Were not our hearts burning [within us] while [Jesus] spoke to us on the way and opened the scriptures to us?' So they set out at once and returned to Jerusalem where they found gathered together the eleven and those with them who were saying, 'The Lord has truly been raised and has appeared to Simon!' Then the two recounted what had taken place on the way and how [Jesus] was made known to them in the breaking of the bread. While they were still speaking about this, he stood in their midst and said to them, 'Peace be with you.'" (Luke 24:32–36)

READ the passage from the Gospel of Luke. Read slowly and carefully.

REFLECT on what you read.

Think about the following:

• Imagine being with the disciples in the above passage when they encountered Jesus. What feelings might you have had as Jesus spoke to you?

• What are some ways that you encounter Jesus? What do you experience when you are in the presence of Jesus?

• What are your feelings when you are "breaking bread" with your parish community?

SHARE your thoughts with your group.

Take turns to talk about times when you have encountered Jesus in unexpected ways in your life.

CONTEMPLATE and share your thoughts and feelings with Jesus in prayer.

Share ideas on ways to be aware of encounters with Jesus in unexpected ways in your everyday life. Write some ways you might encounter Jesus in your daily life through …

Experiences

_____
_____
_____

Other people

_____
_____
_____

Challenges

_____
_____
_____

Unexpected blessings

_____
_____
_____

Devociones y peregrinaciones

Valoramos nuestra fe católica

El tema de nuestro retiro es *Devociones y peregrinaciones*.

- ¿Cuándo ha reconocido a Jesús en su peregrinaje de fe?

- Piense en su jornada de fe de un día. ¿Cómo se encuentra con Jesús?

- Piense en su peregrinaje de fe en la vida. ¿Qué puede hacer para acercarse más a Jesús, paso a paso en el camino?

Celebramos y honramos nuestra identidad católica

Las devociones nos ayudan a expresar nuestro amor a Dios y a aumentar nuestra fe. María, la madre de Jesús, es honrada en todo el mundo, con muchas devociones en santuarios y lugares de peregrinación. Conversen sobre devociones en honor a María que pueden rezar en la casa. Escriban por lo menos dos devociones a María en las líneas. Después escojan una para rezar durante esta semana y planifiquen el tiempo para hacerlo.

_____

_____

_____

_____

_____

_____

_____

_____

_____

Basílicas de Nuestra Señora de Guadalupe, Antigua y Nueva, en el conjunto religioso del Cerro del Tepeyac, Ciudad de México, México

Devotions and Pilgrimages

We Value Our Catholic Faith

The theme of our retreat is *Devotions and Pilgrimages.*

- When have you recognized Jesus on your journey of faith?

- Think about your journey of faith as you might experience it in a single day. How do you encounter Jesus?

- Think about your journey of faith over your lifetime. What can you do to grow closer to Jesus step-by-step along the way?

We Celebrate and Honor Our Catholic Identity

Devotions help us express our love for God and grow in faith.

Mary, the Mother of Jesus, is honored by many devotions and in shrines and sites of pilgrimage throughout the world. Talk about devotions that honor Mary that you can pray together at home. Write at least two devotions below. Then choose one to pray during the week and plan a time to do so.

_____
_____
_____
_____
_____
_____
_____
_____

A statue of Our Lady of Fatima being carried during a candle light vigil in Fatima, Portugal

Llevando el retiro a casa

Devociones y peregrinaciones

Repaso del retiro

Repase con su familia las páginas del retiro *Celebrando la identidad católica: Oración*. Conversen sobre lo que escucharon acerca de devociones y peregrinaciones. Enfatice:

■ Nuestra jornada en la vida es una peregrinación con Dios.

■ Las devociones y peregrinaciones son formas de expresar nuestro amor por Dios.

■ La Iglesia es rica en devociones y peregrinaciones para honrar a Jesús, a María y a muchos santos.

Una peregrinación virtual

Durante siglos, los cristianos han hecho peregrinaciones a la Tierra Santa. Haga una peregrinación "virtual" a la Tierra Santa con su hijo(a). Explore la página Web de viajes a la Tierra Santa, o cualquier otra guía en el Internet que ofrezca otros lugares santos que los cristianos puedan visitar. Hablen sobre diversas imágenes de los lugares santos que les interese y acerca de los eventos en la vida de Jesús que pudieron ocurrir allí.

Basílica del Santuario Nacional de la Inmaculada Concepción

Un momento de reflexión

Busquen en su área, o pregunten en su parroquia, o diócesis, por algunos santuarios cercanos. Si es posible, planifiquen hacer una peregrinación a uno de ellos. También podrían hacer una peregrinación en familia a su catedral.

Oración en familia

Escoja una devoción que su familia pueda hacer con frecuencia. Por ejemplo, pueden hacer un hábito de rezar diariamente juntos una oración a María o a un santo favorito.

Área en la Basílica de la Natividad, en Belén, el lugar santo donde se cree que Jesús nació

Para más recursos vea *Identidad católica Amigo del hogar* al final del libro.

Catholic Identity Retreat

Bringing the Retreat Home

Devotions and Pilgrimages

Retreat Recap
Review with your family the *Celebrating Catholic Identity: Prayer* retreat. Talk about what you heard about devotions and pilgrimages. Emphasize:

- Our journey of life is a pilgrimage with God.
- Devotions and pilgrimages are among the ways we express our love for God.
- The Church's rich heritage of devotions and pilgrimages honor Jesus, Mary, and many of the saints.

A Virtual Pilgrimage
Through the centuries, Christians have made pilgrimages to the Holy Land. Make a pilgrimage to the Holy Land "virtually" with your child. Explore a Web site for Holy Land tours or another online guide featuring the various holy sites that Christians might visit. Discuss any images of holy sites that capture your interest, and talk about the events in Jesus' life to which these locations relate.

Basilica of the National Shrine of the Immaculate Conception, Washington, D.C.

Take a Moment
Learn about any local Catholic shrines by searching for Catholic shrines in your area online or contacting your parish or diocese. If possible, plan a family pilgrimage to one of these holy sites. You might also want to make a family pilgrimage to your local cathedral, which is a sign of unity of your diocese or archdiocese.

Detail, Church of the Nativity, Bethlehem, holy site believed to be Jesus' birthplace

Family Prayer
Choose a devotion that your family can make your own. For example, perhaps you can make a habit of praying a daily prayer to Mary or a favorite saint.

For more resources, see the *Catholic Identity Home Companion* at the end of this book.

Qué creemos
como familia católica

Si alguien nos pregunta:

- ¿Por qué los católicos creen en milagros?
- ¿Por qué los católicos hacen peregrinaciones a lugares santos?

Los siguientes recursos nos pueden ayudar a contestar:

Un milagro es un evento extraordinario que va más allá del poder humano y que solo Dios puede hacer. A través de la historia Dios ha mostrado su poder y amor por medio de signos y milagros. Los milagros nos recuerdan la continua presencia de Dios en nuestras vidas. Los signos y milagros de Jesús dan testimonio de que él fue enviado por Dios Padre. Los milagros manifiestan que el Reino de Dios está presente en Jesucristo, el Hijo de Dios.

🌿 ¿Qué dice la Escritura?

Elías "invocó al Señor: ¡Señor, Dios mío, devuelve la vida a este niño! El Señor escuchó a Elías, y el niño revivió". (1 Reyes 17: 21–22)

Jesús dijo: "Si no ven signos y prodigios son incapaces de creer". (Juan 4:48)

Jesús dijo: "Pero yo tengo a mi favor un testimonio de mayor valor que el de Juan. Una prueba evidente de que el Padre me ha enviado es que realizo la obra que el Padre me encargó llevar a término". (Juan 5:36)

Dios sigue enviando signos y milagros para ayudarnos a creer en él y en su presencia entre nosotros. Algunos signos y milagros son muy personales, pero otros han sucedido en lugares específicos en el mundo. Con frecuencia, la Virgen María, uno de los santos o imágenes de Jesús, han sido vistos por personas en esos lugares. Iglesias o grutas han sido construidas para recordar esos eventos.

Los católicos visitan estos lugares para expresar su amor a Dios y estar donde han tenido lugar visiones y milagros. La Iglesia determina si esas señales y milagros son auténticas señales de Dios. La Iglesia reconoce señales y milagros como obras de Dios ya sea en forma directa o por medio de las oraciones e intercesiones de santos específicos.

🌿 ¿Qué dice la Iglesia?

"Además de la liturgia sacramental y de los sacramentales, la catequesis debe tener en cuenta las formas de piedad de los fieles y de religiosidad popular. El sentido religioso del pueblo cristiano ha encontrado, en todo tiempo, su expresión en formas variadas de piedad en torno a la vida sacramental de la Iglesia: tales como la veneración de las reliquias, las visitas a santuarios, las peregrinaciones, las procesiones, el vía crucis, las danzas religiosas, el rosario, las medallas, etc." (CCC, 1674)

"[Milagros] el propósito esencial es indicar que la persona humana está destinada y llamada al reino de Dios. Estas señales confirman en diferentes épocas y en las más variadas circunstancias la verdad del evangelio y demuestran el poder salvador de Cristo quien no cesa de llamar a su pueblo (por medio de la Iglesia) a la senda de la fe". (San Juan Pablo II, Audiencia general, Enero 13, 1988)

Fortalecidos en nuestra fe

Algunos jóvenes, para atraer la atención, adoptan conductas negativas. Ellos quieren pertenecer al grupo de moda. Este deseo de "pertenecer" puede conducir a intimidar otros. Ayude a su hijo(a) a que entienda que la opinión de los demás no determina quién es.

Why We Believe
As a Catholic Family

What if someone asks us:

- Why do Catholics believe in miracles?
- Why do Catholics make pilgrimages to holy sites?

The following resources can help us to respond:

A miracle is an extraordinary event that is beyond human power and brought about by God. Throughout history God has shown his power and love through many signs and miracles. Miracles remind us of the continued presence of God in our lives. The signs and miracles that Jesus worked attest that he was sent by God the Father. They manifest that God's Kingdom is present in Jesus Christ, God the Son.

🌿 What does Scripture say?

"[Elijah] called out to the Lord: 'O Lord, my God, let the life breath return to the body of this child.' The Lord heard the prayer of Elijah; the life breath returned to the child's body and he revived."
(1 Kings 17:21–22)

Jesus said, "Unless you people see signs and wonders, you will not believe" (John 4:48).

Jesus said, "But I have testimony greater than John's. The works that the Father gave me to accomplish, these works that I perform testify on my behalf that the Father has sent me" (John 5:36).

God has continued to send signs and miracles to help us to believe in him and in his presence among us. Some signs and miracles are very personal, but others have happened at specific places throughout the world. Often the Virgin Mary, one of the saints, or even an image of Jesus has been seen by people at these sites, and churches or shrines have been established there to remember these events. Catholics go to these sites to express their love for

God and to stand at the very sites where visions and miracles have been recorded. The Church determines whether these signs or miracles are authentic from God. The Church recognizes signs and miracles as being works of God either directly or through the prayers and intercessions of a specific saint or saints.

🌿 What does the Church say?

"Besides sacramental liturgy and sacramentals, catechesis must take into account the forms of piety and popular devotions among the faithful. The religious sense of the Christian people has always found expression in various forms of piety surrounding the Church's sacramental life, such as the veneration of relics, visits to sanctuaries, pilgrimages, processions, the stations of the cross, religious dances, the rosary, medals, etc." (CCC, 1674)

"[Miracles'] essential purpose is to indicate that the human person is destined and called to the kingdom of God. These signs therefore confirm in different ages and in the most varied circumstances the truth of the Gospel, and demonstrate the saving power of Christ who does not cease to call people (through the Church) on the path of faith."
(Saint John Paul II, General Audience, January 13, 1988)

Being Strong in Our Faith

Young people may engage in negative behaviors to gain public attention. They want to be part of the "in crowd." This desire to fit in may lead to bullying those who try to do what is right. Help your child to realize that the opinion of others does not determine the person.

Apreciada familia

En la unidad 4 los niños aprenderán a crecer como discípulos de Jesús:

- entendiendo a Jesús como maestro y sanador quien hizo signos maravillosos en el pueblo

- agradeciendo a Jesús por dar su vida por nosotros y resucitar para que pudiéramos tener nueva vida

- apreciando la venida del Espíritu Santo en Pentecostés y el testimonio de los primeros cristianos quienes fueron perseguidos por su fe

- reconociendo que la Iglesia sigue el ministerio de Jesús compartiendo la palabra de Dios, la Biblia, celebrando los sacramentos y trabajando por la justicia social

- viviendo como católicos unidos, santos, universales y fieles.

Realidad

"Los padres deben mirar a sus hijos como a *hijos de Dios* y respetarlos como a *personas humanas*".

(*Catecismo de la Iglesia Católica*, 2222)

Mostrando amor

Como discípulos de Jesucristo, somos llamados a trabajar por la unidad de los cristianos y a respetar a las personas que profesan otros credos. En familia, aprendan más sobre una de las iglesias cristianas o de otro credo. Si conoce a alguien que profesa otra fe, puede invitarlo a compartir con usted. Recen juntos por todo el pueblo de Dios.

Datos

La Iglesia de las Bienaventuranzas está construida en una montaña donde se cree Jesús enseñó las Bienaventuranzas. La Iglesia mira hacia el mar de Galilea y es de forma octagonal; cada lado representa una de las ocho Bienaventuranzas. La cúpula simboliza la novena que dice "porque grande será tu recompensa en el cielo".

Exprésalo

La cronología de la unidad 4 se encuentra en las páginas 270–273. Miren juntos la línea cronológica e invite a su hijo(a) a compartir un evento que le llamó la atención. La línea cronológica termina con los discípulos de hoy. ¿Qué evento de la familia pueden añadir a la línea cronológica como momento significativo de su fe?

Tarea

Las tareas para esta unidad son:

Capítulo 22: Recordando al maestro favorito

Capítulo 23: Rezando el vía crucis

Capítulo 24: Rezando al Espíritu Santo

Capítulo 25: Aprendiendo más sobre la Biblia

Capítulo 26: Rediseñando el logo *Haciendo discípulos*

Escritura

Dios continúa diciéndonos quién es por medio de su Hijo, Jesús. ¿Qué nos enseña Jesús acerca de Dios? Pida a cada miembro de la familia compartir una de las historias de la vida de Jesús y qué nos dice sobre quién es Dios. Den gracias a Dios por la Biblia.

Dear Family

In Unit 4 your child will grow as a disciple of Jesus by:

- understanding Jesus as teacher and healer who worked signs and wonders among the people
- thanking Jesus for giving his life for us and rising so that we would have new life
- appreciating the coming of the Holy Spirit on Pentecost and the witness of early Christians who were persecuted for their faith
- recognizing that the Church continues Jesus' ministry by sharing the Word of God, the Bible, celebrating the sacraments, and working for social justice
- living as Catholics who are united, holy, welcoming and faithful.

Reality Check

"Parents must regard their children as *children of God* and respect them as *human persons*."
(*Catechism of the Catholic Church*, 2222)

Show That You Care

As disciples of Jesus Christ, we are called to work for the unity of Christians and to respect people of all faiths. As a family, learn more about one of the Christian churches or one of the other faiths. You may have friends who belong to another church or faith whom you could invite to share with you. Pray together for all God's people.

Fast Facts

The Church of the Beatitudes is built on the hill where many people believe Jesus first taught the Beatitudes. The Church overlooks the Sea of Galilee and is octagonal in shape, with each of eight sides representing one of the Beatitudes. The dome symbolizes the ninth saying, "for great is your reward in heaven."

Picture This

The Unit 4 timeline is on pages 270–273. Look over the timeline together, and invite your 6th grader to share an event which was most memorable to him or her. The timeline ends with today's disciples. What family events would you add to the timeline as significant moments of faith?

Take Home

Be ready for this unit's Take Home:

Chapter 22: Remembering favorite teachers

Chapter 23: Praying the Stations of the Cross

Chapter 24: Praying to the Holy Spirit

Chapter 25: Learning more about the Bible

Chapter 26: Redesigning *Project Disciple's* logo

What's the Word?

God continues to tell us who he is through his only Son, Jesus. What does Jesus teach us about God? Have each family member share one of the stories of Jesus' life and what it tells us about who God is. Give thanks to God for the Bible.

22 Jesús, Maestro y Sanador

NOS CONGREGAMOS

Líder: Lectura del santo Evangelio según Mateo.

"Paseando junto al lago de Galilea, vio a dos hermanos: Simón, llamado Pedro, y su hermano Andrés, que estaban echando la red en el lago, pues eran pescadores. Les dijo: 'Vengan conmigo y los haré pescadores de hombres'. Ellos dejando inmediatamente las redes, lo siguieron. Más adelante vio a otros dos hermanos: Santiago, el de Zebedeo, y su hermano Juan, que estaban en la barca con su padre Zebedeo, reparando las redes. Los llamó también, y ellos, dejando inmediatamente la barca y a su padre, lo siguieron".

(Mateo 4:18–22)

Palabra del Señor.

Todos: Gloria a ti, Señor Jesús.

🎵 **Pescador de hombres**

Tú has venido a la orilla,
no has buscado ni a sabios ni a ricos,
tan sólo quieres que yo te siga.

Estribillo:

Señor, me has mirado a los ojos,
sonriendo has dicho mi nombre,
en la arena he dejado mi barca,
junto a ti buscaré otro mar.

 ¿Por qué te preparas para un evento importante? ¿Cuáles son algunas formas en que te preparas?

CREEMOS

Dios se dio a conocer en su Hijo.

Después del bautismo de Jesús en el Río Jordán, el Espíritu Santo los envió al desierto. Jesús estuvo ahí durante cuarenta días y cuarenta noches. El rezó a su Padre y ayunó como un signo de su obediencia. Jesús se preparó para su vida pública, su vida en el pueblo.

Jesús regresó a Galilea y empezó a predicar su mensaje: "El plazo se ha cumplido. El reino de Dios está llegando. Conviértanse y crean en el evangelio" (Marcos 1:15). El Evangelio es la buena nueva sobre Dios trabajando en Jesucristo. Jesús mostró que el **reino de Dios** es el poder del amor de Dios en el mundo y en nuestras vidas. El reino vino al mundo con la venida del Hijo de Dios.

El pueblo judío había estado esperando por el cumplimiento de las promesas de Dios. Ellos esperaban el reino de Dios de justicia y justo gobierno. Muchos esperaban que Israel volviera a ocupar un lugar de poder con Dios como rey. Sin embargo, el reino que Jesús anunció no era político. Era el poder del amor de Dios activo en la vida del pueblo.

WE GATHER

 Leader: A reading from the holy Gospel according to Matthew

"As he was walking by the Sea of Galilee, he saw two brothers, Simon who is called Peter, and his brother Andrew, casting a net into the sea; they were fishermen. He said to them, 'Come after me, and I will make you fishers of men.' At once they left their nets and followed him. He walked along from there and saw two other brothers, James, the son of Zebedee, and his brother John. They were in a boat, with their father Zebedee, mending their nets. He called them, and immediately they left their boat and their father and followed him." (Matthew 4:18–22)

The Gospel of the Lord.

All: Praise to you, Lord Jesus Christ.

 Lord, You Have Come

Lord, you have come to the seashore, neither searching for the rich nor the wise, desiring only that I should follow.

Refrain:
O Lord, with your eyes set upon me, gently smiling, you have spoken my name; all I longed for I have found by the water, at your side, I will seek other shores.

Why do you prepare for an important event? What are some ways that you get ready for it?

WE BELIEVE

God makes himself known in his Son.

After Jesus' baptism at the Jordan River, the Holy Spirit led him into the desert. Jesus stayed there for forty days and forty nights. He prayed to his Father and fasted as a sign of his obedience. Jesus was preparing for his public life, his life among the people.

Jesus then returned to Galilee and began to preach this message: "This is the time of fulfillment. The kingdom of God is at hand. Repent, and believe in the gospel" (Mark 1:15). The Gospel is the Good News about God at work in Jesus Christ. Jesus showed that the **Kingdom of God** is the power of God's love coming into the world and into our lives. The kingdom came into the world with the coming of God the Son.

The Jewish People had been waiting for this fulfillment of God's promises. They were waiting for God's Kingdom of justice and fair rule. Many hoped Israel would be restored to its place of power with God as king. However, the kingdom Jesus announced was not political. It was the power of God's love active in the lives of the people.

MINISTERIO DE JESÚS *(Las fechas son aproximadas)*

30 AC

La boda de Caná — La buena nueva — El Sermón del Monte, las Bienaventuranzas — Los milagros de Jesús — La última cena, nuevo mandamiento — Oración de Jesús en el Jardín — Judas entrega a Jesús

The wedding at Cana — Jesus brings God's love to all people — Sermon on the Mount, the Beatitudes — Jesus works many signs and miracles — At Last Supper, Jesus gives a new covenant — Jesus prays at Gethsemane — Judas betrays Jesus

30 AD

JESUS' EARTHLY MINISTRY *(All dates approximate)*

Jesús dijo que el reino de Dios está cerca. Con esto quiso decir que: Como Jesús es Dios, la presencia y el gobierno de Dios se pueden encontrar en él y en las cosas que decía y hacía; la libertad del pecado y el don de la vida de Dios, o gracia, son para todos; viviendo en la presencia de Dios y por su reino, el pueblo puede empezar a vivir la vida de Dios, la verdadera vida que creemos es vivir con Dios eternamente.

La misión de Jesús era compartir la vida y el amor de Dios, su Padre, con todo el pueblo y reconciliar al pueblo con Dios. Jesús trajo el amor de Dios a todo el mundo y empezó a cambiar al mundo. La gente "estaba admirada de su enseñanza, porque les enseñaba con autoridad" (Marcos 1:22). Durante su ministerio Jesús animó a la gente a que se volviera a Dios. Él aceptó y acogió a todos en su vida. Mostró compasión por los ignorados, u olvidados por el resto de la sociedad. Como Jesús es Dios Hijo, su vida fue un signo del amor y cuidado de Dios Padre. Espíritu Santo y la Tercera Persona de la Santísima Trinidad, Dios, estaba verdaderamente activo en Jesús.

Jesús perdonó los pecados de los que buscaron el perdón de Dios y sanó a los que sufrían enfermedades. Esas acciones de sanación y perdón eran signos especiales de que Jesús no sólo era humano, sino también divino.

Las cosas que Jesús hizo y dijo son la gran revelación de quien es Dios y como nos ama. Como hablamos, actuamos y vivimos muestra nuestra fe en el Hijo de Dios, Jesucristo.

Piensa en el reino de Dios. Juntos hagan una lista de los signos del amor de Dios activo en nuestras vidas.

Muchos escucharon el mensaje de Jesús y se hicieron sus discípulos.

El mensaje de Jesús dio esperanza al pueblo. Mucha gente quería conocer a Jesús y aprender sobre el amor de Dios. Así que empezaron a seguirlo. Él invitó a todo tipo de personas a seguirle y a vivir según sus enseñanzas. Esas personas fueron sus discípulos.

Un día una gran multitud siguió a Jesús hasta las montañas. El mensaje que Jesús ofreció a la gente ese día se convirtió en el conocido *Sermón de la Montaña*. En la primera parte de este sermón, Jesús enseñó que para ser feliz había que confiar en Dios y vivir como él.

Llamamos a estas enseñanzas que describen la forma de vivir como discípulo de Jesús las

Jesús condenado a muerte — La crucifixión — Jesús es sepultado — La resurrección — Jesús aparece a María Magdalena — Jesús aparece a los discípulos — Duda de Tomás — La ascensión

Jesus is condemned to death — Jesus is crucified — Jesus' body is placed in tomb — Jesus rises from dead — Jesus appears to Mary Magdalene — Jesus appears to disciples — Thomas doubts Jesus' Resurrection — Jesus ascends to heaven

Jesus said the Kingdom, or Reign, of God is near. Jesus was saying that: Because Jesus is God, God's presence and rule can be found in him and in the things he said and did; freedom from sin and the gift of God's life of grace are offered to everyone; by living in God's presence and for the kingdom, people can begin to live in God's life, the very life that we believe is life with God forever.

Jesus' mission was to share the life and love of God his Father with all people and to reconcile all people to God. Jesus brought God's love to all people and began to change the world. "The people were astonished at his teaching, for he taught them as one having authority." (Mark 1:22) During his ministry Jesus encouraged all people to turn to God. He accepted and welcomed all people into his life. He showed concern for people who were ignored or neglected by the rest of society. Because he is God the Son, Jesus' life was a sign of God the Father's love and care. And the Third Person of the Trinity, God the Holy Spirit, was truly active in Jesus.

Jesus also forgave the sins of those who sought God's forgiveness and healed those who were suffering from many different kinds of illnesses. These actions of healing and forgiving were special signs that Jesus was not only human, but also divine.

The things that Jesus said and did are the greatest Revelation of who God is and of how God loves us. And the way we speak and act and live our faith shows our belief in God's own Son, Jesus Christ.

Think about the Kingdom of God. Work together to name some signs that God's love is active in our lives.

_____

_____

Many people heard Jesus' message and became his disciples.

Jesus' message gave people hope. Many people wanted to know Jesus better and learn more about God's love. So they began to follow Jesus. He invited all different kinds of people to follow him and live by his teachings. These women and men became his disciples.

One day a large crowd followed Jesus to the mountains. The message that Jesus gave to the people that day has become known as the *Sermon on the Mount*. In the first part of this sermon Jesus taught that people would be happy only if they trusted in God and lived as he did.

271

INICIO DE LA IGLESIA *(Las fechas son aproximadas)*

| 33 AC | 34 AC | 46 AC | 48 AC | 53 AC | 65 AC | 70 AC | 80 AC |

Pentecostés — Conversión de Pablo — Pablo predica — Pablo escribe a los cristianos — Tercer viaje — Evangelio de Marcos — Evangelios de Mateo y Lucas — Hechos de los Apóstoles

Segundo viaje

Paul writes to early Christian communities (48–62 AD)

Pentecost, the birth of the Church — Saul converts — Paul preaches — Paul's second journey — Paul's third journey — Gospel of Mark is written (65–70 AD) — Gospel of Matthew is written (70–90 AD) / Gospel of Luke is written (70–90 AD) — Acts of the Apostles is written (80–90 AD)

| 33 AD | 34 AD | 46 AD | 48 AD | 53 AD | 65 AD | 70 AD | 80 AD |

THE EARLY CHURCH *(All dates approximate)*

Bienaventuranzas son las enseñanzas que describen como se vive siguiendo el ejemplo de los discípulos. En ellas la palabra bendito significa "dichoso". Como discípulo de Jesús, también somos llamados a cumplir las bienaventuranzas.

El mensaje de esperanza para los que viven de acuerdo a las bienaventuranzas es: "Alégrense y regocíjense, porque será grande su recompensa en los cielos" (Mateo 5:12).

Con un compañero conversen sobre formas en que los discípulos de Jesús hoy viven las Bienaventuranzas (Mateo 5:3–10).

Escoge una de esas formas y trata de vivirla esta semana.

Jesús enseñó como vivir y acercarse a Dios.

En el Sermón de la Montaña, Jesús dijo: "Ustedes son la sal de la tierra; pero si la sal pierde su sabor, ¿con qué se salará?. . . Ustedes son la luz del mundo . . . Brille su luz delante de los hombres de modo que, al ver sus buenas obras, den gloria a su Padre que está en los cielos" (Mateo 5:13, 14, 16).

Jesús estaba diciendo a sus discípulos que así como la sal y la luz eran importantes y necesarias, también nosotros lo éramos. Ellos debían participar activamente en sus comunidades y servir en el reino de Dios compartiendo la vida y el amor de Dios con los demás.

Durante el Sermón de la Montaña, Jesús también enseñó a sus discípulos a rezar. Jesús mismo rezaba con frecuencia en silencio y solo. Y muchas veces rezó con otros. Por medio de la oración sus discípulos aprendieron a hablar con Dios y a escucharle.

Jesús les dijo que Dios Padre sabe cuales son sus necesidades antes de que se lo digan, y les pidió rezar a Dios nuestro Padre. Jesús enseñó a sus discípulos una oración muy especial, el Padrenuestro, una de las oraciones más importantes del Evangelio y de la Iglesia.

Como seguidores de Jesucristo, rezamos el Padrenuestro durante la misa y en muchas otras ocasiones. En resumen todo el mensaje de Jesús es sobre confiar y amar a Dios.

Trabaja con un grupo para hacer una lista de las diferentes formas en que la oración puede formar parte de nuestras vidas.

_____

_____

Hoy

86 AC — Apocalipsis

90 AC — Evangelio de Juan completado

313 AC — El Imperio Romano acepta cristianismo

325 AC — Concilio de Nicea

380 AC — Cristianismo, religión oficial del Imperio Romano

381 AC — Reunión de obispos en Constantinopla

Somos discípulos de Jesucristo

Book of Revelation is written (86–90 AD) — 86 AD

Gospel of John is completed (90–100 AD) — 90 AD

Christianity is accepted in the Roman Empire — 313 AD

Council of Nicea — 325 AD

Christianity becomes official religion of Roman Empire — 380 AD

Bishops meet in Constantinople — 381 AD

You are a disciple of Jesus Christ

Today

We call these teachings that describe the way to live as Jesus' disciples the **Beatitudes**. In the Beatitudes *blessed* means "happy." As disciples of Jesus, we too are called to follow the Beatitudes.

Jesus' message of hope for all those who live the Beatitudes is: "Rejoice and be glad, for your reward will be great in heaven" (Matthew 5:12).

With a partner discuss ways that disciples of Jesus today live out the Beatitudes (Matthew 5:3–10). Choose one of these ways and try to live it this week.

Jesus taught about living and growing closer to God.

In the Sermon on the Mount, Jesus said, "You are the salt of the earth. But if salt loses its taste, with what can it be seasoned? . . . You are the light of the world. . . . your light must shine before others, that they may see your good deeds and glorify your heavenly Father" (Matthew 5:13, 14, 16).

Jesus was telling his disciples that just as salt and light were important and necessary, so were they. They were to take an active part in their communities and to serve the Kingdom of God by sharing God's love and life with others.

During his Sermon on the Mount, Jesus also taught his disciples about prayer. Jesus himself often prayed in silence and alone. And at times he also prayed with others. Through prayer, the disciples learned to speak to God and listen to God speaking to them.

Jesus told them that God the Father knows what we need before we ask, and Jesus instructed them to pray to God our Father. So Jesus taught the disciples a very special prayer—the Lord's Prayer, one of the most important prayers in the Gospels and of the Church.

This prayer is also called the Our Father. As followers of Jesus Christ, we pray the Lord's Prayer during Mass and at many other times in our lives. It sums up Jesus' whole message of trust in and love for the Father.

Work in a group and list different ways that prayer can be part of our lives.

_____

_____

273

Rezamos:	Significado de las palabras:
Padre nuestro, que estás en el cielo, santificado sea tu nombre; venga a nosotros tu reino; hágase tu voluntad en la tierra como en el cielo. Danos hoy nuestro pan de cada día; perdona nuestras ofensas, como también nosotros perdonamos a los que nos ofenden; no nos dejes caer en la tentación, y líbranos del mal. Amén	Dios está presente en todo él que lo ama. Somos pueblo de Dios y él es nuestro Dios. Esperamos estar con él por siempre. Pedimos a Dios unir nuestro trabajo al de Cristo y rezar para que Dios traiga su reino. Rezamos a Dios por la habilidad de hacer su voluntad. Pedimos a Dios por todas nuestras necesidades y por las necesidades del mundo. Usamos sus dones para trabajar en su plan de salvación. Pedimos a Dios que nos sane y pedimos perdón a él y a los demás. Seguimos el ejemplo de Cristo y perdonamos a los que nos han ofendido. Pedimos a Dios nos proteja de todo lo que nos aleje de su amor. Le pedimos que nos guíe para escoger lo bueno en nuestras vidas y le pedimos nos dé la fuerza para cumplir su ley.

Jesús hizo signos y maravillas entre el pueblo.

Un milagro es un evento extraordinario que está más allá del poder humano y hecho por Dios. Es una acción más allá de las leyes ordinarias de la naturaleza. Jesús hizo muchos milagros. Ellos fueron señales de que él era el Hijo de Dios y que el reino de Dios había llegado con él.

De acuerdo al Evangelio de Juan, Jesús hizo su primer milagro en la fiesta de una boda en Caná.

Juan 2:1–12

Un día Jesús y su madre, María, y algunos de sus discípulos fueron a una boda en el pueblo de Caná. Caná estaba a unas cuantas millas de Nazaret. El vino se terminó a la mitad del banquete. María fue donde Jesús y le dijo que no había más vino. Después dijo a los sirvientes: "Hagan lo que él les diga" (Juan 2:5).

Jesús escuchó a su madre. Ella sabía que la fiesta necesitaba de su ayuda. Jesús señaló a algunas tinajas y le dijo a los sirviente: "Llenen los cántaros de agua". Después de

estar llenos, Jesús dijo: "Saquen ahora un poco y llévenselo al encargado de la fiesta" (Juan 2:7, 8).

Los sirvientes hicieron lo que él les dijo. Jesús había cambiado el agua en vino. Cuando el encargado del banquete lo probó se sorprendió de que el vino fuera tan bueno. Llamó al novio y le dijo. "Todo el mundo sirve primero el vino de mejor calidad, y cuando los invitados ya han bebido bastante, saca el más corriente. Tú, en cambio, has reservado el de mejor calidad hasta ahora" (Juan 2:10).

Con sus milagros, Jesús reveló su divinidad. Sus seguidores empezaron a ver quien era Jesús, a creer en él y a alabar a Dios.

Señales y maravillas Dondequiera que Jesús iba, pueblos, villas, granjas, ayudaba a los que expresaban tener fe en él.

Una vez dos ciegos siguieron a Jesús pidiéndole ayuda. Jesús les preguntó si creían que él podía ayudarlos. Ellos contestaron que sí y Jesús tocó sus ojos diciendo: "Que se haga de acuerdo a su fe" (Mateo 9:29).

We pray:	Our words mean:
Our Father, who art in heaven hallowed be thy name; thy kingdom come; thy will be done on earth as it is in heaven. Give us this day our daily bread; and forgive us our trespasses as we forgive those who trespass against us; and lead us not into temptation, but deliver us from evil. Amen.	We have become God's people and he is our God. We look forward to being with him forever. We ask God to unite us with the work of Christ and pray for God to bring about his Kingdom. We pray to God for the ability to do his will. We ask God for everything we need for ourselves and for the world. We use his gifts to work toward his plan of salvation. We ask God to heal us and we ask for forgiveness from others when needed. We follow the example of Christ and forgive those who have hurt us. We pray that God will protect us from all that could draw us away from his love. We ask him to guide us to choose good in our lives, and we ask him for the strength to follow his law.

Jesus worked signs and wonders among the people.

A miracle is an extraordinary event that is beyond human power and brought about by God. It is an action beyond the ordinary laws of nature. Jesus worked many miracles. They were all signs that he was the Son of God and that the Kingdom of God had arrived in him.

According to the Gospel of John, Jesus performed his first sign or miracle at a wedding feast in Cana of Galilee.

John 2:1–12

One day Jesus and his mother, Mary, and some of Jesus' other disciples went to a wedding in the village of Cana. Cana was a few miles from Nazareth. At the wedding, the wine ran out in the middle of the banquet. Mary went to Jesus and told him that there was no more wine. Then Mary told the servants, "Do whatever he tells you" (John 2:5)

Jesus listened to his mother Mary. She knew the wedding party needed his help. Jesus pointed to some jars and told the servants,

"Fill the jars with water." After they filled them to the top, Jesus said, "Draw some out now and take it to the headwaiter" (John 2:7–8).

The servants did as he said. But Jesus had changed the water into wine. When the headwaiter tasted it, he was amazed that the wine was so good. He called the bridegroom and said to him "Everyone serves good wine first, and then when people have drunk freely, an inferior one; but you have kept the good wine until now" (John 2:10).

Through this miracle, Jesus revealed his divinity. His followers began to see who Jesus was and to believe in him and praise God. Everywhere Jesus went, to villages, towns, or farms, he helped those who expressed faith in him.

Once two blind men followed Jesus asking him for help. When Jesus approached them, he asked if they believed he could help them. They said yes, and Jesus touched their eyes saying, "Let it be done for you according to your faith" (Matthew 9:29). Immediately their eyes were opened, and they could see.

Algunos de los milagros de Jesús tienen que ver con la naturaleza de las necesidades de la vida diaria, por ejemplo, calmar una tempestad o dar de comer a una multitud. Sabemos que los discípulos de Jesús estaban navegando en el mar en un bote y una gran tormenta los asustó. Jesús "entonces se levantó, ordenó calmarse a los vientos y al lago, y sobrevino una gran calma" (Mateo 8:26).

En otra ocasión, Jesús estaba preocupado porque miles de personas que habían estado escuchando sus prédicas no tenían nada que comer. Entre todos sólo tenían siete panes y algunos peces. Jesús dio gracias y partió los panes y los peces y los dio a sus discípulos para que los repartieran entre la gente. "Comieron todos hasta hartarse, y con lo que sobró llenaron siete cestas" (Mateo 15:37).

Jesús hizo milagros porque amaba a la gente, especialmente a los que sufrían y los necesitados. Él quería que ellos tuvieran el consuelo de su Padre y paz en sus vidas.

También quería fortalecer su fe en el poder del amor y el perdón de Dios. Por medio de señales y su profunda compasión y preocupación por los otros, el reino de Dios sigue siendo enseñado.

RESPONDEMOS

¿Cómo puedes mostrar que eres discípulo de Jesús? Escribe una o dos cosas que harás esta semana.

Vocabulario

reino de Dios (pp 350)
Bienaventuranzas (pp 349)

Como católicos...

Dios nos reveló su reino en las palabras de Cristo, en el trabajo de Cristo y en su presencia entre nosotros. Después de la Resurrección de Cristo, la Iglesia fue plantada como una semilla en el mundo. Nuestra misión es traer los frutos del reino de Dios. ¿Cuáles son esos frutos? Son muchos, "pero la más excelente de todas es el amor" (1 Corintios 13:13).

¿Cuáles son otros frutos, o signos, del reino de Dios?

"rebuked the winds and the sea, and there was great calm" (Matthew 8:26).

Another time Jesus was worried about a crowd of thousands of people who had been listening to him preach and had had nothing to eat. Among all the people there were only seven loaves of bread and a few fish. Jesus gave thanks and broke the loaves and gave them to his disciples to give to the people. "They all ate and were satisfied. They picked up the fragments left over—seven baskets full." (Matthew 15:37)

Jesus worked miracles because he loved people, especially those suffering and in need. He wanted them to have his Father's comfort and peace in their lives. He also wanted to strengthen their belief in the power of God's love and forgiveness. Through signs and his deep compassion and concern for others, the Kingdom of God continued to be made known.

Some of Jesus' miracles involved nature or everyday needs, such as calming a storm or feeding a multitude of people. We learn that as Jesus' disciples were crossing the sea in a boat, a great storm frightened them. Jesus

WE RESPOND

How can you show that you are Jesus' disciple? Write one thing you will do this week.

_____

_____

As Catholics...

God revealed his kingdom to us in the words of Christ, in the works of Christ, and in the very presence of Christ among us. After Christ's Resurrection the Church was planted like a seed in the world. Our mission is to bring forth the fruits of the Kingdom of God. What are these fruits? They are many, "but the greatest of these is love" (1 Corinthians 13:13).

What are some of the other fruits, or signs, of the Kingdom of God?

Key Words

Kingdom of God (p. 351)
Beatitudes (p. 351)

HACIENDO DISCÍPULOS

Muestra *lo* que sabes

Usa una Biblia para escribir la primera parte de cada bienaventuranza en diferentes cuadros. Después escribe el resto en otro cuadro. Cubre cada cuadro con un papel. Junto con un compañero jueguen a recordar las Bienaventuranzas escogiendo un cuadro y encontrando el complemento.

"Dichosos los pobres de Espíritu,		porque de ellos es el reino de los cielos".	

Realidad

Todos los medios de comunicación (TV, comerciales, sitios Web, radio, campañas por Email) nos dicen como encontrar la felicidad. Haz una lista de varios ejemplos:

_____

Como discípulo de Jesucristo, ¿qué piensas de estos mensajes?

_____

_____

 Reza Con su regalo del Padrenuestro, Jesús nos animó a ir a Dios en todas nuestras necesidades. Reza el Padrenuestro todos los días.

PROJECT DISCIPLE

Show What *you* Know

Using your Bible write the first part of each Beatitude in different squares. Then, write the remaining part of the Beatitudes in the other squares. Cover each square with paper. With a partner, play a Beatitude Memory Game by choosing squares to find each match.

"Blessed are the poor in spirit,		for theirs is the kingdom of heaven."	

Reality Check

All kinds of media (TV shows, commercials, Web sites, music, email campaigns) tell us how to find happiness. List a few examples:

_____

As a disciple of Jesus Christ, what do you think of these messages?

_____

_____

 Pray Today

In his gift of the Lord's Prayer, Jesus encouraged us to turn to God for all our needs. Pray the Lord's Prayer each day.

HACIENDO DISCIPULOS

Orar
Conocer
Celebrar
Compartir
Expresar
Vivir

Vidas de santos

A santa Angela de Merici le preocupaba la poca educación disponible para las niñas. Fundó la orden de Santa Ursula, conocida como las Ursulinas. Las Ursulinas fueron el primer grupo de mujeres religiosas que trabajaron fuera del convento y la primera orden de maestras. La Iglesia celebra la fiesta de santa Angela de Merici el 27 de enero.

↳ RETO PARA EL DISCIPULO

- ¿Cuál es otro nombre para la orden de Santa Ursula?

_____

- Subraya las frases que dicen lo que las ursulinas hicieron antes que nadie.

- Visita *Vidas de santos* en **religion.sadlierconnect.com** para aprender más sobre santa Angela de Merici.

Datos

Las hermanas del Buen Pastor ofrecen apoyo y consejería a mujeres y sus familias. Ayudan a las prisioneras y a las que están tratando de rehacer sus vidas. Trabajan en oficinas de servicios sociales y trabajan para cambiar leyes injustas.

Escritura

Jesús usó parábolas para enseñar sobre el reino de Dios. Lee las parábolas en Marcos 4:30–32 y Mateo 13:47–50. ¿Con qué es comparado el reino de Dios en estas parábolas?

_____

↳ RETO PARA EL DISCIPULO ¿Qué imagen puedes usar para explicar el reino de Dios?

Tarea

Lee en *Vidas de santos* sobre santa Angela de Merici con tu familia. Señala que, como Jesús, santa Angela fue una maestra. Invita a tu familia a recordar sus maestros favoritos y hablar de las formas en que hicieron una diferencia en sus vidas. Conversen sobre formas en que tu familia puede ayudar a educar a los niños en el mundo.

PROJECT DISCIPLE

Saint Stories

Saint Angela de Merici was concerned with the lack of education that was available for girls. She founded the Company of Saint Ursula, known as the Ursulines. The Ursulines were the first group of women religious to work outside the cloister and the first teaching order of women. The Church celebrates the feast day of Saint Angela de Merici on January 27.

DISCIPLE CHALLENGE

• What is another name for the Ursulines?

_____

• Underline the phrases that tell what the Ursulines were "first" to do.
• Visit *Lives of the Saints* on **religion.sadlierconnect.com** to learn more about Saint Angela de Merici.

Fast Facts

The Sisters of the Good Shepherd provide support to women and families through counseling. They help those in prison and those trying to start their lives again. They staff social service offices, and work to change unjust laws.

What's *the* Word?

Jesus used parables to teach about the Kingdom of God. Read the parables found in Mark 4:30–32 and Matthew 13:47–50. What is the Kingdom of God compared to in each of these parables?

_____

DISCIPLE CHALLENGE What image could you use today to explain the Kingdom of God?

_____

Take Home

Read the *Saint Stories* feature about Saint Angela de Merici with your family. Point out that like Jesus, Saint Angela de Merici was a teacher. Invite family members to recall favorite teachers and talk about ways these teachers made a difference in their lives. Discuss ways your family can help educate children throughout the world.

281

Capítulo 22 (páginas 268–281)

Jesús, Maestro y Sanador

En este capítulo su niño(a) aprenderá sobre el ministerio y mensaje de Jesús.

Para los padres

Dios se reveló a sí mismo a través de todo el Antiguo Testamento, pero la imagen de Dios era borrosa. En Jesús, Dios nos da una imagen clara de él, como la recibiremos hasta que veamos a Dios cara a cara y en el cielo. El cuidado de Jesús por los pobres nos revela a un Padre que ama a los que necesitan su misericordia y protección.

Todos los días

• Juntos recen la Señal de la Cruz y la siguiente oración: *Oh Cristo Jesús, gracias por este día.*

Primer día **Dios se dio a conocer en su Hijo.**

• Lean el enunciado y miren la línea de tiempo para ver a las personas y los eventos cubiertos en esta unidad.

• Túrnense para leer el texto. Comente acerca de lo que Jesús quiso decir cuando dijo que el reino de Dios está cerca.

• Señale que la misión de Jesús fue compartir el amor de Dios con todo el mundo. Explique que los actos de Jesús de sanación y perdón no son solo humanos sino también divinos.

Segundo día **Muchos escucharon el mensaje de Jesús y se hicieron sus discípulos.**

• Lea en voz alta con su niño(a) el enunciado. Pida al niño(a) que lea en silencio el texto. Enfatice que en las Bienaventuranzas la

palabra "bendito" significa "dichoso". Repase el significado del mensaje de esperanza para los que cumplen las Bienaventuranzas (Mateo 5:1–12).

Tercer día **Jesus enseñó cómo vivir y acercarse a Dios.**

• Lea en voz alta el enunciado y los dos primeros párrafos. Enfatice que al compartir el amor y la vida de Dios, podemos ayudar a las personas a conocer a Jesús y a glorificar al Padre.

• Lea en voz alta los párrafos acerca de la enseñanza de Jesús sobre la oración. Señale que Jesús oraba a solas y con los demás.

Cuarto día **Jesús hizo signos y maravillas entre el pueblo.**

• Lea en voz alta el enunciado y el texto hasta el icono de la Biblia. Enfatice que Jesús hizo muchos milagros como signos de que él era el Hijo de Dios y que el reino de Dios había llegado.

• Pida a su niño(a) que lea en voz alta la historia del primer milagro de Jesús, en las bodas de Caná. Comente sobre este milagro y por qué es importante.

• Con su niño(a) lean "Señales y prodigios". Recalque que Jesús hizo milagros para ayudar a la gente, mostrar su divinidad y dar a conocer el reino de Dios.

Respondemos en fe

Quinto día

• Haga una lista con su niño(a) de algunos signos del amor de Dios activo en nuestras vidas.

Sexto día

• Hable con su niño(a) acerca de las maneras de hacer de la oración parte de sus vidas.

Catechesis at Home

Chapter 22 (pages 268–281)

Jesus, Teacher and Healer

In this chapter your child will learn about Jesus' ministry and message.

For the Parents

In the Old Testament God revealed himself. But his image was indistinct. In Jesus, God gives us as clear an image of himself as we will receive until we see God face to face in heaven. Jesus' care for the poor reveals a s Father who loves those who need his mercy and protection.

Every Day

- Pray the Sign of the Cross together, and the following prayer, *O Christ Jesus, our Lord and our God, thank you for this day.*

Day One God makes himself known in his Son.

- Read aloud the statement. Then look at the time line to see thumbnails of the people and events covered in this unit.

- Alternate reading aloud the text. Talk together about what Jesus meant when he said the Kingdom of God is near.

- Point out that Jesus' mission was to share God's love with everyone. Explain that Jesus' acts of healing and forgiving show that he is not only human, but also divine.

Day Two Many people heard Jesus' message and became his disciples.

- With your child read aloud the statement and the text. Emphasize that in the Beatitudes the word

blessed means "happy." Review the meaning of Jesus' message of hope for those who follow the Beatitudes (Matthew 5:1–12).

Day Three Jesus taught about living and growing closer to God.

- Read aloud the statement and the first two paragraphs. Emphasize that by sharing God's love and life we can help people to know Jesus and glorify the Father.

- Read aloud the paragraphs about Jesus' teaching about prayer. Point out that Jesus prayed alone and with others.

Day Four Jesus worked signs and wonders among the people.

- Read aloud the statement and the text up to the Bible icon. Emphasize that Jesus worked many miracles as signs that he was the Son of God and that the Kingdom of God had arrived.

- Ask your child to read aloud the story of Jesus' first miracle, at the wedding at Cana. Talk about this miracle and its importance.

- With your child read aloud "Signs and Wonders." Emphasize that Jesus worked miracles to help people, to show his divinity, and to make known the Kingdom of God.

We Respond in Faith

Day Five

- Brainstorm with your child to list some signs of God's love active in our lives.

Day Six

- Talk with your child about ways to make prayer part of your lives.

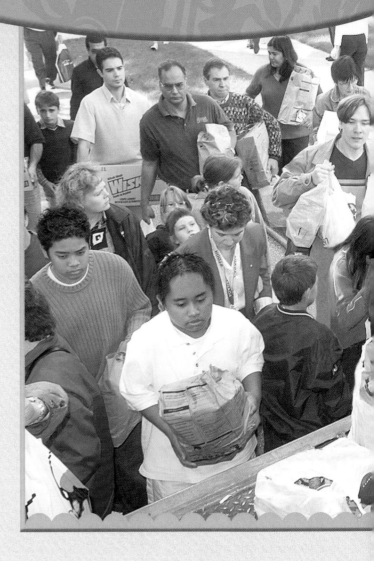

23 Jesús, Redentor y Salvador

NOS CONGREGAMOS

✝ **Líder:** Señor Jesús, eres el Salvador y Redentor del mundo. Bendito sea tu nombre.

Todos: Bendito sea tu nombre por siempre.

Líder: Nuestro paso de la muerte a una nueva vida sólo puede ser posible en nuestra muerte y resurrección en Cristo. Escuchemos a San Pablo recordar a sus amigos el Misterio Pascual.

Lector: "Han sido sepultados con Cristo en el bautismo, y también con él han resucitado, pues han creído en el poder de Dios que lo ha resucitado de entre los muertos".

(Colosenses 2:12)

Todos: Señor Jesús, eres el Salvador y Redentor del mundo.

☀ Habla de los eventos o experiencias que has tenido y que no parecen tener una explicación clara.

CREEMOS

Jesús nos dio un nuevo mandamiento.

Muchas personas decían que Jesús era el Mesías. Esto preocupó a algunas autoridades en Jerusalén quienes temían que Jesús fuera a dirigir una revuelta contra el gobierno romano.

A pesar de la tensión política, Jesús y sus discípulos fueron a Jerusalén al acercarse la fiesta de Pascua. Ellos eran como una familia. Así que, igual que otras familias, prepararon una comida de Pascua. Al caer el sol se reunieron para la comida.

Jesus, Redeemer and Savior

WE GATHER

✝ **Leader:** Lord Jesus, you are the Savior and Redeemer of the world. Blessed be your name.

All: Blessed be your name for ever.

Leader: Our passage from death to new life can only be made in our dying and rising with Christ. Listen as Saint Paul reminds his friends of the Paschal Mystery.

Reader 1: "You were buried with him in baptism, in which you were also raised with him through faith in the power of God, who raised him from the dead." (Colossians 2:12)

All: Lord Jesus, you are the Savior and Redeemer of the world.

Talk about events that you have heard of or experienced that do not seem to have a clear explanation.

WE BELIEVE

Jesus gave us a new covenant.

Many people said that Jesus was the Messiah. This worried some of the authorities in Jerusalem who feared that Jesus might lead a revolt against the Roman government.

Despite the political tension Jesus and the disciples went to Jerusalem as the feast of Passover approached. They were a family to one another. So like every other family, they prepared the Passover meal. At sundown they gathered for the meal.

Stop Hunger Now!

Todo lo referente a la comida: el pan sin levadura, el vino, el cordero y las hierbas amargas recordaban a las familias judías los grandes eventos del Éxodo de Egipto. También les recordaba la alianza con Dios. La comida de Pascua tiene el mismo significado para los judíos hoy.

Jesús, sin embargo, dio un significado diferente a la comida de Pascua. Durante esa comida Jesús tomó pan, oró, lo partió y lo dio a sus discípulos diciendo: "Esto es mi cuerpo, que se entrega por ustedes" (Lucas 22:19). Después tomó la copa de vino, rezó y se la dio diciendo: "Éste es el cáliz de la nueva alianza sellada con mi sangre, que se derrama por ustedes" (Lucas 22:20). Jesús estaba dando un nuevo mandamiento a sus seguidores y una nueva comida de alianza. La celebración de la pascua tiene ahora un nuevo significado. Como sacerdote de la nueva alianza, Jesús se ofreció a sí mismo como cordero pascual. Él dijo a sus discípulos: "Hagan esto en memoria mía" (Lucas 22:19). La comida de Pascua que Jesús compartió con sus discípulos la noche antes de morir es llamada la **Última Cena**.

Los discípulos de Jesús siguieron compartiendo esa comida en memoria de Jesús. Jesús estaba con ellos cuando partían el pan y tomaban de la copa. El propio Cuerpo y Sangre de Cristo estaba presente bajo las apariencias de pan y vino. El amor de Jesús y su sacrificio se recordaría por siempre en la celebración de la Eucaristía. Para los cristianos la Eucaristía es la nueva pascua del pueblo de Dios.

Jesús sabía que al día siguiente sufriría y moriría. Así que fue al Monte de los Olivos con sus discípulos. En esas horas finales, Jesús oró a su Padre en el monte llamado Getsemaní. Jesús le pidió a los discípulos orar también.

Mientras rezaba, Jesús pidió que le fuera alejada la pena que sufriría, pero también quería que se cumpliera la voluntad de su padre. Durante su oración Jesús escogió obedecer y confiar en su Padre. Jesús libremente escogió ofrecer su vida por nosotros para que pudiéramos estar libres del pecado.

Jesús se dio a sí mismo en la Eucaristía y se estaba preparando para dar su vida por la humanidad.

👤 ¿Qué puedes hacer para recordar la Última Cena esta semana?

_____

_____

Jesús dio su vida por nosotros.

Mientras Jesús estaba rezando en Getsemaní, Judas, uno de sus apóstoles, llegó con los guardias del Templo. Judas había prometido entregar a Jesús a cambio de treinta piezas de plata. Judas les había dicho que a quien él besara era a quien estaban buscando. Así que Judas saludó a Jesús con un beso. Jesús le dijo: "Amigo, ¡a lo que has venido!" (Mateo 26:50). Entonces los guardias arrestaron a Jesús.

Primero llevaron a Jesús ante Caifás, el sumo sacerdote. Caifás insistió en que Jesús era culpable de blasfemia, de faltar el respeto a Dios. Después lo llevaron ante Poncio Pilato, el gobernador romano. Cuando Judas se enteró de lo que le estaba pasando a Jesús por su traición, se arrepintió de lo que había hecho. Él trató de devolver las piezas de plata y dijo: "He pecado entregando a un inocente" (Mateo 27:4). Pero era muy tarde para detener lo que había empezado.

Everything about the meal—the unleavened bread, the wine, the lamb, the bitter herbs—reminded Jewish families of the great events of the Exodus from Egypt. It also reminded them of their covenant with God. The Passover meal has the same meaning for Jews today.

Jesus, however, gave the Passover meal a new meaning. During the meal Jesus took some bread, prayed over it, broke it, and gave it to the disciples saying, "This is my body, which will be given for you" (Luke 22:19). Then he took a cup of wine, prayed over it, and gave it to them saying, "This cup is the new covenant in my blood, which will be shed for you" (Luke 22:20). Jesus was giving his followers a new covenant and a new covenant meal. The Passover celebration now had a new meaning. As the priest of the new covenant, Jesus was offering himself as the Paschal lamb. Jesus told his disciples to "do this in memory of me" (Luke 22:19). We call the Passover meal that Jesus shared with his disciples on the night before he died the **Last Supper**.

Jesus' disciples continued to share this meal as a memorial to Jesus. Jesus was with them as they broke the bread and drank from the cup. Christ's own Body and Blood were present under the appearances of bread and wine. Jesus' love and his sacrifice would forever be remembered in the celebration of the Eucharist. For Christians the Eucharist is the new Passover of God's people.

Jesus knew that the next day would be one of suffering and of death. So he went to the Mount of Olives with his disciples. In these final hours, Jesus prayed to his Father in the olive grove called Gethsemane. Jesus asked his disciples to pray also.

As he prayed, Jesus asked to be relieved of the pain that he would suffer, yet he wanted to do his Father's will. During his prayer Jesus chose to be obedient to and to trust his Father. Jesus freely chose to offer his life for us so that we might be freed from sin.

Jesus had given himself in the Eucharist and was now preparing to give his life for all of humanity.

What can you do to remember Jesus' Last Supper this week?

_____

_____

Jesus gave his life for us.

While Jesus was praying in Gethsemane, Judas, one of his Apostles, entered with Temple guards. Judas had promised to hand over Jesus for thirty pieces of silver. Judas had told them that the one he kissed was the one they were looking for. So Judas greeted Jesus with a kiss. Jesus said, "Friend, do what you have come for" (Matthew 26:50). Then the guards arrested Jesus.

First they took Jesus before Caiaphas, the high priest. Caiaphas insisted that Jesus was guilty of blasphemy, of referring to God in a disrespectful or irreverent way. Then this group took him before Pontius Pilate, the Roman governor. When Judas learned what had happened to Jesus because of his betrayal, he regretted what he had done. He tried to return the thirty pieces of silver and said, "I have sinned in betraying innocent blood" (Matthew 27:4). But it was too late to stop what had begun!

Pilato no encontró nada por lo que pudiera condenar a Jesús. Sin embargo, temía una revuelta si no tomaba acción. Pilato ordenó que Jesús fuera azotado y crucificado.

Jesús fue crucificado entre dos criminales. Mientras agonizaba fue insultado por los soldados, los sumos sacerdotes y los escribas. Ellos dijeron que si en verdad era rey de Israel él podía salvarse a sí mismo.

Cuando Jesús expiró, el velo del santuario del Templo se rasgó en dos. El soldado que estaba al pie frente a Jesús lo vio morir y dijo: "Verdaderamente este hombre era Hijo de Dios" (Marcos 15:39). Más tarde leemos, en el Evangelio de Marcos, que unas mujeres miraban desde lejos. María Magdalena, María, la madre de Santiago el Menor y Salomé quienes habían seguido a Jesús cuando estaba en Galilea. Otras mujeres que habían estado con él en Jerusalén, también estaban allí.

Después de que Jesucristo murió, su cuerpo fue puesto en una tumba. Al morir, su alma humana, juntamente con su divinidad, se reunió con quienes ya habían muerto. Cristo abrió las puertas del Cielo a aquellos que habían hecho la voluntad de Dios. Jesús es nuestro Redentor. Por su muerte y Resurrección Jesús ganó nuestra salvación y nos dio esperanza y nueva vida. Vamos a durante sus últimos días en la tierra. Nuestra primera parada será en la *Capilla del Cenáculo*. La palabra cenáculo viene del latín que significa "comedor". En el cuarto de arriba, o segundo piso, Jesús celebró la Última Cena con sus apóstoles. En esa comida Jesús nos dio el regalo de su Cuerpo y Sangre, la Eucaristía.

La segunda parada es en el *Jardín de Getsemaní*. Este jardín fue un lugar especial para Jesús. Ahí fue donde, después de la Última Cena, se preparó para su eventual sufrimiento en la cruz. Fue ahí donde padeció la agonía en el jardín.

Nuestra última parada es en la *Iglesia del Santo Sepulcro*. Este es un edificio de piedra impresionante con una cúpula brillante. Es la combinación de dos iglesias. Se dice que la de arriba es donde tuvo lugar la crucifixión de Jesús. El lugar de la tumba de Jesús está debajo de la cúpula, pero la verdadera tumba fue destruida.

Si estuvieras en esos lugares santos, ¿por qué rezarías?

Pilate found nothing for which to condemn Jesus. However, Pilate feared that there would be unrest or even a revolt unless he took action. Pilate ordered that Jesus be whipped and crucified.

Jesus was crucified between two criminals. The dying Jesus was insulted by the soldiers, chief priests, and scribes. They said that if he were the king of Israel he would be able to save himself.

When Jesus took his last breath, the veil of the sanctuary in the Temple was torn in two. The soldier who stood in front of Jesus and watched him die said, "Truly this man was the Son of God!" (Mark 15:39). We further read in the Gospel of Mark that there were women watching from a distance. Mary Magdalene, Mary the mother of the younger James, and Salome had followed Jesus when he was in Galilee. Other women followers who had come with Jesus to Jerusalem were there, too.

After Jesus died, his body was placed in the tomb. When Jesus Christ died, his human soul, united to his divine person, joined those who had died. Christ opened the gates of Heaven for those who had followed God's will.

Christians call the day that marks Jesus' Death Good Friday because it was on this day that Jesus died to save us. Jesus is our Redeemer. By his Death and Resurrection Jesus gained our salvation and brought us the hope of new life. Let us imagine that we are walking with Jesus during the last days of his life. Our first stop is the *Chapel of the Cenacle*. The word *cenacle* comes from a Latin word meaning "dining room." In the Upper Room on the second floor, Jesus celebrated the Last Supper with his Apostles. At this meal, Jesus gave us the gift of his Body and Blood, the Eucharist.

The Garden of Gethsemane, Jerusalem

Our second stop is the *Garden of Gethsemane*. This was where Jesus went after the Last Supper to prepare for his eventual suffering on the Cross. It was here that he endured the agony in the garden.

Our last stop is the *Church of the Holy Sepulchre*. This is an impressive stone building with a shining dome. It combines two churches. The upper chapel of the church is said to be the site of Jesus' Crucifixion. The site of Jesus' tomb is said to lie beneath the dome, but the actual tomb was destroyed.

If you were in these sacred places, what would you pray for?

The Church of the Holy Sepulchre, Jerusalem

Jesucristo resucitó de la muerte.

Como cuenta la Escritura, Jesús fue resucitado de entre los muertos el tercer día después de su muerte. Este misterio es llamado **la Resurrección**.

 Marcos 16:1–11

"Pasado el sábado, María Magdalena, María la de Santiago y Salomé compraron perfumes para ir a embalsamar a Jesús. El primer día de la semana, muy de madrugada, a la salida del sol, fueron al sepulcro. Iban comentando: ¿Quién nos retirará la piedra de la entrada del sepulcro? Pero al mirar, observaron que la piedra había sido ya retirada, y eso que era muy grande. Cuando entraron en el sepulcro, vieron a un joven sentado a la derecha, que estaba vestido con una túnica blanca. Ellas se asustaron. Pero él les dijo: 'No se asusten. Buscan a Jesús de Nazaret, el crucificado. Ha resucitado; no está aquí. Miren el lugar donde lo pusieron. Vayan, pues, a decir a sus discípulos y a Pedro: Él va camino de Galilea; allí lo verán, tal como les dijo'".

"Jesús resucitó . . . se apareció en primer lugar a María Magdalena, . . . Ella fue a comunicárselo a los que lo habían acompañado, que estaban tristes y seguían llorando. Ellos, a pesar de oír que estaba vivo y que ella lo había visto, no lo creyeron".

Podemos leer en el Evangelio de Marcos que Cristo resucitado se apareció también a otros discípulos. Ellos también contaron al grupo lo que habían visto. Pero el grupo de discípulos no creyó hasta que Cristo se apareció también a ellos.

Creemos en Jesucristo y su Resurrección por el don de la fe. Por fe no sólo creemos que Cristo resucitado está con nosotros, sino que también vivimos como sus discípulos.

Piensa que eres un reportero en Jerusalén. Estás entrevistando a María Magdalena y a otras mujeres el día de la Resurrección de Jesús. Planifica tu entrevista en este espacio. En grupo escenifiquen la entrevista.

Como católicos...

En el Evangelio de Lucas leemos que María Magdalena fue una de las primeras personas que Jesús sanó. Ella se convirtió en uno de sus seguidores más cercanos. Con frecuencia viajaba con Jesús y los apóstoles y ella estuvo presente en la muerte y entierro de Jesús. En el Evangelio de Juan leemos que Jesús resucitado aparece primero a María y la envía a decir la buena nueva de su Resurrección a los demás discípulos. María Magdalena es un símbolo de esperanza en la nueva vida que viene de Cristo. Honramos a María como una santa. Su fiesta es el 22 de julio.

Piensa en una persona que consideres ser un símbolo de esperanza en la nueva vida. ¿Por qué piensas así de ella?

Mujeres en el Santo Sepulcro, de Laura James

Jesus Christ rose from the dead.

As it had been foretold in the Scriptures, Jesus was raised from the dead on the third day after his Death. The mystery of Jesus' being raised from the dead is called the **Resurrection**.

 Mark 16:1–11

"When the sabbath was over, Mary Magdalene, Mary, the mother of James, and Salome bought spices so that they might go and anoint him. Very early when the sun had risen, on the first day of the week, they came to the tomb. They were saying to one another, 'Who will roll back the stone for us from the entrance to the tomb?' When they looked up, they saw that the stone had been rolled back; it was very large. On entering the tomb they saw a young man sitting on the right side, clothed in a white robe, and they were utterly amazed. He said to them, 'Do not be amazed! You seek Jesus of Nazareth, the crucified. He has been raised; he is not here. Behold, the place where they laid him. But go and tell his disciples and Peter, "He is going before you to Galilee; there you will see him, as he told you."'"

"When he [Jesus] had risen, . . . he appeared first to Mary Magdalene, . . . She went and told his companions who were mourning and weeping. When they heard that he was alive and had been seen by her, they did not believe."

We can read in the Gospel of Mark that the Risen Christ appeared to other disciples, too. They also told the group what they had seen. But the group of disciples did not believe until Christ also appeared to them.

We believe in Jesus Christ and his Resurrection through the gift of faith. By faith we not only believe in Jesus risen among us, but also live as his disciples each day.

👤 Work in groups. Role-play interviewing Mary Magdalene and the other women on the day of Jesus' Resurrection.

As Catholics...

In the Gospel of Luke, we read that Mary Magdalene was one of the many people Jesus healed. She became one of his closest followers. She often traveled with Jesus and the Apostles, and she was present at Jesus' Death and burial. In the Gospel of John we read that the risen Jesus first appeared to Mary and sent her out to tell the other disciples the Good News of his Resurrection. Mary Magdalene is a symbol of hope in the new life that comes from Christ. We honor Mary as a saint. Her feast day is July 22.

Think of a person that you consider a symbol of hope in new life. Why do you think this is so?

289

Cristo apareció a sus discípulos.

En la tarde del día de la Resurrección, Jesús resucitado se apareció a sus discípulos para fortalecerlos y aumentar su fe en su Resurrección. Él quería que sus discípulos creyeran en todo lo que les había dicho y todo lo que había hecho.

Jesús se paró en medio de sus discípulos. Él les mostró su costado y sus manos y les dijo: "La paz esté con ustedes. Y añadió: Como el Padre me ha enviado, yo también los envío a ustedes. Sopló sobre ellos, y les dijo: Reciban el Espíritu Santo" (Juan 20: 21–22). Así empieza la nueva vida que ahora la humanidad puede compartir, debido a la Resurrección de Jesús.

Tomás, uno de los apóstoles de Jesús, no estaba con el grupo cuando Jesús apareció. Él dijo a los otros apóstoles: "Si no veo las señales dejadas en sus manos por los clavos y no meto mi dedo en ellas, si no meto mi mano en la herida abierta en su costado, no lo creeré" (Juan 20:25).

Después cuando todos estaban reunidos, incluyendo a Tomás, Jesús se apareció de nuevo. Él le dijo a Tomás: "Acerca tu dedo y comprueba mis manos; acerca tu mano y métela en mi costado. Y no seas incrédulo, sino creyente" (Juan 20:27). Tomás dijo a Jesús que creía que Jesús era el Señor, su Dios. Pero Jesús le contestó: "¡Dichosos los que han creído sin haber visto!" (Juan 20:29).

Resucitó

Resucitó, resucitó, resucitó, aleluya.
  Aleluya, aleluya, aleluya, resucitó.

La muerte, ¿dónde está la muerte? ¿Dónde está mi muerte?
  ¿Dónde su victoria?

Como discípulos de Cristo, estamos llamados a creer todo lo que hemos aprendido sobre él en los Evangelios y en otros escritos del Nuevo Testamento. Estamos llamados a creer que Jesucristo murió y resucitó a una nueva vida. Creemos que Jesús es el Hijo de Dios, nuestro Salvador. Estamos llamados a creer lo que la Iglesia nos enseña sobre Cristo.

El Espíritu Santo que Jesús sopló sobre sus apóstoles es el mismo Espíritu que nos da vida a nosotros. El Espíritu Santo nos guía para vivir cada día. Jesús no nos ha dejado solos, sino que está siempre con nosotros. Creemos que por medio de Jesús recitado tenemos nueva vida y la esperanza de compartir su vida con él por siempre.

RESPONDEMOS

 Piensa en las apariciones de Jesús después de la Resurrección. Prepara un anuncio corto usando tu aparición favorita para convencer al público de que Jesús ha resucitado.

Vocabulario

última cena (pp 350)
resurrección (pp 350)

Christ appeared to his disciples.

Later on the day of Jesus' Resurrection, the risen Jesus appeared to his disciples to strengthen them and to increase their faith in his Resurrection. He wanted his disciples to believe in all that he had told them and in all that he had done.

Jesus came and stood among the disciples. He showed them his side and his hands and said, "Peace be with you. As the Father has sent me, so I send you." Then he breathed on them and said, "Receive the holy Spirit" (John 20:21, 22). This began the new life in which humanity now can share because of Jesus' Resurrection.

Thomas, one of Jesus' Apostles, was not with the others when Jesus appeared to them. He said to the other Apostles, "Unless I see the mark of the nails in his hands and put my finger into the nailmarks and put my hand into his side, I will not believe" (John 20:25).

When all of the disciples, including Thomas, were together again, Jesus appeared. He told Thomas, "Put your finger here and see my hands, and bring your hand and put it into my side, and do not be unbelieving, but believe" (John 20:27). Thomas told Jesus he believed Jesus was the Lord, his God. But Jesus said, "Blessed are those who have not seen and have believed" (John 20:29).

 Jesus Is Risen

Refrain:
Alleluia! Alleluia! Alleluia!
Jesus is risen, alleluia!

Now it no longer could be denied,
seeing his feet and his hands and his side.
"Indeed you are Lord! You are God!" they cried.
"Conquering death, you have risen!" (Refrain)

As disciples of Christ we are called to believe everything we have learned about Jesus from the Gospels and the other writings of the New Testament. We are called to believe that Jesus Christ died and rose to new life. We believe that Jesus is the Son of God, our Savior. We are called to believe what the Church teaches us about Christ.

The Holy Spirit that Jesus breathed on his Apostles is the same Holy Spirit who gives us life. The Holy Spirit guides us as we live each day. Jesus has not left us alone, but is with us always. We believe that through the risen Jesus we have new life and the hope of sharing this life with him forever.

WE RESPOND

Think about the appearances of Jesus after his Resurrection. Prepare a short advertisement using your favorite appearance to convince the public that Jesus is risen!

Last Supper (p. 351)
Resurrection (p. 352)

HACIENDO DISCÍPULOS

Muestra *lo* que sabes

Eres un periodista que vive en tiempos de Jesús. Escribe un artículo explicando las palabras del *Vocabulario* Última Cena y Resurrección.

Vidas de santos

Santa Isabel de Portugal, una princesa, nació en España en 1271. Se casó con el rey Denis de Portugal a la edad de doce años y fue reina de Portugal antes de ser una adolescente. Se recuerda por su caridad y bondad con los pobres y como defensora de la paz. Su fiesta se celebra el 4 de julio.

↳ **RETO PARA EL DISCÍPULO** Santa Isabel de Portugal mostró caridad y bondad a los demás, ¿cómo puedes hacer lo mismo?

Datos

Las letras *INRI* que aparecen sobre el crucifijo son un acrónimo de la frase en latín *Iesus Nazarenus, Rex Iudaeorum*, que traducida al español quiere decir: Jesús el nazareno, rey de los judíos. Poncio Pilato ordenó poner esta inscripción en la cruz de Jesús. (Ver Juan 19:19)

Escritura

En el Evangelio de Lucas hay una historia donde Jesús resucitado se aparece a dos de sus discípulos en el camino hacia Emaús. Lee con un amigo Lucas 24:13–35. Túrnense para leer los versos. ¿Hubieras reconocido a Jesús?

PROJECT DISCIPLE

Show What you Know

You are a journalist living in the time of Jesus. Write a news article to explain the Key Words *Last Supper* and *Resurrection*.

Saint Stories

Saint Elizabeth of Portugal was born a Spanish princess in 1271. She was married to King Denis of Portugal at age twelve, and became the Queen of Portugal before she was a teenager! Saint Elizabeth of Portugal is remembered for her charity and kindness toward the poor and as a peacemaker. The Church celebrates her feast day on July 4.

↳ **DISCIPLE CHALLENGE** Saint Elizabeth showed charity and kindness to others. How can you do the same?

Fast Facts

The letters *INRI* that appear on the crucifix are an acronym of the Latin *Iesus Nazarenus, Rex Iudaeorum*, which translates to English as "Jesus of Nazareth, King of the Jews." Pontius Pilate ordered this inscription to be placed on Jesus' Cross. (See John 19:19.)

What's the Word?

In the Gospel of Luke there is a story of the risen Jesus' appearance to two of his disciples on the road to Emmaus. Read Luke 24:13–35 with a friend. Take turns reading the verses. Would you have recognized Jesus?

Orar
Conocer
Celebrar
Compartir
Expresar
Vivir

HACIENDO DISCÍPULOS

Investiga

La congregación del santo Redentor fue fundada por san Alfonso Liguori y sirve en todo el mundo diseminando la buena nueva y haciendo crecer la fe en los jóvenes, jóvenes adultos y adultos. Sus miembros, sacerdotes, hermanos y laicos, siguen el ejemplo de Cristo el Redentor predicando la palabra de Dios a los pobres y los abandonados. Conocidos como redentoristas, trabajan en parroquias, predican en programas parroquiales, administran casas de retiros y conferencias, trabajan con los que sufren de SIDA y otras enfermedades crónicas, trabajan como misioneros en el mundo, y administran la editorial Liguori, una editorial católica.

RETO PARA EL DISCÍPULO

- Subraya la frase que describe como los redentoristas siguen el ejemplo de Cristo Redentor.
- Traza un círculo alrededor del nombre del fundador de los redentoristas.
- Nombra tres formas en que los redentoristas sirven.

_____

_____

Visita www.cssr.com para aprender más sobre los redentoristas.

Consulta

¿Quién soy?

Traicioné a Jesús por treinta monedas de plata.

_____

Ordené que Jesús fuera azotado y crucificado.

_____

Fui quien primero vio a Jesús resucitado.

_____

Necesité ver pruebas antes de creer que Jesús había resucitado y aparecido a los discípulos.

_____

Tarea

En familia lean sobre el vía crucis. Visiten **religion.sadlierconnect.com** para buscar meditaciones para el vía crucis para rezar en la iglesia de tu parroquia, en un santuario cercano o en un centro de retiro que tenga las estaciones afuera. Después recen el vía crucis. En cada estación reflexionen por un momento y recen:

Te adoramos, oh Cristo y te bendecimos:

Porque con tu santa cruz redimiste al mundo.

Después reúnanse en familia para conversar sobre la experiencia.

Pray
Learn
Celebrate
Share
Choose
Live

PROJECT DISCIPLE

More to Explore

The Congregation of the Most Holy Redeemer was founded by Saint Alphonsus Liguori, and serves all around the world to spread the Good News and deepen the faith of youth, young adults, and adults. Its members are priests, brothers, and lay missionaries who follow the example of Christ the Redeemer by preaching God's Word to the poor and abandoned. Known as the Redemptorists, they work in parishes, preach at parish programs, run retreats and conference centers, work with those suffering from AIDS and other terminal illnesses, serve as missionaries throughout the world, and manage Liguori Publications, a Catholic publishing company.

↳ DISCIPLE CHALLENGE

* Underline the phrase that describes how the Redemptorists follow the example of Christ the Redeemer.
* Circle the name of the Redemptorists' founder.
* Name three ways the Redemptorists serve.

_____

_____

Visit www.cssr.com to learn more about the Redemptorists.

Question Corner

Who Am I?

I betrayed Jesus for thirty pieces of silver.

_____

I ordered Jesus to be whipped and crucified.

_____

I was first to see the risen Jesus.

_____

I needed to see "proof" before I could believe that Jesus had appeared after his Resurrection.

_____

Take Home

As a family, read about the Stations of the Cross. Visit religion.sadlierconnect.com to find appropriate stations and meditations to use at your parish church or at a nearby shrine or retreat center that has outdoor stations. Then, pray the Stations of the Cross. At each station after silent reflection, pray:

We adore you, O Christ,
   and we bless you:
Because by your holy Cross,
   you have redeemed the world.

Afterwards, gather together as a family and talk about the experience.

Catequesis en el hogar

Identidad católica
Catequesis en familia

Capítulo 23 (páginas 282–295)

Jesús, Redentor y Salvador

En este capítulo su niño(a) aprenderá sobre la muerte y resurrección de Jesús.

Para los padres

Los cristianos creen que el día más importante de la historia fue el día en que Jesús resucitó. Creemos que la resurrección de Jesús fue un suceso histórico que tuvo lugar tres días después de su muerte. La resurrección de Jesús tiene implicaciones profundas para nosotros hoy en día. Si Jesús hubiese permanecido entre los muertos, entonces habríamos visto el pecado como victorioso y todos los muertos se irían por siempre.

Todos los días

- Juntos recen la siguiente oración: *Dios Padre, gracias por tu presencia entre nosotros.*

Primer día Jesús nos dio un nuevo mandamiento.

- Lea en voz alta el enunciado y túrnense leyendo el texto. Señale que algunas personas temían a Jesús, porque temían que pudiera llevar una revuelta contra el gobierno romano.

- Converse sobre la última cena y el nuevo significado que Jesús dio a la cena de la Pascua judía. Explique que Jesús estaba dando a sus seguidores un nuevo pacto y una nueva comida de alianza con él mismo como el cordero pascual.

- Enfatice que la Eucaristía, el Cuerpo y la Sangre de Jesús, es la nueva Pascua del pueblo de Dios.

Segundo día Jesús dio su vida por nosotros.

- Pídale a su niño(a) que lea el enunciado.

Túrnense para leer el texto hasta el párrafo sobre Jesús en la tumba.

- Enfatice que nosotros llamamos *bueno* al día en que Jesús murió porque fue en ese día que él murió para salvarnos. Por su muerte y resurrección Jesús ganó nuestra salvación.

Tercer día Jesucristo resucitó de la muerte.

- Lea en voz alta el enunciado y el texto que sigue. Pida a su niño que se imagine en la historia.

- Señale que algunas personas no creían que Jesús había resucitado porque tal evento no podía tener una explicación natural. Enfatice que solo el don de la fe puede permitirnos creer en la Resurrección.

Cuarto día Cristo apareció a sus discípulos.

- Con su niña(o) lean el enunciado y el texto que sigue. Converse sobre Tomás y el hecho de creer sin haber visto.

- Enfatice que el Espíritu Santo que Jesús sopló sobre los discípulos es el mismo Espíritu que nos da vida y nos guía.

Respondemos en fe

Quinto día

- Invite a su niño(a) a contar la historia de la Resurrección.

Sexto día

- Comente cómo recordar la última cena.

Catechesis at Home

Chapter 23 (pages 282–295)

Jesus, Redeemer and Savior

In this chapter your child will learn about Jesus' ministry and message.

For the Parents

Christians believe that the most important day in history was the day Jesus rose from the dead. We believe that Jesus' Resurrection was a historical event that took place three days after his death. Jesus' Resurrection has profound implications for us today. If Jesus had remained among the dead, we would see sin as the victor, and everyone who had died would be gone forever.

Every Day

• Pray the following prayer together, *Father God, thank your for your presence with us.*

Day One   Jesus gave us a new covenant.

• Read aloud the *We Believe* statement. Then alternate with your child reading the text that follows. Point out that some people feared Jesus because they feared he might lead a revolt against the Roman government.

• With your child discuss the Last Supper and the new meaning that Jesus gave to the Jewish Passover meal. Explain that Jesus was giving his followers a new covenant and a new covenant meal with himself as the paschal lamb.

• Emphasize that the Eucharist, Jesus' own Body and Blood, is the new Passover of God's people.

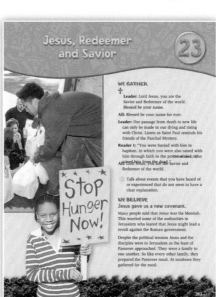

Day Two   Jesus gave his life for us.

• Ask your child to read aloud the statement. Then alternate reading aloud the text through the paragraph about Jesus' being placed in the tomb.

• Emphasize that we call the day on which Jesus died *good* because it was on that day that he died to save us. By his death and Resurrection Jesus gained our salvation.

Day Three   Jesus Christ rose from the dead.

• Read aloud the statement and the text that follows. Ask your child to imagine that he or she is present as the story unfolds.

• Point out that some people did not believe that Jesus had been raised from the dead because such an event could not have a natural explanation. Emphasize that only the gift of faith can enable us to believe in the Resurrection.

Day Four   Christ appeared to his disciples.

• With your child read aloud the statement and the text that follows. Talk about Thomas and about those who have not seen but have believed.

• Emphasize that the Holy Spirit that Jesus breathed on the disciples is the same Holy Spirit that gives us life and guides us every day.

We Respond in Faith

Day Five

• Invite your child to retell the Resurrection story.

Day Six

• Talk about ways to remember the Last Supper.

La Iglesia empieza

NOS CONGREGAMOS

✝ **Líder:** Ven, Espíritu Santo, llena los corazones de tus fieles.

Todos: Y enciende en ellos el fuego de tu amor.

Líder: El Espíritu Santo nos mueve a unirnos al cuerpo de Cristo, su Iglesia. Desde los apóstoles, los mártires y todos los santos, unos en la fe, sabemos que el Espíritu conoce nuestras necesidades antes de que se las expresemos al Padre. Jesús nos enseña a rezar. El Espíritu nos guía a rezar libremente como hijos de Dios. Así que decimos.

Todos: ¡Amén! ¡Amén! ¡Amén!

☀ Imagina que se te ha pedido iniciar un grupo para realizar una tarea. ¿Cómo empezarás?

CREEMOS

La Iglesia empieza con la venida del Espíritu Santo.

Jesús estaba listo para dejar a sus discípulos y regresar con su Padre al cielo. Él dejó a sus discípulos la misión que acababa de empezar. Había traído la buena Nueva del reino de Dios. El mostró a todos el amor y el perdón de su Padre. Les habló del poder del Espíritu Santo. Vivió en el espíritu de justicia y paz. Y Jesús pasó su misión a sus discípulos.

Quería que ellos continuaran llevando más y más personas a la comunidad de creyentes.

Jesús sabía que sus discípulos necesitarían fortaleza y el valor para llevar a cabo su misión. Él sabía que el Espíritu Santo los ayudaría a vivir su fe y a amar a Dios. Jesús le pidió a sus discípulos ser testigos y predicar la buena nueva. Él les dijo: "Por mi parte, les voy a enviar el don prometido por mi Padre. Ustedes quédense en la ciudad hasta que sean revestidos de la fuerza que viene de lo alto" (Lucas 24:49).

Entonces Jesús fue con sus discípulos "hasta un lugar cercano a Betania y, alzando las manos, los bendijo. Y mientras los bendecía se separó de ellos y fue llevado al cielo" (Lucas 24:50–51). A este evento lo llamamos la Ascensión.

The Church Begins

WE GATHER

✝ **Leader:** Come, Holy Spirit, fill the hearts of your faithful.

All: And kindle in them the fire of your love.

Leader: The Holy Spirit moves us to become one in Christ's body, his Church. From the Apostles to the martyrs to all the holy ones in the faith, we have learned that the Spirit knows our needs even before we ask the Father. Jesus teaches us to pray. The Spirit leads us to pray in freedom as sons and daughters of God. And so we pray.

All: Amen! Amen! Amen!

☀ Imagine you have been asked to start a new group to accomplish a task. What would you do to begin?

WE BELIEVE
With the coming of the Holy Spirit the Church began.

Jesus was about to leave his disciples and return to his Father in heaven. But he left them with the mission that he had begun. He had brought the Good News of the Kingdom of God. He showed the people his Father's love and forgiveness. He spoke to them about the power of the Holy Spirit. He lived in the spirit of justice and peace. And Jesus passed his mission on to his disciples. He wanted them to continue to bring more people into the community of believers.

Jesus knew that his disciples needed strength and courage to carry on his mission. He knew that the Holy Spirit would help them to live out their faith and love in the one God. Jesus told his disciples to be his witnesses and to spread the Good News. Then he said, "And [behold] I am sending the promise of my Father upon you; but stay in the city until you are clothed with power from on high" (Luke 24:49).

Jesus then went with his disciples "as far as Bethany, raised his hands, and blessed them. As he blessed them he parted from them and was taken up to heaven" (Luke 24:50–51). We call this the Ascension.

Los discípulos regresaron a Jerusalén como Jesús les había indicado. Ellos estaban llenos de gozo y alababan a Dios, recordando todo lo que les había pasado. María, la madre de Jesús, y otras mujeres y hombres que eran discípulos de Jesús, rezaron y permanecieron juntos. Entre ellos estaba Matías, el apóstol escogido para sustituir a Judas.

Hechos de los apóstoles 2:1–4, 7, 17, 41

Cuando se estaba celebrando la fiesta judía de la semana, o Pentecostés, los discípulos estaban reunidos. "De repente vino del cielo un ruido, semejante a una ráfaga de viento impetuoso, y llenó toda la casa donde se encontraban. Entonces aparecieron lenguas como de fuego, que se repartían y se posaban sobre cada uno de ellos. Todos quedaron llenos del Espíritu Santo y comenzaron a hablar en lenguas extrañas, según el Espíritu los movía a expresarse" (Hechos 2:2–4). Todo el mundo quedó sorprendido y Pedro les dijo que se había cumplido la profecía del profeta Joel.

"En los últimos días, dice Dios, derramaré mi Espíritu sobre todo hombre" (Hechos 2:17).

Llamamos **Pentecostés** al día en que el Espíritu Santo vino a los apóstoles. Ese día fue que Pedro y los demás apóstoles bautizaron más de tres mil personas. Ese fue el inicio de la Iglesia. El hecho de que cada persona entendiera lo que se decía en su propia lengua nos ayuda a entender el mensaje de amor y paz de Cristo para todo el mundo.

En grupo hablen de lo que podemos hacer para compartir el mensaje de amor y paz de Cristo. ¿Cómo este mensaje puede compartirse en todo el mundo?

La buena nueva de Cristo se esparce por muchos lugares.

La Iglesia continuó creciendo y fortaleciéndose con el poder del Espíritu Santo. Cumpliendo el mandato de Jesús de amar a Dios, a ellos mismos y a los demás, los apóstoles y otros discípulos compartían todo. Ellos contribuían a un fondo común para ayudar a los miembros necesitados y "se dedicaban con perseverancia a escuchar la enseñanza de los apóstoles, vivían unidos y participaban en la fracción del pan y en las oracioens" (Hechos 2:42).

Algunos discípulos se llamaban a sí mismos "seguidores del camino", recordando que Jesús se llamó a sí mismo "el camino, la verdad y la vida" (Juan 14:6). Otros se llamaban Nazarenos, indicando que eran seguidores de Jesús de Nazaret. Aproximadamente diez años después de la muerte de Jesús, en una ciudad grande llamada Antioquia, los seguidores de Jesucristo fueron llamados "cristianos" por primera vez.

The disciples went back to Jerusalem as Jesus had instructed them. They were filled with joy and praised God, remembering all that had just taken place. Mary, the mother of Jesus, and other women and men who were disciples of Jesus prayed and stayed close to one another. This included Matthias, the Apostle chosen to take Judas's place.

📖 Acts of the Apostles 2:1–4, 7, 17, 41

While the Jewish feast of Weeks, or Pentecost, was taking place the disciples were gathered together. "And suddenly there came from the sky a noise like a strong driving wind, and it filled the entire house in which they were. Then there appeared to them tongues as of fire, which parted and came to rest on each one of them. And they were all filled with the holy Spirit and began to speak in different tongues, as the Spirit enabled them to proclaim." (Acts of the Apostles 2:2–4) Everyone was astounded and Peter told them that the prophecy of Joel was now fulfilled.

"God says,
'that I will pour out a portion of my spirit
   upon all flesh.'" (Acts of the Apostles 2:17)

We call the day the Holy Spirit came upon the first disciples **Pentecost**. It was on this day that Peter and the other Apostles baptized about three thousand people. This was the beginning of the Church. The fact that each person understood what was being said in his or her own language helps us to know that Christ's message of love and peace is for all people.

🧍 In groups discuss what we can do to share Christ's message of love and peace. How can this message be shared throughout the entire world?

The Good News of Christ spread to many places.

The Church continued to grow and be strengthened through the power of the Holy Spirit. In carrying out Jesus' command to love God, themselves, and others, the Apostles and other disciples shared everything. They contributed to a common fund to help needy members and "they devoted themselves to the teaching of the apostles and to the communal life, to the breaking of the bread and to the prayers" (Acts of the Apostles 2:42).

Some disciples called themselves "followers of the Way," recalling that Jesus described himself as "the way and the truth and the life" (John 14:6). Others called themselves Nazarenes, indicating that they were followers of Jesus of Nazareth. About ten years after Jesus' Death, in a large city called Antioch, the followers of Jesus Christ were first called "Christians."

Al ir aumentando el número de discípulos, las autoridades del Templo de Jerusalén empezaron a inquietarse. Como Pedro y otros continuaban predicando, el temor a su influencia y aceptación creció. Fue así que empezó la persecución contra los discípulos.

📖 Hechos de los apóstoles 9:1–8, 17–18

Uno de los líderes de esas persecuciones fue un joven fariseo y ciudadano romano llamado Saulo.

Saulo pidió permiso al sumo sacerdote para arrestar a los cristianos y llevarlos a Jerusalén para ser procesados. El sumo sacerdote le dio permiso. Sin embargo, al acercarse a Damasco, una brillante luz a su alrededor lo cegó. Cayó al suelo y escuchó una voz que le dijo: "Saúl, Saúl, ¿por qué me persigues?" Saulo preguntó: "¿Quién eres, Señor?" La voz respondió: "Yo soy Jesús, a quien tú persigues" (Hechos 9:4–5). Con esas palabras Jesús le estaba diciendo a Saulo que al perseguir a los cristianos, estaba persiguiendo a Jesús, porque Jesús y sus seguidores eran un cuerpo, la Iglesia.

Cuando Saulo se levantó, no podía ver. Los hombres que viajaban con él lo llevaron a Damasco. Tres días después recobró la vista en presencia de los discípulos de Jesús y fue bautizado. Este evento es una de las conversiones más conocidas de la Biblia.

En corto tiempo Saulo, mejor conocido entre los romanos como Pablo, se convirtió en uno de los grandes líderes de la primera Iglesia. En tres viajes misioneros, Pablo llevó la buena nueva de Jesucristo a grandes ciudades del este del Imperio Romano.

Durante sus viajes Pablo escribió cartas a los nuevos cristianos en esos lugares. Algunas de esas cartas se encuentran en el Nuevo Testamento.

Por preocuparse de los miembros de la Iglesia, Pablo sufrió insultos, el odio de sus enemigos,

naufragios, y cárcel. Pero nunca renegó de su fe. Él dirigió a muchos a creer en Jesús y a hacerse miembros de la Iglesia. Desde el momento de su conversión, la vida de Pablo fue guiada por su devoción a Jesús, quien fue el centro de sus discursos y enseñanza.

🏃 Imagina que, igual que Pablo, has vivido una experiencia que te fortalece para predicar sobre Jesucristo. ¿Cuál sería esa experiencia?

_____

_____

Los cristianos fueron perseguidos por su fe.

Los viajes misioneros de Pablo fueron muy importantes en el desarrollo de la Iglesia. Por su trabajo, la cristiandad se extendió más allá de Judea y a otras personas fuera de la fe judía. Creció hasta incluir romanos y griegos. Así, desde sus inicios, la Iglesia ha incluido personas de diferentes culturas que viven alrededor del mundo.

La Iglesia crecía y se negaba a adorar a los falsos dioses de los romanos. Los oficiales romanos empezaron a creer que los cristianos eran una amenaza a la autoridad y a la seguridad del imperio. El cristianismo no fue aceptado como religión durante los primeros tres siglos y esto era un riesgo para los cristianos que eran perseguidos y algunos encarcelados y forzados a aceptar falsos dioses. Otros eran tratados como marginados. Sin embargo, esto no detuvo a los cristianos de creer en Cristo. Muchos fueron mártires de su fe. **Un mártir** es alguien que prefiere morir antes que negar su fe en Jesucristo. La palabra mártir viene del vocablo griego que significa "testigo".

As the number of the disciples increased, the Temple authorities in Jerusalem became uneasy. As Peter and the others continued to preach, fear about their influence and acceptance grew. It was not long before a persecution of Christ's disciples broke out.

📖 Acts of the Apostles 9:1–8, 17–18

One of the leaders of these persecutions was a young Pharisee and Roman citizen named Saul.

Saul asked the high priest for permission to arrest Christians there and bring them back to Jerusalem for trial. The high priest granted his request. As Saul approached Damascus, however, a blinding light flashed around him. "He fell to the ground and heard a voice saying to him, 'Saul, Saul, why are you persecuting me?' He said, 'Who are you, sir?' The voice replied, 'I am Jesus, whom you are persecuting'" (Acts of the Apostles 9:4–5). With these words Jesus was telling Saul that in persecuting Christians, he was persecuting Jesus because Jesus and his followers were one body, the Church.

When Saul got up from the ground, he could not see. The men he was traveling with brought him to Damascus. Three days later he recovered his sight in the presence of one of Jesus' disciples and Saul was baptized. This event is one of the most well-known examples of conversion in the Bible.

Within a short time Saul, better known by his Roman name, Paul, became one of the great leaders of the early Church. In three missionary journeys, Paul brought the Good News of Jesus Christ to the major cities of the eastern Roman empire. During his travels Paul wrote letters to the new Christians in these places. Some of these letters can be found in the New Testament.

In caring for these members of the Church, Paul suffered insults, the hatred of his enemies, shipwreck, and even imprisonment.

Yet he never wavered from his faith. He led many to believe in Jesus and to become members of the Church. From the moment of his conversion, Paul's life was guided by his devotion to Jesus, who was the center of his preaching and teaching.

🧍 Imagine that you, like Paul, have an experience that strengthens you to preach about Jesus Christ. What might that experience be?

_____

_____

Christians were persecuted for their faith.

Paul's missionary trips were very important to the development of the Church. Because of this work, Christianity spread beyond Judea and to people other than only those of the Jewish faith. It grew to include Greeks and Romans. Thus from its beginning, the Church has included people of different cultures who live throughout the world.

As the Church grew, Christians refused to honor and worship the false gods of the Romans. Roman officials began to believe that Christians threatened the authority and security of the empire. Christianity was not an accepted religion during the first three centuries, and this put the Christians at risk. Christians were persecuted, and some were imprisoned and forced to accept false gods. Others were treated as outcasts. However, this did not stop Christians from believing in Christ. Many even became martyrs for their faith. A **martyr** is a person who dies rather than give up his or her belief in Jesus Christ. The word *martyr* actually comes from the Greek word for "witness."

No tenemos un récord de los miles de cristianos que han muerto por su fe. Sin embargo, nos han llegado las historias de algunos mártires.

San Lorenzo Lorenzo vivió en Roma durante el tercer siglo. Él era uno de los diáconos de la Iglesia romana. Una leyenda cuenta que cuando el Papa Sixto iba a ser ejecutado, le dijo a Lorenzo que él también moriría. Así que Lorenzo vendió todos los vestidos sagrados y le dio el dinero a los pobres, las viudas y los huérfanos. Cuando se le pidió llevar los valores de la Iglesia al jefe de los soldados romanos, Lorenzo le presentó a los cristianos que eran olvidados y abusados por la sociedad como "el tesoro de la Iglesia". Celebramos la fiesta de San Lorenzo el 10 de agosto.

Santa Cecilia Se cree que Cecilia vivió en Roma durante el tercer siglo. Ella quiso dedicar su vida a Cristo. Pero su padre quería que ella se casara. Se dice que durante la ceremonia de la boda Cecilia cantaba y oraba a Dios en silencio para que la ayudara. Cecilia convenció a su esposo de que un ángel de Dios la protegía, y pronto su esposo y su hermano se hicieron cristianos. Ambos hombres fueron martirizados y también Cecilia fue perseguida y martirizada. Celebramos su fiesta el 22 de noviembre.

Santa Inés Inés vivió durante el siglo tres en Roma. A los trece años dedicó su vida a Cristo y prometió mantener un corazón puro. Ella se negó a adorar a los falsos dioses de su época y fue ridiculizada por su castidad. Ese abuso no debilitó su fe. Ella aguantó el maltrato y eventualmente murió como una mártir porque se negó a dejar su vida cristiana. Celebramos la fiesta de Santa Inés el 21 de enero.

Haz una lista de personas que hoy dan testimonio de su fe.

_____   _____

_____   _____

El cristianismo fue aceptado como religión.

El siglo IV fué dramático para la Iglesia. En el año 380 el cristianismo se convirtió en la religión oficial del Imperio Romano. Los años de persecución terminaron. Sin embargo, no todos los romanos aceptaron el cristianismo y algunos miembros de la misma familia no practicaban la misma fe. La familia de San Martín de Tours es un ejemplo de esto.

Martín es uno de los primeros santos que recordamos como un testigo que vivió su fe cristiana. Él nació en una provincia romana en los primeros años del siglo cuarto. Sintió un fuerte llamado para servir a Dios. Como sus padres seguían adorando falsos dioses, Martín tuvo que estudiar el cristianismo en secreto.

A la edad de quince años se le pidió ir al ejército. Como joven soldado mostró gran compasión por los necesitados. Una vez dio la mitad de su capa a un limosnero. Esa noche Jesús se le apareció y pronto Martín fue bautizado.

We do not have a record of all of the thousands of Christians who died for their faith. However, the stories of some martyrs have been passed down to us.

Saint Lawrence Lawrence lived in Rome during the third century. He was one of the deacons of the Roman Church. One legend recounts that when Pope Sixtus was led away to be executed, he told Lawrence that he would also die. So Lawrence sold all the sacred vessels and gave the money to the poor, the widows, and the orphans. When ordered to bring all the Church's valuables to the chief Roman officer, Lawrence presented Christian people who were neglected and abused by society as "the Church's treasure." We celebrate Saint Lawrence's feast day on August 10.

Saint Cecilia Cecilia is believed to have lived in Rome during the third century. She wanted to dedicate her life to Christ. But her father wanted her to marry. It is said that during the wedding ceremony Cecilia was silently singing to God and praying for his help. She convinced her husband that an angel of God protected her, and soon her husband and his brother became Christians. These two men were martyred, and Cecilia, too, was then persecuted and martyred. We celebrate her feast day November 22.

Saint Agnes Agnes lived during the third century in Rome. At age thirteen, she dedicated her life to Christ and vowed to remain pure of heart. She refused to worship the false gods of her time and was ridiculed for her chaste ways. This abuse did not weaken her faith. She withstood the mistreatment but eventually died as a martyr because she refused to give up her Christian ways. We celebrate Saint Agnes' feast day on January 21.

List some ways people give witness to their faith today.

_____   _____

_____   _____

Christianity became an accepted religion.

The fourth century was a dramatic one for the Church. In the year 380 Christianity became the official religion of the Roman Empire. The years of persecution were finally ending. However, not all Romans accepted Christianity, and sometimes even members of the same family did not practice the same faith. The family of Saint Martin of Tours is one example of this.

Martin is one of the first saints that we remember as a witness who was able to live out his Christian faith. He was born in a Roman province in the early years of the fourth century. He felt a strong calling to serve God. Since his parents continued to worship false gods, Martin had to study Christianity secretly.

At age fifteen he was required to join the Roman army. As a young soldier he showed great compassion for those in need. Once he gave half of his cloak to a beggar. That night Jesus appeared to Martin and soon after Martin was baptized.

Pocos años más tarde dejó el ejército y se fue a Tours, Francia. Dedicó su tiempo a predicar contra las falsas creencias. Martín llegó a ser obispo de Tours. Él oró, enseñó y predicó donde quiera que iba. Celebramos la fiesta de este obispo y santo el 11 de noviembre.

Profesando la fe   Eventualmente se hizo necesario resumir la fe en profesiones de fe, o credos para los bautizados. Uno de esos credos originales es el Credo de los Apóstoles, puede encontrarlo en la página 347. Trata sobre la primera Persona de la Santísima Trinidad y el gran trabajo de la creación, la segunda Persona de la Trinidad y la redención de todos nosotros ganada por él, y la tercera Persona de la Santísima Trinidad de donde viene nuestra santidad y la santidad de la Iglesia.

Más tarde fue necesario que la Iglesia se asegurara de que la enseñanza de Jesús y los apóstoles pasara a futuras generaciones. En el año 325 los obispos se reunieron en Nicea para el primer concilio ecuménico. Un *concilio ecuménico* es una reunión del papa y los obispos para tomar decisiones sobre asuntos de fe, vida cristiana y vida de la Iglesia. Otro concilio tuvo lugar en Constantinopla en el año 381. El resultado de estos dos concilios se expresa en el Credo de Nicea. Decimos este credo en la misa.

El Credo de los Apóstoles y el Credo de Nicea son parte de la Tradición. La Tradición se refiere a las creencias y prácticas habladas y escritas transmitidas desde el tiempo de Cristo y de los apóstoles. La Iglesia católica nos enseña que la Tradición es uno de los dos medios por los cuales nos llega la revelación de Dios. El otro es la Biblia.

RESPONDEMOS

Profesen su fe rezando juntos el Credo de los Apóstoles o el Credo de Nicea.

Escribe una oración de acción de gracias a Dios por el don de la fe.

Como católicos...

En mayo del 2000, el Vaticano recibió a cristianos de diferentes denominaciones para participar en una oración en honor a los mártires cristianos de los siglos XX y XXI. Entre los recordados estaba el padre Cristian de Chergé y los monjes de Nuestra Señora de Atlas en Argelia (católica), Margarita Chou (católica), el pastor Pablo Schneider (luterano), W.G.R. Jotcham (bautista) y su santidad Tichon, Patriarca de la Iglesia Ordotoxa Rusa. Estos hombres y mujeres trabajaron para detener la persecución religiosa y la violencia y dieron sus vidas como un testimonio de su fe en Cristo.

Investiga y descubre algo más sobre mártires de siglos recientes.

Vocabulario

Pentecostés (pp 350)

mártir (pp 349)

The Third Council of Constantinople (680–681) from a fresco in the Vatican circa 1868

Key Words

Pentecost (p. 352)

martyr (p. 352)

A few years later Martin left the army and went to Tours, France. He devoted his time to stopping false beliefs. Martin became the Bishop of Tours. He prayed, taught, and preached everywhere. We celebrate the feast of this bishop and saint on November 11.

Professing the Faith Eventually it became necessary to summarize the faith into professions of faith, or creeds, for those being baptized. One of the earliest creeds, the Apostles' Creed, is found on page 348. It is about the First Person of the Blessed Trinity and the great work of creation, the Second Person of the Blessed Trinity and the redemption all of us have because of him, and the Third Person of the Blessed Trinity from whom the Church's and our holiness come.

It later became necessary for the Church to come together to ensure that the teaching of Jesus and the Apostles was passed on to future generations. In the year 325 the bishops gathered together in Nicea for the first Ecumenical Council. An *Ecumenical Council* is a gathering of the pope and bishops to make decisions on issues of faith, Christian living, and the life of the Church. Another council took place in Constantinople in 381. The result of these two councils is stated in the Nicene Creed. We still say this creed at Mass.

Both the Apostles' Creed and the Nicene Creed are part of Tradition. Tradition refers to the written and spoken beliefs and practices that have been passed down to us from the time of Christ and the Apostles. The Catholic Church teaches us that Tradition is one of the two means by which God's Revelation comes to us. The Bible is the other.

WE RESPOND

Profess your faith by praying the Apostles' Creed or Nicene Creed together.

Write a prayer to thank God for the gift of faith.

HACIENDO DISCÍPULOS

Muestra *lo* que sabes

Usa la clave para encontrar las palabras del **Vocabulario**. Después escribe una oración usándolas.

A	B	C	D	E	F	G	H	I	J	K	L	M	N	O	P	Q	R	S	T	U	V	W	X	Y	Z
1	2	3	4	5	6	7	8	9	10	11	12	13	14	15	16	17	18	19	20	21	22	23	24	25	26

1. ____ ____ ____ ____ ____ ____
    13   1   18   20   9   18

_____

2. ____ ____ ____ ____ ____ ____ ____ ____ ____ ____ ____
    16   5   14   20   5   3   15   19   20   5   19

_____

Datos

San Pablo fue uno de los grandes líderes de la primera Iglesia. Junio 2008–2009 fue declarado el "Año de san Pablo" por el papa Benedicto XVI. Liturgias, publicaciones, sitios Web, eventos, videos y simposios se realizaron para celebrar el 2,000 aniversario del nacimiento de san Pablo.

Realidad

Llena esta encuesta sobre el Evangelio.

Puedo evangelizar:

❏ hablando y actuando en forma tal que muestren el amor de Dios

❏ contando a otros las maravillas que Cristo ha hecho

❏ animando a otros que creen en Cristo a continuar creciendo en la fe.

❏ otro _____

PROJECT DISCIPLE

Show What you Know

Use the code to find each Key Word. Then, write a sentence using the word.

A	B	C	D	E	F	G	H	I	J	K	L	M	N	O	P	Q	R	S	T	U	V	W	X	Y	Z
1	2	3	4	5	6	7	8	9	10	11	12	13	14	15	16	17	18	19	20	21	22	23	24	25	26

1. ____ ____ ____ ____ ____ ____
   13   1   18   20   25   18

   _____

2. ____ ____ ____ ____ ____ ____ ____ ____ ____
   16   5   14   20   5   3   15   19   20

   _____

Fast Facts

Saint Paul was one of the great leaders of the early Church. June 2008–2009 was declared the "Year of Saint Paul" by Pope Benedict XVI. Special liturgies, publications, Web sites, events, videos, and symposiums were based on the 2,000th anniversary of the birth of Saint Paul.

Reality Check

Take this Evangelizer Survey.

I can be an evangelizer by:

❏ speaking and acting in ways that reflect God's love

❏ telling others about the wonderful things that Christ has done

❏ encouraging others who already believe in Christ to continue to grow in their faith.

❏ other _____

Orar
Conocer
Celebrar
Compartir
Expresar
Vivir

HACIENDO DISCÍPULOS

Vidas de santos

Como religiosa de las Hermanas de la Caridad, santa Catalina Laboure vio visiones de la Virgen María. En una de esas visiones, María le pidió hacer una medalla en honor a la Inmaculada Concepción. La medalla es comúnmente conocida como la medalla milagrosa. La Iglesia celebra la fiesta de santa Catalina Laboure el 25 de noviembre.

Visita *Vidas de santos* en **religion.sadlierconnect.com** para aprender más sobre los santos.

Haz lo

Somos llamados a dar testimonio de nuestra fe. Damos testimonio cuando hablamos y actuamos basados en la buena nueva. Hablamos de las maravillas que Cristo ha hecho. Mostramos lo que significa ser un discípulo. Dar testimonio de nuestra fe es una parte importante de la misión de evangelización de la Iglesia. La evangelización tiene lugar todos los días. Evangelizamos a los que no han escuchado el mensaje de Cristo. También evangelizamos a los que escucharon el mensaje pero necesitan ánimo para vivir el don de la fe que les fue dado.

↳ **RETO PARA EL DISCÍPULO** ¡Evangeliza! Vive el Evangelio y los que están a tu alrededor verán tu fe en acción. ¿Cómo puedes hacerlo hoy?

_____

_____

_____

¡Ahora, compártelo!

Tarea

La Iglesia fue fortalecida por el poder del Espíritu Santo. Llama al Espíritu Santo para que fortalezca a tu familia. Recen juntos esta oración:

Ven Espíritu Santo,

llena los corazones de tus fieles y

enciende en ellos el fuego de tu amor.

Envía tu Espíritu y serán creados.

Y renovarás la faz de la tierra.

PROJECT DISCIPLE

Saint Stories

As a religious in the Daughters of Charity, Saint Catherine Laboure experienced visions of the Virgin Mary. In one of the visions, Mary instructed Catherine to have a medal honoring the Immaculate Conception made. This medal is commonly known as the miraculous medal. The Church celebrates Saint Catherine Laboure's feast day on November 25.

Visit *Lives of the Saints* on **religion.sadlierconnect.com** to learn more about saints and holy people.

Make *it* Happen

We are called to give witness to our faith. We give witness when we speak and act based upon the Good News. We tell others about the wonderful things that Christ has done. We show them what it means to be a disciple. Giving witness to our faith is an important part of the Church's mission of evangelization. Evangelization takes part in our everyday lives. We evangelize those who have not yet heard the message of Jesus Christ. We also evangelize those who have heard the message but need encouragement to live out the gift of faith that is theirs.

↳ **DISCIPLE CHALLENGE** Be an evangelizer! Live out the Gospel, and the people around you will see your faith in action. How can you do this today?

_____

_____

_____

Now, pass it on!

Take Home

The Church was made strong through the power of the Holy Spirit. Call upon the Holy Spirit to strengthen your family. Pray together the following prayer:

Come Holy Spirit,
fill the hearts of your faithful.
And kindle in them the fire of your love.
Send forth your Spirit and they shall be created.
And you will renew the face of the earth.

309

Capítulo 24 (páginas 296–309)

La Iglesia empieza

En este capítulo su niño(a) aprenderá sobre la venida del Espíritu Santo y el crecimiento de la Iglesia.

Para los padres

Las historias en los Hechos nos invitan a descubrir y a creer en Dios. A través de la predicación, los viajes y las tribulaciones de Pedro, Pablo y Esteban, observamos el poder del Espíritu en acción. El Espíritu Santo le da a estos misioneros las palabras para que hablen, los milagros para que se inspiren, la fuerza para resistir y la sabiduría para esparcir la buena nueva del reino de Dios. El mismo Espíritu nos da a nosotros la gracia necesaria para ser misioneros.

Todos los días

- Juntos recen: *Espíritu Santo, al comenzar esta lección quédate con nosotros.*

Primer día La Iglesia empieza con la venida del Espíritu Santo.

- Juntos lean el enunciado y el texto hasta el icono de la Biblia. Señale que Jesús dio a sus discípulos la misión de llevar la buena nueva del reino de Dios a todo el mundo y prometió enviar al Espíritu Santo para ayudar a cumplir esta misión.

- Pida a su niño(a) que lea en voz alta el resto del texto. Enfatice que la venida del Espíritu Santo en Pentecostés marca el inicio de la Iglesia.

Segundo día La buena nueva de Cristo se esparce por muchos lugares.

- Lea en voz alta el enunciado. Lean el texto hasta el icono de la Biblia. Señale el origen del nombre *Cristianos*. Tomen turnos leyendo la historia de Saúl, quien luego se llamó Pablo.

Tercer día Los cristianos fueron perseguidos por su fe.

- Túrnense para leer el enunciado y el texto. Conversen sobre las persecuciones de los primeros *cristianos*.

- Explique que un testigo da pruebas y que con su vida y muerte los mártires dan testimonio de su fe en Jesucristo. Túrnense para leer y conversar sobre las historias de san Lorenzo, santa Cecilia y santa Inés.

Cuarto día El cristianismo fue aceptado como religión.

- Túrnense para leer el enunciado y la historia de san Martín de Tours. Comente cómo su testimonio de fe cristiana es como los mártires.

- Pida a su niño(a) que lea "Profesando la fe". Juntos lean el "Credo de los Apóstoles".

- Hable de los concilios ecuménicos. El concilio más reciente, el Vaticano II, se llevó a cabo en la década de los 60.

Respondemos en fe

Quinto día

- Invite a su niño(a) a que nombre cómo las personas dan testimonio de su fe hoy.

Sexto día

- Conversen sobre las maneras de compartir el mensaje de amor y paz de Cristo.

Catechesis at Home

Chapter 24 (pages 296–309)

The Church Begins

In this chapter your child will learn about the coming of the Holy Spirit and the growth of the Church.

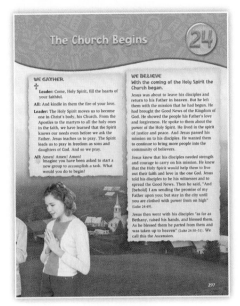

For the Parents

The stories in Acts invite us to discover and then believe in God. Through the preaching, journeys, and trials of Peter, Paul, and Stephen, we watch the power of the Spirit in action. The Holy Spirit gives these missionaries words to speak, miracles to inspire, strength to endure, and wisdom to spread the good news of God's Kingdom. The same Spirit gives us, today, the grace necessary to be missionaries.

Every Day

- Pray: *Holy Spirit, be with us as we begin our lesson for today.*

Day One With the coming of the Holy Spirit the Church began.

- With your child read aloud the statement and the text up to the Bible icon. Point out that Jesus passed on to his disciples the mission to bring all people the good news of the Kingdom of God, and that Jesus promised to send the Holy Spirit to help fulfill this mission.

- Ask your child to read aloud the rest of the text. Emphasize that the coming of the Holy Spirit at Pentecost marks the beginning of the Church.

Day Two The good news of Christ spread to many places.

- Read aloud the statement. Alternate with your child as your read the text up to the Bible icon.

Point out the origin of the name *Christians*. With your child read aloud the story of Saul who became Paul.

Day Three Christians were persecuted for their faith.

- Together read the statement and the text up to the heading "Saint Lawrence." Then talk together about the persecutions faced by the early Christians.

- Explain that a witness gives evidence and that by their lives and deaths martyrs give evidence of their belief in Jesus Christ.

With your child read and discuss the stories of Saint Lawrence, Saint Cecilia, and Saint Agnes.

Day Four Christianity became an accepted religion.

- Alternating with your child, read aloud the statement and the story of Saint Martin of Tours. Discuss the way that Saint Martin, witnessing his Christian faith, is like the martyrs.

- Ask your child to read aloud "Professing the Faith." Turn to the back of the text to read together the Apostles' and Nicene creeds.

- Talk about ecumenical councils. Tell your child that the most recent ecumenical council, the Second Vatican Council, took place in the 1960s.

We Respond in Faith

Day Five

- Invite your child to name ways people give witness to their faith today.

Day Six

- With your child discuss ways to share Christ's message of love and peace.

La Biblia y la Iglesia hoy

NOS CONGREGAMOS

Líder: Profetas como Amós, Miqueas, Jeremías, Isaías y Juan el Bautista anunciaron el amor especial de Dios por los pobres y los necesitados. Ellos llamaron al pueblo a vivir con justicia.

Lector: Jesús, el Mesías, empezó su ministerio proclamando estas palabras del profeta Isaías en la sinagoga de Nazaret:

(Leer de la Biblia Lucas 4:18–19)

♫ La buena nueva

Está sobre mí el Espíritu del Señor.
Está sobre mí,
porque Él me escogió.
El me envió para anunciar que al afligido aliviará. (X2)
La buena nueva va dar, la buena nueva dar,
La buena nueva, la buena nueva del Señor,
del Señor. (X2)

¿Cómo tu familia recuerda y comparte los recuerdos?

CREEMOS

En el Nuevo Testamento encontramos diferentes formas de escritura.

La Biblia es un libro de fe. En ella se encuentran las formas en que Dios se ha mantenido fiel a su pueblo. Los cristianos ven los eventos y las verdades de fe en el Antiguo Testamento como directrices hacia Jesús y sus enseñanzas encontradas en el Nuevo Testamento.

El Nuevo Testamento es una colección de veintisiete libros. Los escritores de estos libros fueron inspirados por el Espíritu Santo para usar sus habilidades para recoger las verdades de fe que son importantes para vivir como cristianos. Igual que el Antiguo Testamento, el Nuevo Testamento incluye diferentes tipos de escritos.

Los Evangelios Los Evangelios de Mateo, Marcos, Lucas y Juan son en muchas formas escritos históricos. Estos escritos describen la misión y el ministerio de Jesús, su llamado a los discípulos y su amor. Ellos nos ayudan a entender que Jesucristo es el Mesías y el Hijo de Dios. Es por eso que los cristianos consideran los Evangelios como los libros más sagrados de la Biblia.

The Bible and the Church Today

WE GATHER

✝ **Leader:** The prophets such as Amos, Micah, Jeremiah, Isaiah, and John the Baptist announced God's special love for those who are poor and in need. They called the people to live justly.

Reader: Jesus, the Messiah, began his ministry by proclaiming these words of the prophet Isaiah in the synagogue in Nazareth.

(Read Luke 4:18–19.)

🎵 **God Has Chosen Me**

God has chosen me,
God has chosen me to bring good
    news to the poor.
God has chosen me,
God has chosen me to bring new
    sight to those searching for light;
God has chosen me, chosen me.

 How does your family record and share memories?

WE BELIEVE

The New Testament is made up of different types of writings.

The Bible is a book of faith. It is a record of the ways that God has remained faithful to his people. Christians see the events and truths of faith in the Old Testament as leading us to Jesus and his teachings found in the New Testament.

The New Testament is a collection of twenty-seven books. The writers of these books were inspired by the Holy Spirit to use their own abilities to record the truths of faith that are so important for living as Christians. Like the Old Testament, the New Testament includes different types of writings.

The Gospels   The Gospels of Matthew, Mark, Luke, and John are in many ways historical writings. The writers of the Gospels describe Jesus' mission and ministry, his call to discipleship, and his love. They help us to understand that Jesus Christ is the Messiah and the Son of God. This is why Christians consider the Gospels the most sacred books of the Bible.

Las cartas a las comunidades cristianas. Las cartas, o epístolas, incluyen veintiún escritos de líderes tales como Pablo, Santiago, Pedro Juan y Judas a diferentes comunidades cristianas. Estas cartas tienen una gran variedad de propósitos. Algunas fueron escritas para hablar de problemas específicos en la comunidad, para instruir a la gente en como vivir y alabar y para explicar el papel de los líderes de la comunidad.

Otros escritos Hechos de los apóstoles y el libro de Apocalipsis son otros libros del Nuevo Testamento. Hechos de los apóstoles registra la venida del Espíritu Santo y el ministerio de los apóstoles. Describe el inicio y crecimiento de la Iglesia y los diferentes viajes misioneros de los apóstoles y discípulos. Hechos de los apóstoles es realmente la continuación del Evangelio de Lucas.

El Apocalipsis es el último libro del Nuevo Testamento. De muchas formas es como parte de los libros de Ezequiel, Zacarías y Daniel en el Antiguo Testamento. El Apocalipsis está basado en visiones y sueños y la interpretación de ellos. Como una profecía cristiana, el Apocalipsis trata de la segunda venida de Cristo al final de los tiempos. El libro usa símbolos, poesías e imágenes. No está escrito para contar eventos específicos, sino para predicar el mensaje del reino de Dios.

Tratamos el Antiguo y el Nuevo Testamentos como libros sagrados o santos. El Espíritu Santo inspiró a los escritores bíblicos, por tanto Dios es el verdadero autor de la Escritura. El Nuevo Testamento, igual que el

Antiguo Testamento, nos ayuda a saber que Dios nos ama y que está con nosotros hoy. Dios nos está llamando a responder a su amor y a seguir a su Hijo.

👤 Escribe como la Escritura es parte de tu vida.

_____

_____

La Biblia es una fuente importante para vivir una vida cristiana y adorar.

La Biblia es una guía importante para vivir como cristiano. En la Biblia aprendemos los Diez Mandamientos, las Bienaventuranzas, el Gran Mandamiento y el nuevo mandamiento de Cristo. Estas leyes y enseñanzas son la base de nuestra moral católica. Ellas nos ayudan en nuestra relación con Dios, con nosotros mismos y con los demás.

Jesús obedeció a Dios, su Padre, y aceptó la ley como su guía. De hecho, el dijo a sus discípulos: "No piensen que he venido a abolir las enseñanzas de la ley y los profetas; no he venido a abolirlas, sino a llevarlas hasta sus últimas consecuencias" (Mateo 5:17).

Jesús usó las enseñanzas de los escritores del Antiguo Testamento para enseñar a sus discípulos sobre cumplir la ley de Dios. A Jesús le preguntaron cuál era el mayor de los mandamientos de la ley. El combinó dos enseñanza del Antiguo Testamento en uno conocido como el Gran Mandamiento: *"Amarás al Señor tu Dios con todo tu corazón, con toda tu alma* y con toda tu mente. Éste es el primer mandamiento y el más importante. El segundo es semejante a éste: *Amarás a tu prójimo como a ti mismo"*. (Mateo 22:37–39)

The Letters to the Christian Communities

The letters, or Epistles, include twenty-one writings from leaders such as Paul, James, Peter, John, and Jude to different Christian communities. These letters have a variety of purposes. Some are written to discuss specific problems in the community, to instruct the people on how to live and worship, and to explain the role of the leaders of the community.

Other Writings The Acts of the Apostles and the Book of Revelation are the other books of the New Testament. The Acts of the Apostles records the coming of the Holy Spirit and the ministry of the Apostles. It describes the beginning and growth of the Church and the various missionary trips of the Apostles and disciples. The Acts of the Apostles is actually a continuation of the Gospel of Luke.

The Book of Revelation is the final book in the New Testament. In many ways it is like parts of the Old Testament Books of Ezekiel, Zechariah, and Daniel. The Book of Revelation is based on visions and dreams and the interpretation of them. As a Christian prophecy, the Book of Revelation deals with Christ's second coming at the end of time. The book uses symbols, poetry, and images. It is not written to foretell specific events, but to spread the message of God's Kingdom.

We treat both the Old and New Testaments as sacred, or holy. The Holy Spirit inspired the biblical writers, so God is the true author of Scripture. The New Testament, like the Old Testament, helps us to know that God loves us and is with us today. God is calling us to respond to his love and to follow his Son.

Write one way Scripture is a part of your life.

_____

_____

The Bible is an important source for Christian living and worship.

The Bible is an important guide for Christian living. From the Bible we learn the Ten Commandments, the Beatitudes, the Great Commandment, and Christ's new commandment. These laws and teachings are the foundation of our moral life as Catholics. They help us to relate to God, ourselves, and one another.

Jesus obeyed God his Father and accepted the Law as his guide. In fact, he told his disciples, "Do not think that I have come to abolish the law or the prophets. I have come not to abolish but to fulfill" (Matthew 5:17).

Jesus used the teachings of the Old Testament writers to teach his own disciples about following God's Law. Jesus was asked which commandment of God's Law was the greatest. He combined two Old Testament teachings into one which is known as the Great Commandment: "You shall love the Lord, your God, with all your heart, with all your soul, and with all your mind. This is the greatest and the first commandment. The second is like it: You shall love your neighbor as yourself" (Matthew 22:37–39).

Jesús cumplió la ley viviéndola totalmente. Él nos mostró la forma de amar a Dios y a los demás y nos dio el *nuevo mandamiento*. "Les doy un mandamiento nuevo: Ámense los unos a los otros. Como yo los he amado, así también ámense los unos a los otros" (Juan 13:34–35).

Oración y adoración La Sagrada Escritura es parte esencial de la liturgia, la adoración pública y oficial de la Iglesia. La palabra de Dios es proclamada en cada misa. De hecho, la primera de las cuatro partes principales de la misa es llamada Liturgia de la Palabra.

Los domingos y algunos días de precepto, la Liturgia de la Palabra incluye tres lecturas y un salmo responsorial. La primera lectura es generalmente del Antiguo Testamento. Escuchamos sobre la acción salvadora de Dios en la vida de su pueblo. Después cantamos o recitamos un salmo responsorial. La segunda lectura es de uno de los libros del Nuevo Testamento aparte de de los evangelios. Esta lectura nos anima a seguir las enseñanzas de Cristo y a ser fieles discípulos. La tercera lectura es siempre de uno de los Evangelios.

Mostramos nuestra reverencia a la buena nueva de Jesucristo poniéndonos de pie para la proclamación del Evangelio. El diácono o el sacerdote besa el libro de los Evangelios, el cual es honrado en procesión al inicio de la misa. Mientras el diácono o el sacerdote proclama el Evangelio, los acólitos generalmente se paran al lado sosteniendo velas encendidas. Estas son sólo algunas de las formas en que mostramos lo importante que son los Evangelios en la vida de los cristianos.

El diácono o sacerdote da una homilía que nos ayuda a reflexionar en las formas en que la palabra de Dios nos llama a vivir como fieles seguidores de Cristo.

Escuchar la palabra de Dios es también parte de otros sacramentos y celebraciones litúrgicas de la Iglesia. Por ejemplo, la Liturgia de las Horas, es una hermosa combinación de oraciones, himnos y de la palabra de Dios.

Podemos usar la Biblia para estudiar y para orar personalmente y para conocer a Dios y a nosotros mismos mejor. Esta reflexión nos ayuda a entender la voluntad de Dios para nosotros.

Habla de algunas de las formas en que puedes aprender más sobre la Escritura. Escribe una forma aquí.

Como católicos...

Jesús se identificó con aquellos a quienes él servía y dijo una vez a sus discípulos: "Cuando lo hicieron con uno de estos mis hermanos más pequeños, conmigo lo hicieron" (Mateo 25:40). Las obras de misericordia son obras de amor que nos ayudan a cuidar de las necesidades de los demás.

Las obras corporales de misericordia tienen que ver con las necesidades físicas y materiales de los demás. Las obras espirituales de misericordia tienen que ver con las necesidades de los corazones, las mentes y las almas.

314

Jesus fulfilled the Law by living it completely and totally. He showed us the way to love God and one another and gave us the *new commandment*. "I give you a new commandment: love one another. As I have loved you, so you also should love one another. This is how all will know that you are my disciples, if you have love for one another" (John 13:34–35).

Prayer and Worship Sacred Scripture is an essential part of the liturgy, the Church's official public worship. God's Word is proclaimed at every Mass. In fact, the first main part of the Mass is called the Liturgy of the Word.

As Catholics...

Jesus identified himself with those he served, and he once told his disciples, "Whatever you did for one of these least brothers of mine, you did for me" (Matthew 25:40). The Works of Mercy are acts of love that help us to care for the needs of others.

The Corporal Works of Mercy deal with the physical and material needs of others. The Spiritual Works of Mercy deal with the needs of people's hearts, minds, and souls.

On Sundays and certain feast days of the Church, the Liturgy of the Word includes three readings and a psalm response. The first reading is usually from the Old Testament. We hear of God's saving action in the lives of his people. We then sing or recite a Responsorial Psalm. The second reading is from one of the New Testament books other than the four Gospels. This reading encourages us to follow Christ's teachings and to be faithful disciples. The third reading is always from one of the four Gospels.

We show our reverence for the Good News of Jesus Christ by standing for the proclamation of the Gospel. The deacon or priest kisses the Book of the Gospels, which was also honored in procession at the beginning of the Mass. And while the deacon or priest proclaims the Gospel, altar servers often stand on either side of him holding candles. These are just some of the ways we show how important the Gospels are to our lives as Christians.

The deacon or priest then gives a homily that helps us to reflect on the ways that God's Word calls us to live as faithful followers of Christ.

Hearing the Word of God is also a part of the other sacraments and liturgical celebrations of the Church. For example, the Liturgy of the Hours is a beautiful combination of praying, singing, and listening to God's Word.

We can use the Bible in study and personal prayer to get to know God and ourselves better. This reflection can help us to understand God's will for us.

 Discuss some ways that you can learn more about Scripture.

La Iglesia continúa el ministerio de Jesús con los siete sacramentos.

La Iglesia continúa el ministerio de Jesús de acoger, sanar, perdonar y alimentar a otros por medio de los sacramentos. Un sacramento es un signo efectivo dado por Jesús a nosotros por medio del cual compartimos la vida de Dios. Llamamos gracia a la vida de Dios en nosotros. La gracia es un don de Dios a nosotros. Cristo instituyó los sacramentos para que sus seguidores pudieran experimentar siempre su presencia.

Los sacramentos son parte de la liturgia de la Iglesia y ellos son nuestras celebraciones más importantes. Todo el Cuerpo de Cristo celebra cada sacramento. El sacerdote y otros miembros de la Iglesia que participan en los sacramentos representan a toda la Iglesia. Los sacramentos unen a los católicos en todo el mundo con Jesús y unos con otros. Ellos nos unen como el Cuerpo de Cristo.

Sacramentos de iniciación   Nuestra iniciación en la Iglesia tiene lugar por medio de tres sacramentos.

El Bautismo es el sacramento en el que somos librados del pecado, nos hacemos hijos de Dios y somos bienvenidos a la Iglesia.

La Confirmación es el sacramento en el que somos sellados con el don del Espíritu Santo.

La Eucaristía es el sacramento del Cuerpo y la Sangre de Cristo en el que Jesús está verdaderamente presente bajo las apariencias de pan y vino.

Sacramentos de sanación   Hay dos sacramentos de sanación:

La Reconciliación llamada también la Penitencia, es el sacramento por medio del cual nuestra relación con Dios y la Iglesia se restablece cuando nuestros pecados son perdonados.

La Unción de los Enfermos es el sacramento en que la gracia y el consuelo de Dios es dado a los gravemente enfermos o a los ancianos que están sufriendo.

Sacramentos de servicio a la comunidad
Los miembros de la Iglesia que reciben estos sacramentos son fortalecidos para servir a Dios y a la Iglesia en dos vocaciones especiales.

El Orden Sagrado es el sacramento en que hombres bautizados son ordenados diáconos, sacerdotes u obispos para servir a la Iglesia.

El Matrimonio es el sacramento en el que un hombre y una mujer se comprometen a ser fiel uno al otro para toda la vida.

 Responde esta pregunta.

¿Qué sacramentos has recibido?

_____

_____

La Iglesia continúa el ministerio de Jesús trabajando por la justicia social.

Por medio de los profetas Dios llamó a su pueblo a trabajar por la justicia social y le dijo que el amor a Dios no podía separarse del amor al prójimo.

Jesucristo, el Hijo de Dios y Mesías, trabajó por la justicia. Él trató de asegurarse de que todo el mundo tuviera lo que necesitaba. Él habló en contra de los líderes que no se preocupaban de la gente.

The Church continues Jesus' ministry through the Seven Sacraments.

The Church continues Jesus' ministry of welcoming, healing, forgiving, and feeding others through the sacraments. A sacrament is an effective sign given to us by Jesus through which we share in God's life. We call the life of God within us grace. Grace is God's gift to us. Christ instituted the sacraments so that his followers would always experience his presence.

The sacraments are part of the liturgy of the Church, and they are our most important celebrations. The whole Body of Christ celebrates each sacrament. The priest and other members of the Church who participate in the sacraments represent the whole Church. The sacraments join Catholics all over the world with Jesus and with one another. They unite us as the Body of Christ.

Sacraments of Christian Initiation   Our initiation into the Church takes place through three sacraments:

- Baptism is the sacrament in which we are freed from sin, become children of God, and are welcomed into the Church.

- Confirmation is the sacrament in which we are sealed with the Gift of the Holy Spirit.

- The Eucharist is the Sacrament of the Body and Blood of Christ in which Jesus is truly present under the appearances of bread and wine.

Sacraments of Healing   Two sacraments are known as Sacraments of Healing:

- Penance and Reconciliation is the sacrament by which our relationship with God and the Church is restored and our sins are forgiven.

- The Anointing of the Sick is the sacrament by which God's grace and comfort are given to those who are suffering because of their old age or serious illnesses.

Sacraments at the Service of Communion   Church members who receive these sacraments are strengthened to serve God and the Church through one of two particular vocations:

- Holy Orders is the sacrament in which baptized men are ordained to serve the Church as deacons, priests, and bishops.

- Matrimony is the sacrament in which a man and woman become husband and wife and promise to be faithful to each other for the rest of their lives.

 Write your answer to this question: What sacraments have you received?

_____

_____

The Church continues Jesus' ministry through her work for social justice.

Through the prophets God called his people to work for social justice, and told them that love of God could not be separated from love of neighbor.

Jesus Christ, the Son of God and Messiah, worked for justice. He tried to make sure that people had what they needed. He spoke out against leaders who did not take care of people.

317

La doctrina social de la Iglesia nos llama a trabajar por la justicia y la paz como lo hizo Jesús. La vida de Jesús y su enseñanza son la base de la doctrina social de la Iglesia. La doctrina social de la Iglesia tiene siete temas.

Toda la Iglesia está llamada a vivir la doctrina social de la Iglesia. Juntos podemos trabajar para cambiar las cosas que permiten la injusticia en la sociedad. Toda sociedad debe promover la virtud, nunca obstruirla. Juntos podemos trabajar para promover la virtud en nuestra sociedad dando prioridad a los valores espirituales. A las personas en posición de autoridad les corresponde promover el bien común por medios morales que conduzcan a condiciones sociales centradas en la satisfacción de las necesidades colectivas.

RESPONDEMOS

En grupo seleccionen un tema de la doctrina social de la Iglesia. Dramaticen algunos ejemplos de personas siguiendo la enseñanza y personas que no la siguen.

Vocabulario
doctrina social de la Iglesia (pp 349)

Temas de la doctrina social de la Iglesia

Vida y dignidad de la persona   La vida humana es sagrada porque es un don de Dios. Porque todos somos hijos de Dios, compartimos la misma dignidad humana. Nuestra dignidad, valor personal, no viene de nuestra apariencia o de las cosas que logramos hacer. Nuestra dignidad viene de ser creados a imagen y semejanza de Dios. Esta dignidad nos hace iguales. Como cristianos respetamos a todos aun aquellos que no conocemos.

Llamado a la familia, la comunidad y la participación   Todos somos entes sociales. Necesitamos estar con otros para crecer. La familia es la comunidad básica en la sociedad. En la familia crecemos y aprendemos los valores. Aprendemos lo que significa ser parte de un grupo. Las familias son grupos de personas que contribuyen a la sociedad en diferentes formas. Como cristianos estamos involucrados en nuestra vida familiar y comunitaria.

Derechos y deberes de la persona   Toda persona tiene el derecho fundamental de vivir. Esto incluye las cosas que necesitamos para vivir una vida decente: fe y familia, trabajo y educación, salud y vivienda. Tenemos responsabilidad con los demás en la sociedad. Trabajamos para asegurarnos de que los derechos de todo el mundo sean protegidos.

Opción por los pobres e indefensos   Tenemos obligación especial de ayudar a los pobres y los necesitados. Esto incluye aquellos que no pueden protegerse a sí mismos debido a su edad o su salud. En diferentes estados de nuestras vidas todos somos pobres en alguna manera y en necesidad de ayuda.

Dignidad del trabajo y derechos de los trabajadores   La gente tiene el derecho a un trabajo decente, salario justo, condiciones de trabajo seguras y a participar en las decisiones acerca de su trabajo. Hay valor en todo trabajo. Nuestro trabajo en la escuela y la casa es una forma de participar en el trabajo de la creación de Dios. Esta es una forma de usar nuestros talentos. Unido a Cristo, nuestro trabajo tiene una labor redentora.

Solidaridad con la familia humana   Solidaridad es un sentimiento de unidad. Esta une a los miembros de un grupo. Cada uno de nosotros es miembro de la familia humana, iguales por dignidad humana. La familia humana incluye a gente de todas las razas, culturas y religiones. Cuando una parte de la familia humana sufre, todos sufrimos, no importa si viven lejos o cerca de nosotros.

Protección de la creación de Dios   Dios nos creó a todos para ser mayordomos, cuidadores, de la creación. Debemos cuidar y respetar el ambiente y protegerlo para futuras generaciones. Al cuidar de la creación, mostramos respeto al Creador.

Catholic social teaching calls us to work for justice and peace as Jesus did. Jesus' life and teaching are the foundation of Catholic social teaching. There are seven themes of Catholic social teaching.

The whole Church is called to live by this social teaching. Together we can work to change the things in society that allow injustice. Society should promote virtue, not obstruct it. Together we can work to promote virtue in society by keeping spiritual values primary. Those in authority must serve the common good using morally acceptable means. This means providing social conditions that allow people to reach their fulfillment.

WE RESPOND

In groups select one theme of Catholic social teaching. Dramatize some examples of people following the teaching and of people not following it.

Key Word

Catholic social teaching (p. 351)

Themes of Catholic Social Teaching

Life and Dignity of the Human Person   Human life is sacred because it is a gift from God. Because we are all God's children, we all share the same human dignity. Our dignity—our worth and value—does not come from the way we look or the things we accomplish. Our dignity comes from being made in the image and likeness of God. This dignity makes us equal. As Christians we respect all people, even those we do not know.

Call to Family, Community, and Participation   We are all social. We need to be with others to grow. The family is the basic community in society. In the family we grow and learn values. We learn what it means to be part of a group. Families are groups of people that contribute to society in many ways. As Christians we are involved in our family life and community.

Rights and Responsibilities of the Human Person   Every person has a fundamental right to life. This includes the things we need to have a decent life: faith and family, work and education, health care and housing. We also have a responsibility to others and to society. We work to make sure the rights of all people are being protected.

Option for the Poor and Vulnerable   We have a special obligation to help those who are poor and in need. This includes those who cannot protect themselves because of their age or their health. At different times in our lives we are all poor in some way and in need of assistance.

The Dignity of Work and the Rights of Workers   People have the right to decent work, just wages, safe working conditions, and to participate in decisions about their work. There is value in all work. Our work in school and at home is a way to participate in God's work of creation. It is a way to use our talents. When we unite our work to Christ, it can be redemptive..

Solidarity of the Human Family   Solidarity is a feeling of unity. It binds members of a group together. Each of us is a member of the one human family, equal from our common human dignity. The human family includes people of all racial, cultural, and religious backgrounds. We all suffer when one part of the human family suffers whether they live near us or far away from us.

Care for God's Creation   God created us to be stewards, or caretakers, of his creation. We must care for and respect the environment. We have to protect it for future generations. When we care for creation, we show respect for God the Creator.

HACIENDO DISCIPULOS

Muestra *lo* que sabes

¿Cómo puedes enseñar la doctrina social de la Iglesia a otros?
Usa la imaginación y escribe aquí tus ideas.

Celebra

Los siete sacramentos son parte de la liturgia de la Iglesia y son nuestras celebraciones más importantes.

↳ **RETO PARA EL DISCIPULO** Invita a tus amigos y familiares a llenar una "encuesta sobre los sacramentos". Pregúntales que sacramentos han celebrado. Anota los resultados aquí.

Nombre	Sacramento celebrado

PROJECT DISCIPLE

Show What *you* Know

How can you teach others about Catholic social teaching?
Be creative. Write your ideas here:

Celebrate!

The Seven Sacraments are part of the liturgy of the Church, and they are our most important celebrations.

↳ **DISCIPLE CHALLENGE** Invite your friends and family to take a "sacrament survey." Ask them which sacraments they have received. Record your results here:

Name	Sacraments Received

HACIENDO DISCÍPULOS

Vidas de santos

Santo Tomás de Aquino es conocido como uno de los grandes teólogos en la historia de la Iglesia. Era sacerdote dominico y brillante estudiante. Es el patrón de las universidades y los estudiantes. Su fiesta se celebra el 28 de enero.

Visita *Vidas de santos* en religion.sadlierconnect.com para aprender más sobre los santos.

Escritura

"Con perseverancia acudían diariamente al templo, partían el pan en las casas y compartían los alimentos con alegría y sencillez de corazón; alababan a Dios y se ganaban el aprecio de todo el pueblo. Por su parte, el Señor cada día agregaba al grupo de los creyentes aquellos que aceptaban la salvación".
(Hechos de los apóstoles 2:46–47)

• ¿Qué sacramento describe el primer versículo?

_____

• Traza un círculo alrededor de la oración que implica que más y más personas eran bautizadas y seguían a Jesús.

Consulta

Al acercarte al final del sexto curso del programa *Creemos*, ¿qué preguntas tienes aún sobre la Biblia?

_____

_____

_____

_____

Tarea

Lee la sección *Consulta* con tu familia. Conversen sobre tus respuestas. Trabajen juntos para encontrar respuestas. Invita a tus familiares a compartir sus historias bíblicas o pasajes favoritos presentados en el sexto curso del programa *Creemos*.

Pray
Learn
Celebrate
Share
Choose
Live

PROJECT DISCIPLE

Saint Stories

Saint Thomas Aquinas is known as one of the greatest theologians in the history of the Church. He was a Dominican priest and a brilliant student. He is the patron saint of all universities and of students. The Church celebrates his feast day on January 28.

Visit *Lives of the Saints* on **religion.sadlierconnect.com** to learn more about saints and holy people.

What's *the* Word?

"Every day they devoted themselves to meeting together in the temple area and to breaking bread in their homes. They ate their meals with exultation and sincerity of heart, praising God and enjoying favor with all the people. And every day the Lord added to their number." (Acts of the Apostles 2:42, 46–47)

• Which sacrament is described in the first verse?

_____

• Circle the sentence above that implies that more and more people were being baptized and following Jesus.

Question Corner

As you near the end of the Grade 6 *We Believe* program, what questions do you still have about the Bible?

_____

_____

_____

_____

_____

Take Home

Read the *Question Corner* with your family. Talk about your response(s). Work together to find the answers. Invite family members to share favorite Bible stories or passages that were introduced to them through the Grade 6 *We Believe* program.

Capítulo 25 (páginas 310–323)

La Biblia y la Iglesia hoy

En este capítulo su niño(a) aprenderá sobre cómo la Iglesia continúa el ministerio de Jesús.

Para los padres

Dios, a través de la Iglesia, nos ha dado muchos recursos que nos ayudan en nuestro peregrinar a la santidad. Entre ellos la Sagrada Escritura, los sacramentos y la doctrina social de la Iglesia.

Todos los días

- Juntos recen: *Querido Dios, gracias por la gracia que recibimos en los sacramentos.*

Primer día En el Nuevo Testamento encontramos diferentes formas de escritura.

- Lea en voz alta el enunciado y el texto hasta "Los Evangelios". Señale que la Biblia es un registro de como Dios se ha mantenido fiel a su pueblo.

- Enfatice que los cristianos ven los eventos y las verdades descritas en el Antiguo Testamento llevándonos a Jesús y sus enseñanzas según se establecen en el Nuevo Testamento. Luego tomen turnos leyendo sobre los diferentes tipos de libros en el Nuevo Testamento.

- Recuérdele a su niño(a) que la Biblia no es solo un libro de fe, sino también la palabra de Dios. Porque el Espíritu Santo inspiró a los escritores bíblicos, Dios es el verdadero autor de la Biblia.

Segundo día La Biblia es una fuente importante para vivir una vida cristiana y adorar.

- Tomen turnos leyendo en voz alta el enunciado y el texto

hasta el título "La oración y la adoración". Luego, comente los Diez Mandamientos, las Bienaventuranzas, el Gran Mandamiento y el nuevo mandamiento de Cristo.

- Pida a su niño(a) que lea en voz alta "Oración y adoración". Comente acerca de la importancia de la Escritura en la misa y como parte esencial de la liturgia de la Iglesia. Converse sobre la lectura de la Biblia como parte de la oración personal.

Tercer día La Iglesia continúa el ministerio de Jesús con los siete sacramentos.

- Lea en voz alta el enunciado y la introducción a los sacramentos. Asegúrese de que su niño(a) sepa que un sacramento es un signo eficaz que nos dio Jesús a través del cual compartimos en la vida de Dios y que la vida de Dios en nosotros es la gracia.

- Pida a su niño(a) que lea en silencio la descripción de cada sacramento y mire el símbolo de ese sacramento.

Cuarto día La Iglesia continúa el ministerio de Jesús trabajando por la justicia social.

- Lea en voz alta el enunciado y el texto que sigue. Enfatice que la doctrina social de la Iglesia nos llama a trabajar por la justicia y la paz.

Respondemos en fe

Quinto día

- Invite a su niño(a) a hablar sobre cómo la Escritura es una parte de su vida.

Sexto día

- Invite a su niño(a) a conversar con su familia sobre los siete temas de la doctrina social de la Iglesia.

Chapter 25 (pages 310–323)

The Bible and the Church Today

In this chapter your child will learn about the way the Church continues the ministry of Jesus.

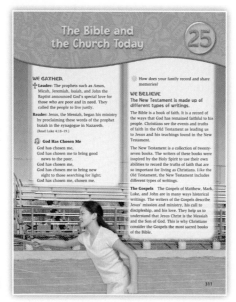

For the Parents

God, through the Church, has provided us with many resources to help us on our life journey to holiness. Included in these resources are the Sacred Scriptures, the sacraments, and the Church's social teachings.

Every Day

- Pray together, *Thank you dear God for the graces we receive in the Sacraments.*

Day One The New Testament is made up of different types of writings.

- Read aloud the statement and the text up to the heading "The Gospels." Point out that the Bible is a record of the ways that God has remained faithful to his people.

- Emphasize that Christians see the events and truths described in the Old Testament as leading us to Jesus and his teachings as set forth in the New Testament. With your child read about the different types of books in the New Testament.

- With your child recall that the Bible is not only a book of faith but also the word of God. Because the Holy Spirit inspired the biblical writers, God is the true author of the Bible.

Day Two The Bible is an important source for Christian living and worship.

- With your child, read the statement and the text up to the heading "Prayer and Worship." Then

discuss the Ten Commandments, the Beatitudes, the Great Commandment, and Christ's new commandment.

- Ask your child to read aloud "Prayer and Worship." Talk about the importance of Sacred Scripture in the Mass and as an essential part of the liturgy of the Church. With your child talk about reading the Bible as part of personal prayer.

Day Three The Church continues Jesus' ministry through the seven sacraments.

- Read aloud the statement and the introduction to the sacraments. Make sure your child knows that a sacrament is an effective sign given to us by Jesus through which we share in God's life, that the life of God within us is grace.

- Ask your child to read silently the description of each sacrament and look at the symbol for that sacrament.

Day Four The Church continues Jesus' ministry through its work for social justice.

- With your child read the statement and the text. Emphasize that Catholic social teaching calls us to work for justice and peace

We Respond in Faith

Day Five

- Invite your child to talk about the ways Scripture is a part of his or her life.

Day Six

- Invite to discuss the seven themes of Catholic social teaching.

La Iglesia en el mundo

NOS CONGREGAMOS

 Líder: Bendito sea Dios quién nos creó para ser su Iglesia.

Bendito sea el nombre del Señor.

Todos: Ahora y siempre.

Lector: Lectura del santo Evangelio según Mateo.

Todos: Gloria a ti, Señor.

Lector: "Jesús les preguntó: 'Y según ustedes, ¿quién soy yo?' Simón Pedro respondió: 'Tú eres el Mesías, el Hijo de Dios vivo'. Jesús le dijo:. . . 'tú eres Pedro, y sobre esta piedra edificaré mi iglesia'". (Mateo 16:15–18)

Palabra del Señor.

Todos: Gloria a ti, Señor Jesús.

🎵 **Quién dicen que soy yo / Who Do You Say That I Am**

¿Quién dicen que soy yo?
Who do you say that I am?
Dicen algunos que eres Juan Bautista.
Otros han dicho que eres Elías.

Unos han oído
a otra gente que están seguros
que eres un profeta muy antiguo
que ha vuelto a la vida.

☀ ¿En qué crees? ¿Cómo muestras a otros lo que crees?

CREEMOS
Vivimos como un pueblo.

Cada vez que nos reunimos en la misa, profesamos nuestra fe y rezamos el Credo de los Apóstoles o el Credo de Nicea. Declaramos nuestra fe en Jesucristo, la Santísima Trinidad y la Iglesia. En el Credo de Nicea decimos: "Creemos en una iglesia santa, católica y apostólica". Una, santa, católica y apostólica son las cuatro características, rasgos o marcas, que identifican la Iglesia. Son llamadas **características de la Iglesia**.

WE GATHER

✝ **Leader:** Blessed be God who made us to be his Church.

Blessed be the name of the Lord.

All: Now and for ever.

Reader: A reading from the holy Gospel according to Matthew

All: Glory to you, O Lord.

Reader: Jesus said to them, "'But who do you say that I am?' Simon Peter said in reply, 'You are the Messiah, the Son of the living God.' Jesus said to him. . . . 'you are Peter, and upon this rock I will build my church'" (Matthew 16:15–18).

The Gospel of the Lord.

All: Praise to you, Lord Jesus Christ.

 Who Am I?

Who do you say I am?
Tell me who I am!
You are Jesus! Yes, I am.
Christ the Lord! Yes, I am.
Son of God! Yes, I am.

On your faith I'll build my Church.
We will build your Church!
Will you follow? Yes, we will!
Love each other? Yes, we will!
Share the Good News? Yes, we will!

 What do you believe in? How do you show others what you believe in?

WE BELIEVE
We live as one people.

Each time we gather for Mass, we profess our faith by praying the Apostles' Creed or the Nicene Creed. We declare our belief in Jesus Christ, the Blessed Trinity, and the Church. In the Nicene Creed we state, "We believe in one holy catholic and apostolic Church." One, holy, catholic, and apostolic are the four essential features, or identifying marks, of the Church. They are also called the **marks of the Church**.

Los miembros de la Iglesia creen y siguen a un solo Señor, Jesucristo. La Iglesia es una porque sus miembros están unidos en Cristo, quien es: "también la cabeza del cuerpo que es la iglesia" (Colosenses 1:18). San Pablo escribió: "Del mismo modo que el cuerpo es uno y tiene muchos miembros, y todos los miembros del cuerpo, por muchos que sean, no forman más que un solo cuerpo, así también Cristo. Porque todos nosotros, judíos o no judíos, esclavos o libres, hemos recibido un mismo Espíritu en el bautismo" (1 Corintios 12:12-13).

La Iglesia es una porque

- Jesucristo nos une con su muerte y Resurrección

- el Espíritu Santo nos ha unido y nos guía como comunidad

- el papa y los obispos son llamados a dirigirnos y continuar el trabajo de los apóstoles

- los siete sacramentos nos unen y nos ayudan a compartir la gracia de Dios.

Todos los miembros comparten el mismo Bautismo en el nombre del Padre, y del Hijo y del Espíritu Santo. Por nuestro Bautismo común, participamos en el sacramento de la Eucaristía. En la Eucaristía, somos alimentados por la palabra de Dios y recibimos el Cuerpo y la Sangre de Cristo. Nos unimos más a Cristo y a los demás para formar el cuerpo de Cristo, la Iglesia. Mostramos que estamos llenos de la vida de Cristo con la forma en que vivimos.

La Iglesia Católica enseña que es la Iglesia fundada por Cristo mismo. Esta es la Iglesia que es una, santa, católica y apostólica. Los católicos reconocen y respetan a todos los demás cristianos y reconocen la bondad en otras tradiciones cristianas. Estamos especialmente unidos a los miembros de las iglesias ortodoxas. Otros seguidores de Cristo incluyen a los episcopales, los luteranos, los metodistas, los presbiterianos, los bautistas y los pentecostales.

Jesús quiere que sus seguidores estén unidos. La Iglesia Católica trabaja con otras comunidades cristianas para unir la Iglesia. Este trabajo de promover la unidad entre los cristianos es llamado **ecumenismo**. La tarea del ecumenismo nos incluye a todos. Somos llamados a conocer y compartir nuestra fe y las enseñanzas de la Iglesia. Somos llamados a crecer como discípulos de Cristo y a rezar para que todos los cristianos sean uno.

¿Cómo puedes mostrar que crees en el ecumenismo? Dibuja un cartel ilustrando algunas maneras de hacer realidad el ecumenismo.

Como católicos...

El Día de Todos los Santos, noviembre 1, recordamos y honramos a todos los fieles cristianos que vivieron vidas santas en la tierra y que ahora viven felizmente con Dios por siempre. No sólo celebramos las vidas de los santos canonizados sino también de los santos que están con Dios. Este es un buen momento para celebrar la vida de nuestros santos patrones, santos por quienes somos nombrados, santos por quienes son nombradas nuestras escuelas y nuestras parroquias y los santos que honran nuestras familias.

El Día de los Muertos, el 2 de noviembre, recordamos a todos los que han muerto, especialmente a nuestros parientes y los difuntos de nuestra parroquia. Rezamos para que lleguen a conocer el amor y la misericordia de Dios y compartan la vida eterna.

¿Cuáles son algunas de las personas que recuerdas de manera especial esos días?

The members of the Church believe in and follow the one Lord, Jesus Christ. The Church is one because its members are joined to Christ, who "is the head of the body, the church" (Colossians 1:18). Saint Paul wrote, "As a body is one though it has many parts, and all the parts of the body, though many, are one body, so also Christ. For in one Spirit we were all baptized into one body, whether Jews or Greeks, slaves or free persons" (1 Corinthians 12:12–13).

The Church is one because

- Jesus Christ unites us by his Death and Resurrection

- the one Holy Spirit draws us together and guides us as a community

- the pope and bishops are called to lead us and continue the work of the Apostles

- the Seven Sacraments unite us and enable us to share in God's grace.

As Catholics...

On All Saints' Day, November 1, we remember and honor all of Christ's faithful followers who lived holy lives on earth and now live in happiness with God forever. We not only celebrate the lives of canonized saints but also all people who are saints with God. This is a good time to celebrate the lives of our patron saints—the saints whose names we share, the saints for whom our schools and parishes are named, and the saints that our families honor.

On All Souls' Day, November 2, we remember all people who have died, particularly those in our own families and parishes. We pray that they may know God's love and mercy and share in eternal life.

Who are some of the people you remember on these special days?

All members share the same Baptism in the name of the Father, and the Son, and the Holy Spirit. Because of our common Baptism, we participate in the Sacrament of the Eucharist. In the Eucharist, we are nourished by the Word of God and receive the Body and Blood of Christ. We are joined more closely to Christ and one another to form the Body of Christ, the Church. We show that we are filled with the life of Christ by the way that we live.

The Catholic Church teaches that it is the Church founded by Christ himself. It is the one, holy, catholic, and apostolic Church. However, the Catholic Church respects all other Christians and recognizes the good in other Christian traditions. We have an especially close connection to the members of the Orthodox Churches. Other followers of Christ include: Episcopalians, Lutherans, Methodists, Presbyterians, Baptists, and Pentecostals.

Jesus wanted his followers to be united. The Catholic Church works with other Christian communities to bring about the unity of the Church. This work to promote the unity of all Christians is called **ecumenism**. The task of ecumenism involves all of us. We are called to know and share our faith and the teachings of the Church. We are called to grow as disciples of Christ and to pray that all Christians may be one.

How can you show that you believe in ecumenism? With a partner make a poster illustrating some possible ways to bring about ecumenism.

Ecumenical prayer service, Toronto, Canada

Vivimos como un pueblo santo.

Aprendemos en el Antiguo Testamento que el único y verdadero Dios es bueno y santo. Él comparte su bondad con toda su creación, especialmente con los humanos.

Cristo nos ofreció su bondad y santidad con su vida, muerte, Resurrección y Ascensión. En la Iglesia, Cristo comparte con nosotros hoy su santidad. **Santidad** es compartir la bondad de Dios y responder a su amor con la forma en que vivimos. Esta santidad viene del don de la vida de Dios que él comparte con nosotros por medio de los sacramentos y de vivir como fieles cristianos cada día. El Espíritu Santo nos ayuda a responder al amor de Dios y a seguir el ejemplo de Cristo.

Los apóstoles enseñaron a los primeros cristianos que por el Bautismo compartían la vida y santidad de Cristo. San Pablo escribió a la nueva comunidad de Corinto: "¿No saben que son templos de Dios y que el Espíritu de Dios habita en ustedes? . . . . el templo de Dios es santo, y ese templo son ustedes" (1 Corintios 3:16–17).

Para Pablo, *santo* era otra forma de decir "pertenecer a Dios". Le dijo a los corintios: "Consagrados por Cristo Jesús, han sido llamados a ser pueblo de Dios en unión con todos los que invocan en cualquier lugar el nombre de Jesucristo" (1 Corintios 1:2). Pablo, Pedro y otros apóstoles animaron a los discípulos de Cristo a vivir vidas santas. También nosotros compartimos este llamado a la santidad.

Desde los inicios de la Iglesia algunos de los santos de Dios han sido honrados como santos. Los santos han vivido su fe de diferentes maneras. Algunos santos predicaron la buena nueva de Cristo en tiempos en que la Iglesia no era comprendida por la sociedad. Otros pusieron la palabra de Jesús a trabajar en medio de un mundo injusto. Muchos otros dedicaron sus vidas a rezar y a hacer penitencia. Muchos otros fueron mártires.

La Iglesia declara oficialmente santos a los discípulos de Cristo por medio de un proceso llamado *canonización*. Estas personas son amigos y servidores de Dios. Sus vidas son modelos para nosotros y nos enseñan como ser verdaderos discípulos. Porque los santos están cerca de Cristo, ellos rezan por nosotros constantemente. Ellos ayudan a la Iglesia a crecer en santidad.

Todos somos santos de Dios, y su Iglesia es santa. Hay veces en que no vivimos como Dios quiere. Sin embargo, por la gracia del sacramento de la Reconciliación somos librados del pecado y santificados de nuevo. El sacramento de la Eucaristía también nos fortalece para seguir el ejemplo de santidad de Cristo. Orar, respetar a los demás, vivir justamente y trabajar por la justicia y la paz, nos ayuda a responder a la gracia de Dios en nuestras vidas y a ayudar a la Iglesia a crecer en santidad.

En grupo identifique algunas formas en que sus familias pueden mostrar a otros que "pertenecen a Dios".

_____

_____

_____

We live as a holy people.

We learn from the Old Testament that the one true God is good and holy. He shared his goodness with all of his creation, most especially with humans.

Christ offered his goodness and holiness to us through his life, Death, Resurrection, and Ascension. Christ shares his holiness with us today through the Church. **Holiness** is sharing in God's goodness and responding to his love by the way we live. This holiness comes from the gift of God's life that he shares with us through the sacraments and from living as faithful Christians every day. The Holy Spirit helps us to respond to God's love and to follow Christ's example.

The Apostles taught the early Christians that by Baptism they shared in the very life and holiness of Christ. Saint Paul wrote to the new community at Corinth, "Do you not know that you are the temple of God, and that the Spirit of God dwells in you? . . . the temple of God, which you are, is holy" (1 Corinthians 3:16, 17).

To Paul, *holy* was another way of saying "belonging to God." He told the Corinthians,

"You who have been sanctified in Christ Jesus, called to be holy, with all those everywhere who call upon the name of our Lord Jesus Christ" (1 Corinthians 1:2). Paul, Peter, and the other Apostles encouraged Christ's disciples to live lives of holiness. We, too, share this call to holiness.

From the beginning of the Church, some of God's holy ones have been honored as saints. Saints have stood up for their faith in many ways. Some saints preached the Good News of Christ in times when the Church was misunderstood by society. Others put Jesus' words into action in the midst of injustice. Many others dedicated their lives to prayer and penance. And others were martyrs.

The Church officially declares a disciple of Christ a saint by a process called *canonization.* These women and men are friends and servants of God. Their lives are models for us and teach us about true discipleship. Because the saints are closely united to Christ, they pray for us constantly. They help the Church to grow in holiness.

We are all God's holy ones, and his Church is holy. Yet at times we do not live as God calls us to live. However, through the grace of the Sacrament of Penance, we are again freed from sin and made holy. The Sacrament of the Eucharist also strengthens us to follow Christ's example of holiness. Praying, respecting all people, living fairly, and working for justice and peace help us to respond to God's grace in our lives and to help the Church to grow in holiness.

In groups identify some ways you and your families can show others that you "belong to God."

_____

_____

_____

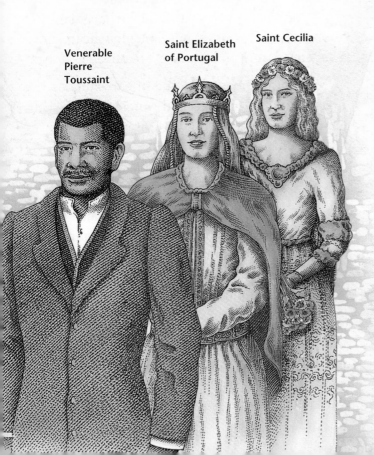

Venerable Pierre Toussaint

Saint Elizabeth of Portugal

Saint Cecilia

Vivimos como un pueblo que acoge.

La palabra *católica* significa "universal". La Iglesia acoge a todo el mundo, a todos los que busquen el amor y la misericordia de Dios. Jesús envió a los apóstoles a hacer discípulos en todas las naciones. Algunos de ellos viajaron a otras partes del mundo para predicar el evangelio, bautizar creyentes y establecer comunidades de iglesias locales. Este fue el inicio de la Iglesia universal.

Los católicos pertenecen a una gran variedad de culturas. Nuestras costumbres y expresiones diferentes son un don para la Iglesia. Tenemos muchos idiomas y costumbres, pero estamos unidos por nuestro amor por Cristo y nuestra llamada común a la santidad. Juntos hacemos la Iglesia católica.

Porque la Iglesia es católica todos están invitados a creer en Jesús y a ser bautizados en la fe de la Iglesia. La misión de la Iglesia es compartir la buena nueva de Cristo y difundir el reino de Dios.

Cada uno de nosotros es llamado a participar en la misión de la Iglesia. Estamos llamados a compartir la buena nueva de Cristo y a vivir vidas santas. Podemos hacer eso rezando, haciendo buenas obras y de acuerdo a como vivimos.

Algunos miembros de la Iglesia son misioneros quienes comparten su fe con aquellos a quienes sirven. Ellos también construyen casas, escuelas y hospitales. Algunas veces enseñan a la gente a cultivar la tierra o les ayudan a satisfacer sus necesidades de otras formas. Ese trabajo de servicio pone en acción la buena nueva de Cristo.

Hay muchas otras religiones además del cristianismo. Como católicos respetamos los derechos de otros a practicar y vivir su fe. Como ya sabes el cristianismo tiene raíces en el judaísmo. El pueblo judío es nuestro pueblo antepasado en la fe y muchas de nuestras creencias, prácticas de oración y tradiciones están basadas en el judaísmo. Hoy el pueblo judío en todas partes, continúa viviendo como el pueblo de Dios y cumple con la alianza.

El islamismo es otra religión con la que los cristianos y los judíos comparten la creencia en un sólo y verdadero Dios. Los que practican esta religión son llamados musulmanes. Musulmanes, judíos y cristianos tienen una importante conexión de adorar a Dios y considerar a Abraham un antepasado común. Los musulmanes siguen las enseñanzas del profeta Mahoma, quien vivió en los siglos VI y VII.

Personas de otras religiones y fe incluyen a los budistas, hindúes y miembros de muchas tribus indígenas. La Iglesia respeta los derechos de todo el mundo a practicar su fe y nos unimos para tratar de hacer del mundo un mejor lugar para vivir.

Todos aquellos que dan la vida por su fe, los catecúmenos y las personas que (sin ser su culpa) no conocen a Cristo o su Iglesia pero buscan a Dios y hacer su voluntad de la mejor manera, pueden alcanzar la salvación aun sin haber sido bautizadas.

Nombra formas en la que tu parroquia es una comunidad compuesta de diferentes personas.

Vivimos como pueblo fiel.

La Iglesia es apostólica porque está construida en la fe de los apóstoles. ". . . conciudadanos de los que forman el pueblo de Dios; son familia de Dios, edificados sobre los cimientos de los apóstoles y profetas siendo el mismo Cristo Jesús la piedra fundamental". (Efesios 2:19–20).

Jesús escogió a los apóstoles para cuidar y dirigir la comunidad de creyentes. La fe que profesamos y practicamos está basada en la fe que los apóstoles compartieron y difundieron.

We live as a welcoming people.

The word *catholic* means "universal." The Church welcomes all people everywhere who seek God's love and mercy. Jesus commissioned the Apostles and sent them to make disciples of all nations. Some of them traveled to other parts of the world to preach the Gospel, baptize believers, and establish local Church communities. This was the beginning of the universal Church.

Catholics belong to a great variety of cultures. Our different customs and expressions of faith are a gift to the Church. We have many languages and customs, but we are united by our love for Christ and our common call to holiness. Together we make the Church catholic.

Because the Church is catholic, all people are invited to believe in Jesus and to be baptized in the faith of the Church. The mission of the Church is to share the Good News of Christ and to spread the Kingdom of God.

Each of us is called to take part in the mission of the Church. We are called to share the Good News of Christ and to live lives of holiness. We can do this by our prayers, good works, and everyday living.

Some members of the Church are missionaries who share their faith with those they serve. They also may build homes, schools, and hospitals with the people they serve. They may teach people to farm and to provide for their needs in other ways, too. These works of service put the Good News of Christ into action.

There are many other religions beside Christianity. As Catholics we respect the rights of others to practice and live their faith. As you have learned, Christianity has its roots in Judaism. The Jewish People are our ancestors in faith, and many of our beliefs, prayer practices, and traditions are based in Judaism. Today Jewish People everywhere continue to live as God's people and follow the covenant.

Islam is another religion with which Christians and Jews share belief in the one true God. People who practice the religion of Islam are called Muslims. Muslims, Jews, and Christians have the important connection of worshiping God and consider Abraham a common ancestor. Muslims follow the teachings of the prophet Muhammad, who lived in the sixth and seventh centuries.

People of other religions and faiths include Buddhists, Hindus, and members of many native tribes. The Church respects the rights of all people to practice their faith, and we join trying to make the world a better place for all people.

People who die for the faith, catechumens, and those who through no fault of their own do not know Christ or his Church, but who seek God and do their best to follow his will, may achieve salvation even if they have not been baptized.

Name ways your parish is one community made up of many different people.

We live as a faithful people.

The Church is apostolic because it is built on the faith of the Apostles. "[Y]ou are fellow citizens with the holy ones and members of the household of God, built upon the foundation of the apostles and prophets, with Christ Jesus himself as the capstone" (Ephesians 2:19–20).

Jesus chose the Apostles to care for and lead the community of believers. The faith we profess and practice is based on the faith that the Apostles shared and spread.

La vida y el liderazgo de la Iglesia están basados en la de los Apóstoles. Cuando los Apóstoles establecían comunidades locales de creyentes, ellos nombraban líderes locales para que los representaran en la comunidad. Los Apóstoles pasaban a esos líderes lo que Cristo les había dado: el don del Espíritu Santo y la autoridad de continuar la misión de Jesucristo. Esos líderes que continuaron el trabajo misionero de los Apóstoles fueron los sucesores de los Apóstoles y eventualmente se conocieron como obispos. La Iglesia creció y los obispos nombraron a otros para que continuaran con el ministerio de los Apóstoles. De esa forma, el liderazgo de la Iglesia a través de la historia puede llevarse hasta los Apóstoles.

Como obispo de Roma, el papa es el sucesor del Apóstol Pedro, quien fue el primer líder de la Iglesia de Roma. El papa continúa el ministerio de Pedro y tiene una responsabilidad especial de cuidar de la Iglesia. Los obispos, con el papa a la cabeza, están llamados a dirigir y guiar a toda la Iglesia.

Toda la Iglesia comparte la misión que Cristo dio primero a sus Apóstoles. Pero como un cuerpo tiene diferentes funciones, así los miembros de la Iglesia tienen diferentes papeles al compartir esta misión.

Los laicos son miembros bautizados de la Iglesia que comparten la misión de la iglesia de llevar la Buena Nueva de Cristo al mundo. Los laicos también son llamados fieles cristianos. Ahora eres un laico y cada día creces como discípulo de Jesús. No tienes que esperar a ser adulto para ser un miembro activo de la Iglesia. Como laico eres llamado a compartir la Buena Nueva en tu casa, tu

escuela y tu vecindario. Puedes participar en las celebraciones de tu parroquia y ser un ejemplo de vida cristiana para otros. Los laicos son llamados a participar en la celebración de los sacramentos y apoyar a sus parroquias.

Los laicos son llamados a llevar la Buena Nueva de Cristo a sus lugares de trabajo y a su comunidad. Mujeres y hombres son llamados a participar en el gobierno de la ciudad, del estado y de la nación. Ellos tienen una responsabilidad de actuar y tomar decisiones basadas en las enseñanzas de Jesús y su fe.

Es una verdadera bendición que todos en la Iglesia puedan trabajar por el reino de Dios. Somos un pueblo que puede mostrar su amor a otros y que vivimos en el mundo como discípulos de Cristo

RESPONDEMOS

¿Cuáles son algunas formas en que la Iglesia sirve en el mundo?

_____

_____

Vocabulario

características de la Iglesia (pp 349)

ecumenismo (pp 349)

santidad (pp 350)

The life and leadership of the Church is based on that of the Apostles. When the Apostles established local communities of believers, they appointed local leaders to represent them in the community. The Apostles passed on to these leaders what Christ had given them: the gift of the Holy Spirit and the authority to carry out the mission of Jesus Christ. These leaders who continued the Apostles' ministry were the successors of the Apostles and eventually became known as bishops. As the Church grew, the bishops commissioned others to continue the ministry of the Apostles. In this way, the leadership of the Church throughout history can be traced back to the Apostles.

As the Bishop of Rome, the pope is the successor of the Apostle Peter, who was the first leader of the Church of Rome. The pope continues Peter's ministry and has a special responsibility to care for the Church. The bishops with the pope as their head, are called to lead and guide the whole Church.

The whole Church shares in the mission that Christ first gave to his Apostles. But as a body has different parts with different functions, so the members of the Church have different roles in sharing in this mission.

The laity are the baptized members of the Church who share in the Church's mission to bring the Good News of Christ to the world. The laity are also known as lay people or the Christian faithful. Right now you are a layperson, and every day you are growing as Jesus' disciple. You do not have to wait to be an adult to be an active member of the Church. As a layperson you are called to share the Good News at home, in school, and in your neighborhood. You can take part in your parish celebrations and be an example of Christian living for others. Lay people are called to participate in the celebration of the sacraments and to support their parishes.

Laypeople are called to bring the Good News of Christ to their work places and local communities. Women and men in the laity are called to be involved in city, state, and national governments. They have a responsibility to act and make decisions based on the teachings of Jesus and on their faith.

It is truly a blessing that all in the Church can work to bring about God's reign. We are one people who can show by our love of others that we are living as Christ's disciples in the world.

WE RESPOND

What are a few ways that the Church serves the world?

_____

_____

Key Words

marks of the Church (p. 351)
ecumenism (p. 351)
holiness (p. 351)

HACIENDO DISCÍPULOS

Muestra lo que sabes

Horizontal

2. sucesor del apóstol Pedro y líder de la Iglesia

4. trabajo que promueve la unidad entre todos los cristianos

5. compartir la bondad de Dios y responder a su amor de la forma en que vivimos

Vertical

1. Las _____ de la Iglesia son cuatro marcas esenciales de la Iglesia: una, santa, católica y apostólica.

3. Palabra que significa "universal"

¿Cómo compartes la misión de la Iglesia siendo un joven de sexto curso? Pon un ✔ en todas las que apliquen

❑ Comparto la buena nueva en mi casa, la escuela y mi vecindario.

❑ Participo de las actividades de mi parroquia.

❑ Vivo como Jesús enseñó.

❑ Soy un ejemplo de vida cristiana.

❑ Celebro los sacramentos.

❑ otro _____

¡Ahora, compártelo!

PROJECT DISCIPLE

Show What *you* Know

Across

3. the successor of the Apostle Peter and leader of the Church

4. the work to promote unity among all Christians

Down

1. a word that means "universal"

2. sharing in God's goodness and responding to his love by the way we live

6. The _____ of the Church are the four essential features of the Church: one, holy, catholic, and apostolic.

Question Corner

How do you share in the Church's mission as a sixth-grader? Check all that apply.

❏ I share the Good News at home, at school, and in my neighborhood.

❏ I take part in parish activities.

❏ I live as Jesus taught.

❏ I am an example of Christian living.

❏ I participate in the celebration of the sacraments.

❏ other _____

Now, pass it on!

Orar
Conocer
Celebrar
Compartir
Expresar
Vivir

HACIENDO DISCÍPULOS

Vidas de santos

San Maxilimiano Kolbe fue un sacerdote franciscano. Durante la Segunda Guerra Mundial, fue prisionero en un campo de concentración nazi. Ahí ofreció su vida a cambio de la de un padre y esposo que había sido escogido para morir. San Maximiliano fue un ejemplo de amor a los demás. Su fiesta se celebra el 14 de agosto. ¿Cómo puedes mostrar que no eres egoísta en tu casa y tu comunidad?

_____

Visita *Vidas de santos* en **religion.sadlierconnect.com** para aprender más sobre los santos.

Reza

Somos llamados a rezar por la unidad de los cristianos. Un momento especial para rezar por esto es durante la semana de oración por la unidad cristiana. Esta semana se celebra entre el 18 y el 25 de enero.

↳ RETO PARA EL DISCÍPULO Escribe una oración por la unidad cristiana.

_____

_____

_____

_____

Tarea

Rediseña el logo de *Haciendo discípulos* con tu familia. Si quieres usa este modelo para tus ideas.

¡Asegúrate de vivirlo!

Pray
Learn
Celebrate
Share
Choose
Live

PROJECT DISCIPLE

Saint Stories

Saint Maximilian Kolbe was a Franciscan priest. During World War II, he was imprisoned in a Nazi concentration camp. There he offered his life in place of another man, a husband and father, who had been chosen to die. Saint Maximilian is an example of unselfish love for all people. The Church celebrates his feast day on August 14. How can you show that you are unselfish at home? in your community?

_____

Visit *Lives of the Saints* on **religion.sadlierconnect.com** to learn about more saints and holy people.

 ## Pray Today

We are called to pray that all Christians may be one. A special time to pray for this is during the Week of Prayer for Christian Unity. The Week of Prayer for Christian Unity is traditionally celebrated every year from January 18 to 25.

↳ **DISCIPLE CHALLENGE** Write a prayer for Christian unity.

_____

_____

_____

Take Home

Redesign the logo for *Project Disciple* with your family. You might want to use the outline on the left for your ideas.

Be sure to live it out!

Catequesis en el hogar

Identidad católica

Catequesis en familia

Capítulo 26 (páginas 324–337)

La Iglesia en el mundo

En este capítulo su niño(a) aprenderá sobre las cuatro características de la Iglesia.

Para los padres

Como miembros de la Iglesia Católica, somos llamados a reflejar a Jesucristo. Como Jesús ya no es visible a nosotros, nos pide ser su presencia en el mundo. Como Iglesia, somos el Cuerpo de Cristo. Debemos actuar como él lo hizo.

Todos los días

• Juntos recen la Señal de la Cruz y una oración pidiendo a Dios que bendiga su tiempo juntos.

Primer día **Vivimos como un pueblo.**

• Tomen turnos leyendo en voz alta el enunciado y el texto que sigue. Identifique las cuatro características de la Iglesia: La Iglesia es una, santa, católica y apostólica.

• Conversen sobre cómo la Iglesia es una.

• Repase el significado de la palabra ecumenismo y hable de los esfuerzos de su comunidad para promover el ecumenismo.

Segundo día **Vivimos como un pueblo santo.**

• Lea en voz alta el enunciado. Túrnense para leer el texto. Recuerde que para san Pablo la palabra *santo* era otra forma de decir "pertenecer a Dios".

• Miren juntos las fotos. Pida a su niño(a) que hable sobre uno o más de los santos que se muestran. Recuérdele a su niño(a) que las vidas de los santos nos enseñan cómo vivir como verdaderos discípulos de Jesús. Enfatice que

todos somos santos de Dios y que la Iglesia de Dios es santa.

• Comente sobre el sacramento de la Reconciliación, a través del cual somos liberados de nuestros pecados.

Tercer día **Vivimos como un pueblo que acoge.**

• Túrnense para leer el enunciado y el texto que sigue. Señale que debido a que la Iglesia es *católica*, o universal, está abierta a todas las personas en todas partes. Los católicos están unidos por el amor por Cristo y nuestra llamada común a la santidad. Señale que cada católico está llamado a participar en la misión de la Iglesia.

• Comente acerca de las raíces del cristianismo en el judaísmo. Enfatice que el pueblo judío son nuestros antepasados en la fe.

Cuarto día **Vivimos como pueblo fiel.**

• Lea el enunciado y el texto que sigue. Enfatice que la Iglesia es apostólica porque está construida sobre la fe de los apóstoles. Señale que los obispos continúan el ministerio de los apóstoles y el papa continúa el ministerio de Pedro.

Respondemos en fe

Quinto día

• Pida a su hijo(a) que hable sobre las formas en las que podemos mostrar a otros que pertenecemos a Dios.

Sexto día

• Conversen sobre la misión de los laicos de compartir cada día en todo lo que hacemos la buena nueva de Jesús.

Chapter 26 (pages 324–337)

The Church in the World

In this chapter your child will learn about the four marks, or essential features, of the Church.

For the Parents

As members of the Catholic Church, we are called to reflect Jesus Christ. Because Jesus is no longer visibly present to us, he asks us to be his visible presence in the world. As the Church we are the Body of Christ. We are to act as he did.

Every Day

- Pray the Sign of the Cross, and offer a short prayer asking God to bless your time together.

Day One   We live as one people.

- Alternating with your child, read aloud the statement and the text that follows. Identify the four marks of the Church: The Church is one, holy, catholic, and apostolic.

- Talk about the ways the Church is one.

- Review the meaning of the word *ecumenism*, and talk about efforts in your community to promote ecumenism.

Day Two   We live as a holy people.

- Read aloud the statement. Then alternate with your child as you read the text. Recall that to Saint Paul *holy* was another way of saying "belonging to God."

- Look together at the pictures. Ask your child to talk about one or more of the saints

who are shown. Remind your child that the lives of the saints teach us ways to live as true disciples of Jesus. Emphasize that we are all God's holy ones, and that God's Church is holy.

- Talk about the Sacrament of Penance, through which we are freed from our sins.

Day Three   We live as a welcoming people.

- With your child read aloud the statement and the text that follows. Point out that because the Church is *catholic*, or universal, it is open to all people everywhere. Catholics are united by our love for Christ and our common call to holiness. Point out that every Catholic is called to take part in the mission of the Church.

- Talk about the roots of Christianity in Judaism. Emphasize that the Jewish people are our ancestors in faith.

Day Four   We live as a faithful people.

- Together read the statement and the text that follows. Emphasize that the Church is apostolic because it is built on the faith of the apostles. Point out that the bishops continue the ministry of the apostles, and the pope continues the ministry of Peter.

We Respond in Faith

Day Five

- Ask your child to talk about the ways he or she can show others that we belong to God.

Day Six

- Discuss the mission of laypeople to share the good news of Jesus every day in all we do.

Tiempo de Pascua

Durante el Tiempo de Pascua celebramos nuestra nueva vida en Cristo y la venida del Espíritu Santo.

NOS CONGREGAMOS

✠ *Señor Jesús, que resucitemos contigo a una nueva vida en el Espíritu santo.*

Piensa en una vez cuando tu familia dio la bienvenida a una persona. ¿Cómo celebraste?

CREEMOS

El Tiempo de Pascua es un tiempo especial para regocijarse en la nueva vida que tenemos en Cristo. Es tiempo para llevar nuevos miembros a la Iglesia, para la celebración de los sacramentos del Bautismo y la Confirmación, los que los llevarán a la mesa de la Eucaristía. Durante el Tiempo de Pascua toda la Iglesia crece al vivir la Resurrección de Cristo y a través de todas las celebraciones litúrgicas, reflexiona con gozo en el misterio Pascual de Cristo. Damos la bienvenida a nuevos miembros de la Iglesia y rezamos con ellos todas las semanas.

El tiempo de Pascua dura cincuenta días. Durante este tiempo celebramos la Resurrección y Ascensión de Jesucristo y la Venida del Espíritu Santo en Pentecostés. Escuchamos historias de Jesús resucitado aparecerse a sus discípulos. Aprendemos sobre el inicio de la Iglesia en Hechos de los Apóstoles.

Lunes después de Pascua en Nigeria El día después del Domingo de Pascua es un día importante para alabar en Nigeria. En muchos pueblos y villas los católicos y otros cristianos se reúnen, durante el día, en un lugar que ellos llaman "Galilea". Ellos creen que, como los apóstoles y los primeros discípulos, deben estar en "Galilea" para encontrarse con el Señor resucitado. Cristianos de todas las denominaciones se reúnen a celebrar la Resurrección de Cristo cantando, predicando y danzando, compartiendo una comida y participando en todo tipo de deportes y juegos. Esta reunión en "Galilea" es posible porque el Lunes de Pascua es un día de fiesta nacional en Nigeria.

"El amor de Dios se ha infundido en nuestros corazones por el Espíritu Santo, que habita en nosotros, aleluya".

Ritos Iniciales, Vigilia de Pentecostés

Easter

During the Easter season, we celebrate our new life in Christ and the coming of the Holy Spirit.

WE GATHER

✝ *Lord Jesus, may we rise with you to new life in the Holy Spirit!*

Think of a time when a person was welcomed into your family. How did you celebrate?

WE BELIEVE

The Easter season is a special time to rejoice in the new life we have in Christ. It is a time for bringing new members into the Church—for celebrating the Sacraments of Baptism and Confirmation, both of which lead to the table of the Eucharist. And during the Easter season the whole Church grows in their experience of the risen Christ, and through liturgical celebrations, reflects with joy on Christ's Paschal Mystery. We welcome the new members of the Church and pray with them each week.

The Easter season lasts for fifty days. During this time we celebrate the Resurrection and Ascension of Jesus Christ and the coming of the Holy Spirit on Pentecost. We hear stories of the risen Jesus' appearances to his disciples. We learn about the beginning of the Church from the Acts of the Apostles.

Easter Monday in Nigeria The day after Easter Sunday is an important day of worship in Nigeria. In many towns and villages, Catholics and other Christians gather in a common place which they name "Galilee" for the day. They believe that, like the Apostles and first disciples, they are to be in "Galilee" to meet the risen Lord. Christians of all faiths gather together to celebrate Christ's Resurrection with preaching, singing and dancing, sharing a meal, and participating in all types of sports and games. This "Galilee" gathering is possible because Easter Monday is traditionally a public holiday in Nigeria.

The love of God has been poured into our hearts by his Spirit living in us, alleluia.

Introductory Rites, Pentecost Vigil Mass

Ascensión Durante el tiempo de Pascua recordamos el último evento de la vida pública de Jesús, su Ascensión. Jesús subió o regresó a su Padre en el cielo, cuarenta días después de su Resurrección. La Iglesia celebra la fiesta de la Ascensión aproximadamente cuarenta días después de Pascua. En muchas diócesis en los Estados Unidos esta fiesta es un día de precepto. Leemos sobre la Ascensión de Jesús en Hechos de los Apóstoles.

📖 Hechos de los apóstoles 1:3–12

Cuarenta días después de la Resurrección, Jesús resucitado se reunió con sus apóstoles en las afueras de Jerusalén. Les dijo: "'Ustedes recibirán la fuerza del Espíritu Santo; él vendrá sobre ustedes para que

sean mis testigos en Jerusalén, en toda Judea, en Samaría y hasta los extremos de la tierra'. Después de decir esto, lo vieron elevarse, hasta que una nube lo ocultó de su vista". (Hechos de los apóstoles 1:8–9).

Los apóstoles regresaron al aposento alto y esperaron orando.

Pentecostés Celebramos la fiesta de Pentecostés cincuenta días después de la Pascua. La palabra *pentecostés* viene de una palabra griega *penta* que significa, quincuagésimo. Pentecostés se celebra el último domingo del tiempo de Pascua. En Pentecostés celebramos la venida del Espíritu Santo a los primeros discípulos. También celebramos el nacimiento de la Iglesia y nos regocijamos porque el Espíritu Santo llena nuestros corazones.

La fiesta judía de Pentecostés se celebraba cincuenta días después de Pascua, como agradecimiento por la cosecha. Los "primeros frutos" del campo y las hortalizas eran bendecidos y compartidos. Se entiende entonces porque Dios Padre y Dios Hijo escogieron compartir "los primeros frutos" de la Resurrección de Jesús, el Espíritu Santo, el poder enviado desde lo alto. Este don del Espíritu Santo fue un gran don del amor de Dios. Los apóstoles compartieron en la hermandad con el Espíritu Santo.

¡Qué diferencia hizo el Espíritu Santo en vida de los apóstoles! Durante el sufrimiento y muerte de Jesús, los apóstoles tuvieron miedo. Después de su Resurrección, ellos se escondieron. Cuando el Espíritu Santo vino, los apóstoles empezaron a recordar las palabras de Jesús y a actuar de acuerdo a ellas. Empezaron a predicar y a enseñar. Ya no estaban solos. Tampoco nosotros estamos solos porque el Espíritu Santo está siempre con nosotros.

Ascension   During the season of Easter we recall the last event of Jesus' public life, his Ascension. Jesus ascended, or returned to his Father in heaven forty days after he rose from the dead. Thus the Church celebrates the Feast of the Ascension forty days after Easter. In many dioceses of the United States this feast is a holy day of obligation. We read about Jesus' Ascension in the Acts of the Apostles.

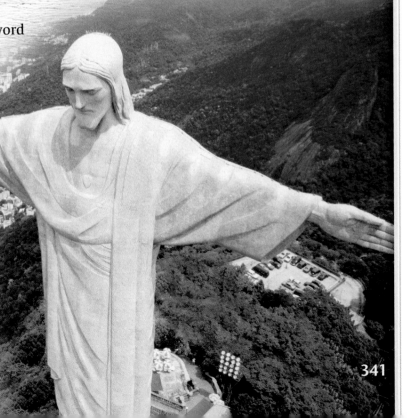

Acts of the Apostles 1:3–12

Forty days after his Resurrection, the risen Jesus had gathered with his Apostles outside of Jerusalem. He told them, "'You will receive power when the holy Spirit comes upon you, and you will be my witnesses in Jerusalem, throughout Judea and Samaria, and to the ends of the earth.' When he had said this, as they were looking on, he was lifted up, and a cloud took him from their sight" (Acts of the Apostles 1:8–9).

The Apostles went back to the upper room and waited in prayer.

Pentecost   Fifty days after Easter we celebrate the Feast of Pentecost. The word *Pentecost* comes from a Greek word meaning "fiftieth." Pentecost is celebrated on the last Sunday and final day of the Easter season. On Pentecost Sunday we celebrate the coming of the Holy Spirit to the first disciples. We also celebrate the beginning of the Church, and we rejoice because the Holy Spirit fills our hearts today.

The Jewish feast of Pentecost was celebrated fifty days after Passover, as a thanksgiving for the harvest. The "first fruits" of field and orchard were blessed and shared. So it is fitting that on this feast God the Father and God the Son chose to share the "first fruits" of Jesus' Resurrection—the Holy Spirit, the power sent from on high. This Gift of the Holy Spirit was a great gift of God's love. The Apostles now shared in the fellowship of the Holy Spirit.

What a difference the Holy Spirit made in the lives of the Apostles! During Jesus' trial and Death, the Apostles were afraid. After his Resurrection, they remained hidden. When the Holy Spirit came, the Apostles began to remember the words of Jesus and to act on them. They began preaching and teaching. They were no longer alone. Neither are we alone because the Holy Spirit will be with us always.

Christ the Redeemer,
Rio de Janiero

Los apóstoles y María pasaron el tiempo entre la Ascensión y Pentecostés rezando. La Iglesia mantiene esos días entre la Ascensión y Pentecostés esperando y rezando al Espíritu Santo. Durante ese tiempo la liturgia está llena de oraciones rogando por la venida del Espíritu Santo.

RESPONDEMOS

 Prepárate para la fiesta de la venida del Espíritu Santo. Escribe una oración, un poema, una cita de la Escritura, o una acción "llena del Espíritu" que puedas hacer.

_____

_____

_____

_____

Juntos recen esta oración:

"Padre, deja que tu Espíritu venga sobre nosotros para que con su poder nos llene de sus dones. Para que nuestros corazones te complazcan y estén listos a hacer tu voluntad".

✝ Respondemos en oración

Líder: Señor, envía tu Espíritu.

Todos: Y renovarás la faz de la tierra.

Lector: Lectura de la primera carta de san Pablo a los Corintios.

"Hay diversidad de carismas, pero el Espíritu es el mismo. Hay diversidad de servicios, pero el Señor es el mismo. . . . el cuerpo es uno y tiene muchos miembros, y todos los miembros del cuerpo, por muchos que sean, no forman más que un solo cuerpo, así también Cristo. Porque todos nosotros, judíos o no judíos, esclavos o libres, hemos recibido un mismo Espíritu en el bautismo". (1 Corintios 12:4–5, 12–13)

Palabra de Dios.

Todos: Te alabamos, Señor.

🎵 **Envía tu Espíritu**

Envía tu Espíritu, envía tu Espíritu, envía tu Espíritu, sea renovada la faz de la tierra. Sea renovada la faz de la tierra.

Spirit of the living God, burn in our hearts, and make us a people of hope and compassion. (Refrain)

Wind of promise, wind of change, friend of the poor, empower your people to make peace and justice. (Refrain)

The Apostles and Mary spent the time between the Ascension and Pentecost in prayer. The Church keeps the days between Ascension and Pentecost as days of waiting and prayer for the Holy Spirit. During this time the liturgy is full of prayerful longing for the coming of the Holy Spirit.

WE RESPOND

Prepare for the feast of the coming of the Holy Spirit. Write a prayer, a poem, a favorite quotation from Scripture, or a "Spirit-filled" action you can do.

_____

_____

_____

_____

Pray this prayer together.

"Father,
let your Spirit come upon us with
    power
  to fill us with his gifts.
May he make our hearts pleasing to
    you,
  and ready to do your will."

✝ We Respond in Prayer

Leader: Lord, send out your Spirit,

All: And renew the face of the earth.

Reader: A reading from the first Letter of Saint Paul to the Corinthians

"There are different kinds of spiritual gifts but the same Spirit; there are different forms of service but the same Lord. . . . As a body is one though it has many parts, and all the parts of the body, though many, are one body, so also Christ. For in one Spirit we were all baptized into one body, whether Jews or Greeks, slaves or free persons, and we were all given to drink of one Spirit."
(1 Corinthians 12:4–5, 12–13)

The word of the Lord.

All: Thanks be to God.

🎵 Envía tu Espíritu

Envía tu Espíritu, envía tu Espíritu,
envía tu Espíritu,
sea renovada la faz de la tierra.
Sea renovada la faz de la tierra.

Spirit of the living God,
burn in our hearts,
and make us a people of hope and
compassion. (Refrain)

Wind of promise, wind of change,
friend of the poor,
empower your people to
make peace and justice.
(Refrain)

Orar
Conocer
Celebrar
Compartir
Expresar
Vivir

HACIENDO DISCIPULOS

Celebra Contesta las siguientes preguntas sobre el Tiempo de Pascua.

1. ¿Cuánto dura el Tiempo de Pascua? _____

2. Durante el Tiempo de Pascua, ¿qué recordamos como los últimos eventos de la vida pública de Jesús? _____

3. ¿Qué celebramos el domingo de Pentecostés? _____

4. ¿Cuándo celebramos Pentecostés? _____

5. ¿Cuál fiesta, durante el tiempo de Pascua, es también día de precepto en muchas diócesis de los Estados Unidos? _____

Escritura

"A este Jesús, Dios lo resucitó, y de ello somos testigos todos nosotros. El poder de Dios lo ha exaltado, y él habiendo recibido del Padre el Espíritu Santo prometido, lo ha derramado, como ahora lo están viendo y oyendo". (Hechos de los apóstoles 2:32–33)

• ¿Qué dos eventos litúrgicos describe Pedro en este pasaje?

_____

Exprésalo

Diseña una tarjeta electrónica para enviar durante el Tiempo de Pascua. Si es posible, incluye símbolos de Pascua en tu diseño, tales como cirio pascual, plantas floreciendo, una paloma blanca, etc.

Tarea

La frase irlandesa *Cead Mile Failte* significa "miles de saludos". El Tiempo de Pascua es tiempo de dar la bienvenida a nuevos miembros en la Iglesia.

¿Cómo puede tu familia dar la bienvenida a esos nuevos miembros? Haz tu lista aquí.

_____

_____

PROJECT DISCIPLE

Celebrate!

Answer the following questions about the season.

1. How long is the season of Easter? _____

2. During the season of Easter, what do we recall as the last event of Jesus' public life? _____

3. What are we celebrating on Pentecost Sunday? _____

4. When do we celebrate Pentecost? _____

5. Which feast during the Easter season is also a holy day of obligation in many dioceses in the United States? _____

What's the Word?

"God raised this Jesus; of this we are all witnesses. Exalted at the right hand of God, he received the promise of the holy Spirit from the Father and poured it forth, as you see and hear." (Acts 2:32–33)

- What two liturgical events does Peter describe in this passage?

_____

Picture This

Design an e-card to send during the Easter season. If possible, include symbols of Easter in your design, such as the Paschal Candle, a flowering plant, a white dove, etc.

Take Home

The Irish phrase *Cead Mile Failte* (kayd me-lay fall-chuh) means "a hundred thousand welcomes." The season of Easter is a time of welcoming new members into the Church.

How can your family welcome these new members? Make a list here:

_____

_____

Capítulo 27 (páginas 338–345)

Tiempo de Pascua

En este capítulo su niño(a) aprenderá que durante el Tiempo de Pascua celebramos nuestra vida nueva en Cristo y la venida del Espíritu Santo.

Para los padres

La Pascua es la "Fiesta de las fiestas" y el tiempo de Pascua es para regocijarse en el "Misterio de la Resurrección, en el cual Cristo ha aplastado la muerte" (*CIC*, 1169). Es tiempo para celebrar nuestra vida nueva en Cristo y la venida del Espíritu Santo en Pentecostés.

Todos los días

- Recen la Señal de la Cruz y una breve oración pidiendo a Dios que bendiga su tiempo juntos.

Primer día Durante el Tiempo de Pascua celebramos nuestra nueva vida en Cristo y la venida del Espíritu Santo.

- Comente sobre una celebración de familia en que usted le dio la bienvenida a alguien.

- Tomen turnos leyendo en voz alta el enunciado y el texto que sigue.

Segundo día Durante el Tiempo de Pascua celebramos nuestra nueva vida en Cristo y la venida del Espíritu Santo. (Continuación)

- Pida a su niño(a) que identifique los tres eventos más importantes celebrados durante el tiempo de Pascua: la Resurrección, la Ascensión y la venida del Espíritu Santo en Pentecostés.

- Pida a su niño(a) que hable sobre la celebración del "Lunes después de Pascua en Nigeria".

Converse sobre cómo adoptar la costumbre de "Galilea" como una celebración familiar.

Tercer día Durante el Tiempo de Pascua celebramos nuestra nueva vida en Cristo y la venida del Espíritu Santo. (Continuación)

- Señale que la Iglesia celebra la fiesta de la Ascensión cuarenta días después de Pascua.

- Señale que celebramos la fiesta de Pentecostés cincuenta días después de Pascua y que la palabra Pentecostés viene de una palabra griega que significa cincuenta.

Cuarto día Durante el Tiempo de Pascua celebramos nuestra nueva vida en Cristo y la venida del Espíritu Santo. (Continuación)

- Pregunte: *¿Qué celebramos durante el tiempo de Pascua?* (Celebramos la resurrección de Jesús de la muerte, la ascensión de Jesucristo al cielo y la venida del Espíritu Santo); *¿Qué celebramos en Pentecostés?* (Celebramos la venida del Espíritu Santo sobre los apóstoles y el comienzo de la Iglesia). Recuérdele a su niño(a) cómo la venida del Espíritu Santo cambió a los apóstoles en una valiente comunidad de predicadores y maestros.

Respondemos en fe

Quinto día

- Pida a su niño(a) que diseñe un saludo de Pascua en una cartulina con dibujos y símbolos y que ponga esta cartulina en un lugar prominente en el hogar.

Sexto día

- En familia prepárense para la venida del Espíritu Santo escribiendo una oración.

Chapter 27 (pages 338–345)

Easter

In this chapter your child will learn that during the Easter season we celebrate our new life in Christ and the coming of the Holy Spirit.

For the Parents

Easter is the "Feast of feasts," and the Easter season is a time of rejoicing in "The mystery of the Resurrection, in which Christ crushed death" (*CCC*, 1169). It is a time of celebrating our new life in Christ and of the descent of the Holy Spirit at Pentecost.

Every Day

- Pray the Sign of the Cross and offer a short prayer asking God to bless your time together.

Day One During the Easter season, we celebrate our new life in Christ and the coming of the Holy Spirit.

- Talk about a family celebration in which you welcomed someone into your family.

- With your child alternate reading aloud the statement and the text that follows.

Day Two During the Easter season, we celebrate our new life in Christ and the coming of the Holy Spirit. (Continued)

- Ask your child to identify the three major events celebrated during the Easter season: the Resurrection, the Ascension, and the coming of the Holy Spirit at Pentecost.

- Talk about the celebration of Easter Monday in Nigeria. Discuss ways to adapt the custom of the "Galilee" as a family celebration.

Day Three During the Easter season, we celebrate our new life in Christ and the coming of the Holy Spirit. (Continued)

- Point out that the Church celebrates the feast of the Ascension forty days after Easter.

- Point out that we celebrate Pentecost fifty days after Easter, and that the word *Pentecost* comes from a Greek word meaning fifty.

Day Four During the Easter season, we celebrate our new life in Christ and the coming of the Holy Spirit. (Continued)

- Ask your child the following questions: *What do we celebrate during the Easter season?* (the Resurrection of Jesus, the Ascension of Jesus Christ to heaven, and the coming of the Holy Spirit; *What do we celebrate at Pentecost?* (the coming of the Holy Spirit upon the apostles and the beginning of the Church).

- Remind your child of the various ways the Holy Spirit changed the Apostles into a courageous communiy of preachers and teachers.

We Respond in Faith

Day Five

- Have your child design an Easter greeting on a poster board with drawings and symbols and place this poster board in a prominent place in the home.

Day Six

- In your family prepare for the coming of the Holy Spirit by writing a prayer.

Los preceptos de la Iglesia

1. Oír Misa entera los domingos y demás fiestas de precepto y no realizar trabajos serviles.

2. Confesar los pecados al menos una vez al año.

3. Recibir el sacramento de la Eucaristía al menos por Pascua.

4. Abstenerse de comer carne y ayunar en los días establecidos por la Iglesia.

5. Ayudar a la Iglesia en sus necesidades.

Días de precepto

(Celebrados en la Iglesia en los Estados Unidos)

Solemnidad de María, la Madre de Dios (1 de enero)

Ascensión (cuando se celebra en jueves durante el Tiempo de Pascua)*

Asunción de María (15 de agosto)

Todos los Santos (1 de noviembre)

Inmaculada Concepción (8 de diciembre)

Navidad (25 de diciembre)

*(Algunas diócecis observan la fiesta de la Ascensión el domingo siguiente.)

The Precepts of the Church

1. You shall attend Mass on Sundays and holy days of obligation and rest from servile labor.

2. You shall confess your sins at least once a year.

3. You shall receive the Sacrament of the Eucharist at least during the Easter season.

4. You shall observe the days of fasting and abstinence by the Church.

5. You shall help to provide for the needs of the Church.

Holy Days of Obligation

(as celebrated by the Church in the United States)

Solemnity of Mary, Mother of God (January 1)

Ascension (when celebrated on Thursday during the Easter Season)*

Assumption of Mary (August 15)

All Saints' Day (November 1)

Immaculate Conception (December 8)

Christmas (December 25)

*(Some dioceses celebrate the Ascension on the following Sunday.)

Oraciones

Credo de los Apóstoles

Creo en Dios, Padre todopoderoso,
Creador del cielo y de la tierra.
Creo en Jesucristo, su único Hijo, nuestro Señor,
que fue concebido por obra y gracia del Espíritu Santo,
nació de santa María virgen,
padeció bajo el poder de Poncio Pilato,
fue crucificado, muerto y sepultado,
descendió a los infiernos,
al tercer día resucitó de entre los muertos,
subió a los cielos
y está sentado a la derecha de Dios, Padre todopoderoso.
Desde allí ha de venir a juzgar a vivos y muertos.
Creo en el Espíritu Santo,
la santa Iglesia católica,
la comunión de los santos,
el perdón de los pecados,
la resurrección de la carne
y la vida eterna. Amén.

Acto de Contrición

Dios mío,
con todo mi corazón me arrepiento
de todo el mal que he hecho y de todo lo bueno
que he dejado de hacer.
Al pecar, te he ofendido a ti,
que eres el supremo bien
y digno de ser amado sobre todas las cosas.
Propongo firmemente, con la ayuda de tu gracia,
hacer penitencia, no volver a pecar y huir de las
ocasiones de pecado.
Señor, por los méritos de la pasión de nuestro Salvador
Jesucristo,
apiádate de mí. Amén.

El rosario

El rosario está compuesto de grupos de cuentas atadas en un círculo. Empieza con una cruz seguida de una cuenta grande y tres pequeñas. Hay otra cuenta grande, antes de la medalla, que empieza la primera "decena". Cada decena consiste en una cuenta grande y diez pequeñas.

Se empieza el rosario con la Señal de la Cruz. Después se recita el Credo de los Apóstoles, un Padrenuestro, tres Ave Marías y un gloria al Padre.

Para rezar cada decena se dice un Padrenuestro en la cuenta grande y un Ave María en cada una de las diez cuentas más pequeñas que siguen. Se termina rezando un Gloria al Padre. Se reza una Salve al final del rosario.

Los misterios del rosario son eventos especiales en las vidas de Jesús y María. Al rezar cada decena se piensa en el misterio apropiado, gozoso, doloroso, glorioso o de luz.

Misterios gozosos
1. La Anunciación
2. La Visitación
3. El nacimiento de Jesús
4. La presentación de Jesús en el Templo
5. El Niño Jesús es encontrado en el Templo

Misterios dolorosos
1. La agonía de Jesús en el Jardín
2. Jesús es azotado en una columna
3. Jesús es coronado de espinas
4. Jesús carga con la cruz
5. La Crucifixión y muerte de Jesús

Misterios gloriosos
1. La Resurrección
2. La Ascensión
3. La venida del Espíritu Santo
4. La Asunción de María al cielo
5. La Coronación de María.

Misterios de Luz
1. El bautismo de Jesús en el Jordán
2. El milagro de las bodas de Caná
3. Jesús anuncia el reino de Dios
4. La Transfiguración de Jesús
5. La institución de la Eucaristía

Prayers

Apostles' Creed

I believe in God, the Father almighty,
   Creator of heaven and earth,

and in Jesus Christ, his only Son,
   our Lord,
who was conceived by the Holy Spirit,
born of the Virgin Mary,
suffered under Pontius Pilate,
was crucified, died, and was buried;
he descended into hell;
on the third day he rose again
from the dead;

he ascended into heaven,
and is seated at the right hand
   of God the Father almighty;
from there he will come to judge
   the living and the dead.

I believe in the Holy Spirit,
   the holy catholic Church,
   the communion of saints,
   the forgiveness of sins,
   the resurrection of the body,
   and life everlasting. Amen.

Act of Contrition

My God,
I am sorry for my sins with all my heart.
In choosing to do wrong
and failing to do good,
I have sinned against you
whom I should love above all things.
I firmly intend, with your help,
to do penance,
to sin no more,
and to avoid whatever leads me to sin.
Our Savior Jesus Christ
suffered and died for us.
In his name, my God, have mercy.

The Rosary

A rosary has a cross, followed by one large bead and three small ones. Then there is a circle with five "decades." Each decade consists of one large bead followed by ten smaller beads. Begin the rosary with the Sign of the Cross. Recite the Apostles' Creed. Then pray one Our Father, three Hail Marys, and one Glory to the Father. To recite each decade, say one Our Father on the large bead and ten Hail Marys on the ten smaller beads. After each decade, pray the Glory to the Father. As you pray each decade, think of the appropriate joyful, sorrowful, or glorious mystery, or a special event in the life of Jesus and Mary. Pray the Hail, Holy Queen as the last prayer of the rosary.

The Five Joyful Mysteries
1. The Annunciation
2. The Visitation
3. The Birth of Jesus
4. The Presentation of Jesus in the Temple
5. The Finding of Jesus in the Temple

The Five Sorrowful Mysteries
1. The Agony in the Garden
2. The Scourging at the Pillar
3. The Crowning with Thorns
4. The Carrying of the Cross
5. The Crucifixion and Death of Jesus

The Five Glorious Mysteries
1. The Resurrection
2. The Ascension
3. The Holy Spirit Comes Upon the Apostles
4. The Assumption of Mary into Heaven
5. The Coronation of Mary in Heaven.

The Five Mysteries of Light
1. Jesus' Baptism in the Jordan
2. The Miracle at the Wedding at Cana
3. Jesus Announces the Kingdom of God
4. The Transfiguration
5. The Institution of the Eucharist

Glosario

alianza (pp 24)
acuerdo entre Dios y su pueblo

alma (pp 40)
la realidad espiritual invisible que nos hace
humanos y que nunca muere

arca de la alianza (pp 116)
caja de madera donde se guardaban los Diez
Mandamientos

Biblia (pp 14)
registro escrito de la revelación de Dios y su
relación con su pueblo

Bienaventuranzas (pp 272)
enseñanzas de Jesús que describen la forma en
que deben vivir sus discípulos

blasfemia (pp 204)
pensamiento, palabra que falta al respeto o es
irreverente a Dios

Canaán (pp 66)
área del oeste de Palestina que incluía la mayor
parte de lo que hoy es Israel

características de la Iglesia (pp 324)
cuatro rasgos esenciales de la Iglesia: una, santa,
católica y apostólica

conciencia (pp 32)
la habilidad de diferenciar entre lo bueno y lo
malo, el bien y el mal

Diez Mandamientos (pp 114)
las leyes de la alianza con Dios dadas a Moisés en el
Monte Sinaí

dignidad humana (pp 32)
el valor que tenemos por haber sido creados a
imagen y semejanza de Dios

doctrina social de la Iglesia (pp 318)
las enseñanzas de la Iglesia que llaman a todos sus
miembros a actuar y trabajar por la justicia y la paz
como lo hizo Jesús

ecumenismo (pp 326)
trabajo de promover la unidad entre todos los
cristianos

encarnación (pp 244)
la verdad de que el Hijo de Dios, la Segunda
Persona de la Santísima Trinidad, se hizo hombre

esperanza (pp 214)
regalo de Dios que nos ayuda a confiar en la
promesa de que estará siempre con nosotros y en
su amor y cuidado

Evangelio (pp 54)
la buena nueva sobre el amor de Dios y la obra de
Jesucristo

éxodo (pp 98)
palabra bíblica que se usa para describir la salida
de los israelitas de la esclavitud a la libertad

faraón (pp 74)
el rey de Egipto

fe (pp 68)
don de Dios que nos permite creer en él y
aceptar todo lo que él ha revelado

idolatría (pp 184)
adorar criaturas y cosas en vez de a Dios

inspiración divina (pp 14)
guía especial que el Espíritu Santo dio a los autores
humanos de la Biblia

lamentación (pp 210)
dolor expresado en forma de poema

libre albedrío (pp 32)
la libertad y habilidad de escoger

libro del Génesis (pp 24)
el primer libro de la Biblia

maná (pp 112)
pan dulce que Dios ofreció como comida a los
israelitas en el desierto

mártir (pp 300)
persona que prefiere morir antes que negar su fe
en Jesucristo

mayordomo (pp 42)
persona a quien se le da la autoridad y
responsabilidad de proteger la vida y el
crecimiento de lo que está bajo su cuidado

Glosario

milagro (pp 112)
evento extraordinario más allá del poder humano y que sólo Dios puede hacer

monarquía (pp 140)
reino o imperio gobernado por una persona, un rey o una reina

Monte Sinaí (pp 112)
montaña en la parte sur de la península del Sinaí

nazareo (pp 130)
persona consagrada a Dios que promete no tomar vino o bebidas fuertes, no tocar nada muerto ni cortarse el cabello

patriarca (pp 66)
padre o fundador de un clan o grupo de parientes

parábola (pp 228)
historia corta que tiene un mensaje

Pascua (pp 102)
evento en el que Dios pasó sobre Egipto tomando las vidas de los primogénitos egipcios y salvando a los israelitas

pecado (pp 46)
pensamiento, palabra, obra u omisión contra la ley de Dios

pecado original (pp 46)
el primer pecado que debilitó la naturaleza humana, trajo la ignorancia, el sufrimiento y la muerte al mundo; todos sufrimos sus efectos

Pentecostés (pp 298)
el día en que el Espíritu Santo vino por primera vez a los discípulos

profeta (pp 140)
alguien que habla en nombre de Dios, defiende la verdad y trabaja por la justicia

proverbio (pp 214)
dicho corto que ofrece un consejo sabio

providencia (pp 74)
el plan y protección de Dios para toda la creación

reino de Dios (pp 268)
el poder del amor de Dios actuando en el mundo y en nuestras vidas

Resurrección (pp 288)
el misterio de que Jesús resucitó de la muerte

revelación divina (pp 12)
Dios se da a conocer a nosotros

sabiduría (pp 156)
conocimiento y habilidad de reconocer y cumplir la voluntad de Dios en nuestras vidas

salmo (pp 160)
oración poética diseñada para cantarse o ser acompañada con instrumentos musicales

santidad (pp 328)
compartir la bondad de Dios y responder a su amor con la forma en que vivimos. Nuestra santidad viene de la gracia

Santísima Trinidad (pp 14)
las tres Personas en un Dios: Dios el Padre, Dios el Hijo y Dios el Espíritu Santo

superstición (pp 212)
creencia falsa de que las criaturas y las cosas poseen poderes que en realidad no tienen

Tora (pp 218)
nombre hebreo para los primeros cinco libros del Antiguo Testamento

Tradición (pp 14)
la revelación de la buena nueva de Jesucristo como la vive la Iglesia

Última Cena (pp 284)
la comida de Pascua que Jesús compartió con sus discípulos la noche antes de morir

vocación (pp 204)
llamada de Dios para servirlo de manera especial

Glossary

ark of the Covenant (p. 117)
a wooden box in which the tablets of the Ten Commandments were kept

Beatitudes (p. 273)
teachings of Jesus that describe the way to live as his disciples

Bible (p. 15)
the written record of God's Revelation and his relationship with his people

blasphemy (p. 205)
a thought, word, or act that refers to God without respect or reverence

Blessed Trinity (p. 15)
the Three Persons in One God: God the Father, God the Son, and God the Holy Spirit

Book of Genesis (p. 25)
the first book in the Bible

Canaan (p. 67)
an area in western Palestine that included most of present-day Israel

Catholic social teaching (p. 319)
the teaching of the Church that calls all members to work for justice and peace as Jesus did

conscience (p. 33)
the ability to know the difference between good and evil, right and wrong

covenant (p. 25)
an agreement between God and his people

Divine Inspiration (p. 15)
the special guidance that the Holy Spirit gave to the human authors of the Bible

Divine Revelation (p. 13)
God's making himself known to us

ecumenism (p. 327)
the work to promote unity among all Christians

exodus (p. 99)
the biblical word describing the Israelites' departure from slavery to freedom

faith (p. 69)
a gift from God that enables us to believe in him and accept all that he has revealed

free will (p. 33)
the freedom and ability to choose

Gospel (p. 55)
the Good News about God at work in Jesus Christ

holiness (p. 329)
sharing in God's goodness and responding to his love by the way we live; our holiness comes through grace

hope (p. 215)
a gift from God that enables us to trust in God's promise to be with us always; it enables us to be confident in God's love and care for us

human dignity (p. 33)
the value and worth that comes from being made in God's image and likeness

idolatry (p. 185)
giving worship to a creature or thing instead of to God

Incarnation (p. 245)
the truth that the Son of God, the Second Person of the Blessed Trinity, became man

Kingdom of God (p. 269)
the power of God's love coming into the world and into our lives

lamentation (p. 211)
a sorrow that is expressed in the form of a poem

Last Supper (p. 285)
the Passover meal that Jesus shared with his disciples on the night before he died

manna (p. 113)
a sweet bread-like food that God provided for the Israelites in the desert

marks of the Church (p. 325)
the four essential features of the Church: one, holy, catholic, and apostolic

Glossary

martyr (p. 301)
a person who dies rather than give up his or her belief in Jesus Christ

miracle (p. 113)
an extraordinary event that is beyond human power and brought about by God

monarchy (p. 141)
a kingdom or empire ruled by one person, either a king or a queen

Mount Sinai (p. 113)
a mountain peak in the rocky southern part of the Sinai peninsula

Nazirite (p. 131)
a person consecrated to God who promised not to drink wine or strong drink, touch anyone or anything that had died, or cut or shave his or her hair

Original Sin (p. 47)
the first sin that weakened human nature and brought ignorance, suffering, and death into the world; we all suffer from its effects

parable (p. 229)
a short story that has a message

Passover (p. 103)
the event in which God passed over the whole of Egypt, taking the lives of every firstborn Egyptian and sparing the Israelites

patriarch (p. 67)
a father, or founder, of a clan, a group of related families

Pentecost (p. 299)
the day on which the Holy Spirit came upon the first disciples

pharaoh (p. 75)
the king of Egypt

prophet (p. 141)
someone who speaks on behalf of God, defends the truth, and works for justice

proverb (p. 215)
a brief saying that gives wise advice

providence (p. 75)
God's plan for and protection of all creation

psalm (p. 161)
a poetic prayer designed to be sung or chanted to some kind of musical accompaniment

Resurrection (p. 289)
the mystery of Jesus' being raised from the dead

sin (p. 47)
a thought, word, deed, or omission against God's law

soul (p. 41)
the invisible spiritual reality that makes each of us human and that will never die

steward (p. 43)
a person who is given both the authority over what he or she cares for and the responsibility for seeing that it lives and grows

superstition (p. 213)
the false belief that living creatures or things possess powers that in fact they do not have

Ten Commandments (p. 115)
the Laws of God's covenant given to Moses on Mount Sinai

Torah (p. 219)
the Hebrew name for the first five books of the Old Testament

Tradition (p. 15)
the Revelation of the Good News of Jesus Christ as lived out in the Church, past and present

vocation (p. 205)
God's call to serve him in a special way

wisdom (p. 157)
the knowledge and ability to recognize and follow God's will in our lives

En esta sección encontrará preguntas y respuestas para repasar el contenido de *Creemos: Identidad católica*. Cada pregunta de esta sección abarca una de las enseñanzas básicas de acuerdo con los capítulos del libro del estudiante. Cuando use esta sección en la casa, la parroquia o la escuela, conteste cada pregunta para repasar lo que ha aprendido. Las respuestas fortalecerán su comprensión de la fe católica y ayudarán a reforzar su identidad como católico(a). Las referencias al *CIC* que aparecen después de cada respuesta indican dónde se puede encontrar más información al respecto en el *Catecismo de la Iglesia Católica*.

P: ¿Qué es la revelación divina?

R: La revelación divina es cuando Dios se da a conocer a nosotros. *CIC*, 50, 53

P: ¿Cómo ha llegado hasta nosotros la revelación de Dios?

R: La revelación de Dios nos ha sido trasmitida por medio de la Escritura y la Tradición. *CIC*, 81–82

P: ¿Qué es la Santísima Trinidad?

R: La Santísima Trinidad es tres Personas en un solo Dios: Dios Padre, Dios Hijo y Dios Espíritu Santo. *CIC*, 234, 261, 266

CIC = Catecismo de la Iglesia Católica

P: **¿Qué es la Biblia?**

R: La Biblia es el registro escrito de la revelación de Dios y su relación con su pueblo. Es una colección de libros organizada en partes llamadas Antiguo y Nuevo Testamentos. *CIC*, 120

P: **¿Qué es la inspiración divina?**

R: La inspiración divina es una guía especial que el Espíritu Santo ofreció a los escritores de la Biblia. *CIC*, 105, 106

P: **¿Qué es la Tradición?**

R: Tradición es la revelación de la buena nueva de Jesucristo como la vivió la Iglesia en el pasado y la vive en el presente. *CIC*, 78

P: **¿Qué es el Antiguo Testamento?**

R: El Antiguo Testamento es la parte de la Biblia compuesta de cuarenta y seis libros, en la que aprendemos sobre la relación de Dios y el pueblo de Israel. *CIC*, 120

P: **¿Qué es el Nuevo Testamento?**

R: El Nuevo Testamento es la parte de la Biblia compuesta de veintisiete libros, en la que aprendemos sobre la revelación final de Dios en su Hijo Jesucristo y la salvación que nos trae. Aprendemos sobre la misión de Cristo, los primeros cristianos y el inicio de la Iglesia. *CIC*, 124, 140

P: **¿Qué es la alianza?**

R: Alianza es un acuerdo entre Dios y su pueblo. *CIC*, 62, 64

P: **¿Qué libro de la Biblia nos enseña sobre la creación?**

R: Aprendemos sobre la creación en el libro de Génesis, el primer libro de la Biblia. Aprendemos que Dios es la fuente de toda vida y que él creó el universo y todas las cosas vivientes. *CIC*, 289

P: **¿En qué se diferencian los humanos de otras criaturas creadas por Dios?**

R: Los seres humanos son diferentes porque ellos fueron creados a imagen y semejanza de Dios y tienen libre albedrío, conciencia y un alma. *CIC*, 357, 362, 363

P: **¿Qué leyes y enseñanzas de la Biblia nos dan base para la vida cristiana?**

R: En la Biblia aprendemos los Diez Mandamientos, las Bienaventuranzas, el Gran Mandamiento y el Nuevo Mandamiento que nos dio Cristo. Esas leyes y enseñanzas nos ayudan a relacionarnos con Dios, con nosotros mismos y con los demás. *CIC,* 131

P: **¿Por qué la Biblia es una fuente importante para la alabanza cristiana?**

R: La Sagrada Escritura es parte esencial de la liturgia, la oración pública y oficial de la Iglesia. *CIC,* 132, 1177

P: **¿Qué es nuestra alma?**

R: Nuestra alma, nuestro aliento de vida dado por Dios, es la realidad invisible que nos hace humanos y que nunca muere. *CIC,* 362–366

P: **¿Cuáles son los efectos del pecado original?**

R: El pecado original debilitó la naturaleza humana y trajo ignorancia, sufrimiento y muerte al mundo. *CIC,* 405, 418

P: **¿Qué es la fe?**

R: La fe es un don de Dios que nos permite creer en él y aceptar todo lo que nos ha revelado. *CIC,* 153–155

P: **¿Qué celebra el año litúrgico de la Iglesia?**

R: Durante todos los tiempos del año litúrgico celebramos toda la vida de Cristo, especialmente su Misterio Pascual. *CIC,* 1168, 1171–1173

P: **¿Qué es el Tiempo Ordinario?**

R: El Tiempo Ordinario es el tiempo del año litúrgico cuando aprendemos sobre la vida de Cristo y crecemos como sus seguidores. Se celebra dos veces al año durante el año litúrgico. Incluye días especiales para honrar a María y los santos. *CIC,* 1163, 1168, 1173

P: **¿Qué es un milagro?**

R: Un milagro es una evento extraordinario que está más allá del poder humano y es dirigido por Dios. *CIC,* 547, 548

P: **¿Qué son los Diez Mandamientos?**

R: Los Diez Mandamientos son la ley de la alianza de Dios dados a Moisés en el Monte Sinaí. *CIC, 2056–2058*

P: **¿Qué es un profeta?**

R: Un profeta es alguien llamado por Dios para hablar al pueblo en su nombre, defender la verdad y trabajar por la justicia. *CIC, 64, 702, 2581*

P: **¿Qué es un salmo?**

R: Un salmo es una oración poética diseñada para cantarse con acompañamiento musical. Los salmos son parte importante de la vida litúrgica de todos los cristianos. *CIC, 2586–2588*

P: **¿Qué es el Adviento?**

R: Adviento es el tiempo litúrgico de gozo, espera y preparación para el nacimiento, en Navidad, del Hijo de Dios, Jesucristo. *CIC, 524*

P: **¿Qué celebramos durante el Tiempo de Navidad?**

R: Durante la Navidad nos regocijamos en la Encarnación, la verdad de que el Hijo de Dios se hizo hombre. *CIC, 1171*

P: **¿Qué es idolatría?**

R: Idolatría es alabar a criaturas o cosas en vez de a Dios. La idolatría está prohibida en el primer mandamiento. *CIC, 2113*

P: **¿Qué es una vocación?**

R: Vocación es un llamado de Dios a servirle. *CIC, 897, 898, 1877*

P: **¿Qué es esperanza?**

R: La esperanza es un don de Dios que nos permite confiar en la promesa de Dios de estar siempre con nosotros. La esperanza nos permite tener confianza en el amor de Dios y su cuidado por nosotros. *CIC, 1817–1818*

P: ¿Qué es una parábola?

R: Una parábola es una historia corta con un mensaje. *CIC, 546*

P: ¿Qué papel especial jugó María en el plan de Dios?

R: María fue escogida para ser la madre del Hijo de Dios, Jesucristo, nuestro Salvador. *CIC, 494*

P: ¿Qué es la Cuaresma?

R: Cuaresma es el tiempo litúrgico en el que nos preparamos rezando y haciendo penitencia y buenas obras, para la gran celebración de la Pascua. *CIC, 1438*

P: ¿Qué es el Triduo Pascual?

R: El Triduo Pascual es nuestra gran celebración del Misterio Pascual. Es un corto período de tres días que se inicia en la tarde del Jueves Santo y termina en la tarde del Domingo de Pascua. *CIC, 1168*

P: ¿Qué es el Misterio Pascual?

R: El Misterio Pascual es el sufrimiento, muerte, Resurrección y Ascensión al cielo de Cristo. Con su Misterio Pascual, Jesús nos salva y nos da vida. *CIC, 1067*

P: ¿Qué celebramos durante el Tiempo de Pascua?

R: Durante el Tiempo de Pascua celebramos la nueva vida de Cristo y la venida del Espíritu Santo. El Tiempo de Pascua dura cincuenta días. Durante este tiempo celebramos la Resurrección y Ascensión de Jesucristo y la venida del Espíritu Santo en Pentecostés. *CIC, 1169*

P: ¿Qué es el Reino de Dios?

R: El Reino de Dios es el poder del amor de Dios activo en el mundo y nuestras vidas. *CIC, 2046*

P: ¿Qué son las Bienaventuranzas?

R: Las Bienaventuranzas son las enseñanzas de Jesús que describen la forma de vivir como sus discípulos. *CIC, 1716, 1717*

P: **¿Cuál es la misión de Jesús?**

R: La misión de Jesús es compartir la vida y el amor de Dios, su Padre, con todo el mundo y salvarlo del pecado. *CIC, 422, 714*

P: **¿Cuándo resucitó Jesús de la muerte?**

R: Jesús resucitó el tercer día después de su muerte—el primer domingo de Pascua. Al misterio de que Jesús resucitó de la muerte se le llama Resurrección. *CIC, 1169*

P: **¿Cuándo empezó la Iglesia?**

R: La Iglesia empezó en Pentecostés con la venida del Espíritu Santo a los primeros discípulos. *CIC, 767*

P: **¿Cuales son las características de la Iglesia?**

R: La Iglesia es una, santa, católica y apostólica. *CIC, 811*

In this section, you will find questions and answers that review the content in your *Creemos: Catholic Identity Edition* book this year. Each question in this section covers the key Catholic teachings in your book, in chapter order. Answer each question to review what you have learned—whether you use this section at home, in school, or in the parish. The answers provided will strengthen your understanding of your Catholic faith and help to reinforce your Catholic Identity. The *CCC* references after each answer indicate where to find further information about that answer in the *Catechism of the Catholic Church*.

Q: What is Divine Revelation?

A: Divine Revelation is God making himself known to us. *CCC, 50, 53*

Q: How is God's Revelation handed down to us?

A: God's Revelation is handed down to us through Sacred Scripture and through Tradition. *CCC, 81–82*

Q: What is the Blessed Trinity?

A: The Blessed Trinity is the Three Persons in one God: God the Father, God the Son, and God the Holy Spirit. *CCC, 234, 261, 266*

CCC = Catechism of the Catholic Church

Q: What is the Bible?

A: The Bible is the written record of God's Revelation and his relationship with his people. It is a collection of books organized into parts called the Old and New Testaments. *CCC, 120*

Q: What is Divine Inspiration?

A: Divine Inspiration is the special guidance that the Holy Spirit gave to the human writers of the Bible. *CCC, 105, 106*

Q: What is Tradition?

A: Tradition is the Revelation of the Good News of Jesus Christ as lived out in the Church, past and present. *CCC, 78*

Q: What is the Old Testament?

A: The Old Testament is the part of the Bible, made up of forty-six books, in which we learn about God's relationship with the people of Israel. *CCC, 120*

Q: What is the New Testament?

A: The New Testament is the part of the Bible, made up of twenty-seven books, in which we learn about God's final Revelation in Jesus Christ and the salvation that comes from Christ. We learn about his mission, the first Christian communities, and the beginning of the Church. *CCC, 124, 140*

Q: What is a covenant?

A: A covenant is an agreement between God and his people. *CCC, 62, 64*

Q: What book of the Bible teaches us about creation?

A: We learn about creation in the Book of Genesis, the first book of the Bible. We learn that God is the source of all life and that he created the universe and all living things. *CCC, 289*

Q: How are human beings different from the other creatures God created?

A: Human beings are different because they are made in the image and likeness of God and have free will, conscience, and a soul. *CCC, 357, 362, 363*

Q: What laws and teachings from the Bible give us a foundation for Christian living?

A: From the Bible we learn the Ten Commandments, the Beatitudes, the Great Commandment, and Christ's New Commandment. These laws and teachings help us to relate to God, ourselves, and one another. *CCC, 131*

Q: How is the Bible an important source for Christian worship?

A: Sacred Scripture is an essential part of the liturgy, the Church's official public worship. *CCC, 132, 1177*

Q: What is our soul?

A: Our soul, our breath of life from God, is the invisible spiritual reality that makes each of us human and will never die. *CCC, 362–366*

Q: What are the effects of Original Sin?

A: Original Sin weakened human nature and brought ignorance, suffering, and death into the world. *CCC, 405, 418*

Q: What is faith?

A: Faith is a gift from God that enables us to believe in him and accept all that he has revealed. *CCC, 153–155*

Q: What does the Church's liturgical year celebrate?

A: Throughout the seasons of the liturgical year we celebrate the whole life of Christ, most especially his Paschal Mystery. *CCC, 1168, 1171–1173*

Q: What is Ordinary Time?

A: Ordinary Time is the season of the liturgical year in which we learn about the life of Christ and grow as his followers. It is celebrated twice during the liturgical year. It includes special days honoring Mary and the saints. *CCC, 1163, 1168, 1173*

Q: What is a miracle?

A: A miracle is an extraordinary event that is beyond human power and is brought about by God. *CCC, 547, 548*

Q: What are the Ten Commandments?

A: The Ten Commandments are the law of God's covenant given to Moses on Mount Sinai. *CCC, 2056–2058*

Q: What is a prophet?

A: A prophet is someone who is called by God to speak on behalf of God, defend the truth, and work for justice. *CCC, 64, 702, 2581*

Q: What is a psalm?

A: A psalm is a poetic prayer designed to be sung or chanted with musical accompaniment. The psalms are an important part of the liturgical life of all Christians. *CCC, 2586–2588*

Q: What is Advent?

A: Advent is a liturgical season of joyful expectation and preparation for the birth of God's Son, Jesus Christ, at Christmas. *CCC, 524*

Q: What do we celebrate during the season of Christmas?

A: During the season of Christmas we rejoice in the Incarnation, the truth that the Son of God became man. *CCC, 1171*

Q: What is idolatry?

A: Idolatry is giving worship to a creature or thing instead of to God. Idolatry is forbidden by the First Commandment. *CCC, 2113*

Q: What is a vocation?

A: A vocation is God's call to serve him. *CCC, 897, 898, 1877*

Q: What is hope?

A: Hope is a gift from God that enables us to trust in God's promise to be with us always. Hope enables us to be confident in God's love and care for us. *CCC, 1817–1818*

Q: What is a parable?

A: A parable is a short story that has a message. *CCC, 546*

Q: What special role did Mary have in God's plan?

A: Mary was chosen to be the Mother of God's own Son, Jesus Christ, who is our Savior. *CCC, 494*

Q: What is Lent?

A: Lent is the season of the liturgical year in which we prepare for the great celebration of Easter through prayer, penance, and good works. *CCC, 1438*

Q: What is the Easter Triduum?

A: The Easter Triduum, a time during the liturgical year, is our greatest celebration of the Paschal Mystery. It is the three days from Holy Thursday evening to Easter Sunday Evening. *CCC, 1168*

Q: What is the Paschal Mystery?

A: The Paschal Mystery is Christ's suffering, Death, Resurrection from the dead, and Ascension into Heaven. By his Paschal Mystery, Jesus saves us from sin and gives us life. *CCC, 1067*

Q: What do we celebrate during the Easter season?

A: During the Easter season, we celebrate our new life in Christ and the coming of the Holy Spirit. The Easter season lasts for fifty days. During this time we celebrate the Resurrection and Ascension of Jesus Christ and the coming of the Holy Spirit on Pentecost. *CCC, 1169*

Q: What is the Kingdom of God?

A: The Kingdom of God is the power of God's love coming into the world and into our lives. *CCC, 2046*

Q: What are the Beatitudes?

A: The Beatitudes are teachings of Jesus that describe the way to live as his disciples. *CCC, 1716, 1717*

Q: What is Jesus' mission?

> **A:** Jesus' mission is to share the life and love of God his Father with all people and to save them from sin. *CCC, 422, 714*

Q: When did Jesus rise from the dead?

> **A:** Jesus rose from the dead on the third day after his Death—the first Easter Sunday. The mystery of Jesus' being raised from the dead is called the Resurrection. *CCC, 1169*

Q: When did the Church begin?

> **A:** The Church began on Pentecost with the coming of the Holy Spirit upon the first disciples. *CCC, 767*

Q: What are the marks of the Church?

> **A:** The Church is one, holy, catholic, and apostolic. *CCC, 811*

Recursos
para la familia

En esta sección encontrará un tesoro de recursos que le ayudarán a fortalecer su identidad católica en su hogar, parroquia y comunidad. Aprenderá más sobre las enseñanzas católicas claves en los temas del retiro *Celebrando la identidad católica*— **EL CREDO**, **LITURGIA Y SACRAMENTOS**, **MORAL** y **ORACIÓN**. Para cada tema encontrará oraciones, prácticas y devociones católicas que podrá incorporar a su vida diaria como familia católica.

Familia: "El lugar [...] donde los padres transmiten la fe a sus hijos".
—Papa Francisco
Exhortación apostólica *Evangelii Gaudium*, 66

La espiritualidad del niño de sexto curso

Los niños en sexto curso están en la etapa de la pre adolescencia—emocional e intelectualmente no son niños pero tampoco son adolescentes. A esta edad, los niños buscan la aceptación de sus compañeros y la aprobación y dirección de los adultos. Al tratar de entender a Dios y los aspectos y prácticas de la fe, los niños de sexto curso se inclinan más a dirigirse por la razón que por la imaginación. Haga un esfuerzo para conversar y compartir experiencias y preguntas relacionadas con la fe. Resista la tentación de dar respuestas fáciles a las preguntas de su hijo(a). Anime en su hijo(a) el deseo de explorar la relación entre los hechos y las ideas y a pensar en todo.

Su hijo(a) también está aprendiendo de su ejemplo y relaciones con amigos—que hacer lo correcto no es sólo evitar pasivamente lo que está mal, sino las decisiones activas y responsables de lo que es bueno y justo. Refuerce las decisiones que muestren respeto, dignidad y compasión por otros.*

Su hijo(a) en sexto curso es también capaz de entender la cronología de las historias bíblicas y reconocer diferentes géneros en los que estos textos sagrados fueron escritos. Ayude a alimentar esta destreza conversando y leyendo la Biblia juntos.

*Ver *Catechetical Formation in Chaste Living,* Conferencia de Obispos Católicos de los Estados Unidos, #17

119   Lucas, |10|

Libro
Capítulo

Versículo

Pasaje

Un pasaje es una sección de un capítulo compuesto por varios versículos.

Este pasaje muestra Lucas 10:21–22, lo que significa: Evangelio de Lucas, capítulo diez, versículos veintiuno al veintidós.

|21| En aquel momento, el Espíritu Santo llenó de alegría a Jesús, que dijo:

—Yo te alabo, Padre, Señor del cielo y de la tierra, porque has ocultado estas cosas a los sabios y prudentes y se las has dado a conocer a los sencillos. Sí, Padre, así te ha parecido bien. 22Todo me lo ha entregado mi Padre, y nadie sabe quién es el Hijo, sino el Padre; y quién es el Padre, sino el Hijo y aquél a quien el Hijo se lo quiera revelar.

Cómo leer la Biblia en cinco pasos sencillos

La Biblia es una colección de setenta y tres libros escritos bajo la inspiración del Espíritu Santo. La Biblia está dividida en dos partes: el Antiguo Testamento y el Nuevo Testamento. En los cuarenta y seis libros del Antiguo Testamento, aprendemos sobre la historia de la relación de Dios con el pueblo de Israel. En los veintisiete libros del Nuevo Testamento, aprendemos sobre la historia de Jesucristo, el Hijo de Dios, y sus seguidores. La Biblia está dividida en libros, que a su vez están divididos en capítulos y estos en versículos. Cuando se le da a leer un pasaje bíblico puede seguir estos cinco pasos sencillos para encontrarlo. Junto con su hijo(a) siga estos pasos para encontrar el siguiente pasaje **Lc 10:21–22**.

1. **Encuentre el libro.** Cuando el pasaje de la Escritura contiene una abreviatura, busque el nombre del libro cuya abreviatura se da al inicio de la Biblia. *Lc* se refiere al libro de Lucas, uno de los cuatro Evangelios.

2. **Encuentre la página.** La tabla de contenido de la Biblia indica la página donde se inician los libros. Pase a la página dentro de la Biblia.

3. **Encuentre el capítulo.** Una vez esté en el inicio del libro pase las páginas hasta encontrar el capítulo. En el cuadro de arriba se muestra cómo los capítulos frecuentemente son numerados en la Biblia. Está buscando el capítulo **10** del libro de Lucas.

4. **Encuentre el versículo.** Una vez que haya encontrado el capítulo, busque el versículo o versículos que necesite dentro del capítulo. Arriba se muestra cómo los números de los versículos aparecen comúnmente en una Biblia. Está mirando los versículos **21** y **22**.

5. **¡Empiece a leer!**

El don de la fe

¿Saben los miembros de su familia que la fe es un don? Dios nos ha dado el don de la fe que nos permite creer todo lo que nos ha revelado y responder positivamente con todo nuestro corazón y fuerza. La fe es una de las virtudes teologales. Las virtudes teologales son fe, esperanza y caridad. Explique a su hijo(a) que una virtud es un buen hábito que nos ayuda a actuar de acuerdo con el plan de Dios para nosotros. Las virtudes guían nuestra conducta con la ayuda de la gracia de Dios. Juntos recen para mejorar estos buenos hábitos.

Acto de fe

¡Oh Dios! Creemos en todo lo que Jesús nos ha enseñado acerca de ti.
Ponemos nuestra confianza en ti, porque tú nos amas grandemente.

Acto de esperanza

¡Oh Dios! No dudamos de tu amor.
Esperamos y trabajaremos por tu reino y por la vida eterna contigo en el cielo.

Acto de caridad

¡Oh Dios! Te amamos sobre todas las cosas.
Ayúdanos a amarnos y a amar a los demás como Jesús nos pide.

Acerca de los ángeles

Los ángeles son criaturas creadas por Dios como espíritus puros. No tienen cuerpo físico. Sirven a Dios como mensajeros. Sirven a Dios en su plan de salvación para nosotros y constantemente lo adoran. Anime a su hijo(a) a rezar esta oración a su ángel custodio.

Oración a mi ángel guardián

Ángel de la guarda,
dulce compañía,
no me desampares,
ni de noche ni de día,
hasta que descanse
en los brazos de
Jesús, José y María.

Una vida fructífera

En el retiro *Celebrando la identidad católica: Liturgia y Sacramentos* su hijo(a) aprendió sobre el sacramento de la Confirmación. El sacramento de la Confirmación completa nuestro Bautismo y nos sella con el don del Espíritu Santo. Igual que los apóstoles en Pentecostés, se nos da la fuerza para predicar y defender la fe con nuestras palabras y obras. La Confirmación no solo nos une más a Cristo y la Iglesia sino que fortalece los dones del Espíritu Santo en nosotros. Comparta con su hijo(a) que cuando respondemos y usamos los dones del Espíritu Santo, el resultado son los frutos del Espíritu Santo en nuestras vidas. Esta es la lista de ellos.

Frutos del Espíritu Santo

amor	paciencia	fidelidad
gozo	longanimidad	mansedumbre
paz	benignidad	continencia

Todas las cosas litúrgicas

Hable con su hijo(a) sobre el significado de la *liturgia*. La liturgia es la oración pública y oficial de la Iglesia. Incluye la Misa, la celebración de los sacramentos y una colección de oraciones diarias llamada Liturgia de las Horas. En la liturgia nos reunimos como comunidad unida en Cristo para celebrar lo que creemos. ¿Sabe su familia que la Iglesia tiene su propio año? Se llama el año litúrgico. En un año litúrgico recordamos y celebramos la vida de Jesucristo. El año litúrgico empieza a finales de noviembre o a principios de diciembre con el tiempo de Adviento. Incluye fiestas como Navidad, Cuaresma, Pascua y Pentecostés.

La Liturgia de las Horas

La Liturgia de las Horas es una oración pública y oficial de la Iglesia basada en salmos, otras lecturas de la Escritura y enseñanzas, oraciones e himnos. Se celebra varias veces al día y nos ayuda a alabar a Dios durante todo el día, recordándonos que Dios está siempre activo y presente en nuestras vidas. Podemos desarrollar el hábito de la oración diaria rezando la Liturgia de las Horas.

El sacramento de la Penitencia y Reconciliación

Repase con su hijo(a) los pasos para celebrar el sacramento de la Penitencia y Reconciliación en esta página. Cuando celebramos el sacramento de la Reconciliación no solo confesamos nuestros pecados, sino que tenemos que mostrar que estamos arrepentidos. Otra palabra para mostrar arrepentimiento es *contrición*. Averigüe cuándo celebra su parroquia el sacramento de la Reconciliación y decidan celebrarlo en familia.

- El sacerdote me saluda y ambos hacemos la señal de la cruz.

- Algunas veces el sacerdote lee de la Biblia una historia sobre el perdón de Dios.

- Confieso mis pecados.

- El sacerdote puede decirme cómo tomar decisiones correctas. Él me da una penitencia. Penitencia es una oración o una acción para mostrar que estoy arrepentido de mis pecados. Cumplo mi penitencia después de celebrar el sacramento.

- Rezo un acto de contrición, expresando el dolor de mis pecados y mi intención de evitar pecar en el futuro.

- Recibo la absolución o perdón de mis pecados.

- Juntos, el sacerdote y yo, damos gracias a Dios por su perdón.

Permita que la ley moral sea su guía

¿Cuántas decisiones morales tiene que tomar su familia diariamente? Probablemente toma más decisiones morales de las que está consciente. Usted toma algunas decisiones por instinto, como una "segunda naturaleza". Otras veces, puede que necesite considerar su decisión con cuidado. De cualquier manera, Dios le da las guías que necesita para escoger lo que es bueno y correcto. Las guías de Dios vienen de diferentes formas. Juntas conforman lo que conocemos como *ley moral*. Repase esas expresiones de la ley moral con su hijo(a). Pida que le diga lo que ha aprendido durante este año sobre la revelación de la ley.

Cuatro expresiones de la ley moral

- La fuente de la ley moral es la ley divina, o ley eterna. Esta ley es llamada "eterna" porque es siempre verdadera y nunca cambia. Se refleja en todo lo que Dios ha creado., desde el inicio de los tiempos. La ley eterna es "fuente en Dios de todas las leyes". (*CIC*, 1952)

- El ser humano nace con conciencia de lo bueno y lo malo, del bien y el mal. Es dada por Dios, como parte de la naturaleza humana. Esta es la *ley natural*. La ley natural es la ley de Dios en nosotros, conocida como razón humana. La ley natural es entendida por medio de nuestra conciencia. La ley natural nos ayuda a estar en correcta relación con Dios, los demás, el mundo y nosotros mismos. Esto también nos ayuda a entender y seguir otras expresiones de la ley moral.

- Dios también nos ha revelado su ley en la Escritura. Esta es llamada ley revelada. La ley de Dios fue primero revelada en el Antiguo Testamento, en los Diez Mandamientos que le fueron dados a Moisés en el Monte Sinaí. Los Diez Mandamientos expresan lo que Dios ha puesto en el corazón humano en la ley natural. La ley de Dios es revelada más plenamente en el Nuevo Testamento, en la ley del amor que Jesús enseñó. Esta es llamada la Nueva Ley. Está contenida en el nuevo mandamiento de Jesús. (Ver abajo)

- Finalmente Dios nos da la ley civil y las leyes de la Iglesia para guiarnos. La ley civil establece reglas de cómo vivir como miembros de una comunidad. La ley natural ofrece la base para la creación de leyes civiles morales y justas. La Iglesia es también fuente de guías morales para nosotros. Por su tradición, o enseñanza, la Iglesia nos ayuda a entender la ley revelada y cómo vivirla. La Iglesia también tiene sus propias leyes para guiarnos. Estas son llamadas leyes de la Iglesia. Estas incluyen los preceptos de la Iglesia. Repase los preceptos de la Iglesia con su hijo(a), que se encuentran en la sección *Oraciones* de este libro.

El nuevo mandamiento

Jesús dio el siguiente mandamiento a sus seguidores. Deje que guíe todas sus relaciones—en la casa, la escuela, la parroquia y la comunidad.

"Les doy un mandamiento nuevo: Ámense los unos a los otros. Como yo los he amado, así también ámense los unos a los otros. Por el amor que se tengan los unos a los otros reconocerán todos que son discípulos míos". (Juan 13:34–35)

Cómo ser santo

Verdaderamente que todos podemos ser santos. Al ser santificados por el Bautismo y unidos a Cristo hemos sido llamados realmente a la santidad. Los santos fueron personas ordinarias, igual que nosotros. Fueron fieles discípulos de Jesús y seguidores de Cristo que vivieron vidas de santidad en la tierra y ahora comparten la vida eterna con Dios en el cielo. Por el ejemplo de la vida de los santos podemos aprender cómo amar a Dios, a nosotros mismos y a los demás. Podemos aprender cómo ser discípulos de Jesús como lo hicieron los santos.

El proceso de canonización

Si alguien que ha muerto fue conocido por haber vivido una vida especialmente santa o murió como mártir por defender su fe, el obispo de la diócesis donde vivió puede empezar el proceso para que esa persona sea considerada santa.

- El primer paso es una investigación de la vida de la persona. Personas que conocieron al candidato son entrevistadas. El obispo recoge información de lo que la persona dijo, escribió e hizo. La información se envía al Vaticano. Cuando la persona se convierte en un candidato a la santidad es conocida como "servidora de Dios".

- Un grupo de cardenales del Vaticano, la Congregación para la causa de los santos, estudia la información sobre la vida del candidato. Ellos consideran si la persona es un ejemplo de vida católica virtuosa. Si lo es, la persona es declarada "venerable".

- El próximo paso es declarar al candidato "beato". Este paso es llamado *beatificación*. La beatificación ocurre si se ha demostrado que el candidato ha obrado un milagro o si la persona ha muerto como mártir de la fe. Un ejemplo de un milagro puede ser la curación de un enfermo sin explicación médica razonable, cuando alguien le pide ayuda a ese candidato. El Vaticano cuidadosamente revisa la evidencia de cualquier milagro.

- Si el segundo milagro puede ser acreditado al candidato, este es declarado santo, o canonizado.

Los fieles se reúnen para la ceremonia de canonización de los papas Juan XXIII y Juan Pablo II en la Plaza de San Pedro, Ciudad del Vaticano, Roma

¿Qué es una novena?

¿Ha hecho una novena alguna vez? Novena es una devoción de oración durante nueve días consecutivos. La palabra *novena* viene del latín y significa "nueve". Las novenas se han rezado desde los primeros días de la Iglesia. De hecho, María y los apóstoles rezaron juntos durante nueve días entre la Ascensión de Jesús y la venida del Espíritu Santo en Pentecostés (Ver Hechos de los apóstoles 1).

Con frecuencia la gente reza novenas por una intención o necesidad especial. Muchas novenas se hacen en honor a un santo específico. Esta oración a María, la más importante entre los santos, la puede hacer junto con su familia durante nueve días. Pida a María que ayude a su familia en sus necesidades o intenciones.

La Virgen María, Altar de Gante, **Catedral de San Bavón en Gante, Bélgica, por Jan van Eyck (1429)**

Regina Caeli (Reina del cielo)

Alégrate, reina del cielo, aleluya.
Porque el que mereciste llevar en tu seno; aleluya.
Ha resucitado, según predijo; aleluya.
Ruega por nosotros a Dios; aleluya.

Gózate y alégrate, Virgen María; aleluya.
Porque ha resucitado verdaderamente el Señor; aleluya.

Oremos:
Oh Dios, que por la resurrección de tu Hijo, nuestro Señor Jesucristo, te has dignado dar la alegría al mundo, concédenos que por su Madre, la Virgen María, alcancemos el gozo de la vida eterna. Por el mismo Cristo Nuestro Señor. Amén.

Oración a la Divina Misericordia

La coronilla de la Divina Misericordia es una devoción que se reza usando un rosario común. Santa Faustina Kowalska, quien vivió de 1905 a 1938 en Polonia, inició esta práctica de oración por la misericordia de Jesucristo. La Iglesia celebra la Fiesta de la Misericordia el segundo Domingo de Pascua.

4 Al finalizar rezar:

Santo Dios, santo fuerte, santo inmortal, ten piedad de nosotros y del mundo entero". (3 veces)

3 En las cuentas pequeñas de cada decena se reza:

Por su dolorosa pasión, ten misericordia de nosotros y del mundo entero.

2 Al comenzar cada decena (cuentas grandes del Padrenuestro) rezar:

Padre eterno, yo te ofrezco el cuerpo, la sangre, el alma y la divinidad de tu amadísimo Hijo, nuestro Señor Jesucristo, para el perdón de nuestros pecados y los del mundo entero.

1 Para comenzar se hace la señal de la cruz, se reza el Credo de los apóstoles, un Padrenuestro y tres Ave Marías. Igual que cuando reza el rosario.

Catholic Identity Home Companion

Resources
for the Family

I n this section, you will find a treasury of resources to help build up your Catholic Identity at home, in your parish, and in the community. Learn more about key Catholic teachings from the themes of your child's *Celebrating Catholic Identity* retreats: **CREED**, **LITURGY & SACRAMENTS**, **MORALITY**, and **PRAYER**. For each theme, you will find Catholic prayers, practices, and devotions to share with those you love—and make a part of your daily lives as a Catholic family!

Family: "the place where parents pass on the faith to their children."
—Pope Francis
Apostolic Exhortation *Evangelii Gaudium*, 66

Spirituality and
Your Sixth-Grade Child

Your sixth grader is in a stage of preadolescence—no longer a child but not yet a teenager emotionally or intellectually. Children at this age look for both the acceptance of peers and the approval and direction of adults. In trying to understand God and aspects of faith and practice, sixth graders are also more likely to be directed by reason than by imagination. Make an effort to discuss and share experiences and questions related to faith. Resist the urge to provide quick and easy answers to your child's questions. Rather, encourage your child's desire to explore the relationship between facts and ideas and to think things through.

Your sixth grader is also learning—from your example and interactions with friends—that doing right is not simply the passive avoidance of what is wrong, but the active, responsible choice of what is good and just. Reinforce choices that demonstrate respect, dignity, and compassion for others.*

Your sixth grader is also capable of understanding the chronology of biblical stories and recognizing the various genres in which these sacred texts were written. Help foster this ability by taking time to read the Bible together.

*See *Catechetical Formation in Chaste Living,*
United States Catholic Conference of Bishops, #17

A Fruitful Life

Your child's *Celebrating Catholic Identity: Liturgy & Sacraments* retreat explored the Sacrament of Confirmation. The Sacrament of Confirmation completes our Baptism as we are sealed with the Gift of God the Holy Spirit. Like the Apostles on Pentecost, we are given the strength to spread and defend the faith by our words and actions. Confirmation not only unites us more closely to Christ and the Church, it also strengthens the Gifts of the Holy Spirit within us. Share with your child that when we respond to the Holy Spirit and use the gifts we have received, the results are the fruits of Holy Spirit in our lives. These are listed below.

Fruits of the Holy Spirit

Love	Patience	Faithfulness
Joy	Kindness	Gentleness
Peace	Generosity	Self-control

All Things Liturgical

Talk with your child about the meaning of *liturgy*. The liturgy is the official public prayer of the Church. This includes the Mass and all the celebrations of the sacraments, as well as a collection of daily prayers called Liturgy of the Hours. In the liturgy we gather as a community joined to Christ to celebrate what we believe. Does your family know that the Church has its own liturgical year? In one liturgical year we recall and celebrate the whole life of Jesus Christ. The liturgical year begins in late November or early December with the season of Advent. It includes such seasons and feasts as Christmas, Lent, Easter, and Pentecost Sunday.

The Liturgy of the Hours

The Liturgy of the Hours is an official public prayer of the Church made up of psalms, other readings from Scripture and Church teachings, prayers, and hymns. It is celebrated at various times during the day and helps us to praise God throughout the entire day, thereby reminding us that God is always active and present in our lives. We can grow in the habit of daily prayer by praying the Liturgy of the Hours.

The Sacrament of Penance and Reconciliation

Review with your child the steps to receive the Sacrament of Penance and Reconciliation, which are given below. When we receive the Sacrament of Penance, we not only confess our sins, but we have to show that we are sorry. Another name for showing we are sorry is *repentance*. Find out when your parish celebrates the Sacrament of Penance and make a commitment as a family to receive this sacrament.

- The priest welcomes me, and we both make the Sign of the Cross.

- Sometimes the priest reads a story from the Bible about God's forgiveness.

- I confess my sins to the priest.

- The priest may talk to me about what I can do to make the right choices. He will give me a penance to do. A penance is a prayer or action that shows I am sorry for my sins. I will carry out my penance after the celebration of the sacrament.

- I pray the Act of Contrition, expressing my sorrow for my sins and my firm purpose to rely on God and not sin again.

- I receive absolution, or forgiveness, from my sins.

- With the priest, I thank God for his forgiveness.

Let the Moral Law Be Your Guide

How many moral decisions does your family face in a typical day? You probably make more moral choices each day than you are aware of. You may make some choices instinctively, as "second nature." Other times, you may need to carefully consider your decision. Either way, God has given you the guidance you need to choose what is good and right. God's guidance comes in different forms. Together, they make up what we know as the *moral law*. Review these four expressions of the moral law with your child. Ask your child to tell you what he or she has learned about the revealed law this year.

Four Expressions of the Moral Law

- The source of all moral law is the Divine Law, or Eternal Law. This law is called "eternal" because it is always true and never changes. It is reflected in everything God has created, from the beginning of time. The Eternal Law is "the source, in God, of all law" (*CCC*, 1952).

- Human beings have an awareness of good and evil, right and wrong, with which we are born. It is God-given, part of our human nature. This is the *natural law*. The natural law is the law of God within us, known by human reason. The natural law is understood through our consciences. The natural law helps us to be in right relationships with God, others, the world, and ourselves. It also helps us understand and follow other expressions of the moral law.

- God also revealed his law to us in Scripture. This is called *revealed law*. God's law was first revealed in the Old Testament, in the Ten Commandments that he gave to Moses on Mount Sinai. The Ten Commandments express what God has already placed in the human heart in the natural law. God's law is more fully revealed in the New Testament, in the law of love that Jesus taught. This is called the New Law. It is contained in the New Commandment of Jesus (see below).

- Finally, God gives us *civil law* and the *laws of the Church* to guide us. Civil law establishes rules for how we are to live as members of a community. The natural law provides the foundation for the creation of moral and just civil laws. The Church is also a source of moral guidance for us. Through her Tradition, or teaching, the Church helps us understand revealed law and how to live it. The Church also has her own laws to guide us. This is called *ecclesiastical law*. It includes the Precepts of the Church. Review the Precepts of the Church with your child, found in the *Prayers and Practices* section of this book.

New Commandment

Jesus gave us the following commandment. Let it guide all your relationships—at home, at school, in the parish, and in the community.

"I give you a new commandment: love one another. As I have loved you, so you also should love one another. This is how all will know that you are my disciples, if you have love for one another." (John 13:34–35)

How to Become a Saint

Yes, it is true, everyone in your family could become a saint! Having been made holy by your Baptism and united to Christ, you are actually called to be a saint. Saints were ordinary human beings, just like you, who were faithful disciples of Jesus. They are followers of Christ who lived lives of holiness on earth and now share in eternal life with God in Heaven. From the example of the saints' lives, we can learn ways to love God, ourselves, and others. We can learn how to be disciples of Jesus, as the saints were.

Have you or your child ever wondered how the Church decides who is named a saint? Here is a brief summary of this process.

The Canonization Process

If someone who has died was known for living an especially holy life, or was martyred for his or her Catholic faith, the bishop of this person's diocese may begin the process to consider the person for sainthood.

• The first step is an investigation into the person's life. People who knew him or her will be interviewed. The bishop will collect information on things the person said, wrote, and did. The information will be sent to the Vatican. When a person becomes a candidate for sainthood, he or she is known as "Servant of God."

• A group of cardinals at the Vatican, the Congregation for the Causes of Saints, will study the information about the candidate's life. They will consider whether the person is a role model for living Catholic virtues. If so, the person will be declared "Venerable."

• The next step is declaring the candidate "Blessed." This is called *beatification*. Beatification occurs if it can be shown that a miracle occurred in connection with the candidate, or if the person died a martyr for the faith. An example of a miracle might be a sudden cure or healing, with no reasonable medical explanation, when someone prayed for the candidate's help. The Vatican carefully reviews the evidence on any miracles.

• If a second miracle can be credited to the candidate, he or she can be named a saint, or canonized.

Crowds gathered for the canonization ceremony of Saints John XXIII and John Paul II, Popes, in St. Peter's Square, Vatican City, Rome

What Is a Novena?

Have you ever prayed a novena? A novena is a devotion of praying for nine consecutive days. The word *novena* comes from a Latin word meaning "nine." Novenas have been prayed since the earliest days of the Church. In fact, Mary and the Apostles prayed together for a period of nine days between Jesus' Ascension and his sending of the Holy Spirit on Pentecost (see Acts of the Apostles 1).

Often people pray a novena for a special need or intention. Many novena prayers are in honor of specific saints. Here is one prayer to Mary, the Church's greatest saint, that you might wish to pray with your family for nine days. Ask Mary for her help with your family's needs or intentions.

The Virgin Mary, Ghent Altarpiece, Saint Bavo Cathedral, Ghent, Belgium, by Jan van Eyck (1429)

Regina Caeli (Queen of Heaven)

Queen of Heaven, rejoice, alleluia:
for the Son you were privileged to bear, alleluia,
is risen as he said, alleluia.
Pray for us to God, alleluia.

Rejoice and be glad, O Virgin Mary, Alleluia!
For the Lord is truly risen, Alleluia.

Let us pray. O God, who gave joy to the world through the Resurrection of your Son, our Lord Jesus Christ, grant, we beseech you, that through the intercession of the Virgin Mary, his Mother, we may obtain the joys of everlasting life. Through the same Christ our Lord. Amen.

The Chaplet of the Divine Mercy

The Chaplet of the Divine Mercy is a devotion that is prayed using rosary beads. Saint Faustina Kowalska, who lived from 1905 to 1938 in Poland, gave this practice of praying for the mercy of Jesus Christ to the Church. The Church celebrates the Second Sunday of Easter as Divine Mercy Sunday.

4 After five decades, pray three times:

Holy God, Holy Mighty One, Holy Immortal One, have mercy on us and on the whole world.

3 On the ten small beads of each decade, pray:

For the sake of His sorrowful Passion, have mercy on us and on the whole world.

2 Then, on the large bead before each decade, pray:

Eternal Father, I offer You the Body and Blood, Soul and Divinity of Your dearly beloved Son, Our Lord Jesus Christ, in atonement for our sins and those of the whole world.

1 To pray the chaplet, begin with the Sign of the Cross, the Apostles' Creed, an Our Father, and three Hail Marys, just as you would when beginning the Rosary.

Notas

Notas